LE FAIT FÉMININ

CENTRE ROYAUMONT
POUR UNE SCIENCE DE L'HOMME

Le Fait féminin

PRÉFACE DE ANDRÉ LWOFF
(Prix Nobel de médecine)

OUVRAGE COLLECTIF
sous la direction de
EVELYNE SULLEROT
avec la collaboration de
ODETTE THIBAULT

Fayard

*Ce livre est dédié à
la mémoire de Jacques Monod
(1910-1976)*

REMERCIEMENTS

Ce livre est un ouvrage collectif, et tant la directrice de la publication que le directeur du Centre Royaumont pour une Science de l'Homme tiennent à y associer toutes celles et tous ceux qui ont permis cette réalisation.

Notre gratitude va d'abord aux membres du Comité d'organisation du colloque *Le Fait Féminin* qui ont travaillé avec nous à sa préparation et nous ont guidés de leurs précieux conseils : Jacques Monod qui le présidait, André Lwoff, Claudine Escoffier-Lambiotte, Etienne Beaulieu, et nos correspondants aux Etats-Unis, Leon Eisenberg et Zella Luria.

Ce projet n'aurait cependant pas pu voir le jour si nous n'avions reçu une aide financière généreuse et désintéressée d'organismes et d'entreprises au sein desquels des amis nous ont fait confiance et ont œuvré en faveur de ce projet : la Fondation Ford, et particulièrement Francis Sutton et Elinor Barber; le secrétariat d'Etat à la condition féminine de la République française et Mme Françoise Giroud qui en avait alors la responsabilité, ainsi que ses collaborateurs Yves Sabouret et Martine Boisvin-Champeaux; les Laboratoires l'Oréal et M. François Dalle. Que soit aussi remercié M. Pierre Cardin qui a gracieusement mis à notre disposition pour les réunions de notre colloque son « Espace » fonctionnel, beau et paisible en plein cœur de Paris.

Toutefois ce travail serait demeuré inconnu du public sans la confiance, la générosité et l'amitié de M. Alex Grall, directeur des Editions Fayard. Qu'il soit ici remercié, ainsi qu'Agnès Fontaine et tous ceux qui ont aidé à la publication de ce livre inhabituel et ambitieux.

Tout un travail de préparation, de correspondance avec les auteurs habitant des pays variés, d'organisation du colloque et de mise au point des textes et documents a été accompli par l'équipe du Centre Royaumont pour une science de l'Homme : Elsbeth Monod, Constantin Jelenski, Marilu Mehler et Annie-Claude Chauchat. Ce travail a duré plus d'un an et n'a pu être mené à bien que grâce à leurs multiples connaissances et à leur dévouement. Que soient remerciés aussi Vitia Hessel, Carole Ades et Christopher Thiery qui ont admirablement assuré l'interprétation d'un colloque où les langages spécialisés de tant de disciplines variées se succédaient sans cesse.

La rédaction de ce livre n'eût pas été possible sans l'aide si compétente et amicale d'Odette Thibault, docteur en sciences biologiques, qui en a organisé toute la première partie et n'a cessé d'apporter au rédacteur principal ses conseils et sa collaboration efficace.

Massimo PIATTELLI-PALMARINI
Directeur du Centre Royaumont
pour une Science de l'Homme.

Evelyne SULLEROT
Directeur de la publication.

LISTE DES AUTEURS

Philippe ARIÉS   Historien.

Jean-Paul ARON   Directeur d'études (Histoire des savoirs et des comportements biologiques), École des hautes études en sciences sociales, Paris.

Étienne-Émile BAULIEU   Professeur à l'Université de Paris-Sud. Directeur du département de chimie biologique, Faculté de médecine de Bicêtre et I.N.S.E.R.M., Laboratoire des hormones.

Norbert BISCHOF   Directeur du département de psychologie mathématique et expérimentale. Université de Zurich.

Jean COHEN   Chef de clinique gynécologique et obstétricale; Chargé de cours à la Faculté de médecine de Paris-Ouest et à l'Université de Paris VI.

Georges DUBY   Professeur au Collège de France; chaire d'histoire des sociétés médiévales, Paris.

Leon EISENBERG   Président du comité directeur du service de psychiatrie, École de médecine de l'Université de Harvard; professeur associé de psychiatrie, Children's Hospital Medical Center, Boston.

Claudine ESCOFFIER-LAMBIOTTE   Docteur en médecine; Chef de la rubrique médicale au journal *Le Monde;* Secrétaire général de la Fondation pour la recherche médicale.

Jacques FÉRIN   Professeur de gynécologie-obstétrique à l'Université de Louvain.

Robin Fox	Anthropologue; Directeur de recherches à la Fondation Harry Frank Guggenheim, New-York.
France Haour	Chargée de recherches à l'I.N.S.E.R.M., Unité de recherches endocriniennes et métaboliques chez l'enfant, hôpital de Brousse, Lyon.
Françoise Héritier	Chargée de recherches au C.N.R.S., Laboratoire d'anthropologie sociale du Collège de France et de l'École des hautes études en sciences sociales, Paris.
Albert Jacquard	Directeur du département de génétique des populations, Institut national d'études démographiques, Paris.
Alfred Jost	Professeur au Collège de France (chaire de biologie du comportement); Directeur du laboratoire de physiologie comparée, Université de Paris VI.
Cyrille Koupernik	Psychiatre. Membre associé du Collège de médecine des hôpitaux, Paris.
Roger R. Larsent	Anthropologue. Université Dalhousie, Halifax, Canada.
Peter R. Laslett	Maître de conférences en sciences politiques et histoire des structures sociales; Professeur titulaire à Trinity College, Cambridge, Grande-Bretagne.
Emmanuel Le Roy-Ladurie	Professeur au Collège de France, chaire d'histoire de la civilisation moderne; Directeur d'études, École des hautes études en sciences sociales, Paris.
Massimo Livi-Bacci	Secrétaire général de l'Union internationale pour l'étude scientifique des civilisations; Directeur du département de statistiques; Université de Florence.
Zella Luria	Professeur de psychologie, département de psychologie, Université Tufts, Medford, Massachusetts.
André Lwoff	Professeur honoraire à l'Institut Pasteur; Prix Nobel de médecine; membre de l'Institut de France.
Eleanor Maccoby	Professeur titulaire et directeur du département de psychologie, Université Stanford, Californie.
John Money	Professeur de psychologie médicale et professeur associé de pédiatrie, Département de psychiatrie et de pédiatrie, Johns Hopkins University School, Baltimore, Maryland.

Susumu OHNO — Directeur du département de biologie, City of Hope National Medical Center, Duarte, Californie; Institut d'immunologie de Bâle, Suisse.

Michèle PERROT — Historienne, maître de conférence Université de Paris VII.

Massimo PIATTELLI-PALMARINI — Directeur du Centre Royaumont pour une science de l'homme, Paris.

Geoffrey RAISMAN — Directeur du laboratoire de neurobiologie, Conseil de la recherche médicale, Mill Hill, Londres.

Pierre ROYER — Professeur à l'Université de Paris V; Chef de service à l'hôpital des Enfants Malades; Directeur des recherches, I.N.S.E.R.M. Paris.

Roger V. SHORT — Conseil de la recherche médicale, service de biologie de la reproduction, département d'obstétrique et gynécologie, Edimbourg.

Evelyne SULLEROT — Sociologue. Membre du Conseil économique et social de la République française; Expert (pour les problèmes de la condition féminine) auprès de la C.E.E., de l'O.I.T., et de l'O.N.U., Paris.

Odette THIBAULT — Docteur ès sciences biologiques; Responsable des publications du Conseil supérieur de l'information sexuelle, Paris.

Germaine TILLION — Directeur d'études à l'École des hautes études en sciences sociales (Ethnologie de l'Afrique du nord), Paris.

Raymond L. VANDE WIELE — Professeur au département de médecine et de chirurgie, Directeur du service d'obstétrique et de gynécologie. Université Columbia, New York.

Sandra F. WITELSON — Professeur au département de psychiatrie, Université Mc Master, Hamilton, Ontario.

René ZAZZO — Professeur à l'Université de Paris X. Directeur du laboratoire de psychobiologie de l'enfant, Paris.

Sommaire

Deuxième partie : *L'INDIVIDU*

Préface

> « Le ciel, dont nous voyons que l'ordre est tout-puissant,
> Pour différents emplois nous fabrique en naissant; »

Molière. *Les femmes savantes.*
Acte I, scène I.

La nécessité et le hasard des répartitions chromosomiques font que l'on devient homme ou femme. La présence ou l'absence du chromosome Y détermine le sens de notre vie sans que cela restreigne d'aucune façon l'intervention des autres chromosomes dans la structuration de notre personne et de notre personnalité.

Homme ou femme. Différences anatomiques, biochimiques, physiologiques – les deux hémisphères cérébraux ne fonctionnent pas de façon identique dans les deux sexes – différence dans le comportement, différence dans les capacités, les aptitudes pour telle ou telle forme d'activité. Une différence peut s'exprimer par une performance meilleure dans un secteur déterminé, mais l'idée de supériorité d'un sexe sur l'autre doit être totalement exclue.

Certains des caractères différentiels sont héréditaires, c'est-à-dire sont la résultante directe de la constitution génétique. D'autres sont liés – en partie au moins – au milieu familial, à l'éducation, à la condition sociale, à la culture au sens large. Sur quels caractères les éléments extrinsèques interviennent-ils dans l'expression de l'individualité? Quelle est la part relative de l'hérédité et celle du milieu dans la formation de notre « moi » physique et mental?

L'anatomie, l'embryologie, la biochimie, la physiologie sont du domaine des sciences dites « exactes ». Les autres disciplines relèvent des sciences qualifiées d'« humaines ». Sans doute, certaines démarches des ethnologues, des sociologues, des historiens, des psychologues relèvent-elles de la méthodologie des sciences. Cependant les difficultés ou l'impossibilité de l'expérimentation confèrent à ces disciplines un caractère conjectural. Les conclusions et même les analyses ne sauraient être entièrement à l'abri des concepts *a priori*. Elles ont, de plus, des résonances sociales ou politiques et les échanges de vue sont de ce fait passionnels et donc passionnés.

*
* *

L'ouvrage que voici est, à tous points de vue, remarquable. Remarquable par la personnalité des collaborateurs, par la valeur des exposés, par l'intérêt des discussions, par les synthèses d'Evelyne Sullerot et d'Odette Thibault qui couronnent chaque chapitre.

L'œuvre, dans l'esprit de Jacques Monod, devait être une somme. Il sera effectivement un instrument de travail incomparable pour tous ceux qui s'intéressent au fait féminin. Il lui manque toutefois une préface signée par Jacques Monod qui possédait un talent particulier pour présenter les livres. Tel qu'il est, il porte témoignage de ses connaissances, de sa curiosité intellectuelle, de son éclectisme et aussi de son dévouement pour les causes qu'il jugeait dignes de son attention et auxquelles, alors, il se dévouait.

Il convient d'ajouter que la structure du colloque qui a précédé le livre a été conçue par Jacques Monod et Evelyne Sullerot, qui en avaient arrêté le plan et choisi les participants, choix qui a été l'élément déterminant de succès. C'est Evelyne Sullerot qui a eu la responsabilité et la charge de la publication.

L'idée du colloque et celle du livre ont pris naissance au cours de discussions entre Jacques Monod et Evelyne Sullerot. C'est au cours des conversations que le projet a pris forme et que le colloque et le livre sont devenus nécessité. Quant à la rencontre des deux protagonistes, elle ne doit certainement rien au hasard.

André LWOFF

LE FAIT FÉMININ

par Evelyne SULLEROT

> « Le destin s'écrit à mesure qu'il s'accomplit, pas avant. »
> (Jacques MONOD : Le Hasard et la Nécessité, p. 184.)

Les femmes sont apparues longtemps comme plus aliénées à la nature que les hommes – ne serait-ce que par leur fonction maternelle. La nature semblait origine et justification de la place des femmes dans la société : tâches, rôles, statuts, pouvoirs, etc. Les références à leur physiologie avaient une telle ampleur, et leurs représentations mythologiques et idéologiques une telle autorité, qu'elles dissimulaient tous les autres aspects plus économiques et socioculturels, et leurs mécanismes de domination.

Pourtant, si paradoxal que cela puisse paraître, ce sont les sciences de la nature que sont la physiologie, la biologie, plus tard la génétique, qui allaient, sans l'avoir voulu, par leurs découvertes successives, ébranler peu à peu ce système d'explication et poser en termes différents la problématique féminine par rapport à l'homme. Puis, enfin, en lui fournissant des instruments efficaces, elles allaient permettre à la femme de commencer sa désaliénation par rapport à la nature.

La découverte de l'ovule chez les femelles mammifères à la fin du XVIIe siècle permet aux naturalistes de l'époque d'établir une étroite complémentarité entre les testicules chez l'homme et les ovaires chez la femme. La voie était ouverte à une réévaluation radicale du rôle de la femme dans la conception et à la reconnaissance, plus tardive, d'un équilibre dans la contribution des deux parents au patrimoine héréditaire des descendants. La femme n'était pas seulement le réceptacle passif destiné à recevoir la seule semence de vie qu'était le sperme masculin, comme l'affirmaient les Anciens, et tant d'autres après eux, jusqu'à des socialistes comme Proudhon à la fin du XIXe siècle, mais elle était reconnue contribuer activement à la formation du plan originaire de l'embryon. Ce rôle fut même largement surestimé par toute une école naturaliste qui attribuait à la mère, et à la mère seulement, la possession des « petites machines des fœtus » et ne voyait dans la « liqueur du mâle » qu'un simple déclencheur du processus de croissance [1]. Au début de ce siècle, l'essor de la génétique régla finalement

---

1. Cf. F. JACOB : La Logique du vivant p. 78.

la question. De plus, la découverte des chromosomes sexuels et de leur rôle dans la détermination du sexe de l'enfant libérait la femme de la totale « responsabilité » du sexe des enfants qu'elle mettait au monde : nulle société ne pouvait désormais permettre qu'un homme répudiât sa femme parce qu'elle n'avait que des filles; ces pratiques apparaîtraient aujourd'hui à proprement parler « contre nature ». La découverte, ensuite, des périodes fécondes et infécondes a obligé à reconnaître que la nature avait programmé le plaisir sexuel de la femme indépendamment de la finalité de reproduction. La découverte, entre les deux guerres, des hormones sexuelles qui règlent ce rythme allait permettre la mise au point de contraceptifs oraux – la pilule – donnant à la femme pouvoir de décision sur sa fécondité. Les connaissances acquises par la physiologie de la reproduction permettaient en même temps d'offrir au public féminin d'autres méthodes fiables de contraception comme le stérilet. Enfin et surtout les progrès énormes de l'hygiène et de la médecine, réduisant les morts en couches et les fièvres puerpérales, allongèrent considérablement la durée de vie des femmes; concomitamment, en réduisant la mortalité infantile dans des proportions considérables, ils raccourcissaient spectaculairement la période de sa vie vouée à la procréation : pendant des millénaires, il avait fallu que la femme fît en moyenne quatre ou cinq enfants pour que deux parvinssent à l'âge adulte; dorénavant, deux grossesses suffisent presque toujours pour parvenir au même résultat. La mise au point de laits artificiels et de nourritures bien tolérés par les bébés a délivré les femmes de l'obligation de nourrir, et désormais les hommes peuvent intervenir dès après la naissance dans l'« élevage » du nourrisson, ce qui inaugure un tout nouveau partage des rôles.

Toutes ces découvertes – et bien d'autres – ont eu pour conséquences de diviser des domaines jusqu'ici confondus : sexualité, procréation, maternité, éducation. Or quand on divise des domaines sur lesquels on peut agir sélectivement, on introduit et on multiplie les choix possibles : on crée une liberté. De plus en plus désaliénée par rapport à la nature grâce aux sciences de la nature, la femme, accédant à ces libertés, accède en même temps à la responsabilité et à l'angoisse : situation beaucoup plus semblable à celle de l'homme que par le passé, quand la seule dimension philosophique propre qui lui était permise était l'acceptation, sous toutes ses formes, de la résignation à la révolte. Toutes ces découvertes ont permis de faire apparaître plus clairement les aspects culturels – théologies, idéologies manifestes ou latentes – ou les aspects socio-économiques – structures de pouvoirs, commodités économiques de la division des rôles entre les sexes – qui sous-tendaient la condition féminine. Jusque-là, les écrasantes « finalités de la nature » les avaient masqués.

Bien logiquement, la sociologie des femmes et la réflexion féministe qui se sont constituées alors ont été caractérisées par un souci de rupture avec le passé, qui a pris surtout la forme d'une rupture avec toute référence aux « finalités de la nature », et à la nature elle-même. C'est qu'elles avaient été si universellement, si abondamment et si abusivement utilisées pour produire des systèmes de représentations, de valeurs, d'éducation qui assuraient une domination masculine! Or, durant ces mêmes dernières années, la sociologie portait surtout son attention justement sur les systèmes de domination et d'exploitation : coloniaux, de classe, ethniques, etc. Elle était fortement marquée par la recherche des structures et stratégies du pouvoir, préoccupation centrale de la recherche en sociologie politique et en sociologie du travail, ainsi que par l'étude des mécanismes de conditionnement social : préoccupations dominantes de la sociologie de l'éducation, de la communication, de l'information, de la culture, etc.

La réflexion féminine et la sociologie de la femme ont été de ce fait fortement idéologiques et fort peu scientifiques, cherchant tour à tour et en même temps :

– A se débarrasser au maximum des références à la nature et à leurs sous-produits (la « nature féminine », le « tempérament féminin », etc.), dans la mesure où ces références semblaient attirer l'attention sur des différences afin de mieux masquer les mécanismes socio-économiques et socioculturels de domination qui empêchent l'égalité des sexes;

– A se démarquer des descriptions, explications et théories de la femme qui avaient pour auteurs des hommes (dont pas mal de médecins) et à tenter une pensée au féminin des réalités féminines.

Ces deux démarches peuvent se renforcer l'une l'autre, mais elles ne laissent pas d'être contradictoires. L'une est fondée sur une pétition d'égalité entre les sexes et vise à inventorier tout ce qui s'oppose à cette égalité pour en démonter le mécanisme : donc, elle se montre très méfiante devant toute évocation de « différences naturelles » entre l'homme et la femme. L'autre est fondée sur une pétition de spécificité – spécificité féminine – qui demeure mal exprimée et mal vécue dans nos sociétés : elle vise, elle, à donner entièrement à la femme le droit à la « différence » et à l'exercice de ses « différences ».

Cette contradiction n'est pas stérilisante et peut être dépassée, car on peut étudier et combattre les causes de l'inéquité sociale en favorisant le développement des spécificités féminines. Mais cela demande une grande clarté dans la recherche et l'utilisation des faits, avant même tout essai, prématuré encore, de théorie globale. Les publications et les débats sur ces sujets (sans parler de leur vulgarisation!) ont beaucoup souffert de la sollicitation confuse des faits pour prouver l'une après l'autre ces thèses contradictoires, et surtout de la défiance devant d'autres faits qu'on préférait passer sous silence, quand on n'en interdisait pas la seule évocation. A cause de ce manque de rigueur scientifique, les analyses qui ont été avancées, souvent fortes et pertinentes, risquent d'être fragiles, et les mouvements d'opinion qu'elles ont provoqués, souvent importants, d'être peu durables.

Ayant vécu toute cette période à la fois comme sujet en tant que femme, comme acteur militant et comme analyste de la chose sociale, je devenais chaque jour plus consciente des dangers de ce manque de rigueur, et entre autres du refus d'intégrer dans la problématique féminine toutes les données biologiques différentielles : risques d'aboutir à des impasses, avec prolifération de chapelles où se construiraient autant de systèmes d'interprétation fuyant en partie l'observation du réel. De plus en plus, je m'apercevais que la réflexion et encore moins la théorie n'étaient plus possibles sans un dialogue approfondi avec les spécialistes des sciences biologiques.

D'une part, parce que plusieurs des observations que je faisais sur les femmes, en sociologie du travail, par exemple, posaient des questions auxquelles l'étude des seuls mécanismes du conditionnement socioculturel et de l'économie ne permet pas d'apporter une réponse complète. Et si, comme acteur social, je voulais agir sur ces faits et transformer la vie des femmes, il me fallait connaître au mieux les causes biologiques possibles afin de ne pas gaspiller d'efforts sur des points d'application mal choisis.

D'autre part, la biologie et la médecine continuent de découvrir et de proposer des changements et des manipulations de la physiologie féminine : les uns, par exemple, suggèrent de supprimer la ménopause en poursuivant jusqu'à la mort une imprégnation d'hormones, de sorte que la femme continue d'avoir ses règles; les autres de la traiter de manière à supprimer les règles et les inconvénients de la vie cyclique. D'autres révèlent que les fonctions des hémisphères cérébraux droit et gauche ne seraient pas les mêmes chez l'homme et chez la femme et que les mécanismes cognitifs n'opéreraient pas de la même manière. N'est-il pas nécessaire d'étudier les implications de ces découvertes et d'inventorier les conséquences des interventions que permet la science dans la vie féminine?

En somme, pour déterminer l'ontogenèse comme la prospective féminine, il fallait, maintenant, et même si le climat idéologique ne s'y prêtait guère, que les sciences humaines posent aux sciences biologiques des questions sur la femme et que les sciences biologiques envisagent les implications sociales de leurs recherches et de leurs découvertes.

C'est à Jacques Monod que je m'étais ouverte de ces préoccupations. Jacques Monod, prix Nobel de médecine et grand humaniste, s'intéressait vivement à l'évolution de la condition féminine. En 1966, avec André Lwoff et François Jacob, il avait accepté la présidence d'honneur du Mouvement français pour le planning familial dont j'avais été, quelques années auparavant, la cofondatrice et la secrétaire générale. Il savait que depuis je n'avais cessé de mener d'autres actions en faveur des femmes et de poursuivre divers travaux de sociologie de la condition féminine, sur les plans national et international. Il m'interrogeait sans cesse sur leurs résultats. Je l'interrogeais sans cesse sur la génétique et la biologie, et il encourageait ma curiosité, sans se formaliser de mes ignorances et de ma timidité de béotienne. Comme l'a si bien dit André Lwoff, qui fut durant quarante années son compagnon dans la recherche : « Il aimait transmettre généreusement ses connaissances et ses idées et avait un sentiment intense de ses devoirs envers les débutants. »

Il pensait également que, pour faire progresser la sociologie de la femme comme pour aider au maximum les femmes, il apparaissait nécessaire d'enfreindre le tabou des différences entre les sexes et de les étudier : pour être à même de les minimiser, de les corriger, de les relativiser, ou pour tenir compte de ce qu'elles induisent. Un jour, Jacques Monod me donna une liste de noms de biologistes que j'aurais intérêt à voir ou à lire. Puis, se ravisant, il me proposa de tous les réunir, avec des psychologues, anthropologues, historiens, sociologues, pour un colloque, sous les auspices du Centre Royaumont pour une science de l'homme, qu'il présidait. « *L'objectif du Centre Royaumont est de créer les conditions d'une collaboration permanente entre biologistes, anthropologues, ethnolo-*

gues et chercheurs en sciences sociales animés de motivations convergentes, en vue de promouvoir une nouvelle science fondamentale de l'homme. Le propre de sa stratégie intellectuelle est d'intégrer, en tant que fondements complémentaires de toute organisation sociale, la dimension biologique et la dimension socioculturelle de l'homme. En vue de cet objectif, le Centre Royaumont entend promouvoir des formes nouvelles de recherche, qui ne sont généralement pas mises en œuvre dans les divers établissements universitaires et laboratoires existants. »* Le conseil d'administration du Centre, qui comprend des personnalités du plus haut niveau scientifique appartenant à plusieurs pays et à plusieurs disciplines, choisit des programmes qui se prêtent à ce type d'approche transdisciplinaire unifiée, et qui portent sur des aspects qui sont au cœur de la crise contemporaine. Le sujet que je lui proposais remplissait ces deux conditions.

Certes. Mais je lui fis remarquer tout de même qu'abordé de cette manière le sujet était explosif. Les uns, que les débats sur la femme avaient laissés indifférents ou irrités, pourraient n'y voir qu'une soumission à la mode, un tour de piste forcé de quelques disciplines scientifiques à la traîne de l'Année de la Femme, sans même percevoir toutes les implications et les dimensions du problème. Et, surtout, nous pouvions être très mal compris de celles et de ceux qui au nom du féminisme et du progressisme redoutaient ou même prohibaient certaines questions. « Parler des différences entre hommes et femmes, n'est-ce pas cautionner les inégalités? Parler de génétique et d'hormones, n'est-ce pas fonder ces inégalités sur le déterminisme? Et la science n'est-elle pas qu'une manière péremptoire d'habiller ces manœuvres? » pourraient-ils accuser.

Mais Jacques Monod ne craignait pas la difficulté. Nous allions soulever quantité de problèmes et même de malentendus? Cela le stimulait plutôt. La connaissance dérange toujours, me disait-il souvent, et la science elle-même ne peut se constituer que dans l'inquiétude et l'insatisfaction. Ne ferions-nous que déranger et lancer des inquiétudes comme des pavés dans la mare des bonnes consciences qu'il faudrait s'en féliciter. Et puis l'esprit de libre recherche l'avait toujours conduit à rejeter les contraintes et les intolérances d'où qu'elles viennent. Je n'avais pas exagéré, pourtant, en lui laissant entrevoir les difficultés que nous rencontrerions. J'ai pu en juger en faisant toutes les démarches nécessaires à l'aboutissement de ce projet. La peur d'aller à contre-courant des puissantes modes intellectuelles du moment (peur d'être taxé de réactionnaire pour oser parler de génétique ou pour n'emprunter pas les seuls modes d'analyse et le seul vocabulaire du féminisme régnant dans les salons comme dans les universités) inspira bien des dérobades et me valut bien des leçons, bien des sermons, bien des intimidations. Je rapportai à Jacques Monod ces propos, qui lui donnèrent plus encore envie de poursuivre. Il était trop progressiste dans sa pensée et ses actes pour être arrêté par des tabous, fussent-ils, momentanément, baptisés de gauche. Autant il détestait les utilisations abusives de la science à des fins dogmatiques, les arguments téléologiques douteux servant les pensées réactionnaires, autant il était irrité par la peur de la connaissance au nom de l'idéologie, et plus encore par l'outrecuidance qui conduit à affirmer sans savoir ou sans chercher à savoir, et à intimider qui veut savoir.

Ainsi préparâmes-nous ensemble, assistés par le directeur du Centre Royaumont, ainsi que son équipe et un comité organisateur restreint, le colloque qui devait rassembler la matière de ce livre. Le titre que je lui proposai : *Le Fait féminin,* plaisait au biologiste et au philosophe qu'il était. « Mi-expérimental, mi-phénoménologique », me disait-il. Nous choisîmes, dans le monde entier, les personnalités à inviter, pour leur compétence et pour leur expérience, mais aussi pour leur respect de la connaissance – discipline dans la recherche, imagination au seuil de l'inconnu, rigueur dans la réflexion, honnêteté envers le connu, responsabilité devant les résultats. Pendant des mois, en dépit de la maladie qui le touchait durement et qu'il se faisait un devoir de minimiser constamment, Jacques Monod a dirigé la préparation de ce colloque. Il m'en a entretenue encore l'avant-veille de sa mort.

C'est dans l'esprit qu'il avait désiré lui imprimer qu'après son décès prématuré, nous avons tenu à ce que ce colloque se réalise. Il eut lieu comme prévu à Paris, en septembre 1976. André Lwoff, prix Nobel de médecine, en assura la présidence. Il s'agissait de faire le point des connaissances actuelles sur ce qu'est le sexe féminin en réunissant des faits établis par des disciplines différentes, des observations objectivement conduites, en mentionnant les lacunes et les doutes; d'introduire des hypothèses d'explication pour ouvrir des pistes de réflexion, mais en leur conservant leur caractère d'hypothèses; de tenter de jeter des ponts d'une discipline à l'autre, mais en se gardant des théories globalisantes qui veulent trop étreindre. Pour conserver à ces travaux leur sérénité, nous ne leur avons donné aucune publicité. Hormis les participants invités et les délégués des organismes qui en avaient généreusement assuré le financement, personne n'y a assisté.

Les participants, de sept nationalités différentes, représentaient des disciplines très variées : beaucoup d'entre eux n'avaient jusque-là jamais vécu une expérience aussi multidisciplinaire. Chacun a tenté d'être compris de tous et de ne pas abuser des langages hermétiques propres à certaines disciplines; les contributions qu'on va lire ont été écrites dans ce souci. Odette Thibault, biologiste, et moi-même avons tenté dans ce livre de présenter ces contributions dans un déroulement logique et de donner l'essentiel des débats qui s'instaurèrent entre les participants. Ces débats n'ont pas été exempts d'affrontements révélateurs des préoccupations propres à chaque pays : la problématique de l'hérédité pour les Français (la discussion par R. Zazzo des arguments de A. Jacquard est un écho de ce brûlant débat); la problématique de la sociobiologie, si âprement discutée depuis deux ans aux Etats-Unis, et par rapport à laquelle E. Maccoby, Z. Luria, L. Eisenberg et J. Money ont voulu marquer leurs distances face aux thèses des éthologistes et anthropologues évolutionnistes. Mais on verra que si l'accent fut mis davantage sur les facteurs d'environnement par les uns, davantage sur les facteurs biologiques par les autres, nul ne nia l'évidence du jeu constant de ces deux séries et tous cherchèrent honnêtement, plutôt qu'à en pondérer l'importance, à en décrire les processus d'action réciproque. Certains chercheurs n'avaient pu assister au colloque : j'ai ultérieurement recueilli leurs opinions et leurs travaux pour les intégrer dans la suite logique de ce livre, où ils étaient indispensables.

Un lecteur attentif découvrira au cours des pages certaines répétitions : nous les avons maintenues, car elles sont significatives de la convergence des constatations de spécialistes de disciplines différentes venus des quatre coins du monde. Il découvrira aussi quantités de données peu connues et nouvelles, et l'enrichissement progressif d'un sujet qu'on croit rebattu, par la multiplicité des faits apportés et la variété des analyses objectives de ces faits. Tel qu'il est, ce livre ne ressemble à aucun autre livre sur la femme. Il est à la fois beaucoup plus modeste et beaucoup plus ambitieux. Beaucoup plus modeste, car il ne prétend pas imposer une théorie explicative globale du phénomène féminin. Beaucoup plus ambitieux, car il a quelque prétention à prendre place dorénavant comme ouvrage de référence indispensable sur le sujet. Libre à chacun désormais de tenter sa théorie de la féminité, du destin féminin, de la condition féminine : mais il lui faudra auparavant avoir lu et assimilé *Le Fait féminin*.

Nous nous sommes sentis proches du but que recherchaient Jacques Monod et le Centre Royaumont pour une science de l'homme, quand le Pr Royer, qui présidait la dernière séance du colloque sur le *Fait féminin* a conclu en ces termes : « L'élément le plus positif d'une telle rencontre pluridisciplinaire, n'est-ce pas l'insécurité fondamentale où elle plonge chacun d'entre nous devant un problème comme celui de la femme? Les quelques certitudes que chacun de nous avait dans sa discipline ont été secouées, au moins pour ceux qui acceptent d'être secoués dans leurs certitudes; mais cette insatisfaction même épure et encourage à l'approfondissement de la recherche. »

Pour moi qui depuis vingt ans étudie les aspects sociaux des problèmes féminins, ce travail m'a profondément « secouée ». En dépit du besoin très vif que j'éprouvais d'en savoir davantage sur la « nature biologique de la femme » je ne laissais pas de craindre cette approche, et je redoutais tout ce qui pouvait contribuer à ancrer et fixer le destin féminin de manière inexorable. *In petto,* je continuais de mettre mes espoirs de changement dans les seuls faits sociaux. Or j'ai découvert, au cours de ce long débat nature/culture, que dans l'état actuel de la science et de la civilisation, *il apparaît bien plus aisé de modifier les faits de nature que les faits de culture*. Il a été bien plus facile de soulager la femme de l'obligation d'allaiter en fabriquant des laits artificiels imitant le lait maternel que de faire en sorte que le père donne le biberon à l'enfant... Il est bien plus aisé de mettre au point des contraceptifs supprimant la répétition cyclique des règles que de modifier l'attitude culturelle des femmes vis-à-vis de la menstruation. C'est l'inertie des phénomènes de culture qui semble ralentir la maîtrise des phénomènes de nature. Simone de Beauvoir avait dit en une formule célèbre : « On ne naît pas femme, on le devient. » Au terme de ce livre, tout lecteur aura compris qu'on peut aussi renverser la formule : on naît bel et bien femme, avec un destin physique programmé différent de celui de l'homme et toutes les conséquences psychologiques et sociales attachées à ces différences. Mais on peut modifier ce destin, et devenir ce que l'on veut, se conformer à ce destin ou s'en éloigner carrément.

Maintenant que voulons-nous? Ressembler davantage aux hommes? Mieux vivre et exprimer notre spécificité? A ce point, je tiens à faire une dernière remar-

que : tout au long de ce livre, il est beaucoup question de différences, entre filles
et garçons, entre femmes et hommes. Mais, s'agissant de différences naturelles,
génétiques, embryologiques, physiologiques, à tout avantage d'un sexe semble lié
un inconvénient. Jamais ces différences ne signent une supériorité indéniable et
globale d'un sexe sur l'autre, supériorité et infériorité n'étant que des apprécia-
tions fragmentaires liées à un regard qui sous-entend une échelle de valeurs dans
le domaine envisagé. De ces découvertes chacun tirera sa leçon propre, puisque
aussi bien l'espèce humaine, par nature culturelle, est la seule espèce vivante à
laquelle il ait été donné de se penser en tant qu'espèce, la seule qui pense l'existence de deux sexes, la seule qui soit à la recherche de ses raisons d'exister.

PREMIÈRE PARTIE

Le corps

LE FAIT BIOLOGIQUE

Si parler de biologie, quand il s'agit des femmes, semble dangereux, c'est que, dans le passé et encore maintenant, certains ont bien souvent invoqué, pour définir la féminité, une « nature » prédéterminée et fixée une fois pour toutes, justifiant ainsi a posteriori l'inégalité des statuts masculins et féminins. Dans le sens où ceux-là l'entendent, on pourrait dire, en paraphrasant Freud, que pour la femme « la biologie, c'est le destin ».

Mais le privilège spécifique de l'espèce humaine – femmes et hommes – est justement le devenir. *Ce dernier est le fruit d'une double évolution :*

– L'évolution biologique *des espèces, qui a abouti à l'espèce humaine au stade de l'*homo sapiens;

– L'évolution culturelle *qui, dans l'espèce humaine seulement, a pris le relais de l'évolution biologique. En effet, si celle-ci est terminée, comme on a beaucoup de raisons de le penser, sans toutefois pouvoir l'affirmer, les sociétés humaines continuent à évoluer. Notons que, dans une certaine mesure, cette évolution culturelle peut, en retour, entraîner une évolution biologique, car l'homme est capable de modifier son milieu de développement de façon telle que ces modifications de l'environnement peuvent avoir des répercussions sur ses données neurophysiologiques, donc comportementales.*

Le mouvement qui se dessine actuellement vers l'émancipation de la femme, l'égalité avec l'homme, le droit au développement et à l'autonomie, en dépit de ses excès et d'une certaine forme de radicalisme qu'il peut prendre dans des groupes extrémistes, est une évolution culturelle d'une telle dimension, à la fois verticale (dans toutes les couches de la société) et horizontale (dans tous les pays du globe), qu'elle invite de façon pressante à reprendre l'étude rigoureuse de la genèse de la féminité, en remontant à l'origine, c'est-à-dire à la biologie, pour analyser ensuite comment se greffent les autres déterminismes, de type socioculturel sur ce déterminisme primaire.

On peut essayer de faire la part des facteurs naturels et culturels, sans pour autant tomber dans la querelle stérile : nature ou culture, inné ou acquis. C'est là une fausse opposition, en ce sens que l'homme est pétri de culture autant que de nature. On ne saurait en donner de meilleure définition que celle de Gehlen : « L'homme est par nature un être de culture. » L'homme, depuis qu'il est homme, n'a cessé de corriger et de modifier la nature, avec laquelle il est entré dans une dialectique continuelle. L'émancipation par rapport à une nature conçue comme une fatalité est une donnée spécifiquement humaine. Mais l'homme n'a émergé de la nature que pour entrer dans la culture, devenant de ce fait le fruit d'une autocréation. Ainsi donc, au cours de l'histoire individuelle et collective de l'homme, les facteurs naturels et culturels entrent en jeu et en interaction dès la naissance, et on peut même dire dès la conception.

On peut donc penser a priori que, pour définir la féminité, on ne pourra faire l'économie ni de l'une ni de l'autre des deux séries de déterminismes, et qu'il est aussi faux de vouloir définir la femme entièrement par la culture qu'entièrement par la nature.

Il importe donc, pour l'étude de cette genèse de la féminité, de repartir des déterminismes biologiques qui sont à l'origine, et de voir, déjà à ce niveau, d'une part, si les différences entre les sexes sont aussi tranchées qu'on le souhaiterait dans un désir de simplification sécurisante, d'autre part, si on doit avoir de la biologie elle-même une conception aussi « fixiste » que celle qu'on semble avoir eue jusqu'ici.

Odette THIBAULT.

I.

LA DIFFÉRENCIATION DES SEXES AU COURS DE L'ÉVOLUTION DES ESPÈCES (PHYLOGENÈSE)

La reproduction sexuée est apparue à un moment encore mal défini de l'évolu-tion. Alors que la reproduction par scissiparité (division cellulaire) ne permettait que la répétition à n exemplaires du même génome, la reproduction sexuée a per-mis le mélange de deux génomes, le génome paternel et le génome maternel, avec une multiplicité pratiquement infinie de combinaisons entre les gènes; elle a abouti au maximum de diversification au niveau des individus (polymorphisme). Cette diversification est une richesse et un avantage évolutif. C'est elle qui a per-mis l'évolution des espèces jusqu'à l'homme, avec une capacité de plus en plus grande d'adaptation au milieu. Dans cette diversité, la sélection naturelle a intro-duit une forme de « tri », en assurant la survie des caractères hautement adapta-tifs.

Le principe de la reproduction sexuée est l'échange de génomes *entre des cellu-les soit semblables (cas des bactéries), soit différentes, c'est-à-dire l'une dite mâle, l'autre femelle. On les appelle alors* gamètes. *Chaque gamète est porteur d'un nombre* n *de chromosomes, la fusion de deux gamètes aboutit à un œuf (zygote) à* 2n *chromosomes. On appelle* cycle de vie *l'alternance d'une phase à* n *chromo-somes (haploïde) et d'une phase à* 2n *chromosomes (diploïde).*

Mais dans la nature, suivant les règnes (végétal ou animal), les ordres, les clas-ses et les espèces animales, les modalités de cette reproduction sexuée sont extrê-mement diverses [1], *ce qui conduit à relativiser la notion de « sexe » (notons que « sexe » vient du mot latin* secare = *séparer).*

Comme les contributions que l'on va lire vont le préciser, il existe différents niveaux de différenciation des sexes :

– Différenciation au niveau des chromosomes : *c'est l'hétérochromosomie; il y a un chromosome mâle et un chromosome femelle. Dans l'espèce humaine,*

---

1. Voir W. WICKLER : *Les Lois naturelles du mariage,* 1971.

le chromosome différent (hétérochromosome) est porté par l'individu mâle; mais il n'en va pas toujours ainsi : chez les oiseaux, par exemple, c'est l'individu femelle qui porte l'hétérochromosome. La différence peut aussi porter uniquement sur des gènes.

— Différenciation au niveau des cellules sexuelles ou gamètes : *elle peut exister sans qu'il y ait différenciation des chromosomes dans certaines espèces. Ce qui détermine le sexe des gamètes peut alors être un simple facteur chimique.*

— Différenciation au niveau des organes portant les gamètes : *les gamètes mâles sont alors portés par des organes mâles, les gamètes femelles par des organes femelles. Ces organes sexuels différents peuvent être portés par le même individu* (hermaphrodisme) *ou par des individus différents* (gonochorisme). *Le gonochorisme devient la règle chez les vertébrés les plus évolués.*

— Différenciation au niveau des individus, ou *hétérophénotypie. Le dimorphisme des individus existe chez les espèces les plus évoluées, en particulier chez les mammifères, dont l'espèce humaine fait partie. Des chromosomes différents sont alors contenus dans des cellules différentes, elles-mêmes portées par des organes différents et des individus différents.*

Chez les mammifères, et dans l'espèce humaine en particulier, la différenciation sexuelle est arrivée à son apogée, puisqu'on trouve :

— *Dimorphisme des chromosomes;*
— *Dimorphisme des gamètes;*
— *Dimorphisme des organes sexuels;*
— *Dimorphisme des individus.*

La différenciation sexuelle au niveau des individus et le gonochorisme exigent la rencontre et l'union des individus pour que la rencontre et l'union des gamètes soit possible, ce qui introduit des problèmes relationnels.

Or, dans l'espèce humaine, la diversification des individus a été poussée à son maximum par un vaste brassage entre populations, races, ethnies (il n'y a pour ainsi dire plus d'isolats), rendu possible par la mobilité des individus et multiplié par des moyens croissants de communication. Cette extrême diversité complique encore le phénomène de sélection du partenaire sexuel. Si tous les hommes et toutes les femmes étaient semblables, le problème du choix du partenaire se poserait moins.

Un autre facteur, dans l'espèce humaine, a entraîné des exigences particulières au niveau du couple : l'immaturité de l'enfant humain à sa naissance et la longueur de la période de maturation postnatale. Un milieu de développement est nécessaire pour prendre le relais du milieu utérin jusqu'à l'achèvement de l'enfant et son autonomie totale, et cela pendant une période fort longue par rapport à l'animal. D'où la question de la composition de ce milieu parental. Si, comme le dit Robin Fox [2], *l'unité universelle est l'unité mère-enfant, le rôle du père par rapport à cette unité de base peut être fort différent selon les cultures et les époques.*

Enfin, le développement du cerveau est incomparablement plus poussé dans

---

2. R. Fox : *Anthropologie de la parenté*, Gallimard, 1972.

l'espèce humaine que dans toute autre espèce de primates : l'apparition du néo-cortex (lobes orbito-frontaux) a amené une « corticalisation » croissante des comportements en général, et du comportement sexuel en particulier. Voilà qui complique singulièrement les problèmes relationnels entre les sexes et les indivi-dus, entraîne des possibilités d'invention et de changement, donc une grande variété de comportements sexuels et familiaux, à la fois dans l'espace – selon les cultures – et dans le temps – au cours de l'histoire de chacune d'elles. C'est ce développement du cortex cérébral qui a permis l'évolution des comportements au cours de l'histoire de l'espèce humaine (alors que le comportement et les struc-tures sociales à l'intérieur de chaque espèce animale sont génétiquement pro-grammés et immuables); c'est lui qui permet aujourd'hui la remise en question des rapports humains en général et des rapports hommes/femmes en particulier; voilà qui interdit à tout jamais d'éluder ce problème, qui s'inscrit dans un moment de l'évolution de notre civilisation.

Deux points nous paraissent donc essentiels à retenir :

1. Le dimorphisme sexuel représente un avantage sélectif, de même que le polymorphisme des individus; nous sommes donc invités a priori à ne pas cher-cher à effacer les différences;

2. L'évolution culturelle est l'aboutissement logique de l'évolution biologique des espèces jusqu'à l'homme. Par conséquent, quels que puissent être les fonde-ments biologiques du comportement et son enracinement dans la phylogenèse, ils ne peuvent engager l'avenir des cultures en évolution permanente.

Pour commencer, N. Bischof apporte un éclairage original sur le mécanisme de l'apparition du dimorphisme sexuel au cours de l'évolution, et propose des hypothèses sur la façon dont la pression sélective et une « évolution disruptive » ont pu amener le système bimodal non seulement au niveau de la morphologie, mais du comportement – question qui sera reprise tout au long de cet ouvrage.

O. T.

De la signification biologique du bisexualisme

par Norbert Bᴵschof

Chercher la « signification » d'un phénomène biologique, c'est chercher à comprendre comment il a pu survenir et comment, une fois survenu, il a pu se maintenir. Cela revient à rechercher son destin phylogénétique, rechercher les effets, conditions annexes et préalables qui ont permis à son porteur de faire proliférer son matériel génétique avec plus de succès que ses concurrents.

Lorsque nous posons cette question à propos du phénomène de la polarité sexuelle, il est bon de distinguer plusieurs niveaux au problème.

I.

La première question, essentielle, a trait au fait que la reproduction requiert généralement deux individus, c'est-à-dire que la grande majorité des animaux est issue de deux parents *(biparenté)*. Nous sommes là, de toute évidence, en présence d'un problème, comme il ressort clairement de l'examen des trois faits suivants :

1. Un mode de reproduction qui présuppose la rencontre de deux individus cospécifiques est beaucoup plus susceptible de perturbation qu'une forme de reproduction qui peut être accomplie par chaque individu, seul. En particulier, la reproduction biparentale suppose :

a) Une performance de *recherche* (activité motrice qui accroît la probabilité d'une rencontre avec un partenaire adéquat);

b) Une performance de *détection* (mécanismes perceptifs assurant que seuls les membres de la même espèce, du sexe opposé et de l'âge approprié sont contactés);

c) Une performance de *communication* (activités visant à établir une mutuelle synchronisation).

Chacune de ces performances a son importance et requiert des mécanismes comportementaux sophistiqués dont il est facile de montrer la fragilité.

2. La reproduction uniparentale est biologiquement tout à fait possible. Elle revêt les formes de :

a) *L'agamie* (par la division cellulaire chez les protozoaires, ou la germination chez les métazoaires, qui se produit encore, incidemment, chez les cordés);

b) *La parthénogenèse* (développement d'ovules non fécondés);

c) *L'autogamie* (surtout sous forme d'un hermaphrodisme autofécondant qui peut se produire encore chez certains poissons).

3. Toutefois, il apparaît que la reproduction uniparentale est étonnamment rare. Elle a lieu seulement dans un nombre infime d'espèces, et même là, est très souvent restreinte aux cas de nécessité.

Si un phénomème biologique est manifestement défavorisé par l'évolution en dépit d'avantages certains, on peut supposer sans risque d'erreur que le phénomène concurrent, c'est-à-dire la reproduction biparentale, doit, d'une façon ou d'une autre, offrir des avantages encore plus grands. La nature de ces avantages a été clairement établie en génétique. Elle consiste en :

1. Un accroissement de la variabilité interindividuelle grâce à la *recombinaison* génétique;

2. Un enrichissement de la variété des caractères intra-individuels, grâce à l'hétérosis (c'est-à-dire la combinaison de traits transmis par chacun des parents).

Ces deux effets contribuent à accroître l'adaptabilité de l'espèce aux modifications de l'environnement et par là le rythme de transformation évolutive de l'espèce. Puisqu'en dernier ressort c'est le taux d'évolution qui désigne celle des deux espèces concurrentes qui a les meilleures chances dans la lutte pour survivre, il s'ensuit que tout ce qui accroît l'adaptabilité génétique d'une espèce, comme la reproduction biparentale, comporte une prime sélective très élevée. (Le même argument, soit dit en passant, plaide en faveur de l'hypothèse d'une pression de la sélection contre la consanguinité; *cf.* Bischof, 1972).

II.

Une seconde question se pose, à laquelle il n'est pas si facile de répondre. Ayant admis que nous avons besoin de deux parents, pour quelle raison ces deux individus diffèrent-ils généralement l'un de l'autre tant par la morphologie que par le comportement? Pourquoi y a-t-il des hommes et des femmes? Pourquoi ne sommes-nous pas tous hermaphrodites comme les vers de terre? C'est tout le problème du *dimorphisme sexuel*.

Par « dimorphisme sexuel », nous entendons, dans la plus large acception du terme, le syndrome suivant :

1. *Anisogamie :* il y a précisément deux formes de gamètes, les spermatozoïdes et les ovules.

2. *Gonochorisme :* les individus de la plupart des espèces animales se répartissent précisément en deux morphes, l'un produisant des ovules et l'autre des spermatozoïdes.

3. *Différenciation des organes sexuels :* avec la fécondation interne, les organes sexuels externes et internes des deux morphes se développent en un appareil de fécondation d'un côté, de conception et de gestation de l'autre.

4. *Dimorphisme sexuel* (au sens le plus étroit) : fréquemment, organismes mâles et femelles diffèrent par certains caractères anatomiques qui ne sont pas directement liés aux fonctions de la reproduction (par exemple, le registre de la voix).

5. *Comportement typique du sexe :* enfin, les deux morphes peuvent différer dans certains schémas moteurs, par les signaux qu'ils perçoivent et auxquels ils répondent, par des aptitudes particulières, et dans leur motivation.

Il y a un accord quasi général sur les mécanismes « biologiques » qui sont à la base de l'évolution des quatre premières formes de différenciation des sexes. Par contre, le plus grand désaccord règne en ce qui concerne l'importance des facteurs biologiques dans le domaine du comportement typique de chaque sexe. Nous devons évidemment prendre en considération l'existence de normes culturelles puissantes et restrictives modelant le comportement des garçons et des filles à l'image de ce que chaque société donnée estime convenir à leurs sexes respectifs. Mais ne peut-on pas supposer que ces normes ne se surimposent pas aveuglément à la nature humaine, mais qu'elles sont plutôt là comme une paraphrase, une interprétation, une élucidation de cette nature? Si dans ces lignes, je m'attache particulièrement à certaines des préformations biologiques possibles, cela ne signifie nullement que je veuille nier l'existence, l'importance et l'autonomie de superstructures socioculturelles. D'un autre côté, je ne vois pas pourquoi il serait inutile, ou même illégitime, de prendre en considération l'existence possible de « structures » profondes des comportements typiques de chaque sexe, structures profondes qui seraient préformées dans le matériel génétique. Évidemment, de telles structures, à supposer qu'elles existent, ne détermineraient pas aveuglément *Le Fait féminin.* Mais, s'il s'agit de *modifier* celui-ci, elles détermineraient la stratégie à suivre.

III.

La phylogenèse du dimorphisme sexuel commence avec le phénomène de *l'anisogamie.* Aussi nous faut-il commencer par cette question : pourquoi les gamètes d'une espèce ne sont-ils pas tous d'une taille uniforme, ou, s'il y a une variation, pourquoi se répartit-elle de façon bimodale? Récemment, Parker, Baker et Smith ont publié un modèle mathématique intéressant à ce sujet. Les auteurs sont partis de la considération suivante : supposons que les individus d'une population varient sur la dimension d'un caractère particulier, et supposons encore que deux pressions sélectives différentes agissent sur cette dimension dans des directions opposées. Il serait ainsi avantageux pour la population d'évoluer vers la gauche sur l'échelle du caractère, mais aussi à d'autres égards, d'évoluer vers la droite. Dans une telle situation, l'évolution peut emprunter l'une ou l'autre de ces deux voies :

1. Les deux pressions sélectives s'équilibrent en un compromis : la densité des individus survivants, portée sur l'échelle du caractère, se répartit autour d'un point maximal situé quelque part entre les deux extrémités de l'échelle, ou dans les cas extrêmes, coïncidant avec l'une des deux extrémités.

2. Dans des conditions particulières, qui peuvent être précisées mathématiquement, la population développe un dimorphisme pour le caractère en question : il y a une concentration d'individus aux deux extrémités gauche et droite de l'échelle, et rien au milieu. Ce phénomène s'appelle *évolution disruptive*.

Pour ce qui est de la taille des gamètes, on peut concrétiser ce principe général de la façon suivante (pour plus de simplicité, les auteurs supposent une fécondation externe, avec une fusion aléatoire, où les gamètes sont libérés dans un milieu liquide tel que l'eau de mer). D'un côté, il est avantageux qu'un individu produise le plus grand nombre de gamètes possible, puisque la probabilité pour une fécondation réussie s'accroît avec le nombre des gamètes. Toutefois, étant donné une valeur fixe pour la masse totale de gamètes, le nombre ne peut s'accroître qu'au détriment de la *taille* des gamètes. Une autre pression sélective entre ici en jeu : plus il contient de cytoplasme, plus un gamète est viable.

Ainsi, deux avantages sélectifs se trouvent effectivement en concurrence : d'un côté, la probabilité d'une rencontre, de l'autre la vitalité. Le premier avantage favorise un *nombre* maximal de gamètes (nécessairement petits), le second une *taille* maximale des gamètes (nécessairement peu nombreux). Parker et ses confrères ont pu montrer que si la relation fonctionnelle entre ces avantages sélectifs et la taille des gamètes satisfait une inégalité particulière, l'évolution sera nécessairement disruptive. Les individus qui produisent des gamètes de taille moyenne en nombre moyen sont pénalisés par rapport à ceux qui ont opté pour l'un des extrêmes, à condition que d'autres, suffisamment nombreux, aient opté pour l'extrême opposé. Certes, il n'est pas encore possible de vérifier la théorie de Parker avec les techniques dont nous disposons. Nous ne pouvons pas tester empiriquement la force relative des pressions sélectives – le modèle anticipe le résultat d'une expérience que nous ne sommes pas en mesure d'effectuer. Parker n'a donc rien fait de plus que clarifier les conditions d'un contexte phylogénétique dans lequel un phénomène encore inexpliqué serait prévisible. Ce n'est pas beaucoup, mais c'est un bon début.

IV.

Nous sommes encore moins heureux en ce qui concerne la deuxième étape dans l'évolution du dimorphisme – c'est-à-dire le *gonochorisme*. De prime abord, il n'y a pas d'explication au fait surprenant que les animaux dans leur grande majorité ont développé une division du travail dans la production des ovules et des spermatozoïdes. En particulier, il nous faut rejeter tout de suite deux tentatives d'explication du phénomène apparemment plausibles.

1. Une première explication possible serait de prétendre que l'hermaphrodisme

présente un défaut d'adaptation puisqu'il contient le danger de l'autofécondation qui annihilerait tous les avantages de la reproduction biparentale. Ce danger est réel, mais il est contrebalancé par le fait que, une fois la séparation des sexes accomplie, l'homosexualité devient possible et doit à son tour être évitée. On voit mal pourquoi d'un point de vue phylogénétique, une barrière contre l'homosexualité serait « moins coûteuse » qu'une barrière contre l'autofécondation.

2. Deuxièmement, il apparaît impossible de faire dériver le dimorphisme des *individus* exclusivement du dimorphisme des gamètes. Dans la logique d'un tel argument, dès l'instant qu'il y a deux types de gamètes – ovules et spermatozoïdes – il serait également fonctionnel de « construire » deux morphes différents d'individus pour la production de chaque type. Il suffit de se pencher sur le règne végétal pour voir que cela ne peut être vrai. Il existe effectivement des espèces de plantes qui présentent une séparation des sexes – appelées plantes dioïques –, mais cela est principalement le fait de formes archaïques et primitives, comme les algues, les fougères, les mousses et les conifères, tandis que les plantes à fleurs plus récentes ont dans la grande majorité des cas opté pour l'hermaphrodisme. Il est assez intéressant de noter que chez les animaux, c'est exactement l'inverse qui se produit. L'hermaphrodisme est pratiquement restreint aux invertébrés inférieurs, avec quelques cas chez les amphibiens et les poissons. Les vertébrés supérieurs sont caractérisés par le dioïsme, appelé dans ce cas gonochorisme.

Ce dernier fait suggère fortement que le gonochorisme s'est développé à partir de l'un des caractères par lesquels les animaux diffèrent des plantes, et les animaux supérieurs des animaux inférieurs. De quel caractère s'agit-il? Nous laisserons cette question sans réponse.

V.

Avec l'« invention » de la fécondation interne qui mettait fin au considérable gaspillage de gamètes que représentaient les techniques antérieures, le développement d'*organes sexuels* dimorphiques devint impératif. L'évolution devait désigner l'un des deux morphes existants comme lieu de la fécondation interne. Les spermatozoïdes ayant déjà été présélectionnés pour la mobilité, il était clair que le producteur d'ovules devait devenir l'organisme de la conception et de la gestion.

Conséquence inévitable de cette différenciation, l'organisme femelle, par rapport à l'organisme mâle, s'est trouvé investi d'une préoccupation prolongée à l'égard de l'embryon en développement. Comme nous le verrons plus loin, on a voulu voir dans ce déséquilibre permanent, inscrit dans l'anatomie, le phénomène premier, la clé de la plupart des autres formes de dimorphisme sexuel.

D'autres formes de dimorphisme sexuel, comme par exemple les différences de stature, de plumage, de pilosité, de cornes, de bois, etc., se manifestent de façon très variée. Dans certaines espèces, comme le paon par exemple, ces différences sont frappantes et bizarres; dans d'autres espèces, comme les oies cendrées, elles sont pratiquement inexistantes. Il n'y a pas de relation entre ces effets et le stade évolutif. Le dimorphisme sexuel semble plutôt lié d'une façon ou d'une autre à la structure sociale : les espèces monogames tendent à être beaucoup moins dimorphiques que les espèces polygames ou promiscues. La plupart des auteurs expliquent cette corrélation en postulant que les différences morphologiques en question ne se sont développées que sur la base d'une différenciation comportementale préalable. Nous discuterons plus loin de l'argument qui fonde cette conclusion.

VI.

Les animaux, contrairement aux plantes immobiles, n'ont pas besoin de remettre la fécondation à des forces contingentes, mais peuvent activement contribuer à la rencontre appropriée de leurs gamètes. Ainsi le phénomène de la motivation sexuelle a-t-il évolué avec le choix du partenaire comme une de ses implications.

Le choix d'un partenaire optimal est certainement aussi important pour le succès reproductif que la propre aptitude du sujet. « Optimal » fait référence à un ensemble de caractères qu'un partenaire devrait posséder. Trivers (1972) a dressé une liste des plus évidents de ces critères.

1. Un « partenaire optimal » est un organisme de la même espèce, du sexe opposé et de l'âge approprié.

2. Chaque espèce est, de façon caractéristique, adaptée à certaines conditions particulières d'environnement. Les stratégies d'adaptation peuvent être très différentes; l'importance attribuée à la force physique dans une espèce peut être accordée dans d'autres espèces à la vigilance ou à l'intelligence ou à telle ou telle aptitude particulière. Il n'est pas insensé d'imaginer quelque chose comme une « compétence spécifique de l'espèce », à savoir le degré de compétence d'un individu pour survivre avec succès dans les conditions écologiques propres à l'espèce. Un « partenaire optimal » possède cette compétence spécifique de l'espèce à un degré élevé.

3. Un « partenaire optimal » est prêt à et capable de reproduire. Il est sexuellement motivé et, si le projet de l'espèce l'exige, il est capable et désireux d'assumer des activités parentales.

4. Un dernier critère, assez subtil, pour déterminer le « partenaire optimal » se trouve dans la complémentarité de son matériel génétique avec celui du sujet. Cette règle ne joue plus, en particulier, si l'accouplement avec un partenaire donné aboutissait à des degrés extrêmes de consanguinité, et donc à l'homozygotisme.

En raison de la variabilité génétique, les représentants vivants d'une espèce différeront nécessairement les uns des autres quant à leur « optimalité » en tant que partenaires potentiels.

L'« optimalité », comme nous l'avons définie plus haut, est, jusqu'à un certain point, décelable pour des individus cospécifiques désireux de s'accoupler. Certains aspects morphologiques et comportementaux peuvent indiquer l'espèce, le sexe et l'âge. La compétence spécifique de l'espèce peut être démontrée directement, ou justifiée par ses résultats, tels que, par exemple, une position dominante ou un territoire meilleur. Le potentiel reproductif a toutes les chances d'être en rapport avec la vigueur et l'assiduité avec lesquelles on courtise. La complémentarité du matériel génétique serait menacée si le partenaire potentiel était familier depuis la première enfance, car il y aurait alors de fortes chances pour que ce partenaire soit issu des mêmes parents ou soit parent. Le caractère non familier du partenaire devrait permettre de compter sur un niveau minimal d'hétérozygotisme dans une progéniture commune. Certains signes, également, indiquant que le partenaire est indépendant et entreprenant, exprimeraient un état de motivation qui l'a probablement incité à s'éloigner de son groupe natal pour être suffisamment étranger au sujet (*cf.* Bischof, 1972, 1975, *a, b*).

Les partenaires sexuels potentiels décèlent au moins certains des signes mentionnés ci-dessus. En règle générale, l'appareil perceptif est spécifiquement équipé pour cette fonction, grâce à des mécanismes de détection hérités qui sont sensibles à des signes spéciaux, ou grâce à un traitement plus subtil et plus complexe des informations, guidé par l'expérience et l'intuition (qui, il est vrai, peut être vécue comme une « raison du cœur » purement subjective). Un tel mécanisme de détection est, bien sûr, susceptible de perturbations ou d'erreurs. Si c'est un mécanisme inné, il peut succomber à l'attrait de partenaires postiches (même vivants); s'il est d'un ordre cognitif supérieur, il pourra procéder à de longues explorations sans pour autant être infaillible. Mais cela peut être dit de toutes les opérations cognitives des organismes, y compris de l'organisme humain, et ne rend cependant pas totalement inutile la détection de l'« optimalité », telle que nous venons de la décrire.

VII.

Avec la détection de l'« optimalité », surgit la question de la sélectivité du détecteur. Plus le filtre d'optimalité est fin, c'est-à-dire, plus méticuleusement un individu choisit son partenaire, meilleure sera la qualité du partenaire retenu, à condition que le système de filtrage soit suffisamment véridique. La probabilité d'une progéniture viable est alors maximale – si progéniture il y a. Ce dernier point, bien sûr, ne peut être tenu pour acquis : il peut se trouver qu'en se préservant pour le partenaire vraiment idéal, un individu laisse en fait passer tous les partenaires *possibles,* encore que pas absolument parfaits. Il y a donc aussi un avantage à une faible sélectivité du détecteur : celui d'assurer que toute possibilité d'accouplement est utilisée.

Nous nous trouvons ainsi face à la même complémentarité que dans le cas discuté plus haut, de la taille des gamètes : la complémentarité entre la *probabilité de reproduction,* d'une part, et la *qualité de la progéniture,* de l'autre. De cette analogie, on pourrait déduire que la sélectivité dans le choix du partenaire a pu être soumise à une évolution disruptive, tout comme la taille des gamètes; auquel cas, il faudrait s'attendre à ce que les deux sexes se répartissent de façon bimodale sur une échelle de sélectivité : un sexe essayant d'établir le plus grand nombre possible de rencontres, et l'autre repoussant avec ennui la plupart de ces approches, en raison d'une qualité insuffisante du partenaire. Toutefois, du point de vue mathématique, la situation est ici différente de celle de la taille des gamètes. On peut prouver qu'une évolution disruptive de la sélectivité ne pouvait pas se produire sous les conditions réelles existantes; autrement dit, elle ne pouvait pas se produire d'elle-même à cause du conflit entre les deux pressions sélectives que nous venons de mentionner.

Ce résultat pose un problème : le phénomène prévu sur la base d'une présupposition injustifiée existe pourtant. Selon E. Mayr (1963) : « Ceux qui étudient les conduites des animaux lorsqu'ils font leur cour sont maintenant presque tous d'accord pour dire que les femelles sont beaucoup plus discriminatrices que les mâles ».

Cette affirmation, qui nous ramène à Darwin, a depuis été confirmée dans nombre de recherches et d'observations. Les exemples le plus souvent cités sont les suivants :

1. Les mâles ont tendance à parader non seulement devant leurs propres femelles, mais également devant celles des espèces proches. Toutefois, dans les cas les mieux étudiés (les insectes principalement), l'hybridation est rare, ce qui indique que les femelles, en règle générale, ne sont pas disposées à accepter les manifestations amoureuses de tout individu autre que cospécifique.

2. En l'absence de partenaires femelles appropriées, on observe souvent que les mâles paradent devant d'autres mâles de leur propre espèce ou d'une espèce parente, ou devant des objets encore moins appropriés. On ne connaît pas de comportement comparable chez les femelles dans les espèces où existent des signes amoureux des femelles à l'égard des mâles.

3. Si l'un des sexes est doté d'ornements ou attributs spéciaux qui peuvent même être dysfonctionnels par rapport à la survie (comme la queue du paon ou les andouillers de certains cervidés), c'est dans la grande majorité des cas le sexe mâle qui les porte. Lorenz (1966) nous rapporte un exemple frappant de ce phénomène :

« La poule faisane argus réagit aux larges rémiges secondaires du coq; elles sont décorées de magnifiques ocelles et le coq les étale devant elle à la saison des amours. Elles sont si importantes que le coq peut à peine voler, et plus elles sont grandes, plus elles stimulent la poule. Le nombre des petits engendrés par un coq au cours d'une période de temps donnée est directement proportionnel à la longueur de ces pennes et même si leur extrême développement est désavantageux à d'autres égards – sa gaucherie peut le livrer à un prédateur cependant qu'un rival aux ailes moins extravagantes réussira à s'enfuir –, il laissera pourtant plus de descendants qu'un autre coq plus simple. »

Cet effet – la *sélection sexuelle* exercée par le partenaire potentiel primant la *sélection naturelle* pratiquée par les pressions de l'environnement – se manifeste presque exclusivement avec la femelle opérant la sélection. La sélection sexuelle opérée par les mâles est généralement bien moins exigeante, et par conséquent n'engendre pas d'exagérations dysfonctionnelles du type décrit plus haut.

4. Il existe un syndrome de « sexisme mâle » qui recouvre deux facteurs associés :

a) Premièrement, les mâles sont en principe très facilement stimulés pour courtiser, tandis que les femelles restent souvent inactives et ne répondent aux avances des mâles qu'après des démonstrations longues et assidues de la part de ceux-ci. Il est bien connu, par exemple, en psychologie expérimentale que la seule vue d'une rate peut amener un rat à traverser un grillage électrique, mais que le cas inverse ne se produit pas. Si deux partenaires potentiels – dont les niveaux de sélectivité diffèrent – se rencontrent, l'initiative sera normalement prise par celui qui est le moins sélectif, lequel, libre de ces longues opérations d'évaluation, et de toute façon moins exigeant, est vite prêt à entamer une relation, alors que sa partenaire préférerait « consulter son cœur » encore un certain temps. En outre, le fait que les mâles se trouvent contraints à s'adresser à ce type de partenaire susceptible de résister aux avances sexuelles, a dû exercer sur eux une pression sélective, les poussant à « aller tout droit au but » pour pouvoir nourrir le moindre espoir de s'accoupler;

b) Deuxièmement, chez beaucoup d'animaux, le penchant à former un lien marital stable et/ou exclusif est plus faible du côté mâle. Cela, de nouveau, prend tout son sens avec l'hypothèse d'une sélectivité différente entre les sexes : un individu non sélectif a intérêt à choisir plusieurs partenaires afin de compenser le risque d'erreurs qui provient de son incurable indifférence. D'un autre côté, un organisme construit de façon à investir plus de temps et d'énergie cognitive dans l'examen méticuleux de son partenaire doit être moins enclin une fois qu'il l'a trouvé, à abandonner un partenaire, et donc à recommencer tout ce travail compliqué d'évaluation. La prépondérance disproportionnée de la polygamie, par rapport à la polyandrie, aussi bien dans le règne animal que dans une étude comparée des cultures humaines, est un autre aspect de ce même problème.

5. Des recherches récentes ont permis de constater et de confirmer le fait que des petites filles, tout comme des chimpanzés femelles, que l'on a laissées libres de se livrer à des jeux sexuels infantiles avec des compagnons du même âge et du même groupe familial, cessent brusquement ces pratiques au début de la puberté – au grand dépit de leurs frères qui semblent se sentir moins inhibés. Autrement dit, lorsqu'elle aborde le stade de la reproduction, la femelle développe une inhibition spécifique, interdisant l'accouplement avec tout individu dont le matériel génétique est peu susceptible de s'harmoniser avec ses propres gènes. Certes, il y a aussi un comportement typiquement mâle dont le but est d'éviter l'inceste. Il repose sur la tendance à s'éloigner de l'environnement familial de la première enfance et à partir à la découverte de territoires inconnus et de congénères étrangers. Cela aussi réduit la probabilité d'un accouplement consanguin, mais en réduisant la probabilité d'une rencontre avec une sœur, plus qu'en la repoussant dans une situation érotique donnée (Bischof, 1975, *a*).

VIII.

En résumé, le niveau supérieur de la sélectivité femelle paraît être un phénomène suffisamment bien établi, du moins chez de nombreux animaux, et pourrait même jouer un certain rôle chez l'homme. Si ce phénomène ne peut être expliqué par une évolution disruptive à l'origine, comment peut-on en rendre compte?

Les biomathématiciens étudient actuellement un concept qui pourrait être déterminant dans la compréhension de ce phénomène et sûrement dans celle de maintes autres formes de dimorphisme sexuel. Il s'agit du concept de l'*investissement parental*.

L'idée qui sous-tend ce concept remonte aux années 1920 (*cf.* Fisher, 1958), mais n'a été clarifiée que récemment par Trivers, en 1972.

Lorsqu'au cours de la phylogenèse des organismes supérieurs se sont développés, l'activité reproductrice a apparemment dû s'étendre au-delà de la simple production de gamètes et de l'accomplissement de leur fusion. L'organisme de l'embryon puis du nouveau-né exigeait, à un degré croissant, de recevoir des aliments, un soutien thermorégulateur, une protection contre les prédateurs, et, en dernier point mais non le moindre, des instructions pour survivre. Tout cela entraîne des dépenses de temps et d'énergie et représente même un risque pour le parent; la probabilité statistique que le même parent élève beaucoup d'autres enfants se trouve ainsi réduite. Dans la ligne de cette argumentation, Trivers (1972, p. 139) définit l'« investissement parental » comme « tout investissement du parent sur un seul enfant, ce qui accroît les chances de survie de celui-ci (et donc son succès reproductif) au détriment des capacités d'investissement de ce parent à l'égard d'autres descendants ».

En fait, l'investissement parental a de grandes chances de suivre une évolution disruptive. Si les parents apportent tous deux leurs soins à un enfant, le rendement de leur investissement parental combiné n'est pas nécessairement égal à la somme des rendements de chaque investissement parental pris séparément. Si, par exemple, un parent ne suffit pas à assurer l'alimentation de l'enfant, le rendement de son seul investissement, quels que soient ses efforts, sera nul; si chacun des parents tour à tour nourrit l'enfant, ce dernier survivra, et le rendement de leurs investissements combinés est donc supérieur à zéro. D'un autre côté, on peut concevoir le cas d'une tâche parentale particulière, comme par exemple celle de donner l'alerte contre des prédateurs, qui, bien que requérant la présence permanente d'un parent, n'emploie pourtant pas le maximum de ses capacités. Dans un tel cas, il ne serait pas économique d'occuper à plein temps les deux parents à la même tâche, car la combinaison de leurs efforts serait loin de doubler le bénéfice de la présence d'un seul parent. Chaque fois que cette dernière condition est présente, c'est-à-dire lorsque le rendement optimal d'un investissement total donné est obtenu par une participation inégale des parents, la sélection favorisera la spécialisation de l'un des sexes pour les activités parentales.

Le sexe qui, de toute évidence, se trouve naturellement préadapté à cette spécialisation est celui qui retient l'œuf après l'acte de fécondation interne. Ce développement est particulièrement net chez les mammifères où l'investissement parental s'incarne dans les organes femelles de gestation et de lactation.

IX.

Si l'un des sexes est programmé pour un investissement parental supérieur, sa progéniture, par voie de conséquence inévitable, sera moins nombreuse que la progéniture que peut avoir l'autre sexe avec un moindre investissement pour chaque enfant. Cela est particulièrement manifeste dans l'espèce humaine, où une femme peut transmettre son matériel génétique à dix, quinze enfants au mieux, tandis qu'il existe certains exemples historiques comme celui du chef mormon Brigham Young dont la progéniture est d'environ cinq cents petits Saints du Dernier Jour.

On pourrait s'attendre à ce que la sélection compense cette fécondité déséquilibrée en favorisant le sexe féminin à la naissance. Tel n'est cependant pas le cas. D'après un théorème biomathématique connu sous le nom de principe de Fisher, le rapport des sexes à la naissance reste toujours approximativement de 1 : 1, dans un grand nombre de conditions et sans tenir compte des différences mentionnées plus haut. Ce principe est largement démontré en biostatistique.

Cela implique, en conséquence, que dans une espèce où les femelles effectuent un investissement parental supérieur, les mâles ne peuvent pas utiliser pleinement leur potentiel reproductif. C'est pourquoi une compétition s'instaure inévitablement parmi les mâles pour désigner celui qui pourra transmettre son matériel génétique. C'est ici qu'intervient la *sélection femelle :* les femelles, qui ne peuvent espérer transmettre leur matériel génétique dans la génération suivante qu'à quelques héritiers, ont intérêt à choisir soigneusement leur partenaire, tandis que la sélection pousse les mâles à profiter de toutes les occasions qui se présentent de se propager. Dans les conditions décrites ci-dessus, on peut prévoir qu'une sélectivité supérieure de la part des femelles s'accompagnera d'une forte rivalité des mâles entre eux. Les attributs nécessaires pour affronter les luttes de rivalité, tels que, par exemple, l'agressivité, la défense du territoire, la force corporelle, le taux métabolique, etc., se concentreront donc chez les mâles dans les espèces qui présentent un déséquilibre marqué de l'investissement parental.

Ce raisonnement trouve un soutien indirect dans les quelques espèces animales où, exceptionnellement, le mâle effectue un investissement parental supérieur à celui de la femelle. Parmi les oiseaux, c'est le cas des phalaropes, des tridactyles, des rostratules, des jacanas, des râles et des tinamous. Chez ces animaux, le dimorphisme sexuel est très nettement inversé : la plupart de ces espèces montrent une polyandrie successive, ce qui est extrêmement rare ailleurs. La femelle ne reste avec le mâle que le temps de la ponte, puis s'en va rejoindre le mâle suivant, en laissant au précédent la charge d'élever les petits. Par rapport aux mâles, les femelles ont des couleurs plus vives, phénomène très rare chez les oiseaux. Les femelles sont également plus agressives et rivalisent avec d'autres femelles pour obtenir les faveurs des mâles qu'elles courtisent. Notons qu'on ne connaît aucun cas aussi tranché d'inversion du dimorphisme sexuel chez les mammifères. L'« invention » des glandes mammaires a fait définitivement pencher la balance de l'investissement parental du côté des femelles.

X.

L'hypothèse du rendement de l'investissement parental peut également s'appliquer aux espèces animales qui connaissent une monogamie durable Cette forme de structure familiale se présente assez sporadiquement chez les mammifères, très fréquemment chez les oiseaux, assez souvent chez les poissons et même occasionnellement chez les arthropodes. Elle a ceci d'unique que le facteur qui détermine directement le développement du dimorphisme sexuel, à savoir, le nombre de descendants que chaque partenaire est capable d'engendrer, n'est plus fonction d'une différence d'investissement parental entre les deux sexes. Il est évident qu'un mâle, quand bien même il ne s'occuperait pas du tout des petits, ne pourra pas avoir plus d'enfants que sa femelle, à partir du moment où il est vraiment monogame.

Nous devrions donc trouver un dimorphisme sexuel réduit dans les espèces monogames. L'observation empirique établit le bien-fondé de cette supposition. N'importe qui peut distinguer un malard de sa femelle, un coq d'une poule, et repérer un babouin hamadryas parmi ses épouses. Mais il faut un examen beaucoup plus attentif pour faire la même distinction chez les gibbons, par exemple; et pour d'autres, comme les oies sauvages, il faut avoir une bonne connaissance éthologique de l'espèce pour déceler les différences comportementales subtiles qui à elles seules constituent leur dimorphisme sexuel.

Généralement, les différences sexuelles de taille et de couleur, ainsi que les différences de motivation et de comportement sont beaucoup moins marquées chez les espèces monogames que chez les espèces polygames ou promiscues. Tout dimorphisme sexuel ne disparaît cependant pas complètement avec la monogamie. Il reste *quelques* propriétés morphologiques ou comportementales qui permettent d'établir une distinction entre les sexes. Généralement, les mâles demeurent plus entreprenants, plus orientés vers la compétition, ils gardent un rôle plus actif dans la recherche du partenaire, etc.

Cela semble être dû, parmi d'autres facteurs, à la nécessité de prévenir l'homosexualité. L'absence de progéniture qu'entraîne la monogamie homosexuelle prolongée a vraisemblablement exercé une pression sélective contre la perte totale d'un dimorphisme sexuel. A cette fin, le dimorphisme peut être simplement restreint au niveau des motivations. Un exemple de cela nous est fourni par certains cichlidés à l'anatomie monomorphe étudiés par Œhlert (1958).

Dans cette espèce, le comportement sexuel et le comportement d'agression sont compatibles chez les mâles, tandis que la motivation sexuelle et la crainte sociale s'inhibent l'une l'autre. Chez les femelles, c'est exactement l'inverse : l'individu peut ressentir simultanément de la crainte et une excitation sexuelle; cependant, dès que l'agressivité se manifeste, la motivation sexuelle s'affaiblit. Tout cela garantit l'inhibition de l'accouplement homosexuel entre deux individus qui se rencontrent en état d'excitation sexuelle et qui, étant étrangers l'un à l'autre, sont amenés à se battre. S'il s'agit de deux mâles, le plus fort pourchassera l'autre qui, dès l'instant où il se met à fuir, perd son intérêt sexuel ainsi que la coloration qui en était le signe. S'il s'agit de deux femelles, le même scénario se répète avec la femelle dominante. Ce n'est que si les partenaires sont de sexe différent et si, de plus, le mâle est le plus fort, qu'un accouplement pourra avoir lieu, la poursuite servant de préambule au rituel amoureux.

En considérant ce qui précède, il est remarquable que l'espèce humaine ait maintenu un dimorphisme sexuel aussi manifeste. Ce phénomène, qui est indéniable sur le plan morphologique, indique peut-être que la monogamie est une acquisition assez récente de l'*homo sapiens*. Cette conclusion concorderait avec la présence assez fréquente de la polygamie dans les sociétés humaines primitives et avec l'absence de toute monogamie chez les singes anthropoïdes, à l'exception d'un de leurs parents éloignés, le gibbon. Cela impliquerait qu'on doit s'attendre à retrouver chez l'homme un nombre restreint de ces différences comportementales entre les sexes qui sont typiques des espèces présentant un investissement parental différencié.

XI.

Dans les paragraphes précédents, j'ai tenté d'esquisser le pedigree phylogénétique de certains traits morphologiques et comportementaux qui constituent le dimorphisme sexuel animal et qui peuvent également avoir quelque signification pour l'espèce humaine, comme une sorte de « structure profonde » biologique à laquelle ont été surimposés des rôles d'origine culturelle.

On pourrait m'objecter que toutes ces considérations se fondent sur des arguments de nature essentiellement « téléologique ». Effectivement, notre raisonnement utilise des notions d'« avantage » et de « succès », les animaux sont décrits recherchant un « partenaire optimal » des expressions comme « afin de » reviennent constamment et, en général, les organismes paraissent être conçus par un ingénieur intelligent suivant un dessein bien précis.

Mais, premièrement, cette « téléologie » n'a rien de commun avec le vitalisme ou toute autre spéculation métaphysique. Elle se fonde sur le concept de la pression sélective, et partout où, dans ce contexte, une terminologie finaliste a été employée, il va sans dire que c'était dans un sens purement métaphorique.

Cela implique, en second lieu, qu'il ne faut pas confondre « finalité » phylogénétique et « motif », « besoin », ou « intérêt » individuel. En particulier, dans nos considérations sur l'investissement parental, nous n'entendons pas rendre compte des réflexions subjectives des individus concernés. Un animal femelle ne choisit pas son partenaire avec précaution parce qu'elle est personnellement « intéressée » à la propagation de son matériel génétique et qu'elle « prévoit » le coût, en termes de temps, des soins qu'elle apportera à chaque petit.

Une troisième objection possible à notre forme de raisonnement « téléologique » est que ce raisonnement est construit a posteriori. Cela est vrai, mais n'implique pas qu'il soit dénué de toute valeur scientifique. Si une explication *expost facto* s'appuie sur la découverte d'un modèle d'ordre dans lequel des phénomènes qui semblaient isolés et apparemment arbitraires acquièrent un statut de nécessité, elle a tout au moins une valeur heuristique. Une telle démarche permettra de faire des extrapolations des régions inconnues et apportera ainsi à la recherche une moisson de questions nouvelles. Le désaccord entre la monogamie humaine et le dimorphisme sexuel humain constitue un exemple de ces problèmes qui ne deviennent visibles qu'à la suite de considérations a posteriori concernant l'investissement parental.

Nous pouvons faire un pas de plus dans ce raisonnement. Les facteurs qui modèlent le comportement typique d'un sexe sont si complexes que dans les années, et peut-être les siècles à venir, ils resteront inaccessibles à une analyse scientifique globale et rigoureuse. Ce qui est en notre pouvoir aujourd'hui ne dépasse pas la formation d'une hypothèse empirique. Cette situation prévaut également dans beaucoup d'autres domaines du savoir scientifique, tels que la médecine par exemple, où certaines questions ont beaucoup trop d'implications pour qu'on puisse y répondre en toute conscience scientifique, mais ne peuvent cependant pas attendre un futur nébuleux, car le besoin du patient exige une décision immédiate.

Dans de tels cas, il n'y a pas d'autre stratégie que de s'en remettre à l'hypothèse la plus vraisemblable. Chaque structure du savoir empirique produit dans son champ logique un halo de prévisions intuitives. Ce halo est un champ dynamique d'idées qui ne sont ni « vraies » ni « fausses », mais plus ou moins vraisemblables, en fonction de leur rapport d'ensemble avec les autres éléments de la structure cognitive globale. Les fonctions cognitives qui nous permettent de repérer des niveaux de probabilité dans ce champ sont très délicates, perturbables et influençables. Il n'y a pas de rails solides qui forcent nos pensées à prendre la direction de la vérité; nous ne disposons que d'un compas, encore celui-ci est-il d'une qualité plutôt modeste. En particulier, il ne peut faire son travail que si l'on a pris soin de supprimer tous les champs magnétiques interférents. La force la plus puissante interférant avec notre réceptivité aux traces fugitives de la vérité est l'*engagement émotionnel,* si compréhensible et honorable soit-il à d'autres égards. Malheureusement, ce fait essentiel n'est pas toujours clairement admis par certains chercheurs en sciences sociales. Ne parlons pas des militantes féministes qui se permettent de croire que lorsqu'il s'agit de soutenir un groupe victime d'une discrimination sociale, les bonnes intentions justifient le parti pris le plus criant pourvu qu'il aille dans le sens voulu.

Il y a d'abondants exemples d'une telle attitude. Si, par exemple, quelques facteurs de l'environnement paraissent avoir un rapport plausible avec les différences entre les sexes, il n'est pas rare que ces facteurs soient acceptés avec un certain empressement comme des explications suffisantes et définitives. Si, par contre, les faits observés plaident plutôt en faveur d'une explication biologique, la conscience scientifique dresse brusquement l'oreille, recommandant plus de prudence et de modestie dans l'affirmation. Face à la complexité de la situation, on nous assure que toute distinction entre l'environnement et le biologique serait prématurée, ou on nous enseigne que, en principe, la « question génétique » n'est pas de nature à recevoir une réponse et que poser de telles questions est anti-scientifique. Il y a des auteurs qui condamnent violemment toute analogie entre les comportements typiques aux sexes chez l'homme et chez l'animal et qui cependant trouvent des analogies encore plus gratuites entre les femmes et certaines minorités culturelles et raciales, etc. Il faudrait que tout le monde convienne qu'un tel style d'argumentation est par trop malhonnête pour être toléré dans un domaine aussi sérieux que celui qui nous occupe.

Il y a un autre argument qui, certainement, mérite aussi d'être pris en considération. Aussi longtemps que nous ne disposerons pas de preuves scientifiques inattaquables, certaines hypothèses *dangereuses* devraient être évitées, même si elles montrent une certaine vraisemblance. L'hypothèse que les différences de comportement liées au sexe sont préformées génétiquement se prête à coup sûr à des formulations dangereuses, spécialement si les différences en question sont comprises comme des différences d'aptitudes. Mais j'ai mis l'accent sur les différences au niveau des motivations et je ne vois pas ce que cette hypothèse peut avoir de dangereux en soi. Pour donner un exemple purement hypothétique, juste en guise d'illustration, supposons qu'en moyenne les hommes soient plus portés à la compétition, en raison de quelques vestiges phylogénétiques de luttes de rivalité, ou quelque chose du même ordre. Je ne puis accepter la compétitivité comme une motivation très humaine et dotée d'une haute valeur éthique. Mais à partir du moment où on la possède, la compétitivité agira comme un facteur de réussite. Une femme moyenne, douée de compétences rigoureusement égales, mais étant, comme on veut le croire, moins compétitive, sera forcément perdante. Pour mettre un terme à cette injustice, plusieurs stratégies sont possibles. On peut essayer de rendre les filles plus compétitives et d'apprendre aux garçons à être moins agressifs. Je veux dire en fait que, si des déséquilibres innés de motivation existaient, il faudrait un traitement *différent* pour les garçons et pour les filles afin d'égaliser leurs chances. Si toutefois ces préformations génétiques n'existaient pas, la formule serait alors de faire en sorte qu'ils subissent les mêmes influences de l'environnement. Aussi la question des préformations génétiques du comportement ne peut-elle être reléguée au rang des faux problèmes. Elle est d'une importance pratique immédiate.

De plus, quand bien même cette question recevrait une réponse positive, elle ne condamnerait pas pour autant tout un groupe d'individus à un sort indigne. Deux ordinateurs de capacités comparables, mais de fabrication différente seront installés selon des principes différents. En conséquence, l'un sera peut-être plus facile à programmer pour un certain type d'opérations, et l'autre pour un autre type. Mais avec quelques opérations de programmation plus complexes, tous deux pourront effectuer les mêmes tâches. Simplement, pour obtenir des résultats identiques, il faudra des programmes différents pour des équipements différents. Le même programme appliqué aux deux ordinateurs ne donnera généralement rien sur l'un des deux, ou donnera des résultats dissemblables.

L'analogie de ce paradigme est claire. Elle montre qu'un raisonnement supposant des préformations génétiques ne réduit en rien la liberté du comportement, du moins pas dans une espèce qui est capable d'apprendre comme l'espèce humaine. Une dernière nuance doit cependant être apportée. On peut programmer des ordinateurs pour qu'ils effectuent des opérations semblables. Les êtres humains ne sont pas de simples ordinateurs. Dans l'exemple que nous venons de donner, on peut se demander si les garçons deviendraient des adultes heureux si, dès la tendre enfance, leur tendance naturelle à la compétition se chargeait d'une mauvaise conscience. Et, parallèlement, les filles seraient-elles plus tard des femmes heureuses si elles étaient soumises à une pression sociale qui exige d'elles un comportement de garçon manqué?

Ayant proposé cet exemple à titre d'hypothèse, je ne pose pas ces questions avec une intention rhétorique, je n'insinue pas que la réponse est négative. Je soulève la question afin de rappeler que le problème essentiel dans le domaine des rôles liés aux sexes s'énonce en termes d'accomplissement personnel, de vie douée d'un sens et de bonheur. L'égalité des chances pour tout le monde en est certainement une condition nécessaire, mais difficilement suffisante. La réconciliation de notre société avec les exigences intrinsèques de notre nature – mâle et femelle – pourrait bien se révéler tout aussi cruciale.

RÉFÉRENCES BIBLIOGRAPHIQUES

BISCHOF (N.), 1963 : « Animal Species and Evolution », Harvard University Press, Cambridge, Massachussets.

BISCHOF (N.), 1972 : « The biological foundations of the incest taboo », *Social Science Information, 11* (6), p. 7-36.

BISCHOF (N.), 1975, *a* : « Comparative Ethology of Incest Avoidance », *in* R. Fox Ed. *Biosocial Anthropology. A.S.A. Studies, 1,* London, Malaby Press, p. 37-67.

BISCHOF (N.), 1975, *b* : « A system's approach towards the functional connections of attachment and fear », *Child Development, 46,* p. 801-817.

FISCHER (R.A. , 1958 : *The genetical theory of natural selection*, Dover, New York.

ŒHLERT (B.) 1958 : « Kampf und Paarbildung einiger Cichliden », *Z. Tierpsychol., 15,* p. 141-174.

PARKER (G.A.), BAKER (K.K.), SMITH (V.G.F.), 1972 : « The origin and evolution of genetic dimorphism and the male-female phenomenon », *J. of Theoretical Biology, 36,* p. 529-553.

TRIVERS (R.L.), 1972 : « Parental investment and sexual selection », in *Sexual Selection and the Descent of Man,* B. Campbell Ed., Aldine-Atherton, Chicago, p. 136-179.

Notes pour une réflexion sociologique

Il est intéressant de noter avec quel respect craintif N. Bischof s'arrête aux frontières du domaine social. Au moment de commenter les différentes formes de dimorphisme sexuel, il sait qu'on ne le chicanera pas sur les mécanismes biologiques qui président à la différenciation des gamètes, des organes sexuels ou des caractères sexuels secondaires; mais pour parler du dimorphisme comportemental, il prend des précautions et commence par affirmer nettement qu'il ne nie ni ne méconnaît « l'importance et l'autonomie » des superstructures socioculturelles. Il sait que ces scrupules et cette timidité seront appréciés. Cependant il manifeste un certain malaise et quelque regret devant ce champ qu'il sait lui être interdit, allant jusqu'à demander pourquoi il serait « illégitime » de penser que les « structures profondes » génétiques pourraient jouer quelque rôle dans les comportements. C'est que les « territoires » respectifs du biologique et du psychosociologique ont été ces dernières années, « marqués » de manière très nette par les spécialistes des sciences humaines qui tiennent à sauvegarder le domaine des comportements de toute incursion des « biologistes ». Telle est la nouvelle légitimité. Sur cette terre réservée les sciences humaines exercent pour lors une hégémonie difficilement niable, en dénonçant les prétentions passées des tenants du biologique. Il faut se réjouir d'une telle situation qui rend prudents les « biologisants » : nous seront ainsi épargnées les théories analogiques péremptoires et douteusement fondées comme nous eûmes à en connaître naguère, comme celle par exemple qui prétendait expliquer la « passivité féminine » et l'« activité masculine » par référence au gros ovule peu mobile et aux minuscules mais très remuants spermatozoïdes, animés d'un mouvement irrésistible! Mais il ne faudrait pas aller trop loin ni trop prolonger des intimidations qui risquent de stériliser la pensée spéculative dans ces domaines frontières, la connaissance ne pouvant que souffrir de dichotomies trop marquées.

Ainsi le modèle de Parker, Baker et Smith d'évolution disruptive serait peutêtre d'une grande fertilité transposé dans les sciences sociales.

Il était en tout cas important, au commencement de ce livre de rappeler que la seule comparaison de deux caractères ou de deux individus porteurs de caractères différents ne suffit pas. Bien plus riche et signifiante, et seule valable, est la comparaison de deux séries et de la distribution des individus de ces deux séries par rapport aux caractères examinés. Chaque fois que nous sommes amenés à dire au singulier « l'homme », ou « la femme », il faut se rappeler que c'est une manière d'offense à la science, et aux sciences sociales tout particulièrement. Toutefois nous aurons tendance non seulement à ne pas négliger les cas intermédiaires, mais encore à tenter d'approfondir les problèmes posés par les transsexuels dans l'espèce humaine : d'une part, parce qu'ils témoignent qu'il n'y a pas de solution de continuité absolue entre hommes et femmes; d'autre part parce que le mélange dans leurs cas des phénomènes biologiques et psychologiques permettent des interrogations plus fines à propos des influences et des interférences des uns et des autres. Mais, aberrations ou non, ces cas intermédiaires riches en enseignements demeurent rares et peu importants pour l'espèce. Ils ne doivent pas nous faire oublier la distribution bimodale de l'écrasante majorité des individus féminins et masculins.

Cette distribution bimodale apparaît aisément comme fonctionnelle tant qu'il s'agit des caractéristiques physiques liées surtout à la reproduction; elle pose davantage de problèmes dès qu'il s'agit de comportements sociaux, même si leur origine peut être plus ou moins expliquée par l'histoire de l'espèce. Notre culture actuelle la remet en question. Ainsi l'exemple des rôles paternel et maternel distincts et complémentaires évoqué par N. Bischof, expliqués par l'extrême fragilité du nouveau-né et du petit enfant humain, argument téléologique valable, ne permet guère de résoudre l'actuelle problématique du rapprochement des rôles paternel et maternel dans des sociétés où le lait artificiel peut être donné par le père comme par la mère, et où la mère peut travailler au-dehors comme le père et défendre l'enfant des substituts de « prédateurs ». La culture semble aller en sens inverse de la bimodalité naturelle, mais l'espèce en souffre-t-elle?

Evelyne SULLEROT.

II.

GENESE DE LA SEXUALITÉ
CHEZ L'INDIVIDU (ONTOGENÈSE)

Comment se fait progressivement la différenciation sexuelle au cours de la vie de l'individu, depuis la conception jusqu'à l'âge adulte? Autrement dit, comment se déroule le processus de sexualisation?

On sait que jusque vers le 50ᵉ jour de la vie embryonnaire, l'embryon de mammifère est indifférencié :

– En ce qui concerne les gonades (glandes sexuelles), l'ébauche embryonnaire, appelée « crête germinale » et provenant d'ébauches rénales, est la même dans les deux sexes.

– En ce qui concerne les organes génitaux (caractères somatiques primaires : utérus, trompes, vagin, vulve chez la fille; bourses, pénis, glandes annexes chez le garçon), chaque sexe possède une double ébauche embryonnaire : l'ébauche mâle (ou canal de Wolff) et l'ébauche femelle (ou canal de Müller).

A partir de cette bipotentialité initiale au niveau embryonnaire, le sexe va s'orienter dans le sens mâle ou dans le sens femelle sous l'effet de deux séries d'inducteurs : la première d'ordre génétique, la seconde d'ordre hormonal.

Comment s'enchaînent ces deux mécanismes, et comment s'accomplissent les deux étapes de la différenciation? C'est ce que nous allons voir.

Les mécanismes génétiques de la différenciation

Le déterminisme chromosomique est l'impulsion initiale qui oriente le développement dans le sens mâle ou femelle, et permet en particulier la différenciation des gonades.

Ohno analyse ce premier déterminisme, et montre déjà comment vient se greffer sur lui le second déterminisme, de nature hormonale, qui induira la différenciation des structures génitales et des structures nerveuses, que décriront Jost et Raisman.

O. T.

1.

La base biologique des différences sexuelles

par Susumu OHNO

Dans la mesure où les gènes chromosomiques contrôlent l'élaboration du corps et de l'esprit d'un individu, l'homme ne peut jamais être libre car à cause de la nature même du phénomène de la reproduction, il lui est interdit à jamais de faire ce qu'il entend de la valeur la plus précieuse qu'il possède : la constitution génétique. Etant donné qu'aucun de nous n'a eu son mot à dire sur le choix des gamètes des parents (un spermatozoïde et un ovule) au moment de la conception, il me paraît que se croire supérieur à un autre au point de vue de l'individu ou du sexe est le comble de l'arrogance. Un homme doit-il se croire supérieur simplement parce qu'il a eu la chance de gagner aux courses? C'est sa chance et non sa volonté qui lui a permis de remporter l'avantage.

Néanmoins, chez l'homme et la plupart des autres espèces de vertébrés supérieurs, des différences sexuelles profondes sont facilement perceptibles, et elles vont beaucoup plus loin que le simple fait d'avoir des testicules et une verge par opposition à des ovaires et un vagin. Donc, dire que ces différences n'existent pas semble aussi être le comble de l'arrogance.

Dans ce court essai, je tenterai d'exposer les causes de l'évolution de l'expression des différences sexuelles et ensuite de montrer que les mâles et les femelles sont les deux côtés d'une même médaille, un tour de passe-passe, dans lequel sont seulement impliqués deux gènes principaux qui déterminent la manifestation de ces nombreuses différences sexuelles.

Des mâles et des femelles pour le raffinement de l'interaction comportementale

Les mâles et les femelles existent en nombre à peu près égal non seulement chez l'homme, mais dans toutes les autres espèces de mammifères. Cette situation nous amène à penser que le mécanisme chromosomique déterminant le sexe et produisant des mâles XY et des femelles XX dans le rapport de 1 : 1 représente le moyen le plus efficace de reproduction. Cela est sûrement un parti pris.

De grands animaux comme nous consomment d'énormes quantités de nourriture et contaminent proportionnellement leurs habitats avec de grandes quantités de déchets. Le nombre d'individus qu'un habitat donné peut contenir est donc très limité. De plus, la période de la gestation est assez longue, alors que le nombre des descendants produits à chaque gestation est assez petit. La capacité à la reproduction d'une population est donc déterminée par le nombre dans cette population des femelles sexuellement adultes. Puisqu'un seul mâle peut féconder des dizaines de femelles, cela semble une pure perte de maintenir un nombre excessif de mâles dans une population. La proportion mâle-femelle d'un à dix ou même d'un à cent en faveur de la femelle apparaît bien préférable. Une espèce de poisson connue conserve seulement un mâle par population. Quand il est tué, la femelle la plus dominante se transforme en mâle. Des diverses formes d'hermaphrodisme sont trouvées chez plusieurs espèces de poissons, d'amphibiens et de reptiles. Contrairement à la croyance populaire, les hermaphrodites pratiquent le croisement entre eux plutôt que l'autofécondation. Ainsi, une population d'hermaphrodites permet le même mélange de gènes qu'une population bisexuelle sans avoir à maintenir des mâles non productifs. Pourquoi donc les mammifères ont-ils gardé le mécanisme chromosomique rigide qui détermine le sexe et produit autant de mâles que de femelles? C'est un fait curieux que dans le règne végétal, le chromosome sexuel et la reproduction sexuelle se trouvent le plus souvent parmi les membres du phylum primitif *Bryophyta*. Certains lecteurs seront étonnés d'apprendre qu'à l'examen microscopique les chromosomes X et Y des mousses sont aussi distincts que ceux de l'homme. Par contre, les plantes modernes portant de belles fleurs sont généralement hermaphrodites, la même fleur contenant du pollen dans les étamines et des ovules dans les pistils. Il va sans dire que les abeilles et les papillons assurent généralement la fécondation croisée plutôt que l'autofécondation. Dans le règne végétal, la nature semble avoir abandonné le mécanisme chromosomique déterminant le sexe et commencé progressivement à favoriser le mode de reproduction hermaphrodite, alors que dans le règne animal, des sauterelles à l'homme, une majorité conserve le mécanisme chromosomique rigide qui détermine le sexe. Pourquoi donc cette différence dans les préférences de l'évolution entre les animaux et les plantes? Les plantes supérieures sont des êtres stationnaires qui poussent là où le destin a semé leurs graines. Les interactions individuelles sont minimales chez les plantes; ainsi n'en ayant pas besoin, elles n'ont pas développé de système nerveux. Par contre, les membres du règne animal se déplacent continuellement; ils se heurtent, et inévitablement se développe entre individus soit un conflit soit une coopération à l'égard du territoire, de la nourriture, etc. L'évolution animale devait ainsi conduire à un développement progressif du système nerveux central. La façon dont les animaux se comportent a dû être très strictement surveillée par la sélection naturelle car la grandeur et la décadence de l'espèce animale doit dépendre considérablement de ses modèles de comportement et de ses structures sociales. Ici se trouve apparemment la raison d'être du mécanisme chromosomique déterminant le sexe et sa prédominance à travers le règne animal tout entier. En effet, parmi les poissons, le comportement est plus raffiné chez les espèces comprenant des mâles et des femelles déterminés génétiquement. Les saumons feraient-ils des milles pour remonter les rivières jusqu'au lieu de leur naissance s'ils n'étaient pas motivés sexuellement? Si les épinoches étaient hermaphrodites, manifesteraient-ils un comportement aussi peu semblable à celui des poissons qui consiste à faire des nids, à surveiller les œufs et à élever les jeunes, tâches qui sont toutes accomplies par les mâles?

Une manifestation maximale des différences sexuelles du phénotype produite par une différence minimale de la composition génétique

Pour que le mécanisme chromosomique déterminant le sexe puisse raffiner le comportement individuel et l'organisation sociale d'une espèce, le système a dû évoluer de manière à montrer une très grande variété de différences sexuelles. En effet, les différences sexuelles chez les mammifères sont si grandes qu'elles dépassent les frontières des espèces. A bien des égards, les mâles humains ressemblent plus aux étalons ou aux taureaux qu'aux femelles humaines.

Les différences sexuelles chez la souris ne nous sont pas si évidentes que celles entre le cerf et la biche, par exemple. Cela est dû au fait que la souris est une espèce nocturne chez laquelle les différences sont plutôt d'ordre olfactif que visuel. Tout généticien qui étudie la souris sait que les souris mâles ont une odeur très différente de celle des femelles.

Il est presque certain que les différences sexuelles principales du phénotype qui existent chez notre espèce ont contribué largement à notre réussite au cours de l'évolution. Les enfants humains bénéficient considérablement d'un allongement de la période de dépendance vis-à-vis de leurs parents, ce qui permet l'apprentissage. Une aussi longue dépendance n'est possible que grâce au lien prolongé qui unit les parents. Si la femelle humaine n'était attirante pour les mâles que pendant la période ovulatoire, un tel lien entre les sexes serait impossible. En effet, la lactation n'est pas la seule fonction des seins humains; la femelle humaine montre en permanence des seins saillants qui attirent toujours les mâles de l'espèce. De plus, son ardeur sexuelle n'a pas besoin d'être stimulée par l'ovulation.

La plupart des espèces mammifères sont dites polygames. Dans ces conditions, l'agression interindividuelle est avantageuse à l'espèce, si elle est limitée au sexe mâle qui est toujours en surnombre. Si les mâles de l'espèce ne mettaient pas bien en évidence le signe de leur maturité sexuelle sous forme de crins, de barbes, de cornes, etc., il y aurait un risque que l'agression mâle soit dirigée vers les femelles et les jeunes de l'espèce, ce qui serait, bien sûr, désastreux.

Pourtant toutes ces différences sexuelles ne doivent jamais être déterminées directement par les gènes pour l'unique raison que le même couple de parents produit des mâles aussi bien que des femelles. Cela est illustré par l'exemple suivant : les bovins sont une espèce polygame. Il est évident qu'un cou puissant, des épaules massives qui s'effilent pour terminer par un arrière-train étroit améliorent considérablement l'efficacité agressive chez un taureau. Un taureau dominant qui féconde un grand nombre de vaches doit forcément avoir le phénotype modèle mentionné ci-dessus. Qu'en serait-il si ces caractères étaient déterminés directement par une série de gènes spécifiques? Il les transmettrait non seulement à ses fils, mais aussi à ses descendants femelles; chez ces dernières, ces caractères ne pourraient qu'empêcher leur fonction reproductive. Pour qu'un ensemble de gènes spécifiques offre un avantage sélectif, cet ensemble doit pouvoir exprimer non seulement le phénotype masculin idéal, mais aussi le phénotype féminin idéal. De telles conditions apparemment impossibles peuvent être satisfaites seulement si les phénotypes masculins et féminins, au lieu d'être déterminés comme des ensembles individuels de caractères héréditaires, sont provoqués par des hormones sexuelles opposées. De la discussion précédente il ressort clairement que dans le mécanisme chromosomique déterminant le sexe, la différence génétique entre le mâle et la femelle doit être réduite au minimum, mais cette différence minimale doit influencer le processus du développement embryonnaire de façon à permettre l'expression de différences sexuelles très accentuées.

En effet, le mâle et la femelle de mammifères diffèrent seulement par la présence ou l'absence du chromosome Y qui généralement est de très petite taille. De plus, le chromosome Y porte un très petit nombre de gènes, disproportionné même par rapport à sa petite taille. Bien qu'il existe une différence sexuelle en ce qui concerne le nombre de chromosomes X (deux pour la femelle et un pour le mâle), cette disparité est réduite par ce qu'on appelle le mécanisme de compensation. Dans chaque cellule somatique du corps féminin, un des deux chromosomes X est rendu inactif pour toujours. Contrairement au chromosome Y, le chromosome X est d'une bonne taille et contient environ 5 % du matériel génétique total. De nombreux gènes du chromosome X déterminent des enzymes et des protéines nécessaires pour assurer les fonctions courantes des cellules. Comme ces enzymes et ces protéines sont nécessaires au corps sans tenir compte du sexe, les cellules ne peuvent vivre sans avoir un chromosome X. Cependant, comme nous allons le voir brièvement, le chromosome X porte un gène régulateur qui a un rôle primordial dans la différenciation sexuelle.

Le contenu génétique du chromosome X est resté invariable pendant l'évolution des espèces mammifères. Ainsi, le contenu génétique du chromosome X chez l'homme est identique à celui des souris, des chats ou d'autres espèces mammifères.

La femelle en tant que sexe de base et le mâle en tant que sexe induit

Le mammifère mâle XY possède tous les gènes présents chez la femelle XX. De plus, il hérite des gènes du chromosome Y. Il n'est pas étonnant alors de trouver que le programme embryonnaire de base chez les mammifères est orienté de façon à produire des femelles. En ce sens, le sexe féminin est le sexe de base chez les mammifères. Ici, je dois souligner que le fait d'être du sexe de base ne rend un individu ni inférieur ni supérieur. Par exemple, chez les oiseaux, c'est la femelle qui possède un chromosome X et un chromosome Y (ZW), tandis que le mâle a deux chromosomes X (ZZ). La situation chez les oiseaux est donc inversée en ce sens que le sexe mâle est le sexe de base.

Chez les mammifères, la raison du choix des femelles comme sexe de base est très évidente. Les embryons de mammifères croissent dans l'utérus de la mère, par conséquent du début jusqu'à la fin, le développement fœtal peut être influencé par les hormones femelles (œstrogènes et progestérone) maternelles. Si le développement fœtal femelle dépendait des hormones femelles, il y aurait un danger constant que les embryons mâles soient féminisés au même titre que les embryons femelles. Il ne restait donc qu'un choix, celui de rendre le développement fœtal complètement indépendant des hormones femelles. Cela n'était possible qu'en programmant le schéma embryonnaire de base comme étant féminin de façon qu'en l'absence d'interventions, l'embryon de mammifère se développe automatiquement en femelle.

Quant au développement des mâles, la première intervention sur ce schéma embryonnaire de base doit être provoquée par un ou plusieurs gènes du chromosome Y. Néanmoins, en raison des faits mentionnés plus haut, le rôle joué par le chromosome Y dans le développement sexuel doit être extrêmement limité. En effet, le seul rôle de l'Y est de détourner la tendance spontanée de la gonade embryonnaire indifférenciée à organiser un ovaire et la forcer à organiser un testicule. Bien que le chromosome Y semble porter plusieurs gènes autres que ceux qui sont nécessaires à la production postpubertaire du sperme, son rôle principal est d'organiser le testicule au lieu de l'ovaire et rien de plus. La suggestion récente que le gène porté par Y et qui détermine le testicule, accomplit sa tâche en spécifiant une protéine de la membrane plasmatique appelée antigène HY, semble avoir été confirmée. Pour former un organe donné, les cellules individuelles qui le composent doivent porter un signal de reconnaissance mutuelle sur leur surface cellulaire. Il doit donc y avoir une protéine de la membrane plasmatique qui agit comme signal (voir figure 1).

L'organisation du testicule sous la direction de l'Y résulte de l'activation de différents ensembles de gènes portés par d'autres chromosomes dans les cellules composant le testicule. Donc, si aucun de ces gènes qui vont être activés ne subit de mutation défectueuse, les différentes cellules du testicule commencent à accomplir leurs fonctions spécialisées. La plus importante est la production d'une hormone mâle (la testostérone) par les cellules de Leydig, car c'est cette testostérone qui va provoquer tout le développement masculin chez le fœtus. Le chromosome Y n'a plus rien à voir avec la réceptivité des cellules du corps à la testostérone. Donc, si des fœtus XX sont exposés constamment à la testostérone injectée, ils développent tout l'ensemble des caractères masculins, y compris la verge et le tractus génital mâle accompagnés des glandes accessoires, en dépit de la présence d'ovaires au lieu de testicules. La réponse des cellules du corps à la testostérone dépend de la présence de protéines cytosoliques et nucléaires qui se trouvent normalement dans le cytoplasme des cellules mâles ainsi que des cellules femelles. Quand les cellules sont en présence de testostérone, ces molécules protéiques se lient à la testostérone ou à son métabolite intracellulaire qui est plus efficace. C'est seulement à ce moment qu'elles pénètrent dans le noyau et se fixent sur le matériel génétique, et cette association active un ensemble spécifique des gènes portés par d'autres chromosomes dans chaque type de cellule. De cette façon, la protéine réceptrice qui lie la testostérone active tous les gènes nécessaires au développement masculin des cellules du corps. Il est presque certain que cette importante protéine réceptrice des androgènes est spécifiée par un gène du chromosome X situé dans le locus *Tfm*. Il semble que des détournements du schéma embryonnaire femelle de base qui aboutissent au développement mâle soient accomplis par deux principaux gènes régulateurs : un gène d'Y déterminant le testicule et un gène de X récepteur de l'androgène (figure 1).

Que se passe-t-il si un gène Y déterminant le testicule est supprimé par mutation de telle sorte que les cellules XY ne peuvent pas être marquées par l'antigène HY? Dans ce cas, les cellules XY organisent des ovaires au lieu de testicules. Ainsi, des individus XY se développent en femelles. En effet, on a trouvé récemment des femelles XY dans différentes espèces de rongeurs. Que se passe-t-il si le locus *Tfm* du chromosome X a subi une mutation et commence à spécifier une protéine réceptrice d'androgène déficiente? Le chromosome Y de tels individus XY mutants continue d'organiser des testicules, et les testicules continuent à produire de la testostérone; mais de tels individus XY manifestent des caractères féminins en dépit de la présence de testicules. Une telle mutation se produit non seulement chez l'homme, mais aussi chez les bovins, les chiens, les rats et les souris.

La masculinisation du cerveau ou l'infirmation d'une croyance populaire

Je suis intimement persuadé de la volonté indomptable de l'homme; notre espèce est unique dans la mesure où nous pouvons ajuster nos fonctions cérébrales à nos besoins par la discipline personnelle et la volonté. Je ne sais donc pas quel rapport auront les observations suivantes avec les situations humaines. Il doit être souligné que ces observations ont été faites sur les rongeurs dont le comportement est entièrement soumis aux ordres des hormones.

Si le programme embryonnaire de base chez les mammifères est de développer une femelle, il en est semble-t-il de même en ce qui concerne le cerveau et la différenciation dans le sens mâle doit donc être induite. Comme il y a un décalage dans le développement de la différenciation cérébrale, une injection néonatale de testostérone réussit à donner un cerveau masculin à des femelles physiquement normales. Inversement, si l'effet d'imprégnation de la testostérone endogène est neutralisé à ce stade critique par une injection néonatale d'un anti-androgène synthétique, on peut provoquer la formation d'un cerveau féminin chez des mâles physiquement normaux.

Quand la maturité sexuelle est atteinte, le cerveau masculinisé des femelles imprégnées en période néonatale produit les effets suivants :

1. La femelle est stérile du fait de l'absence d'ovulation. L'hypothalamus masculinisé ne peut pas réagir à une augmentation de l'hormone femelle circulante, l'œstrogène, il ne provoque donc pas la décharge ovulante. De ce fait, les œufs ne peuvent être pondus par les ovaires.

2. La femelle acquiert le type masculin d'activités métaboliques en ce qui concerne les différentes fonctions monooxygénases du foie et d'autres organes. Ces enzymes sont impliqués non seulement dans le métabolisme des hormones stéroïdes, mais aussi dans la détoxication de diverses drogues.

3. La femelle acquiert une conformation corporelle masculine du fait de l'augmentation des muscles des régions du cou et des épaules.

4. La femelle manifeste un comportement agressif de type masculin; elle attaque facilement un mâle adulte placé dans sa cage. Bien qu'une femelle normale puisse être très agressive, son agressivité est souvent dirigée vers d'autres femelles. Une femelle n'attaquerait un mâle qui ferait intrusion dans la cage que dans le cas où elle allaite ses petits.

Il n'est pas nécessaire d'injecter de la testostérone pour déclencher l'agressivité mentionnée ci-dessus chez ces femelles. Il semble qu'une fois la puberté atteinte, le comportement masculin des femelles est déclenché et maintenu par leur propre niveau d'hormone femelle endogène, l'œstrogène. Ainsi, nous rencontrons la première énigme à l'égard de la différenciation sexuelle du cerveau. Toutes les autres cellules du corps répondent de façon très différente aux hormones mâles et femelles, parce que la première réponse est médiée par la protéine réceptrice de l'androgène spécifique mentionnée ci-dessus, tandis que la dernière est médiée par la protéine réceptrice de l'œstrogène spécifique. En ce qui concerne le comportement sexuel, le cerveau semble répondre sans faire de distinction entre les hormones mâles et femelles. En effet, il a été démontré que l'injection néonatale d'une hormone femelle est aussi efficace que celle d'une hormone mâle pour la masculinisation du cerveau femelle.

On soutient couramment que la masculinisation du cerveau ne se produit pas comme dans les autres organes, qu'elle ne se fait pas par une hormone mâle, la testostérone, mais par une hormone femelle, l'œstrogène, et plus spécifiquement par l'œstradiol. Si cette idée est démontrée exacte, elle infirme la conviction populaire de la supériorité masculine innée.

Cette idée courante se base sur les arguments suivants :

1. Alors que la testostérone peut être métabolisée en œstradiol, notre corps ne contient pas de système enzymatique pour revenir de l'œstradiol à la testostérone. Le cerveau possède un système enzymatique qui peut convertir la testostérone en œstradiol, ce système étant connu sous le nom d'« aromatases ».

2. La protéine réceptrice des androgènes mentionnée maintes fois montre une plus grande affinité de liaison avec un métabolite intracellulaire de la testostérone, la 5 α-dihydrotestostérone, qu'avec la testostérone elle-même. Donc, en ce qui concerne toutes les autres cellules du corps, la 5 α-dihydrotestostérone est l'hormone mâle la plus puissante. Néanmoins, cette hormone mâle qui ne peut subir l'action des « aromatases » pour devenir de l'œstradiol est tout à fait inefficace dans la masculinisation du cerveau néonatal.

3. Le sang, aussi bien que l'espace intercellulaire du cerveau néonatal, contient une espèce protéinique à grande affinité de liaison avec l'œstradiol. On pense qu'en réduisant efficacement la concentration de l'œstradiol libre, cette protéine protégerait le cerveau néonatal femelle d'une éventuelle masculinisation par son œstradiol endogène. Bien que la même protéine existe chez le mâle nouveau-né, les cellules du cerveau mâle reçoivent de la circulation sanguine non pas de l'œstradiol, mais de la testostérone, et la convertissent en œstradiol par voie intracellulaire. Cette protéine n'empêche donc pas le processus néo-natal normal de masculinisation du cerveau mâle. Il a été démontré que cette protéine à grande affinité de liaison avec l'œstradiol chez le nouveau-né est l'α-fœtoprotéine. Bien qu'on ait beaucoup écrit sur l'α-fœtoprotéine en ce qui concerne le diagnostic du cancer chez les adultes, sa fonction naturelle peut être celle mentionnée ci-dessus.

Ces arguments appuient très fortement l'idée que c'est l'hormone femelle qui masculinise normalement le cerveau néonatal mâle. Cependant, je ne crois pas que la question ait été réglée définitivement. Je dois apporter les réserves suivantes :

1. Les aromatases du placenta humain sont en effet très efficaces pour convertir la testostérone en œstradiol. Par contre, les mêmes enzymes du cerveau néonatal des rongeurs sont assez inefficaces. Les cellules du cerveau mâle néo-natal sont donc vraisemblablement exposées à davantage de testostérone que d'œstradiol, et ces cellules cérébrales sont équipées à la fois de protéines spécifiques réceptrices de l'androgène et de protéines spécifiques réceptrices de l'œstrogène.

2. Comme nous l'avons vu précédemment, il n'y a pas de développement masculin au-delà des testicules chez les individus XY porteurs d'une mutation du gène *Tfm* du chromosome X. Leur développement féminin en dépit de la présence de testicules, donc d'hormone mâle, est dû à l'absence fonctionnelle de la protéine cytosolique réceptrice des androgènes. Dans leurs cellules cérébrales, le seul élément manquant est cette protéine. On y trouve le taux normal des aromatases qui convertissent la testostérone en œstradiol ainsi que le taux normal de la protéine cytosolique réceptrice des androgènes. Cependant l'administration néonatale d'une grande quantité de testostérone à des souris XY mutantes n'a pas réussi jusqu'à maintenant à masculiniser leur cerveau; cela indique que le récepteur de l'androgène est impliqué d'une façon ou d'une autre dans le processus de masculinisation du cerveau.

Néanmoins, le fait est qu'à la différence de tous les autres organes du corps dont la masculinisation dépend strictement des hormones mâles, le cerveau néonatal peut être masculinisé par un grand nombre d'agents autres que l'hormone mâle. On a démontré que non seulement une hormone femelle, l'œstradiol, mais aussi une hormone synthétique, la stilbestrol, et même un insecticide, le D.D.T., masculinisent le cerveau néonatal.

Dans l'environnement pollué d'aujourd'hui, il est possible, et même probable, que les cerveaux femelles de quelques-unes des espèces qui occupent la fin de la chaîne alimentaire soient masculinisés par les agents mentionnés ci-dessus.

Cette étude est fondée sur les connaissances accumulées dans le passé, auxquelles Alfred Jost et Étienne Baulieu, qui participent à cet ouvrage, ont large-ment contribué[1]. Bien sûr, nous devons beaucoup à Jacob et à Monod qui nous ont permis de comprendre comment un gène peut réguler un certain nombre d'au-tres gènes.

1. Ces études entreprises dans mon laboratoire ont été effectuées sous contrat et avec une subvention du N.I.H. (National Institute of Health) et de la Fondation Bixby.

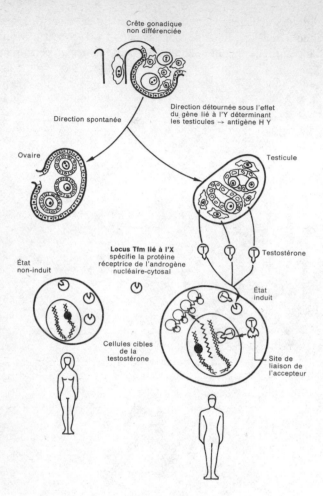

Crête gonadique
non différenciée

Direction détournée sous l'effet
du gène lié à l'Y déterminant
les testicules → antigène H Y

Direction spontanée

Ovaire

Testicule

Locus Tfm lié à l'X
spécifie la protéine
réceptrice de l'androgène
nucléaire-cytosal

Testostérone

État
non-induit

État
induit

Cellules cibles
de la
testostérone

Site de
liaison de
l'accepteur

FIGURE 1

Est illustrée schématiquement l'action de deux gènes régulateurs majeurs qui détournent la tendance innée de l'embryon mammifère à se développer en femelle et causent la différenciation mâle. D'abord, un gène du chromosome Y déterminant le testicule en spécifiant une protéine (l'antigène H-Y) de la membrane plasmatique force la gonade indifférenciée de l'embryon à organiser un testicule au lieu d'un ovaire. Le testicule organisé par le chromosome Y synthétise ensuite une hormone mâle, la testostérone, et l'introduit dans la circulation sanguine.

La réponse de toutes les cellules du corps à la testostérone est déterminée par le gène situé sur le locus *Tfm* du chromosome X. La protéine cytosolique nucléaire réceptrice des androgènes, dont la synthèse dépend de ce gène, est présente à la fois dans des cellules mâles et femelles, mais normalement seules les cellules mâles sont exposées à la testostérone. Quand elle est liée à la testostérone ou à son métabolite, cette protéine réceptrice pénètre dans le noyau et active tous les gènes exigés par le corps pour le développement dans le sens mâle.

2.

A propos des chromosomes sexuels

par Pierre ROYER et Alfred JOST

P. ROYER : Du point de vue biologique, la présence du chromosome Y dans notre espèce va déterminer la masculinité en déterminant l'orientation de la gonade. Sa présence crée probablement la mise en place d'un système de « patterns » dans le cerveau déterminant un certain nombre de comportements plus tardifs, tout au moins cela a été étudié dans certaines espèces animales. Ce schéma est clair, mais nécessite encore de nombreuses études.

La grande question, c'est le chromosome X, dont on peut se demander s'il est un chromosome sexuel. Chez la femme (qui est de caryotype XX) un des deux X est inactivé. Mais nous ne savons pas à quel stade du développement il est inactivé, ce qui serait pourtant important à connaître. L'inactivation d'un des chromosomes X se fait sans doute à un moment précoce du développement, au hasard, tantôt sur un X venant du père, tantôt sur un X venant de la mère. La femme est donc une « mosaïque » quant à son chromosome X : dans certaines cellules elle a des messages héréditaires transmis tantôt par le X paternel, tantôt par le X maternel.

La différence entre les deux sexes est donc importante relativement au chromosome X : le sexe masculin est homogène à son endroit et dans toutes les cellules mâles le message héréditaire transmis par le X venant de la mère devrait pouvoir s'exprimer. En revanche, le sexe féminin est hétérogène du point de vue du X : certains de ces X inactivés venant du père, d'autres de la mère.

Plusieurs personnes ont posé avec beaucoup de clarté la question suivante : « Y a-t-il probabilité d'une plus grande manifestation de gènes récessifs portés par le X chez les garçons (XY) que chez les filles où l'un des deux X a de grandes chances de porter un caractère dominant et par conséquent de neutraliser le gène récessif de l'autre X? » Il est vrai que la plupart des gènes dont l'anomalie crée un état morbide sont effectivement des gènes récessifs, et l'exemple de l'hémophilie, qui ne touche que les garçons, explique cette préoccupation. Mais sur le chromosome X, il n'y a pas que des gènes récessifs, mais aussi des gènes dominants[1]. Parmi les maladies dominantes liées au chromosome X on connaît relativement bien le rachitisme vitamino-résistant héréditaire et la pseudo-hypoparathyroïdie qui a probablement le même type de transmission. Nous connaissons à l'heure actuelle environ quatre cents maladies métaboliques différentes liées à des anomalies génétiques; or, sur ces quatre cents, une quinzaine seulement sont liées à l'X. Les autres sont liées à des autosomes.

Mais puisque j'ai évoqué les maladies liées à la formule génétique, je voudrais ajouter que beaucoup de maladies sont prédominantes dans un sexe sans que l'on puisse déceler l'intervention d'un caractère mendélien. Sans arrêt nous établissons que telle ou telle maladie est quatre fois plus fréquente chez les filles que chez les garçons ou vice versa. Nous ne savons pas quels éléments interviennent dans ces distributions selon le sexe. Nous ne pouvons dire s'il y a un élément génétique et il faut être très prudent dans ce domaine.

A. Jost : Il est tout à fait exact et important que la conception ancienne selon laquelle le X était le chromosome qui détermine la féminité n'a pas été vérifiée. Actuellement, le seul rôle qu'on connaisse au chromosome X chez le mâle est de permettre l'expression de la masculinité puisque c'est sur le X, dans la formule masculine XY, que se trouve le gène qui détermine la protéine réceptrice aux hormones mâles qui permettent la masculinisation. Maintenant, chez la femme à caryotype XX (ou parfois XXX), comment interviennent tous ces X? C'est une question bien complexe. Je dirai seulement que s'il y a des anomalies dans le nombre des chromosomes, les cellules reproductrices ne survivent pas normalement et il n'y a pas d'ovaire. Parfois des perturbations semblables peuvent avoir une autre cause, non liée au chromosome X.

---

1. Rappelons que quelques maladies génétiques connues sont liées au chromosome X féminin et transmises par les femmes; par exemple le daltonisme, l'hémophilie, la myopathie de Duchesne. Elles n'apparaissent en général que chez les garçons; en effet, elles sont portées par un gène dit « récessif », c'est-à-dire un gène qui doit se trouver apairé avec le même gène anormal sur le deuxième chromosome de la paire, donc se trouver en *double* exemplaire, pour que la tare apparaisse dans le phénotype. Chez les filles (XX), le gène récessif anormal porté par le chromosome X venant de la mère est masqué par le gène normal apporté par le chromosome X du père; tandis que chez les garçons (XY) il n'est pas neutralisé par le gène homologue normal d'un deuxième chromosome X (pour que la maladie, par exemple l'hémophilie, apparaisse chez une fille, il faudrait qu'elle soit issue d'un père hémophile et d'une mère porteuse récessive de la tare). Néanmoins, bien que l'anomalie récessive ne s'exprime pas dans le phénotype des filles, elles en sont porteuses et peuvent par conséquent la transmettre à leurs descendantes; on dit qu'elles sont « conductrices » de l'anomalie.

Notes pour une réflexion sociologique

S. Ohno l'énonce très clairement : 1° chez les mammifères, espèce humaine comprise, génétiquement le sexe féminin est le sexe premier à partir duquel s'ébauche le sexe masculin; 2° cette constatation n'implique strictement aucune idée de supériorité ou d'infériorité.

Or cette notion : « Génétiquement, le sexe féminin est le sexe premier », a connu depuis les années 70 un sort très particulier. Elle a été sélectionnée, parmi d'autres données de la génétique, par ceux-là et celles-là mêmes qui récusent absolument toute référence à la nature pour expliquer Le Fait féminin, *et en font un phénomène uniquement social. Ils s'en sont servis comme « preuve » supplémentaire de la fausseté et de la malignité de la phallocratie, du pouvoir établi par les hommes sur les femmes. C'est-à-dire qu'ils ne refusent pas toutes les données de la science biologique : ils sélectionnent celles qui confortent leur idéologie. Pas un ouvrage de théorie féministe après 1970 qui ne rappelle au moins une fois cette « primauté » génétique du sexe féminin. Le grand public a entendu et assimilé cette notion ainsi que l'usage qui en était fait : pour avoir entretenu des centaines d'auditoires des questions féminines dans de nombreux milieux et dans une quinzaine de pays, je puis témoigner que cet argument ontologique est toujours, immanquablement, avancé par quelqu'un dans le public, de la manière la plus simpliste et la plus convaincue. Il sert toujours à souligner, presque mythiquement, la supériorité féminine primitive, bafouée et humiliée ensuite par les hommes. On le trouve ainsi dans un film suédois d'animation sur l'histoire de la femme que l'on passe dans les congrès internationaux les plus officiels. Ses implications idéologiques sont les suivantes : au début était la femme, première et nécessaire; l'homme est un être second; il est d'autant plus coupable d'avoir dominé le sexe primitif, de l'avoir asservi par une organisation sociale imaginée par lui, vicieuse et antinaturelle.*

C'est, en somme la réplique, le répondant symétrique parfait du mythe d'Adam et Ève. Selon ce mythe, Adam était premier, Ève seconde, née de sa fameuse côte, et par sa malignité elle l'a entraîné dans la chute. Le sexe second est, dans l'un et l'autre cas, néfaste au premier qui, de ce fait, le maudit.

L'une comme l'autre de ces constructions idéologiques témoigne à la fois de la profondeur, au niveau des archétypes, de la peur de l'autre sexe, de la « guerre des sexes »; et d'autre part, du besoin religieux ou quasi religieux d'arguments ontologiques. Nous verrons avec F. Héritier que l'anthropologie culturelle a fait dans diverses populations ample moisson d'observations du même type. Toutes sont la preuve culturelle de la bimodalité sexuelle.

Il n'est point besoin de souligner que l'argument d'Adam et Ève n'a aucune valeur scientifique. Celui de la « primauté génétique du sexe féminin » dans l'espèce humaine n'en a pas plus, en dépit des apparences. Car, comme le dit S. Ohno, ce fait est totalement neutre et n'implique aucune idée de supériorité ou d'infériorité.

Une certaine idéologie féministe s'en est emparée pour démontrer que par nature les hommes sont « le deuxième sexe ». Une idéologie masculiniste pourrait fort bien l'utiliser pour démontrer que : « homme = femme + quelque chose », c'est-à-dire que l'homme ajoute les caractères spécifiques de sa masculinité à ceux du sexe de base féminin.

Ces constructions idéologiques ne peuvent ni l'une ni l'autre se réclamer de la science. Elles peuvent séduire comme une poétique, un phantasme, une fable. Je me rappelle avoir utilisé dès 1965 sur le mode plaisant et sous le titre « Théorie de la poule châtrée » ce type d'argumentation pour ridiculiser les prétentions psychanalytiques masculines [1]. *Mais tout cela est ascientifique.*

Dire que ces argumentations sont ascientifiques ne signifie pas qu'elles n'ont pas eu, n'ont ou n'auront pas de succès, bien au contraire! L'histoire des idées (et des mouvements sociaux fondés sur ces idées et mus par elles) montre à l'envi que l'humanité s'est toujours pourléchée d'idéologies ascientifiques ou antiscientifiques.

En revanche, cela signifie qu'elles ont un caractère caduc : elles passeront, seront critiquées, démontées, jugées ridicules, remplacées par d'autres. Mais personne ne pourra jamais nier que chez les mammifères, dont l'homme, les mâles sont porteurs d'un chromosome différent, et que chez les oiseaux ce sont les femelles qui le portent. Les hypothèses sur les conséquences de ces données sur les comportements peuvent varier, c'est un tout autre problème que celui de l'argument ontologique abusivement utilisé pour « prouver ».

Se servir, pour les besoins d'une cause, de ce type d'argumentation fondé sur une donnée isolée de son contexte, surinterprétée, affectée de signes négatifs ou positifs ne rehausse pas la cause que l'on veut défendre et ne contribue pas à l'établir – même si celle-ci est une bonne cause. Une bonne cause du point de

---

1. Lorsqu'on retire à une poule son ovaire gauche, qui est l'ovaire fonctionnel, le droit se développe en testicule fonctionnel et la poule prend l'aspect d'un coq : le coq, en fait, ne serait donc qu'une poule châtrée. C.Q.F.D. Dans ce système toute l'activité masculine deviendrait une énorme névrose collective. Je m'en voudrais d'accorder quelque importance à ce jeu qui n'est qu'un jeu, ne serait-ce que parce qu'il obéit à une nécessité de symétrie : faire le pendant d'une psychanalyse masculine, et comme tel il n'a de valeur que récréative et démythifiante. » E. SULLEROT : *Demain, les femmes,* R. Laffont, Paris, 1965, p. 95.

vue social ne transforme pas de mauvais arguments du point de vue scientifique en bons arguments. En revanche, récuser ces arguments ne veut pas dire qu'on récuse la cause. On peut défendre la cause des femmes et agir pour que cessent certaines exploitations et oppressions dont elles sont victimes sans pour cela arguer, le cœur réconforté, qu'elles sont le sexe premier! Ni admettre non plus qu'elles soient le sexe second, du reste.

D'autre part, un fort courant idéologique s'est développé depuis 1970 aussi, qui condamne toute mention de la génétique, « preuve de pensée réactionnaire », et toute mention de différences entre les sexes, génétiquement, « manifestation d'antiféminisme ». Il s'agit là d'une intolérance absolue, qui aura le sort de toutes les intolérances : être ressentie comme intolérable et entraîner une réaction. Les différences génétiques entre femmes et hommes sont, au sens propre, indéniables. Le reconnaître n'est ni de droite, ni de gauche, ni antiféministe, ni féministe. C'est comme reconnaître que la terre tourne. Cela n'implique aucun jugement de valeur. Que des philosophies plus que contestables et souvent criminelles dans leurs effets aient usé de mauvais arguments génétiques ne justifie nullement que l'on censure toute connaissance en la matière comme mauvaise en soi. Le développement remarquable de S. Ohno sur le jeu complexe des hormones dans le développement du cerveau montre assez qu'avant d'avancer des conclusions simplificatrices ou de prononcer des condamnations, il convient d'approfondir la connaissance. L'obscurantisme peut être, lui, successivement de droite ou de gauche, antiféministe ou féministe. Il demeure toujours l'obscurantisme. Les sciences sociales ne peuvent s'en contenter, et encore moins s'en prévaloir, sans se déconsidérer.

La profonde réticence – on peut parler sans exagérer de refus véhément le plus souvent – à l'idée de parler de génétique sexuelle et donc d'ancrage du sexe dans le « donné », l'« inné » le plus profond procède d'une crainte compréhensible que cette connaissance n'ait pour fruits sociaux un arrêt du processus d'égalisation des sexes. On a peur que sous prétexte que dès la première cellule femmes et hommes sont différents, toute recherche d'équité sociale risque d'être abandonnée. C'est une attitude étrangement puérile qui fera sourire un jour. Jusqu'ici, en tout cas, la découverte des caryotypes différents de l'homme et de la femme a eu un effet très bénéfique pour de nombreuses femmes, indirectement, mais sûrement et définitivement. En effet, la génétique a montré que le sexe de l'enfant était déterminé par le chromosome porté par le spermatozoïde, donc le fait du père. Depuis des temps immémoriaux dans de nombreuses sociétés on répudiait les femmes qui n'avaient que des filles. Elles encouraient l'opprobre de leur communauté. Désormais il sera impossible d'entériner une loi ou une disposition qui autorise l'homme à rejeter sa femme comme une coupable pour un fait dont elle ne peut être tenue pour « responsable ».

Evelyne SULLEROT.

3.

La sélection du sexe de l'enfant

Le sexe de l'enfant est déterminé par la formule chromosomique du spermato-zoïde qui féconde l'ovule : les spermatozoïdes porteurs d'un chromosome X donnent un embryon femelle, et les spermatozoïdes porteurs d'un chromosome Y, un embryon mâle. Une question se pose alors : la science ayant déchiffré cette énigme pourra-t-elle un jour nous donner le moyen d'agir sur cette détermination et de choisir le sexe de l'enfant avant la naissance, et même avant la conception – en d'autres termes, d'avoir à volonté des filles ou des garçons?

Dans les populations humaines, le rapport garçons/filles, appelé taux de mas-culinité, ou sex-ratio, est remarquablement constant : *parmi les enfants nés vivants, on compte toujours 105 garçons pour 100 filles, quel que soit le pays envisagé, que ce pays ait une fécondité forte ou basse, pratique ou non la contra-ception. On a seulement noté,* sans bien sûr pouvoir l'expliquer, *que le taux de masculinité avait très légèrement augmenté durant les deux derniers conflits mon-diaux dans certains pays touchés par la guerre, atteignant 106 et 107 garçons nés vivants pour 100 filles. Ajoutons que l'excédent de garçons est plus considé-rable encore parmi les mort-nés, et, selon certains travaux, il le serait encore davantage parmi les fœtus expulsés lors de fausses couches spontanées, non pro-voquées.*

Pourquoi cet excédent de garçons? Il semble que cette légère surnatalité mâle semble en partie compenser la surmortalité masculine à tous les âges de la vie, dont nous reparlerons. Toutefois ce remarquable équilibre naturel du sex-ratio n'est bien entendu observable que sur les grands nombres, pour une population. A l'échelle d'une famille, on peut en revanche observer de petites séries de filles ou de garçons. D'où l'intense curiosité qui, depuis toujours, a tenté de percer le mystère de la détermination du sexe, donnant lieu à une impressionnante quan-tité de superstitions, pratiques magiques, théories étranges. Qu'en est-il aujourd'hui? O. Thibault fait le point.

E. S.

La question de la sélection du sexe

par Odette THIBAULT

Le *sex-ratio à la naissance* dépend de deux facteurs : 1° le *sex-ratio* à la conception; 2° la mortalité intra-utérine. Pour expliquer cet excédent de mâles à la naissance, l'hypothèse la plus couramment reconnue est celle d'un taux plus élevé de conceptions mâles : selon certaines données, le sex-ratio pendant la vie fœtale pourrait atteindre 120 à 150 mâles pour 100 femelles. Cependant, dans l'éjaculat, la proportion de spermatozoïdes à Y est légèrement inférieure à celle des spermatozoïdes à X. Pour expliquer ces faits, on peut envisager soit un taux d'aberrations génétiques différent, soit plutôt une vitesse de migration différente. Ce dernier cas offrirait la possibilité d'un mode de sélection, comme nous allons le voir.

Pourra-t-on un jour infléchir le phénomène? Si cette question intéresse au plus haut point les parents, ce n'est pas par simple curiosité, c'est dans le souci d'avoir une famille équilibrée, où les deux sexes soient représentés dans la descendance. Selon des enquêtes faites aux U.S.A., 23 % des femmes ayant déjà deux enfants du même sexe ont l'intention d'avoir une troisième grossesse, contre 19 % seulement de celles qui ont déjà un garçon et une fille. Un certain désir de « variété » s'exprime donc.

La pression exercée par les parents a conduit nombre de médecins à proposer depuis des siècles des méthodes *empiriques* permettant le choix du sexe de l'enfant (Cohen).

Nous ferons grâce au lecteur de l'historique de la question. Récemment, certaines méthodes préconisées étaient fondées sur les modifications chimiques du milieu vaginal au cours du cycle menstruel. Selon Stolkowski, pour avoir des filles, les femmes devraient se soumettre à un régime sans sel, avec un apport accru en calcium et en magnésium. Pour avoir des garçons, il faudrait au contraire un régime très salé, supplémenté en potassium.

Selon Shettles, l'acidification des sécrétions vaginales étant prétendue défavorable aux spermatozoïdes à Y, il est conseillé de pratiquer des injections vaginales acides lorsqu'on désire une fille, et des injections alcalines lorsqu'on désire un garçon. En vertu de ce même principe, Shettles conseille d'avoir des rapports sexuels 2 à 5 jours avant l'ovulation (au moment où les sécrétions vaginales seraient plus acides) si l'on veut une fille, et au contraire après l'ovulation si l'on désire un garçon. D'après lui, cette méthode permettrait d'obtenir l'un ou l'autre sexe à 85 %.

Malheureusement, cette méthode connaît encore une certaine faveur dans le public, bien qu'elle n'ait jamais reçu de confirmation sérieuse, qu'elle ne soit nullement fiable, et que ses résultats ne soient pas statistiquement significatifs. Ajoutons qu'elle n'est pas exempte de risques pour l'embryon, car décaler (jusqu'à 5 jours) le coït de l'ovulation entraîne le danger (démontré) que comportent les « fécondations retardées », c'est-à-dire le vieillissement de l'un ou l'autre des gamètes dans les voies génitales de la femme, qui est préjudiciable à la qualité du produit de la fécondation (Thibault).

LES METHODES SCIENTIFIQUES DE PRESELECTION DU SEXE

Le tri des spermatozoïdes à X et à Y in vitro

Les premiers essais de tri des spermatozoïdes étaient fondés sur leur charge électrique : il s'agissait d'une méthode de séparation par *électrophorèse*. Un moment abandonnée, elle est actuellement remise à l'étude par Knaack *et al.*, avec un nouveau procédé.

Une autre méthode de séparation est fondée sur la différence de *masse spécifique* : les chromosomes X et Y diffèrent non seulement par la forme, mais par la taille (Y est plus petit et sa surface est inférieure de 7 % à celle de X) ainsi que par le poids; mais la différence est faible, elle porte sur la 4ᵉ décimale du chiffre de la masse spécifique. Cette différence permettrait de tenter la séparation par deux types de méthodes :

– La *centrifugation* : tentée dès 1926, elle s'est révélée peu satisfaisante (voir Courot).

– La *sédimentation* : elle est actuellement en cours d'expérimentation. C'est par un procédé de sédimentation très fine, à travers des couches successives de sérum-albumine bovine à différentes dilutions, qu'on tente de séparer les spermatozoïdes à Y des spermatozoïdes à X qui, plus lourds, tombent plus vite. Ces expériences sont poursuivies par plusieurs chercheurs (Knaack; Krzanowski; Schilling chez le taureau, Ericsson chez le lapin). On obtiendrait par cette méthode environ 70-75 % d'un des sexes.

Steeno et Adimoelja en utilisant comme filtrat le gel de Sephadex, obtiendraient 95 % de spermatozoïdes porteurs de X.

– La différence de *mobilité* des spermatozoïdes à X et à Y (les porteurs de Y étant plus mobiles et ayant une plus grande vitesse de nage) pourrait fournir également une méthode de sélection, en utilisant un milieu qui favoriserait ces différences de progression (Ericsson).

– Une autre méthode est théoriquement possible : l'inactivation des spermatozoïdes à Y, grâce à des anticorps spécifiques H-Y (Barlow et Vosa). On sait qu'elle se fait spontanément chez certaines femmes qui ne peuvent avoir que des filles. Mais cette méthode n'est pas encore en pratique.

Notons que les résultats obtenus jusqu'ici au cours des essais de sélection *in vitro* ne garantissent en rien le *sex-ratio* à la naissance. En effet, les modes de régulation *intra-utérins* qui entrent en jeu sont encore mal connus et non maîtrisables. Ils tendent à rétablir le *sex-ratio* quel que soit le pourcentage des fécondations. Aurait-on 90 % des spermatozoïdes à Y dans la portion d'éjaculat inséminée, il est plus qu'improbable qu'on obtienne 90 % de naissances mâles.

Soulignons que cette méthode de présélection des spermatozoïdes *in vitro* exigerait l'*insémination artificielle* des portions de sperme préalablement séparées. Elle permettrait d'ailleurs non seulement de choisir le sexe de l'enfant, mais d'une part d'éviter la transmission génétique de certaines anomalies liées au chromosome X, d'autre part d'éliminer les spermatozoïdes anormaux, atteints d'aberrations chromosomiques qui sont plus nombreux chez l'homme que dans aucune autre espèce de mammifères (Ericsson).

Le tri des embryons au stade prénatal

Celui-ci est parfaitement possible : l'examen du *caryotype* du fœtus, qu'on pratique couramment grâce à l'amniocentèse (prélèvement de liquide amniotique dans lequel flottent des cellules de la peau de l'embryon dont on peut examiner les chromosomes), permet de voir si l'embryon est porteur de la formule chromosomique XX ou XY; on a donc la possibilité d'éliminer éventuellement le fœtus du sexe non désiré par avortement. Edwards pratique même des biopsies à un stade très précoce du développement embryonnaire (blastocyste) lors des expériences de fécondation *in vitro* (Thibault). Mais il est évident qu'un tel mode de sélection à un stade déjà avancé du développement (l'amniocentèse n'étant possible qu'à partir de la 12e semaine de la grossesse) pose des problèmes sur le plan moral. Il n'est guère admissible qu'en cas de tare génétique grave portée par la mère et transmise aux garçons (voir p. 66, note).

On peut donc conclure que le choix du sexe de l'enfant n'est pas encore possible actuellement.

Quelles seraient les conséquences démographiques et sociologiques d'un tel choix s'il devenait possible un jour? Elles sont difficilement prévisibles.

Dans l'ensemble, les enquêtes pratiquées (dont la plus intéressante est celle de Westoff et Rindguss aux U.S.A., sur 5 681 femmes mariées) montrent une préférence générale pour que le premier enfant soit un garçon; mais également pour que le deuxième soit une fille. Cela n'aurait donc de conséquence que si la famille se réduisait à un seul enfant. Il paraît d'ailleurs normal que les parents, dans l'ensemble, souhaitent avoir un échantillon de chaque sexe dans leur descendance. Mais il peut y avoir des différences selon les cultures.

Ce qu'il est plus difficile de savoir, c'est dans quelle mesure le choix du sexe aurait une incidence sur le nombre des enfants. Si les familles pouvaient choisir le sexe, il est probable qu'elles seraient plus réduites.

On peut, au pis, supputer un excédent de garçons de 20 % environ, pendant une période transitoire de 1 à 3 ans environ. Mais, à long terme, le *sex-ratio* reviendrait au voisinage de ce qu'il est actuellement.

Selon Edwards, le libre choix du sexe n'aurait guère plus d'effets sur le plan démographique que le vote des femmes n'en a eu sur le plan politique!

RÉFÉRENCES BIBLIOGRAPHIQUES

BARLOW (P.) et VOSA (C.) : « The Y chromosome in human spermatozoa », *Nature*, 1970, *226*, p. 961.

COHEN (J.) : « Peut-on modifier le sexe à la conception? Le point de vue du clinicien », colloque de la Société nationale pour l'étude de la stérilité et de la fécondité, juil. 1975, Éd. Masson.

COUROT (M.) : « Le choix du sexe est-il possible chez les mammifères? », colloque de la Société nationale pour l'étude de la stérilité et de la fécondité, juil. 1975, Éd. Masson.

ERICSSON (R.J.), LANGEVIN (C.N.) et NISHIMO (M.) : « Isolation of fractions rich in human Y sperm », *Nature*, 1973, *246*, p. 421.

ERICSSON (R.J.) : « Les spermatozoïdes X et Y », *Contraception, fertilité, sexualité*, 1977, *4*, n° 81, p. 655.

KNAACK (J.), NEHRING (H.) et LORENZ (G.) : « Neue Ergebnisse der Experimentellen Willkürlichen Geschlechts Beinflussung beim Rind », *Tierzucht*, 1973, *27*, p. 156.

SCHILLING (E.) : « Sedimentation as an approach to the problem of separating X and Y – chromosomes-bearing spermatozoa », *Am. Soc. Anim. Sc.*, 1971, p. 76.

SCHWARTZ (D) : « Le choix du sexe est-il possible chez l'Homme? Faits et hypothèses », colloque de la Société nationale pour l'étude de la stérilité et de la fécondité, juil. 1975, Éd. Masson.

SHETTLES (L.B.) : « Factors influencing sex-ratio », *Inter. J. Gynecol. Obstetr.*, 1970, *8*, 5, p. 643.

STEENO (O.) et ADIMOELJA (A.) : « Separation of X and Y bearing human spermatozoa with the Sephadex gel filtration method », Conf. Internat. Andronology, Detroit, Avril 1975.

STOLKOWSKI (J.) et EMMERICH (E.) : « Influence de la nutrition minérale de la vache sur la répartition des sexes dans la descendance », *Ann. endocrinol.*, 1971, *32*, p. 3.

THIBAULT (O.) : « Cours de préparation à l'enseignement de la sexualité humaine », Éd. S.E.D.E.S., Paris, 1975.

WESTOFF (Ch.) et RINDFUSS (R.) : « Sex pre-selection in U.S.A.; some implications », *Science*, 1974, *184*, p. 633.

Notes pour une réflexion sociologique

1. Quelles conséquences démographiques et sociologiques pourrait avoir l'introduction d'une méthode permettant d'avoir un enfant du sexe désiré? C'est proprement impossible à imaginer. Une telle découverte peut se produire, en effet, mais il est peu probable qu'elle se traduise, en quelques semaines, par la diffusion d'un moyen efficace, fiable, non dangereux, peu cher, ne réclamant pas une infrastructure médicale sophistiquée ni des examens compliqués, de pratique aisée et compréhensible par tout le monde et n'entraînant pas d'opposition! Il est encore moins probable que ce moyen idéal puisse être très vite divulgué, légalisé, commercialisé dans des délais assez brefs pour prendre au dépourvu, dans la naïveté et la spontanéité de leurs bons vieux conditionnements et désirs, les gens pour qui, depuis que le monde est monde, fabriquer à la demande un garçon ou une fille relève du hasard ou de la magie.

Si une telle possibilité de prédétermination du sexe était découverte, il est plus que probable que des années s'écouleraient avant que le procédé soit au point, les esprits calmés et les États d'accord pour en autoriser l'utilisation. Une immense dispute s'instaurerait, sans doute dans la plus belle confusion et la plus folle passion. On verrait l'angoisse de dicter à la nature, d'échapper au Destin inspirer à beaucoup des accents furieux, prophétiques, apocalyptiques. Ils commenceraient par soupçonner toute méthode de sélection de sexe d'être un avortement déguisé, donc une intention d'homicide, et un homicide pour une raison de caprice. Ils poursuivraient en demandant : qui va choisir le sexe de l'enfant? La mère? Le père? Les deux? Dans quels cas? S'il y a désaccord, qui jugera? Y aura-t-il recours? Les fins experts juristes auraient là un sujet trop épineux pour le lâcher sans en avoir extrait tous les possibles, en dépit de l'impatience des politiciens.

Pendant ce temps, les partisans du changement et de la maîtrise par les parents du sexe de l'enfant s'organiseraient et se forgeraient des discours idéologiques imparables. Mais rapidement ils se diviseraient en courants plus ou moins extré-mistes. Les plus décidés provoqueraient des événements, des scandales, des pro-cès – et par là même exacerberaient leur opposition et feraient peur aux indécis.

Les médias offriraient leurs services, leurs surfaces et leurs temps d'antenne, durant des années, aux uns et aux autres, les sondages se succéderaient, se contre-diraient.

Quand interviendrait enfin le « moyen » sûr, peu cher, pas difficile, etc. et sa légalisation, quand les médecins auraient fini leur résistance dernière contre cette passation de pouvoirs à de simples parents, le public n'aurait strictement plus de spontanéité devant cette éventualité, plus du tout la virginité d'opinion que mesurent les actuels sondages sur : « Que feriez-vous si on pouvait?... »

De plus, ce processus complexe qui génère les attitudes, les modifie, les ren-force, etc., peut se produire dans des climats socio-économiques fort variés : dans chaque cas le déroulement en serait modifié.

2. Ces très importantes réserves faites, il est vrai qu'à plusieurs reprises la question a été posée à des couples en Amérique, Europe et Asie : « Si vous pou-viez déterminer à volonté le sexe de vos enfants, que choisiriez-vous? » (Markle et Wait, 1976; Coombs et McClelland, 1975; Freedman et Coombs, 1974; Gray et Morrison, 1974; McDonald, 1973). Les résultats varient d'une société à l'autre largement : l'Inde et la Corée fournissent des exemples de préférence très nette des garçons (150 garçons pour 100 filles), la Belgique étant le seul pays où une enquête (Freedman et Coombs) ait fait apparaître une préférence pour les filles (étude non réitérée).

Plus important encore par ses conséquences démographiques possibles appa-raît le souhait général des couples d'avoir un garçon pour aîné. Interrogés sur leur choix du sexe selon l'ordre et le nombre des enfants, une forte majorité des couples, allant jusqu'à 75 %, désirerait d'abord un garçon, puis, en second rang, une fille. Un garçon puis une fille, ce qu'on appelle en France « le choix du roi », expression populaire qui rend bien compte de l'ancienneté de cette aspiration. Les vœux exprimés par les hommes et par les femmes ne sont pas différents. On ne peut honnêtement interpréter de tels « vœux en l'air » assortis de tant de « si » : le seul commentaire que l'on puisse faire est le constat de la primauté sociale du garçon au niveau conscient des désirs exprimés, comme transmetteur, héritier, aîné de la famille.

3. Plus sérieuses sont les observations suivantes : il est probable que la méthode découverte se diffusera plus rapidement dans un premier temps dans les pays développés, où actuellement le nombre moyen d'enfants par femme oscille entre 2 et 1,4; pas même deux enfants par femme dans la majorité des pays, ce qui les place déjà au-dessous du taux de reproduction de leur propre population. Bien des couples, si on pouvait déterminer le sexe de l'enfant, auraient un enfant de chaque sexe et s'arrêteraient. Or la déjà très faible fécondité des pays développés a besoin de quelques enfants de rang 3, sans quoi l'effondre-ment de la natalité aurait des conséquences rapidement dramatiques. On observe que ce sont souvent les familles qui ont déjà deux enfants de même sexe qui font la tentative du troisième. Si elles pouvaient avoir, à coup sûr, le garçon puis la fille de leurs rêves, il y aurait encore moins d'enfants de rang 3 qu'aujourd'hui, toutes choses égales par ailleurs. Dans la conjoncture actuelle, l'effet d'une telle découverte pourrait donc être d'accroître la disparité démographique entre pays développés et en voie de développement, et d'accentuer le vieillissement des pays développés. Même si ce n'était que pour de courtes années, les conséquences en seraient importantes car les phénomènes démographiques ne se corrigent pas : ils se succèdent, traînant leurs conséquences pendant de nombreuses décennies.

Si le choix était possible, dans l'état actuel des vœux des populations, on connaîtrait une proportion très élevée de garçons dans les familles à enfant unique, dont le nombre est loin d'être négligeable dans les pays développés. Ce taux de masculinité important aurait très probablement des conséquences sur le taux de reproduction des populations : le taux brut de reproduction s'exprime par le nombre de filles qu'ont 100 femmes d'une génération donnée. Le nombre des garçons est d'importance secondaire pour la reproduction d'une population. Ipso facto, *une baisse de 20 % du nombre des filles entraînerait, à la génération suivante, une baisse importante de population, sauf à voir les filles moins nombreuses avoir beaucoup plus d'enfants – et surtout de filles – que leurs mères, ce qui est improbable.*

4. D'autres phénomènes inattendus peuvent se produire. On a, en 1976, annoncé aux États-Unis (Population Reference Bureau) *qu'une technique d'isolation du sperme permettant d'engendrer des mâles avait été mise au point* in vitro; *il a été dit qu'elle permettrait d'accroître la probabilité d'avoir un garçon, jusqu'à 90 % de chances. Elle serait commercialisable rapidement. Cette technique nécessiterait l'insémination artificielle et serait d'un coût élevé dans les premiers temps – deux éléments, parmi d'autres, qui freineraient sa diffusion. Mais, démographiquement, il est intéressant de s'interroger sur les effets qu'elle pourrait avoir sur l'équilibre des sexes. Car il s'agit d'une technique unilatérale, ne permettant le choix préférentiel avec de hautes probabilités de succès que pour les garçons; la chance d'avoir des filles, laissée comme par le passé à la Nature et au hasard, demeurerait à 50 %. Mason et Bennett (1977) ont tenté d'évaluer ses conséquences, mais sans se préoccuper aucunement des conditions sociologiques de la diffusion d'une telle technique. Ils ont fait seulement une projection mathématique de ses effets grossissants sur le taux de masculinité. Ils obtiennent alors des résultats stupéfiants : ainsi l'Inde pourrait atteindre un taux de masculinité de 186 garçons pour 100 filles, la Corée de 169 garçons pour 100 filles, les États-Unis de 140 garçons pour 100 filles, etc.. et même la Belgique, qui était seule à manifester une préférence pour les filles, se retrouverait avec 124 garçons pour 100 filles. Il s'agit là d'un calcul non corrigé par la pesanteur sociologique. Sa publication sous cette forme sèche et factuelle participe déjà du concert des mises en garde sur les conséquences démographiques, lequel ne peut que s'amplifier. Son mérite est d'attirer l'attention sur les aléas des recherches biologiques de prédétermination du sexe de l'enfant : une technique peut fort bien trouver une solution pour un sexe et pas pour l'autre, biaisant ainsi tous les résultats escomptés. Maints accidents aux effets grossissants peuvent se produire du fait des limites ou des caractéristiques des techniques tentées. C'est dire combien il est improba-*

ble qu'à l'équilibre du sex ratio *dans les naissances dû à la nature et au hasard succède rapidement un équilibre de ce même* sex-ratio *dû cette fois au choix volontaire et raisonné des populations.*

Dernière remarque : des rumeurs ont circulé tant parmi les médecins que dans le public et les rédactions de journaux selon lesquelles les femmes sur lesquelles on pratique des amniocentèses et des examens du caryotype du fœtus se feraient avorter quand elles attendent un enfant du sexe non désiré – et particulièrement une fille. Ces rumeurs sont dénuées de tout fondement [1].

Les femmes sur qui on pratique cet examen sont le plus souvent de futures mères de plus de 40 ans, désirant passionnément un enfant, mais redoutant la fréquence plus élevée du mongolisme (trisomie 21) chez les enfants nés de mères relativement âgées. Dans ces situations, quand la formule chromosomique de l'enfant est normale, les femmes acceptent parfaitement l'un ou l'autre sexe de l'enfant, et trouvent même souvent très agréable de connaître le sexe de l'enfant de longs mois avant l'accouchement : on n'observe pas d'avortements consécutifs à la révélation du sexe de l'enfant. Si de telles rumeurs ont circulé, c'est parce que l'idée que la femme puisse « percer le mystère » du sexe de l'enfant gêne certains, et ceci d'autant que dans de nombreux pays on lui a reconnu le droit d'interrompre volontairement sa grossesse. Il semble donc à ces personnes intolérable que la femme ajoute à son pouvoir de fertilité cette connaissance et cette liberté. De là à inventer des rumeurs tragiques pour démontrer que cette liberté conduit au « mal », il n'y a qu'un pas. Que, dans ce déploiement de phantasmes, les filles soient choisies comme victimes expiatoires de mères capricieuses en dit long sur l'inconscient de ceux qui fabulent ainsi.

Evelyne SULLEROT.

---

1. D'après les données du Centre international de l'enfance.

RÉFÉRENCES BIBLIOGRAPHIQUES

COHEN J. 1975, « La présélection volontaire du sexe », *Contraception*, vol. 3, 7 : p. 487-495.

COOMBS C.H., COOMBS L.C. et Mc CLELLAND G.H., 1975 « Preference scales for number and sex of children », *Population studies*, 29 : p. 273-298.

GRAY E., 1972, « Influence of sex of first two children on family size », *The Journal of Heredity*, 63 : p. 91-92.

GRAY E. et MORRISON N.M., 1974, « Influence of combination of sexes of children on family size », *The Journal of Heredity*, 65 : p. 169-174.

LARGEY G. « Sex control, sex preferences and the future of family », *Social Biology*, 1972, 19, 4 : p. 379-392.

MARKLE G.E. et NAM C.B., 1971, « Sex predetermination : its impact on fertility », *Social biology*, 18 : p. 73-83.

MASON A. et BENNETT N.G. 1977, « Sex selection with biased technologies and its effects on the population sex ratio », *Demography*, 14, 3 : p. 285-296.

McDONALD J., 1973, « Sex predetermination : demographic effects », *Mathematical biosciences*, 17 : p. 137-146.

SEGUY B., 1975, « Les méthodes de sélection naturelle et volontaire des sexes » *Journal de Gyn. Obstétr. Biol. Reprod.* 4 : p. 145-149.

VEEVERS I.E., 1973, « Estimating the incidence and prevalence of birth orders », *Demography* 3 : p. 447-458.

WESTOFF C.F. et RINDFUSS R.R., 1974, « Sex preselection in the USA », *Science*, 184 : p. 633-636.

Nous avons vu que la présence du chromosome Y empêche le développement spontané d'une gonade femelle (l'ovaire résultant d'une autodifférenciation) et qu'il induit le développement d'une gonade mâle, le testicule.

Une fois le testicule formé, il va sécréter des hormones androgènes (essentiellement de la testostérone). Quand devient-il fonctionnel? Et quelle va être l'action de ces androgènes :

– D'une part, sur le développement des structures génitales (sexe somatique)?

– D'autre part, sur le fonctionnement du système nerveux central?

Ce sont ces deux aspects du processus de sexualisation que nous allons examiner maintenant.

La différenciation des structures génitales (caractères sexuels primaires)

A quel « âge » embryonnaire se développent comparativement le testicule et l'ovaire, et comment se fait la différenciation des structures génitales? C'est ce que Jost a pu montrer lui-même par une remarquable série d'expériences chez l'animal.

O. T.

4.

Le développement sexuel prénatal

par Alfred JOST

L'analyse expérimentale du rôle des glandes génitales dans l'expression des caractéristiques sexuelles, poursuivie pendant les premières décennies de ce siècle, a culminé dans la découverte, l'isolement chimique et la synthèse des hormones sexuelles, peu avant la Seconde Guerre mondiale.

Les anciennes expériences de castration, suivie de greffe de glandes génitales du sexe opposé, avaient montré que certains caractères sexuels peuvent expérimentalement être masculinisés chez les femelles ou féminisés chez les mâles. Dans la plupart des cas, ces « inversions » sexuelles n'étaient en réalité que partielles (on provoquait par exemple l'hypertrophie du clitoris d'une femelle de cobaye, mais l'organe gardait une structure féminine); elles servirent cependant de base à l'idée théorique de la « neutralité » ou de l'« équipotentialité » sexuelle du soma; certains biologistes, comme E. Steinach, étendaient le même concept au comportement sexuel dès 1913.

L'idée que la féminité ou la masculinité apparente de chacun, ainsi que ses pulsions sexuelles ne dépendent que de quelques molécules de stéroïdes avait de quoi frapper les imaginations. Le concept même d'hormone mâle ou masculinisante et d'hormone femelle ou féminisante donnait aux différences entre les deux sexes une consistance matérielle, un substrat chimique. A y bien regarder, il impliquait à la fois une égalité originelle des deux sexes, démontrée par un possible état anhormonal neutre, et un déterminisme physiologique rigoureux des différences sexuelles. L'aspect de la crête du coq, de la poule ou du castrat dans certaines races de volailles est un modèle schématique, encore qu'assez rare, d'un tel contrôle hormonal, qui peut être conçu de la manière suivante : à partir de l'état neutre, un stimulus peut, d'une manière symétrique, faire apparaître soit le type femelle, soit le type mâle.

A supposer que ce type de contrôle existe pour certaines caractéristiques sexuelles de l'espèce humaine, il reste à reconnaître lesquelles. D'autres que moi discuteront du psychisme, des aptitudes ou du rôle de chacun dans la société; il n'est pas facile de peser la part qui revient à la commande génétique ou hormonale et celle, qui relève de l'éducation et du milieu; dans ce domaine, bien des idées, si opposées qu'elles puissent être, restent conjecturales. De toute manière, l'expérimentation animale nous a montré qu'il est vain de discuter de ces questions sans tenir compte du développement de chaque individu. Les mécanismes qui conduisent des stades embryonnaires initiaux au nouveau-né masculin ou féminin, puis à l'adulte de l'un ou de l'autre sexe sont profondément différents selon le sexe.

Les embryologistes du siècle dernier ont admirablement établi que les diverses parties de l'appareil génital des deux sexes (gonades, voies génitales, organes externes) se constituent à partir d'ébauches d'abord identiques chez tous les individus, dont proviennent les organes mâles ou femelles selon le cas.

Nous avons appris, depuis, que le développement des sexes obéit à un contrôle génétique. Le *sexe génétique* est fixé à la fécondation par le jeu des chromosomes; dans les conditions normales, il peut être reconnu précocement par l'examen des chromosomes. Ultérieurement, à partir d'un stade donné, on peut – sur des coupes histologiques – distinguer pour la première fois les futurs testicules et les ébauches qui deviendront des ovaires, c'est-à-dire reconnaître le *sexe gonadique* (fœtus humain de 6 semaines après la fécondation). Le sexe des autres parties de l'appareil génital et l'ensemble du *sexe corporel* deviennent reconnaissables encore plus tard. Le sexe déclaré à l'état civil est celui des organes génitaux externes (figure 1).

Il y a une trentaine d'années j'ai analysé le rôle des glandes génitales dans la réalisation du « sexe corporel », en castrant chirurgicalement des fœtus de lapin *in utero* à un moment où le sexe des glandes génitales pouvait déjà être reconnu à l'examen histologique, mais où le sexe corporel n'avait pas encore commencé à se différencier (stade de 19 jours sur une grossesse de 32 jours). Les fœtus témoins ont acquis leur appareil génital masculin ou féminin plusieurs jours avant la naissance. Les fœtus castrés se développent tous comme des femelles, quel que soit leur sexe génétique. Ils possèdent oviductes, utérus, vagin, organes externes féminins; au contraire, les voies mâles et les organes mâles sont absents.

L'appareil génital du fœtus a donc une tendance inhérente à se développer selon le modèle féminin, s'il n'est pas soumis aux hormones du testicule fœtal. L'ébauche de l'ovaire n'est pas nécessaire pour que se développe l'appareil génital des femelles. Chez les mâles, au contraire, le testicule fœtal doit activement s'opposer à la réalisation des structures féminines et imposer la formation des organes mâles (cf. figure 2). Toute déficience testiculaire survenant à l'époque où doit se former l'appareil mâle libère les tendances femelles et aboutit à une « féminisation » partielle ou totale de l'appareil génital de ce mâle : le cas le plus fréquent est celui où les organes génitaux externes sont incomplètement ou pas du tout masculinisés (chez le lapin on peut produire cette anomalie en privant précocement le fœtus de son hypophyse par la décapitation *in utero).*

Un grand nombre d'observations ont montré que le testicule joue le même rôle chez le fœtus humain, spécialement entre 8 et 10 semaines environ pour ce qui est de la formation des voies génitales mâles. En fait, au cours du développement, devenir un mâle est une lutte de tous les instants. La moindre défaillance testiculaire met le fœtus en danger d'être plus ou moins féminisé, donc plus ou moins anormal au point de vue génital.

On a parfois écrit que tout mâle est d'abord femelle. En réalité le développement sexuel de chaque individu obéit à une programmation relativement complexe (figure 3) : un programme de développement de l'appareil génital, commun aux mâles et aux femelles, prévoit à la fois une possibilité de développement autonome des ébauches dans le sens féminin et une période de sensibilité aux hormones testiculaires (qui peuvent imposer le développement masculin si elles sont là). Chez les mâles, un contrôle génétique indépendant du précédent, assure la différenciation de testicules et, par là, la production des hormones testiculaires qui masculiniseront le fœtus.

L'événement principal de la différenciation du sexe, est donc la formation des testicules à partir de l'ébauche commune de la glande génitale. Il n'est pas possible de résumer ici nos connaissances relatives à ce processus. Il suffit de rappeler que le développement du testicule est beaucoup plus précoce que celui de l'ovaire. Tout se passe comme si la programmation féminine de base doit être contrecarrée à un stade précoce chez les mâles ; la présence du chromosome Y impose une masculinisation rapide de l'ébauche, qui sans cela évoluerait vers le type ovarien (figure 4).

Dans ce survol des mécanismes fondamentaux de la différenciation des sexes, je voudrais encore attirer l'attention sur les *phases critiques* successives du développement sexuel. La plupart des processus de sexualisation de l'organisme sont possibles à un moment précis – critique – du développement : ils ne peuvent être réalisés ni avant ni après ce stade. Ainsi une prostate peut se former à partir du sinus uro-génital, s'il est soumis à un androgène testiculaire : mais chez le fœtus de rat cette possibilité n'est ouverte que pendant moins de 24 heures (au stade de 18 jours). L'hormone est inactive aussi bien avant qu'après le moment critique. Si elle n'a pas agi à temps, le sinus uro-génital deviendra féminin pour la vie. Une fois que l'hormone a mis en place les premiers rudiments prostatiques, ceux-ci continueront à s'édifier, même si l'hormone vient à disparaître prématurément.

De même la régression, nécessaire chez le mâle, des canaux de Müller embryonnaires, qui sont à l'origine des oviductes et de l'utérus, ne peut être provoquée par l'hormone testiculaire inhibitrice que pendant une très courte période. Si au moment voulu ces canaux n'ont pas été soumis à cette influence, ils persisteront pour la vie et donneront des organes féminins chez le mâle.

Des influences indélébiles, survenant à un stade critique, ont également été mises en évidence au niveau du système nerveux, chez certains animaux. En 1959, Phoenix, Goy, Gerall, Young étudient le comportement sexuel de femelles adultes de cobaye, qui avaient été soumises à l'influence de la testostérone alors qu'elles étaient encore des fœtus : l'hormone avait été donnée à leur mère pendant la gestation. Or l'androgène a laissé une trace indélébile qui rend très difficile l'acquisition ultérieure par ces femelles d'un comportement sexuel féminin, même si elles reçoivent les hormones appropriées. Au contraire, l'acquisition d'un comportement masculin est devenue facile. Les auteurs comparent cette influence permanente de l'hormone testiculaire sur le système nerveux, à son action sur les structures de l'appareil sexuel. Dans les deux cas, il existe une phase critique de durée limitée pendant laquelle la programmation féminine du système nerveux peut être contrecarrée au bénéfice d'un mode de fonctionnement masculin. Ce type d'influence testiculaire sur le système nerveux n'a été mis en évidence que chez un petit nombre d'animaux. On ne lui connaît pas de réplique identique dans l'espèce humaine, mais il se pourrait qu'une sorte d'équivalent plus ou moins subtil puisse être mis au jour.

Il est clair que pendant le développement le fœtus des mammifères et de l'homme a une tendance inhérente vers la féminité. Pour devenir mâle, il faut réprimer cette tendance féminine et imposer la masculinité. Chez l'adulte, le fonctionnement de l'appareil génital et l'épanouissement sexuel féminin ou masculin, nécessitent l'action des hormones testiculaires et ovariennes sur les ébauches précédemment sexualisées. Il reste à déterminer dans quelle mesure et jusqu'à quel point les mécanismes généraux reconnus chez divers animaux de laboratoire ont leur incidence sur le comportement humain.

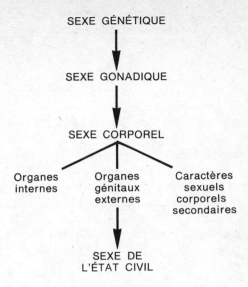

FIGURE 1

Chaîne des événements successifs qui au cours du développement conduisent à la différenciation des sexes.

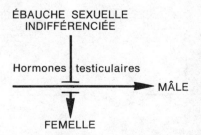

FIGURE 2

Schéma montrant comment les ébauches sexuelles programmées pour devenir femelles peuvent, chez les mâles, être masculinisées par les hormones testiculaires qui empêchent le programme féminin de se réaliser.

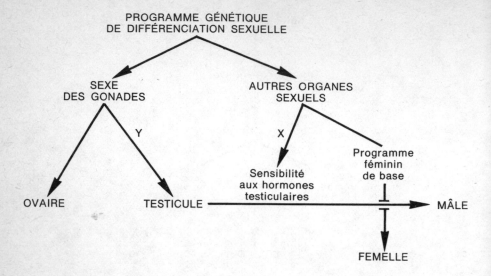

FIGURE 3

Chez le mâle, la formation du testicule dépend du chromosome Y, et la sensibilité aux androgènes est contrôlée par un gène porté par le chromosome X.

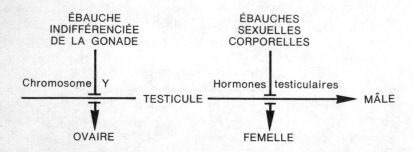

FIGURE 4

Schéma reprenant celui de la figure 3 et l'étendant à l'ensemble des processus de différenciation sexuelle.

Les gonades étant des glandes endocrines, *elles déversent leurs sécrétions directement dans le sang. Véhiculées par le sang à travers tout l'organisme, les hormones sexuelles vont imprégner les structures nerveuses qui,* neutres à l'origine dans les deux sexes, vont être ainsi sexualisées *par elles dans le sens mâle ou femelle.*

Cette imprégnation hormonale du système nerveux central a une double conséquence en ce qui concerne le fonctionnement physiologique et le comportement d'accouplement.

– En ce qui concerne le fonctionnement physiologique, *on sait que l'activité sécrétrice des gonades est commandée par une glande endocrine qui est le « chef d'orchestre » de tout le système endocrinien : l'hypophyse. Elle stimule le fonctionnement des gonades par des hormones spécifiques : les gonadostimulines ou hormones gonadotropes (F.S.H. et L.H.). Il existe entre l'hypophyse et les gonades un jeu de rétroactions (feed-back) qui assure la régulation automatique des taux d'hormones sexuelles circulantes.*

Mais l'hypophyse est neutre *dans les deux sexes (on peut substituer l'hypophyse d'un mâle à l'hypophyse d'une femelle sans rien changer au fonctionnement des gonades). Ce qui est sexualisé, c'est la structure nerveuse voisine de l'hypophyse :* l'hypothalamus *(à laquelle elle est reliée par la tige hypophysaire). L'hypothalamus régule lui-même la fonction gonadotrope hypophysaire grâce à des neurhormones ou* releasing factors, *et selon un deuxième jeu de rétroactions. On parle de l'« axe hypothalamo-hypophysaire ».*

Si l'hypothalamus est sexualisé par les hormones mâles, il fera fonctionner le système dans le sens mâle, c'est-à-dire selon un mode relativement stable, *assurant un taux relativement constant de testostérone circulante.*

S'il n'est pas sexualisé par des hormones mâles, il fonctionnera dans le sens femelle, c'est-à-dire cyclique, *deux types d'hormones femelles (œstrogènes et pro-*

gestérone) étant sécrétés de façon discontinue et alternée au cours des deux pha-
ses du cycle féminin, séparées par la « décharge ovulante » hypophysaire qui pro-
voque l'ovulation.

Cette orientation du fonctionnement physiologique dans le sens mâle ou
femelle se fait au cours d'une courte « période critique » (nous retrouvons là la
notion de période critique que nous avons déjà rencontrée à propos de la différen-
ciation des structures génitales); la durée de cette période critique varie suivant
les espèces; elle commence dès la vie embryonnaire (le testicule étant fonctionnel
dès sa formation) et ne se prolonge guère au-delà de la naissance et de la période
immédiatement postnatale. Chez le rat, elle se prolonge jusqu'au 14e jour de la
vie postnatale. Chez le cobaye, elle ne dépasse guère la vie embryonnaire. Chez
l'homme, on ne connaît pas sa durée exacte, faute de pouvoir expérimenter, et
on ne la connaîtra jamais, les expériences de castration et d'injection d'hormones
chez l'enfant étant exclues pour des raisons d'ordre moral; force nous est donc
d'extrapoler les expériences faites en abondance chez les diverses espèces anima-
les, tout en tenant compte des difficultés qu'il y a à transposer à l'espèce humaine
les résultats obtenus chez l'animal.

Cette imprégnation des structures nerveuses par les hormones sexuelles peut
être en quelque sorte « visualisée », grâce à l'emploi d'hormones marquées. On
commence ainsi à pouvoir localiser les sites de fixation des hormones, en particu-
lier dans l'hypothalamus et le diencéphale.

On connaît donc les aspects qualitatifs de cette imprégnation des structures
du système nerveux central, puisqu'elle dépend de la nature chimique des hormo-
nes (selon qu'elles sont mâles ou femelles, l'orientation sera différente).

G. Raisman apporte en outre quelques aspects quantitatifs de cette imprégna-
tion, étudiés chez le rat.

Odette THIBAULT.

5.

La différence de structure entre les cerveaux mâle et femelle chez le rat

par Geoffrey RAISMAN

Les caractères sexuels dimorphiques comprennent non seulement l'ensemble de l'anatomie propre du corps, les états hormonaux et les fonctions physiques liées à la reproduction, mais aussi une variété de schémas du comportement, et en particulier ceux concernant l'accouplement, l'élevage et la défense de la famille.

Dans nos études expérimentales sur les rats, notre attention a été attirée par les mécanismes provoquant ces différences sexuelles pendant le développement et par les facteurs à l'origine de leur expression et de leur maintien chez l'adulte. Nous avons tenté en particulier de mettre en lumière le rôle joué par le cerveau dans la régulation de ces mécanismes.

Il n'est pas étonnant de trouver le cerveau impliqué dans le comportement sexuel, mais nous sommes loin encore de pouvoir préciser l'implication complète du système nerveux central dans le dimorphisme sexuel. Chez l'adulte, des travaux expérimentaux sur plusieurs mammifères ont montré que les schémas mâles et femelles caractérisant la sécrétion endocrine dépendent du fait que les mécanismes hormonaux rétroactifs opèrent de façon différente chez les mâles et chez les femelles. Ces mécanismes rétroactifs agissent directement sur le cerveau. En plus, le développement de ces mécanismes cérébraux chez l'animal nouveau-né n'est pas directement déterminé par son sexe génétique (sa constitution chromosomique), mais dépend de l'environnement hormonal néo-natal. Ils peuvent être modifiés expérimentalement. De telles interventions expérimentales chez des rats nouveau-nés modifient irréversiblement les schémas du développement et du comportement sexuels chez l'adulte. Nous avons étudié comment ces modifications se produisent, et nous avons observé qu'elles correspondent à des altérations dans la structure propre du cerveau.

Naturellement, de telles modifications aussi bien définies ne peuvent être observées chez l'homme. Cependant des schémas semblables chez presque tous les mammifères étudiés, les primates compris, indiquent que des études expérimentales de ce genre sont utiles à l'éclaircissement des mécanismes de base chez l'homme.

Chez le rat et la plupart des mammifères étudiés, l'homme compris, on sait que l'ovulation est provoquée par un pic de sécrétion gonadotrope hypophysaire. La sécrétion des gonadotropines hypophysaires dépend des mécanismes nerveux localisés dans le cerveau. Notre travail est fondé sur des études portant sur une souche de rats de laboratoire qui présente une ovulation cyclique régulière d'une periodicité de 4 jours. La nuit même où l'ovulation se déclenche chez la femelle, elle devient par son comportement réceptive au mâle (œstrus). Le moment du cycle œstrien dépend de l'interaction entre le changement quotidien d'une activité cérébrale spécifique et la période de 4 jours nécessaire à l'ovaire pour accomplir la maturation d'un ensemble de follicules pour que l'ovulation puisse se déclencher. Donc, en raison de la période nécessaire à la maturation folliculaire dans l'ovaire, une activité quotidienne se produisant au niveau cérébral peut provoquer l'ovulation seulement tous les 4 jours. Pour étudier ce phénomène nerveux isolément, la périodicité ovarienne de 4 jours doit être éliminée. Pour cela, des rates peuvent subir une ovariectomie et leur sécrétion stéroïde ovarienne peut être remplacée par l'injection d'œstrogène exogène. Chez de tels animaux, une dose de progestérone unique dont le moment d'administration est bien choisi provoque un pic de la sécrétion gonadotrope hypophysaire semblable au pic préovulatoire observé chez des rates non ovariectomisées.

A des fins expérimentales, cette action (de faciliter la sécrétion gonadotrope et l'induction de la réceptivité sexuelle en administrant la progestérone à la rate gonadectomisée et ayant reçu de l'œstrogène) peut être considérée comme un modèle de laboratoire imitant tout au moins quelques aspects des événements naturels se produisant tous les 4 jours du cycle chez la rate non ovariectomisée.

Par contre, les rats mâles ne présentent pas de cycle, même quand ils sont castrés et après transplantation d'ovaires. Quand on injecte au rat gonadectomisé de l'œstrogène, il ne répond à l'administration de la progestérone ni par un pic gonadotrope ni par une augmentation du comportement sexuel femelle. Donc, les réponses diverses à la progestérone du rat gonadestomisé et ayant reçu de l'œstrogène peuvent servir à différencier la fonction cérébrale des mâles de celle des femelles. Cette différence ne dépend ni de la fonction cérébrale ni du dimorphisme sexuel de l'hypophyse. Cela est illustré par le fait suivant : si l'hypophyse d'un sexe est transplantée chez le sexe opposé, on voit apparaître un schéma de sécrétion gonadotrope typique de l'animal receveur.

Il y a beaucoup de données qui démontrent que l'hypothalamus est la partie du cerveau responsable du contrôle global de la sécrétion gonadotrope hypophysaire. En plus, on pense que la région préoptique – une petite région située juste devant l'hypothalamus – est impliquée dans l'initiation d'une pulsion prolongée d'activité nerveuse qui provoque le pic ovulatoire de sécrétion gonadotrope. Pour que le comportement accompagnant l'accouplement puisse s'accomplir normalement, il faut que l'intégrité de la région préoptique soit conservée. Cela étant la base anatomique de nos investigations expérimentales, nous nous sommes demandé : *y a-t-il différence de structure de la région préoptique entre la femelle et le mâle?*

Pour évaluer la nature des circuits nerveux de la région préoptique, nous avons étudié des coupes au microscope électronique et compté et classé toutes les synapses présentes dans une partie déterminée de la coupe. Nos observations portent sur la numération de plus de 100 000 synapses chez 82 rats des deux sexes. Selon leur structure, ces synapses peuvent être classées dans plusieurs catégories différentes. Quand nous avons examiné les fréquences relatives de l'incidence de diverses catégories de synapses de la région préoptique chez différents animaux, nous avons trouvé une uniformité frappante entre ces animaux. Cela est vrai pour les rats des deux sexes. Il y a une seule exception. Une catégorie de synapses (les synapses non amygdaloïdes des épines dendritiques) était deux fois plus fréquente chez la femelle que chez le mâle. Aucune différence semblable n'a été observée dans les autres catégories de synapses. Cette différence ne se trouve pas non plus dans les régions qui entourent le cerveau.

Il est tentant de voir s'il y a une corrélation entre ce dimorphisme anatomique de la région préoptique, d'une part, et les fonctions sexuelles dimorphiques (telle la régulation de l'ovulation) ainsi que les schémas du comportement, d'autre part. Alors que nous cherchions à trouver une confirmation expérimentale de cette hypothèse, nous avons pu profiter d'un autre fait concernant la différenciation sexuelle. Chez le rat, le schéma femelle de la sécrétion gonadotrope ne dépend pas directement du sexe génétique de l'animal, mais plutôt de la présence ou du manque de certaines hormones stéroïdes sexuelles pendant une période périnatale critique du développement. Cette période comprend principalement les 10 premiers jours après la naissance. Dans des conditions normales, le schéma femelle de la sécrétion gonadotrope se développe chez la femelle mais il est gêné dans son développement, chez le mâle, par la sécrétion de stéroïdes androgènes par son propre testicule pendant la période immédiatement postnatale. Si des femelles génétiquement normales reçoivent une seule dose d'androgène exogène le 4e jour après la naissance, la capacité ovulatoire chez l'adulte est supprimée pour toujours. Cela est appelé la stérilisation androgénique. Inversement, si des rats mâles sont castrés le premier jour après la naissance, ils sont privés de leurs propres sécrétions d'androgènes. Quand ils deviennent adultes, on peut leur transplanter des ovaires qui fonctionnent alors de façon cyclique. Les mêmes interventions faites après la période critique sont inefficaces. Ainsi, si la femelle reçoit de l'androgène le 16e jour après la naissance (après la période critique) ou si le mâle est castré le 7e jour après la naissance (après que les testicules ont eu le temps de sécréter de l'androgène pendant la première semaine critique), leur développement normal et l'expression des fonctions conformes au sexe génétique de l'animal ne sont pas modifiés.

Si des différences anatomiques de la région préoptique reflétaient des différences de fonction, elles devraient aussi être modifiées par des interventions endocrines pendant la période postnatale précoce. Nous avons donc préparé 6 groupes de 64 rats adultes qui avaient subi chacun ces interventions endocrines décrites ci-dessus pendant la période néo-natale. Quand ils devenaient adultes ces animaux ont été testés pour vérifier la capacité de présenter une augmentation du comportement sexuel réceptif facilitée par la progestérone après avoir reçu de l'œstrogène exogène.

Pour faire une évaluation anatomique de ces animaux, leurs cerveaux avaient été préparés à l'examen par microscope électronique de la région préoptique. Sans nous soucier du sexe génétique, nous avons observé une grande incidence (féminine) de synapses non amygdaloïdes de la région préoptique :

1. Chez des femelles normales;
2. Chez des femelles ayant reçu de l'androgène après la fin de la période critique (le 16e jour);
3. Chez des mâles castrés dans les douze heures suivant la naissance.

Les trois groupes présentaient un schéma féminin de décharge gonadotrope et du comportement sexuel. Les trois groupes restants étaient composés :

1. De mâles normaux;
2. De femelles ayant reçu de l'androgène le 4e jour après la naissance;
3. De mâles castrés le 7e jour après la naissance. Ils avaient tous un très petit nombre (masculin) de synapses et ne présentaient ni la décharge gonadotrope ni la réceptivité qui caractérisaient les trois premiers groupes.

Ainsi, un schéma anatomique féminin de la région préoptique est toujours accompagné des schémas féminins de la fonction reproductrice; ces schémas structuraux femelles ne dépendent pas directement du sexe génétique du rat, mais sont différenciés par la présence ou l'absence de stéroïdes androgènes spécifiques pendant les 10 premiers jours de la vie postnatale. Cela, lié au fait que la région sexuellement dimorphe est située dans cette partie du cerveau qu'on sait être impliquée dans les fonctions reproductrices, démontre que ces distinctions structurales entre les cerveaux mâle et femelle sont nécessaires à l'expression des schémas fonctionnels dimorphiques.

En plus de son intérêt scientifique fondamental, ce genre d'étude expérimentale sur le rat peut être éclairant pour la situation humaine. Il est évident que le dimorphisme sexuel du comportement humain et des fonctions ne résulte pas uniquement des différences anatomiques et physiologiques. Dans le cas de l'espèce humaine plus que dans toutes les autres, le contexte social dans lequel est situé l'individu et l'évolution accumulée des modèles sociaux jouent un rôle très important. Néanmoins, il est de toute nécessité que nous comprenions aussi complètement que possible ces mécanismes physiques de base, dont aucune structure sociale ne peut nous libérer. C'est pour cette raison que nous pensons que ces études expérimentales, aussi rudimentaires qu'elles soient, mettant en évidence des différences mâle-femelle de structure et de fonction cérébrale chez les rats, sont importantes pour établir des points de repère dont il faudra tenir compte dans les études ultérieures sur la condition humaine.

En résumé : Nous connaissons désormais ce fait d'acquisition récente : selon que les structures nerveuses (hypothalamiques) auront été imprégnées par des hormones mâles ou femelles, au cours d'une période critique courte et précoce (vie embryonnaire et néonatale), quel que soit le sexe génétique de l'embryon, elles feront fonctionner l'hypophyse sur le mode mâle (c'est-à-dire stable) ou sur le mode femelle (c'est-à-dire cyclique), et détermineront un comportement d'accouplement de type mâle ou de type femelle.

L'intérêt des travaux de G. Raisman est d'avoir pu établir une corrélation entre ce dimorphisme sexuel au niveau de la physiologie et du comportement, d'une part, et la structure anatomique fine des régions du système nerveux central impliquées dans ces fonctions (en particulier les aires pré-optiques, proches de l'hypothalamus) d'autre part.

Dans ces régions du système nerveux, il existe un certain type de synapses (c'est-à-dire d'espaces de communication entre les neurones par où passe l'influx nerveux, grâce aux ramifications des neurones que sont les dendrites et les épines dendritiques). Raisman a remarqué que ces synapses dites « non-amygdaloïdes » étaient deux fois plus fréquentes chez la femelle que chez le mâle. Son hypothèse était la suivante : si ces différences structurales de la région pré-optique du cerveau reflètent des différences de fonctions, elles doivent être modifiée par des injections d'hormones exogènes pendant la phase critique (période néonatale). C'est cette hypothèse qui se trouve confirmée par son expérimentation chez le rat : lorsque les zones pré-optiques ont été imprégnées par les hormones mâles, elles fonctionnent sur le mode mâle et présentent le petit nombre de synapses qui caractérise le sexe mâle. Si, au contraire, elles ont été imprégnées par des hormones femelles, elles fonctionnent sur le mode femelle et présentent le nombre élevé des mêmes synapses qui caractérise le sexe femelle.

Bien qu'on ne puisse pas « décalquer » exactement ce qui se passe chez le rat sur ce qui se passe chez l'homme où interviennent des facteurs complexes tels que ceux de l'environnement psychosocial, il était intéressant de constater que le dimorphisme sexuel au niveau du fonctionnement physiologique et du comportement correspond à des modalités structurales précises du système nerveux central, quantitativement mesurables, et différentes dans les deux sexes.

O. T.

Certaines différences dans la sécrétion des hormones sexuelles chez le garçon et chez la fille se manifestent dès la naissance, mais c'est à la puberté que va s'achever le processus de sexualisation, et s'exprimer totalement le dimorphisme sexuel, avec l'apparition des caractères sexuels somatiques dits secondaires.

P. Royer décrit l'apparition de ces manifestations du dimorphisme sexuel au niveau somatique, en les reliant aux déterminismes précoces (génétique et hormonal) que nous venons de voir et en évoquant leurs incidences à l'âge adulte, qui seront étudiées plus en détail dans le prochain chapitre.

6.

Les différences sexuelles dans la croissance postnatale et le développement pubertaire

par Pierre ROYER

La croissance normale est un phénomène harmonieux aux données innombrables : enzymatiques, biochimiques, physiologiques, morphologiques et psychologiques. En termes de biométrie de la croissance somatique, les faits les plus élémentaires intéressent l'évolution de la taille et des proportions corporelles, la maturation dentaire et osseuse et le développement de la puberté. Des différences importantes entre les deux sexes existent dans ces trois domaines, différences que nous pouvons analyser dans l'espèce humaine.

Il est important d'essayer de préciser les fonctions gonadiques pendant l'enfance dans les deux sexes. Plusieurs périodes sont à considérer : la période périnatale, l'enfance et la puberté.

Il existe une véritable endocrinologie sexuelle périnatale. C'est un problème nouveau, en plein essor, qui a fait l'objet en 1974 d'un Colloque international organisé à Lyon par l'I.N.S.E.R.M. Un effet fondamental du testicule fœtal est la mise en place du programme de différenciation sexuelle et psychosexuelle du système nerveux central. Le Dr G. W. Harris, à Oxford, a étudié ces faits. Il a établi avec précision chez le rat, le lapin, le chien, le singe, que l'action du testicule de fœtus ou de nouveau-né jouait, par la sécrétion de testostérone, un rôle fondamental dans la différenciation psychosexuelle du cerveau. Cette action n'est possible que pendant une période critique brève, de quelques jours avant la naissance à quelques jours après celle-ci. Chez l'animal soumis à cette action pendant la période néo-natale, après la puberté la libido sera de type mâle et le contrôle hypothalamique des hormones folliculo et lutéo-stimulantes (F.S.H. et L.H.) sera de type tonique et non cyclique.

Chez l'animal qui ne reçoit pas cette empreinte autour de la naissance – femelle ou mâle castré –, la libido sera de type féminin à l'âge adulte et le contrôle hypothalamique des hormones gonado-stimulantes sera à la fois tonique et cyclique. *Le Fait féminin* dans ce domaine est la persistance du centre de contrôle cyclique, persistance qui dépend de l'absence de testicule fœtal élaborant de la testostérone. Ce problème n'est pas encore très clair dans l'espèce humaine. Toutefois, en 1973, M. Forest, chercheuse travaillant à Lyon dans le laboratoire de Jean Bertrand, a mis en évidence un fait important : entre la naissance et le troisième mois de vie on assiste chez le garçon à une augmentation progressive de la concentration plasmatique de testostérone qui atteint la moitié du taux observé chez l'homme adulte. Ce taux est déjà plus élevé à la naissance chez le garçon que chez la fille. Ces valeurs diminuent en 3 à 7 mois pour arriver aux taux observés pendant l'enfance; ces taux sont atteints très vite après la naissance chez la fille. Dans les deux sexes, les concentrations plasmatiques des hormones stimulant les gonades, F.S.H. et L.H., sont comparables à ceux de l'adulte pendant les premiers mois de la vie, puis ils s'effondrent. Ainsi, dans l'espèce humaine, il existe autour de la naissance une activation *transitoire* des hormones sexuelles hypothalamo-hypophysaires et gonadiques. Il est possible que l'élévation prolongée de la testostérone plasmatique chez le garçon joue, comme chez d'autres mammifères, un rôle dans l'orientation psychosexuelle du système nerveux central : mais cela n'est pas démontré avec certitude.

La stimulation des hormones sexuelles qui existe dans la période qui entoure la naissance s'éteint très vite chez la fille, en quelques mois chez le garçon. Pendant l'enfance, l'aspect au microscope des ovaires comme des testicules est qualifié d'inactif. Cependant les techniques très sensibles de dosage mises au point depuis 1970 ont permis de montrer que, chez les enfants des deux sexes, il existe des taux non négligeables d'hormones sexuelles dans le plasma et que les gonades étaient stimulables par les procédés utilisés chez l'adulte. Tout se passe comme si le système de rétrocontrôle de la régulation hormonale était, dans les deux sexes, réglé à bas niveau. Cela va changer à la puberté.

Le terme « puberté » dérive du latin *pubere* : se couvrir de poils. La définition restrictive en est l'acquisition des premières règles chez la fille, de la première éjaculation chez le garçon. La définition large, seule satisfaisante, est la période échelonnée sur trois ans du passage des caractères somatiques de type infantile aux caractères somatiques de type adulte.

Le dimorphisme sexuel va trouver à ce moment ses caractéristiques principales. Quelques exemples peuvent les exprimer en partie.

Il y a de grandes variations individuelles normales dans l'âge de la puberté, mais elle est plus précoce chez la fille (10 à 17 ans) que chez le garçon (11 à 18 ans). La corrélation est plus étroite avec l'« âge osseux » : 12 ans chez la fille et 13 ans chez le garçon. Les courbes longitudinales de vitesse de croissance expriment une accélération en un « pic » qui est de deux ans plus précoce chez les filles que chez les garçons.

Les différents rapports somatométriques varient également pendant cette période. La largeur et surtout la hauteur de la tête subissent une brusque accélération de croissance avec un « pic » à la période pubérale. Le diamètre biacromial a une croissance stable chez la fille jusqu'à 12 ans et se ralentit ensuite, mais présente un pic de 12 à 15 ans chez le garçon. Le diamètre bitrochantérien présente un pic de croissance dans les deux sexes à la puberté, mais il est plus prolongé chez la fille.

Chez la fille, la vulve infantile regardant vers l'avant s'oriente vers le bas. Le clitoris, les petites et les grandes lèvres s'hypertrophient. L'utérus grossit. Le vagin devient moins rugueux et son histologie change. Le développement mammaire se fait. Trois points principaux servent de repère. Le premier est la première menstruation dont la date va de 11 à 15 ans dans 90 % des cas. Les cycles sont souvent anovulaires au début; pendant un ou deux ans, les règles sont en général irrégulières. Le second est le développement des poils pubiens que l'on analyse en cinq stades comme chez le garçon; 10 % des femmes ont un développement des poils pubiens de « type masculin ». Le troisième est le développement mammaire. On le différencie d'après Reynold et Wines en cinq stades, nomenclaturés de B1 à B5. Tous ces éléments sont intéressants. Leurs corrélations ne sont pas obligatoires. Le plus souvent le développement mammaire précède de plusieurs mois l'apparition des poils pubiens et la menstruation survient à B4 et P4. Les poils axillaires apparaissent alors, mais il y a de très fréquentes anomalies dans cet ordre. Les poils pubiens précèdent parfois de 2 ou 3 ans l'apparition du développement mammaire. Les premières règles peuvent survenir très tôt ou très tard par rapport aux autres signes.

Il existe de nombreux changements dans la composition corporelle durant la période pubérale. Ils ont été analysés en 1966 par Owen et Brozer. Deux des caractéristiques esthétiques les plus remarquables sont les modifications de la musculature et du tissu adipeux. Pendant la puberté, dans les deux sexes, la masse corporelle maigre augmente rapidement, deux ans plus tôt chez la fille où cet accroissement est plus court et plus limité que chez le garçon. Il semble également que la quantité de créatinine urinaire, qui provient de l'hydrolyse de la phosphocréatinine musculaire, est un index de développement musculaire. Le Dr Sizonenko, de Genève, a pu établir les constantes suivant l'âge, de l'enfance à l'âge adulte, de l'élimination de la créatinine urinaire. L'excrétion de celle-ci est une fonction exponentielle de la taille, la pente des courbes semi-logarithmiques étant plus faible chez la fille que chez le garçon; il semble donc y avoir une continuité dans l'excrétion de cette substance en fonction de la taille plus que de la masse musculaire maigre au moment de la puberté. L'évolution du tissu adipeux est également caractéristique. Chez le garçon, il existe d'abord une augmentation du tissu adipeux de 8 à 10-12 ans, puis une diminution pendant la période de développement musculaire. Chez la fille, à l'inverse, l'accroissement rapide des muscles et celui du tissu adipeux sont parallèles dans la période de la puberté.

Comme la croissance staturale, la puberté dépend de nombreux facteurs génétiques et d'environnement et présente également une « modification séculaire » de sa chronologie. Depuis le début de la civilisation industrielle dans les pays développés, l'âge de la puberté s'est abaissé de presque un an chaque quart de siècle. L'état de nutrition et le niveau socio-économique de la famille jouent un rôle important. Les facteurs génétiques ont été mis en évidence par l'étude des jumeaux vrais dont la puberté survient au même âge et par les corrélations étroites entre mères et filles pour la date d'apparition des premières règles. Au cours des dernières années, les recherches les plus importantes ont porté sur les modifications endrocriniennes contemporaines de la puberté.

Il est connu depuis longtemps qu'il y a dans les deux sexes une élévation des 17-céto-stéroïdes urinaires au moment de la puberté, élévation qui s'étale sur un plus long temps et atteint un niveau plus élevé chez le garçon que chez la fille. Les 17-céto-stéroïdes peuvent provenir des androgènes surrénaux ou testiculaires. Dès 1967, on a su que cette élévation était due surtout aux androgènes surrénaux. Claude Migeon à Baltimore, au Johns Hopkins Hospital, démontrait que la puberté s'accompagnait de l'élévation du taux plasmatique de déhydroépiandrostérone (D.H.A.). Ce stéroïde est caractéristique de la surrénale. Il est extrêmement actif sur la maturation du squelette et accroît l'âge osseux. Il tient sous sa dépendance l'apparition des poils pubiens et axillaires.

L'activation du système hypothalamo-hypophysogonadique est le second aspect endocrinologique de la puberté. Les modifications corporelles et les caractères sexuels secondaires qui caractérisent la puberté sont sous la dépendance des hormones d'origine gonadique : la testostérone et les œstrogènes. Grâce aux travaux de différents chercheurs, en particulier à San Francisco, à Lyon et à Baltimore, on dispose depuis quelques années de données précises concernant les élévations progressives des taux plasmatiques des quatre hormones intéressées : testostérone, œstradiol, L.H. et F.S.H. dans les deux sexes. Chez le garçon, s'élève d'abord L.H. au stade 1, puis F.S.H. et testostérone au stade 2. Aux stades 3 et 4, L.H. et F.S.H. augmentent encore, mais modérément, tandis que la testostérone plasmatique s'accroît de façon très marquée. Chez la fille, la première manifestation au stade 1 est l'élévation du taux plasmatique de F.S.H. Puis, pendant les stades suivants, F.S.H., L.H., œstradiol augmentent parallèlement. Aux derniers stades, L.H. s'élève plus que F.S.H. Dans les deux sexes, il y a une corrélation très étroite entre les modifications des taux hormonaux et la maturation osseuse. Ce fait confirme le rapport précis entre l'âge osseux et la puberté.

Le développement de la puberté est accompagné par des modifications très profondes du comportement psychosexuel, affectif, social et par l'épanouissement des performances intellectuelles avec la mise en place du type de pensée abstraite : religieuse, philosophique et éthique. Ces problèmes ont fait l'objet d'interprétations variées et de conclusions souvent bien rapides. Leur rapport avec les caractéristiques biologiques de la maturation pubérale justifie des enquêtes approfondies. Il est clair en particulier que les différences énormes au plan individuel – six ans à sept ans – dans l'âge normal de la puberté, les différences moyennes entre les deux sexes de 1 à 2 ans environ, laissent rêveur sur la distribution des écoliers du secondaire et des premières années de l'université d'après l'âge chronologique, sans tenir compte ni de la « maturation physiologique » ni du sexe. Si on admet que les acquisitions des performances intellectuelles – mathématiques, par exemple – sont corrélés surtout avec l'âge chronologique et que d'autres aspects de la pensée abstraite philosophique, religieuse ou artistique dépendent de l'âge osseux et de la maturation physiologique, on mesure les distorsions existant d'un sujet à l'autre et d'un sexe à l'autre face à des programmes scolaires stéréotypés.

Il n'est pas nécessaire d'insister sur le dimorphisme sexuel à l'âge adulte. Pendant la période de développement qui va de la naissance à l'adolescence, de nombreuses différences de taille, de vitesse de croissance, de maturation physiologique vont séparer les deux sexes. Les données permettant de définir les caractéristiques féminines dans ce domaine sont très nombreuses, et je me contenterai d'en commenter seulement quelques-unes à titre exemplaire.

L'évolution de la taille est telle qu'à un âge et pour un sexe donné la répartition des tailles d'une population est gaussienne et permet de calculer une moyenne et des déviations standards. La cinétique de la croissance staturale a pu être établie sur des études longitudinales telles celles réalisées sous l'égide du Centre international de l'enfance dans plusieurs pays du monde et qui se poursuivent depuis dix-huit ans, qui ont permis de préciser la « vélocité de croissance » pour chaque âge. Les variations suivant les sexes et les individus sont bien connues et permettent, pendant la période de développement, d'apprécier le rôle des facteurs qui agissent sur celui-ci en termes de ralentissement ou d'accélération de la vitesse de croissance, plutôt qu'en taille absolue. Enfin cette croissance en taille n'est pas harmonieuse et la « biométrie différentielle » des segments du corps ou des pièces squelettiques individuelles ont montré des périodes d'accélération de croissance variables avec les pièces squelettiques. Ainsi la croissance en taille de certains os longs a pu être précisée pour le radius, le fémur, le tibia et l'humérus. D'une étude longitudinale sur la croissance de 54 filles normales, on a pu conclure qu'à partir de 5 ans le segment inférieur du corps poursuit une croissance constante qui s'arrête peu après la première menstruation; la poussée de croissance pubertaire revient seulement à la croissance du segment supérieur du corps. Or, chez l'adulte, les différences de taille suivant le sexe frappent la taille corporelle, la largeur des épaules, la longueur des jambes, des bras et surtout des avant-bras plus petits chez la femme, et la largeur du bassin relativement plus grande chez la femme. Toutefois, ces particularités du sexe féminin dépendent de trois mécanismes possibles. Le premier est l'influence hormonale particulière à l'adolescence : c'est le cas pour la largeur des hanches et des épaules. Le second est dû au fait que le pic de croissance prépubéral est plus précoce chez la fille que chez le garçon, ce qui abrège la transformation des dispositions infantiles : par exemple, pour la longueur des jambes et des bras. Le troisième est lié à l'absence du chromosome Y, mécanisme dont dépend la moindre longueur de l'avant-bras chez la fille. Un autre caractère dimorphique développé avant la naissance est la longueur du deuxième métacarpien, qui est plus grand, par rapport aux autres os de la main, chez la fille que chez le garçon. Enfin, une situation voisine existe pour l'éruption de certaines dents, comme les canines, qui sortent avant les prémolaires chez la fille, alors que la séquence inverse est habituelle chez le garçon.

La croissance est un phénomène temporo-spatial. La mesure isolée d'une taille est vide de signification. L'important est la cinétique de la croissance qui s'ordonne en termes de « vélocité de croissance », ralentissement, accélération, rattrapage, inertie. La croissance n'est pas un phénomène régulier. La vélocité de croissance dépasse 20 cm la première année et 10 cm la seconde. Elle tombe ensuite à 5 ou 6 cm par an. Elle subit une accélération prépubérale qui la remonte aux environs de 10 cm dans l'année. Survient alors une décélération rapide pour s'annuler 3 ou 4 ans après la puberté. On dispose à l'heure présente pour les enfants français de courbes de « vitesse de croissance » pour chaque sexe et à chaque âge chronologique, avec les « déviations standards ». Cette vélocité de croissance varie beaucoup et n'est pas en corrélation avec la taille définitive. Les différences entre les deux sexes sont nettes. La vitesse de croissance est plus rapide chez la fille que chez le garçon. Le pic d'accélération prépubérale de la vitesse de croissance atteint son maximum en moyenne à 13 ans chez la fille et à 15 ans chez le garçon. La vitesse 0, soit l'arrêt de la croissance, est atteinte en moyenne à 18 ans chez la fille et à 20 ans chez le garçon.

En vérité, la taille doit être rapportée, si on veut prévoir la stature définitive de l'adulte, non pas à l'âge chronologique de l'enfant, mais à son état de « maturation physiologique » et de maturation squelettique. Le concept de maturation est différent de celui de croissance du squelette. La croissance est création de tissus nouveaux; la maturation est la consolidation dans leur forme définitive et sous forme de tissu calcifié des maquettes fibreuses et cartilagineuses des pièces squelettiques. Cette maturation se poursuit en trois stades : maturation prénatale, où s'ossifient surtout les maquettes cartilagineuses diaphysaires avec quelques exceptions pour le cuboïde, les points épiphysaires du fémur et du tibia au genou, la tête de l'humérus; maturation postnatale de l'enfance, où s'ossifient progressivement les petits os du tarse et du carpe, la voûte du crâne et surtout les épiphyses des os longs; maturation de l'adolescence, où s'ossifient les cartilages de croissance. La maturation squelettique a été étudiée chez l'enfant dès le début de la radiologie, développée par Ropche et bien définie par Todd et son école. Ces études ont amené à la définition d'« indicateurs de maturité » et à la constitution d'atlas, dont le plus employé est celui de Greulich et Pyle. Il apparut très vite que la maturation est plus lente chez le garçon que chez la fille, ce qui est déjà apparent à la naissance; qu'elle est symétrique, qu'elle varie de façon individuelle dans son ordre et sa vélocité; qu'elle est en partie liée à l'hérédité, comme le montrent les études chez les jumeaux.

La comparaison des maturations osseuses dans les études transversales de populations et les études longitudinales de certains enfants a conduit à décrire un « âge osseux ». L'âge osseux est en principe un concept clair. Il correspond pour un individu à l'âge réel de la majorité des individus de son sexe qui ont la même maturation squelettique.

Il apparaît, en conclusion, que les principales particularités de la croissance postnatale de la fille sont une vitesse plus rapide, une maturation osseuse plus dense faisant que « l'année osseuse » de la fille présente plus d'événements que celle du garçon, mais pour finir par une taille définitive en moyenne inférieure à celle du garçon. Il est vrai qu'en aucun cas la taille plus élevée de ce dernier ne peut être interprétée comme un avantage sélectif au plan biologique. Au niveau des tissus mous, d'autres dimorphismes peuvent apparaître : les plus connus affectent le tissu adipeux dont le développement à l'adolescence est plus précoce, plus important et sans doute plus durable que chez le garçon, alors que la situation est inverse pour la masse musculaire.

Il est probable qu'une partie des différences sexuelles observées en biométrie de la croissance est liée à des facteurs géniques ou chromosomiques. Un des points les plus discutés concerne les rapports entre le chromosome Y et le développement. Il existe chez les mammifères et dans l'espèce humaine deux chromosomes sexuels : X et Y. Dès 1961 et de façon plus approfondie en 1970, Mary Lyons, en Grande-Bretagne, a fait l'hypothèse que dans le sexe féminin un des deux chromosomes X est inactivé. Cette inactivation survient très tôt au cours du développement embryonnaire et porte au hasard sur le X d'origine paternelle ou sur celui provenant de la mère. Les sujets de sexe féminin sont ainsi, du point de vue de leur caryotype, une « mosaïque » composée de cellules ayant un X du type paternel ou maternel. On a pu dire que le chromosome X n'est qu'un autosome particulier en raison de cette mosaïque, plutôt qu'un chromosome sexuel. Il contient des gènes dont la carte commence à être bien connue chez l'homme. Les anomalies géniques qu'il peut transporter définissent l'hérédité liée à l'X, qui peut être récessive comme dans l'hémophilie et la myopathie, intermédiaire comme pour le diabète insipide résistant à la vasopressine, ou dominante comme dans l'hypophosphatémie familiale.

Dans le sexe masculin, le chromosome X est de façon obligatoire d'origine maternelle et il n'y a ni inactivation ni « mosaïque ». Il apparaît que seul le chromosome Y est « sexuel » chez les mammifères et dans notre espèce, puisque sa présence, quel que soit le nombre d'X, détermine la « masculinité » et un certain nombre de caractéristiques enzymatiques, biochimiques, morphologiques, psychologiques et pathologiques. Le mécanisme de l'action du chromosome Y n'est pas connu avec certitude. Certains chercheurs comme Ounstedt et Taylor ont émis en 1971 l'hypothèse que sa présence introduit une différence antigénique plus accentuée entre la mère et le fœtus. Plus récemment, D.C. Taylor a présenté des arguments en faveur du fait que le chromosome Y ne transmet peut-être pas d'information spécifique par elle-même, mais que sa présence a deux conséquences : la transcription de l'information génétique se fait à un rythme plus lent, mais cela permet à une plus grande quantité d'information d'être transmise. En vérité, le développement et la croissance différentielle des deux sexes aussi bien pour les cellules somatiques que pour les cellules *germinales* dépendent des propriétés du chromosome Y, mais il est possible que celui-ci n'agisse que comme initiateur en dirigeant l'action de certaines parties du chromosome X ou d'autosomes qui ensuite vont intervenir dans la différenciation sexuelle et le dimorphisme corporel.

La présence de l'Y dans notre espèce est directement ou indirectement responsable du « fait masculin ». Du point de vue biologique, *Le Fait féminin* apparaît donc comme le négatif d'une image liée à la présence de l'Y. L'absence de l'Y permet certaines conséquences physiologiques qu'on peut résumer. Le premier groupe d'effets de l'absence d'Y est l'orientation du développement gonadique dans le sens féminin, l'accélération de la vitesse de maturation osseuse et de la mise en place de la puberté, l'apparition plus rapide de certains comportements psychomoteurs comme le langage, l'organisation dans le sens féminin de la régulation hypothalamique du gonadostat, le moindre développement final de la taille et de la masse et de la force musculaire. Un second groupe de conséquences est plus « favorable » : l'absence de l'Y est un avantage pour l'espérance de vie, le taux de suicide et d'épilepsie, la survenue de maladies chroniques et de troubles mentaux et l'adaptation sociale; différentes maladies héréditaires liées à des anomalies de gènes portées sur les autosomes comme la néphropathie héréditaire avec surdité ou l'hypercholestérolémie héréditaire ont une expressivité moins grave chez la femme que chez l'homme.

Bien que cette affirmation doive être nuancée, en raison de nombreuses exceptions à cette règle, apparaît une plus grande résistance à de nombreux troubles héréditaires ou acquis des sujets de sexe féminin par rapport à ceux de sexe masculin.

RÉFÉRENCES BIBLIOGRAPHIQUES

FALKNER (F.) : *Human development,* 1 vol., 1965, Saounders Ed., Philadelphie.

GREULICH (W.W.) et PYLE (S.I.) : *Radiographic Atlas of Skeletal Development of the Hand and Wrist,* 2nd ed., 1 vol., 1962, Stanford University Press, Stanford.

MARSHALL (W.A.) et TANNER (J.M.) : « Puberty », in *Scientific foundations of paediatrics,* 1 vol., 1974, Heinemann Ed., London.

ROYER (P.) : « Growth and development of bony tissues », in *Scientific foundations of paediatrics,* 1 vol., 1974, Heinemann Ed., London.

ROYER (P.) : *18 Leçons sur la biologie du développement humain,* 1975, Éd. Fayard, Paris.

SEMPE (P.), SEMPE (M.) et PEDRON (G.) : *Croissance et maturation osseuses,* 1 vol., 1971, Éd. Théraplix, Paris.

SIZONENKO (P.C.) et LEWIN (M.) : « Problèmes physiologiques de la puberté », *Arch. franç. pédiat.,* 1972, *29,* p. 169.

TANNER (J.M.) : *Growth and Adolescence,* 2nd ed., 1 vol., 1962, Blackwell, Oxford.

TAYLOR (D.C.) : « The influence of sexual differenciation on growth, development and disease », in *Scientific Foundations of Paediatrics,* 1 vol., 1974, Heinemann Ed., London.

VISSER (H.K.A.) : « Some physiological and clinical aspects of puberty », *Arch. Dis. Childh.,* 1973, *48,* p. 169.

7.
A propos de la puberté

par Odette Thibault, Germaine Tillion,

Pierre Royer, Albert Jacquard,

René Zazzo

O. Thibault : L'expression employée par Pierre Royer, qui définit le sexe femelle comme « le négatif » de l'image mâle ne me paraît pas très justifiée. En effet, nous avons vu, avec Jost, que le sexe femelle apparaît comme « sexe de base »; il résulte d'un processus d'autodifférenciation qui se poursuit spontanément, sauf si des facteurs masculinisants viennent « barrer » ce développement dans le sens femelle. Par conséquent, le sexe mâle peut se définir comme une « surimposition », par-dessus un sexe spontanément femelle. En l'absence de chromosome Y, il se développera toujours quelque chose, un individu quelconque, de sexe femelle en tout cas, et ce, même avec un seul X (le cas XO est connu sous le nom de syndrome de Turner; c'est une femelle infantile); par contre, avec un seul Y, il ne se développera rien du tout : le cas YO, qui résulterait théoriquement de la perte d'un X dans un caryotype XY, n'est pas connu, sans doute parce que cette anomalie, si elle survient, est létale (c'est-à-dire qu'elle n'est pas viable) au niveau embryonnaire.

G. Tillion : Que penser du « gavage » des filles dès l'âge de 4 ans, tel qu'il est pratiqué dans les populations sahéliennes, dans le but de faire avancer l'âge de la nubilité (notons d'ailleurs que comme on ne peut gaver qu'une petite fille par campement, c'est la petite fille la plus noble qui est gavée pour pouvoir être mariée dès qu'elle est nubile)? Les petites filles en question sont battues pour manger. On les oblige à avaler ce qu'elles vomissent et certaines ont peur du gavage.

P. Royer : D'abord, il convient de souligner que, contrairement à l'opinion courante qui circule dans le public, la puberté n'est pas plus précoce dans les contrées chaudes et ensoleillées. L'abaissement de l'âge de la puberté que nous enregistrons en Europe occidentale ne se manifeste pas de la même façon dans les pays chauds, parce que ce sont en général des pays sous-développés; dans les populations sahéliennes, en particulier, l'âge de la puberté est relativement élevé. Le problème du gavage tient sans doute au fait qu'indiscutablement, dans les populations où l'enfant est soumis à une malnutrition chronique, il y a un retard de la puberté, et un retard général, d'ailleurs, de la maturation osseuse. La carence protéique chronique retarde, cela est bien connu, la croissance et la maturation osseuses, donc corrélativement la puberté. On connaît de même, en Europe, des états de maladie qui entraînent une malnutrition et, par conséquent, des retards d'âge osseux et d'âge pubertaire. Donc il se peut qu'une tradition populaire (elles sont toujours importantes dans les phénomènes de reproduction) se soit fondée sur l'observation du fait qu'en évitant à une fille une malnutrition trop importante on avançait un peu la puberté.

A. JACQUARD : Si on pense que le gavage des filles leur permet d'avoir des enfants plus jeunes, l'inverse est tout aussi vrai, car j'ai dans l'esprit le cas des quatre filles d'un chef de tribu, mortes toutes les quatre parce qu'elles étaient obèses au moment du premier accouchement.

R. ZAZZO : Les facteurs nutritionnels ne sont certes pas contestables, mais n'y a-t-il pas d'autres facteurs de stimulation, d'ordre social? Puisque la puberté dépend d'une commande centrale (l'hypothalamus), ne peut-on pas faire l'hypothèse que des stimulations sociales interviennent pour provoquer ces transformations dans l'espèce humaine, de même qu'on a pu établir chez le rat que les stimulations sensorielles favorisent le développement et notamment le développement statural? Les facteurs nutritionnels sont-ils seuls déterminants dans l'âge de la puberté, ou peut-il y avoir d'autres facteurs de stimulation agissant au niveau du cerveau?

P. ROYER : Les hypothèses sont permises, car on n'a guère de certitude absolue en ce domaine. Tout d'abord, la puberté a, bien entendu, des commandes qui sont à la fois génétiques et écologiques; on ne peut donc pas en proposer une explication trop simple. Sans doute, dans l'accélération séculaire de la croissance et l'abaissement de l'âge de la puberté, l'ouverture progressive des isolats humains existant traditionnellement dans les régions d'Europe jusqu'à la fin du XVIIIe siècle a diminué considérablement le taux de consanguinité dans de très nombreuses régions (les vallées alpestres par exemple) et a, par conséquent, joué un rôle, étant donné qu'il existe des régulations génétiques (encore mal connues) qui tendent à limiter la croissance et la taille définitive (il n'y a pas d'arguments en faveur de gènes accélérant la croissance). Par conséquent, toute ouverture d'isolat doit avoir pour effet de diminuer la concentration des gènes limitant la croissance, permettant ainsi l'augmentation de la taille des individus.

R. ZAZZO : A propos du décalage séculaire, tant pour l'accroissement de la taille que pour l'abaissement de l'âge de la puberté, Royer a été très prudent quant aux interprétations. Je suppose que Royer a cependant des hypothèses.

Certes on pense tout d'abord à des facteurs nutritionnels. Mais puisque le déclenchement des transformations pubertaires dépend d'une commande centrale, l'hypothalamus, ne peut-on formuler l'hypothèse de stimulations d'ordre social pour expliquer les différences de taille et d'apparition de la puberté, tant à l'échelle d'un siècle qu'entre les milieux socioculturels? On a bien pu établir chez le rat que la richesse des stimulations sensorielles intervient pour accélérer son développement et accroître sa taille. La richesse des stimulations de tout ordre, intellectuelles notamment, pourrait-elle expliquer, au moins en partie, les phénomènes de transformation que nous observons dans l'espèce humaine?

P. ROYER : Des facteurs autres que la nutrition jouent, c'est certain. Cela a été prouvé par des transplantations de populations : des filles japonaises, transplantées et élevées aux Etats-Unis, ont une puberté plus précoce. Des facteurs sensoriels peuvent également entrer en jeu : on sait quc l'âge de la puberté est avancé par la présence d'un mâle dans une population femelle d'animaux domestiques. Pour le problème de la croissance, je pourrais citer un fait passionnant et troublant, qui est l'existence d'un nanisme d'origine psychosociale. Il s'agit d'enfants nains, aussi nains que dans le cas du nanisme d'origine hypophysaire; on les a d'ailleurs longtemps confondus avec ces derniers du point de vue du diagnostic. Mais ceux-là, contrairement aux nains d'origine hypophysaire, il suffit de les changer de milieu psychosocial pour qu'ils recommencent à grandir. Si on les remet dans le milieu précédent, leur croissance s'arrête de nouveau : l'expérience a été faite huit ou dix fois. Il ne s'agit pas de différences de quelques centimètres, mais d'enfants qui, à 12 ans, ont la taille d'enfants de 6 ans. Plus étonnant encore, c'est que ces enfants n'ont plus d'hormones de croissance circulantes lorsqu'ils sont dans le milieu défavorable, et que le taux de celles-ci remonte dans les quarante-huit heures qui suivent leur retour à l'hôpital. Ces travaux ont été faits dans mon service par Rappaport et dans plusieurs services en France, en Europe et aux Etats-Unis. Un environnement psychosocial défavorable peut bloquer la croissance, et ce, en partie par l'intermédiaire du système hypothalamo-hypophysaire.

Certaines maladies ne se manifestent jamais chez les femmes, mais sont transmissibles par les femmes. Ces maladies ne sont pas négligeables, car quelques-unes, bien connues, sont graves, comme l'hémophilie, la myopathie de Duchesne, ou gênantes comme le daltonisme. Elles sont relativement nombreuses, du moins dans l'état des connaissances actuelles, parmi les maladies à caractère mendélien. Le rapport entre le nombre des autosomes (communs aux deux sexes) et les gonosomes (qui caractérisent le sexe) est, ne l'oublions pas, de 22 paires pour les premiers pour 1 paire pour les seconds. Or, dans le recensement des connaissances établies qui a été fait par McKusick en 1975[1], il apparaissait qu'à cette date on avait identifié 583 maladies dominantes autosomiques, 466 maladies récessives autosomiques et 93 maladies liées au sexe.

Bien d'autres maladies se manifestent non pas uniquement mais très majoritairement dans un sexe ou dans l'autre, sans que l'on sache si elles sont dues à un caractère mendélien. Le Pr Royer invitait à la prudence avant d'attribuer à un caractère mendélien toutes les maladies dont l'apparition est nettement différente statistiquement selon le sexe, car bien d'autres facteurs peuvent expliquer la prédominance dans un sexe ou dans l'autre de telle ou telle maladie.

Cependant ces faits, et les intéressantes études combinant médecine et démographie qu'avait naguère conduites le Dr Sutter à l'Institut national d'études démographiques, et entre autres celle qui avait trait à la diffusion de la luxation congénitale de la hanche dans une population bretonne par les femmes[2], nous 'ont conduit à nous tourner vers le laboratoire de génétique des populations du même institut, et vers son directeur, Albert Jacquard : la génétique des populations avait-elle quelque chose à nous apprendre, s'agissant de la transmission de caractères par les femmes ou parmi les femmes?

Albert Jacquard s'est plutôt employé à mettre en doute les conclusions que l'on pourrait tirer de tentatives statistiques visant à établir l'héritabilité des caractères.

Evelyne SULLEROT.

1. McKusick : *Mendelian Inheritance in Man,* fourth edition, Johns Hopkins Hospital, 1975.
2. J. Sutter : *La Luxation congénitale de la hanche,* avec la collaboration de J.M. Goux, G. Desse, P.R. Giot, F. Reynès, I.N.E.D., Presses Universitaires de France, 1972.

8.
L'inné et l'acquis

par Albert JACQUARD

Ce *Fait féminin* que nous étudions est initialement un fait biologique, et donc, à sa base, un fait génétique. Il correspond à un événement dont nous ne connaissons pas la date, qui a été l'un des déterminants les plus formidables de toute l'évolution : l'invention de la sexualité. Nous autres, êtres vivants, avons inventé de ne plus nous reproduire seuls pour faire un identique à nous, mais de nous mettre à deux pour faire un troisième, ce qui a d'abord déclenché une accélération de l'évolution, puis multiplié les possibles et permis la diversité des êtres vivants.

Mais ce mot « génétique » que nous sommes forcés d'évoquer risque de faire illusion. Je voudrais dire combien il faut de modestie : la génétique n'est pas aussi glorieuse qu'elle paraît. Effectivement, elle s'est couverte de gloire à ses deux extrémités, si l'on peut dire : du côté de la génétique moléculaire avec la découverte de l'A.D.N., du code génétique, des régulateurs, etc. Le généticien apparaît comme détenteur d'un pouvoir merveilleux de comprendre ce qui se passe. A l'autre extrémité, l'efficacité des généticiens a permis d'améliorer le maïs, le blé, le généticien a démontré qu'il était capable d'agir. En fait, ce ne sont pas les mêmes généticiens qui comprennent la génétique moléculaire, d'une part, et qui agissent sur l'amélioration des espèces et des races, d'autre part. Mais surtout nous sommes très peu avancés dès qu'il s'agit de comprendre ou d'agir sur des caractères complexes. Il faut en effet d'abord définir le caractère en question, ensuite élaborer un modèle explicatif dans lequel interviennent des paramètres génétiques. La première phase est simple s'il s'agit de déterminer le rendement en lait d'une vache mais cela devient bien plus compliqué dès qu'il s'agit de caractères qui nous intéressent fort, difficiles à définir, comme la beauté par exemple. Il faut accepter de définir un caractère complexe au moyen de nombres qui permettent des hiérarchies : la longueur du nez, par exemple, facile à définir.

Prenons le cas de l'intelligence. De toute évidence, sa définition n'est pas résolue, car personne ne peut définir ce qu'est l'intelligence.

Ce qu'on définira, ce sont des éléments de l'intelligence, des aptitudes ou des aspects pathologiques. Dans le cas du trait pathologique, on peut choisir une définition et chercher les mécanismes génétiques qui peuvent expliquer ce qu'on observe s'agissant de la transmission de ce caractère. C'est ce qu'on a fait par exemple dans des études sur la schizophrénie ou les psychoses maniaco-dépressives. Mais, chaque fois, on s'aperçoit que les modèles que l'on peut imaginer sont difficilement comparables et surtout que les données dont on dispose sont insuffisantes et peu compatibles avec les moyens statistiques que nous employons pour conclure. Alors où est l'issue? Certainement dans la recherche de concepts. Le concept central proposé est celui d'héritabilité, mot qui a un sens bien précis pour le biométricien et qui n'a rien à voir avec le concept de code génétique, car les premiers inventeurs du concept d'héritabilité ignoraient l'existence des chromosomes. En fait l'héritabilité est une mesure faite par le statisticien qui compare la fille à la mère, le fils au père, etc., et qui, au moyen de techniques, d'analyses de variables et de corrélations mesure la possibilité de prévoir la transmission des caractères de nos parents. Cela s'est montré fort efficace appliqué aux plantes et aux animaux et a permis des améliorations en culture et en élevage. Mais dès que la génétique a été découverte, certains se sont efforcés de relier ce concept global, statistique, d'héritabilité aux données de la génétique, à l'existence de gènes. Des mathématiciens, notamment Fisher, ont obtenu un certain succès; mais des paradoxes insurmontables viennent de ce que ces modèles sont fondés sur des hypothèses simplificatrices absolument abusives, et il ne faut pas s'exagérer sur les succès remportés. En plaquant des modèles mathématiques sur des données, on peut aboutir à n'importe quoi. Imaginons un Martien qui a bien appris certains traités de statistique et de génétique des populations permettant d'évaluer l'héritabilité d'un caractère; il vient en France, et s'intéresse aux petites filles et pas aux garçons. Il va mesurer la longueur de leurs nez, divers traits, leur quotient intellectuel, et la longueur de leurs jupes. Il appliquera les méthodes statistiques classiques et, si ses calculs sont exacts, le coefficient h^2, le fameux terme qui représente l'héritabilité (que l'on mesure, par exemple, chez les jumelles en distinguant les vraies jumelles des fausses jumelles), ce coefficient h^2 sera au moins aussi grand pour la longueur des jupes que pour le quotient intellectuel, et plus grand que pour la tension artérielle. Les calculs du Martien seraient justes, mais il aurait tort de dire que c'est génétique. La longueur des jupes n'est pas génétique! En revanche, il aurait pu trouver de nombreux cas où un caractère uniquement défini, gouverné par un ou deux gènes situés sur les chromosomes, aurait une héritabilité minime. C'est-à-dire que, bien qu'il soit rigoureusement défini par des gènes, ce caractère n'entraînerait aucune ressemblance moyenne entre parents et enfants.

Entre ces deux concepts : l'héritabilité, qui est un concept statistique, et la génétique, qui signifie qu'il y a un déterminisme sous-jacent, le plus souvent il existe une liaison, mais la connaissance de l'un n'implique absolument rien de l'autre. Et l'on aurait tort, à partir de certaines constatations, d'en inférer des conséquences dans l'autre domaine.

A la suite de cette intervention – dont les jugements et les exemples suscitèrent des réactions [1] *– A. Jacquard nous a fait parvenir un texte plus élaboré, plus mathématique, reprenant ses propos et remettant fortement en question la notion d'héritabilité. Il ne nous était pas possible de faire figurer* in extenso *ce texte dans un livre consacré au* Fait féminin.

Avec l'accord de l'auteur, nous en avons extrait un passage. L'auteur démontre notamment qu'« un caractère polymorphe, héritable et corrélé avec le nombre d'enfants utiles, ne peut rester stable d'une génération à l'autre. Réciproquement, si un caractère est stable, il est illusoire de chercher à mesurer son héritabilité, dès lors qu'il est en fonction de la fécondité ».

A. Jacquard prend comme exemple l'héritabilité de la fécondité elle-même.

E. S.

---

1. Voir l'intervention du Pr R. Zazzo, p. 118.

A propos du concept d'héritabilité

par Albert JACQUARD

Il est clair que le nombre des naissances par femme est fortement et positivement corrélé avec le taux de fécondité. Dans une population où ce caractère serait héritable, la moyenne du nombre d'enfants par femme croîtrait à chaque génération, amenant nécessairement une « explosion démographique » rapide.

Cette évidence n'a pas empêché de rechercher une estimation de l'héritabilité de la fertilité chez les femmes : les premières données sont sans doute celles de Fisher (p. 194-199) qui, en se fondant sur des familles de pairs anglais, a trouvé un coefficient de régression de 0,20 entre le nombre d'enfants des mères et le nombre d'enfants de leurs filles, ce qui correspond à une héritabilité de 0,40. Il en concluait : « *The relationship observed between mother and daughter is essentially one of organic inheritance.* »

Une telle conclusion semble bien excessive. Supposons que, compte tenu de la mortalité infantile, le coefficient de corrélation entre le nombre de naissances et le nombre d'enfants utiles soit seulement de 0,50. On peut facilement calculer que la moyenne du nombre d'enfants procréés augmenterait d'une unité en cinq générations, rythme qui paraît parfaitement irréaliste.

En fait, les autres enquêtes sur le sujet ont obtenu des résultats beaucoup moins nets que ceux de Fisher. Citons l'enquête d'Imaïzumi et Nei au Japon. Utilisant les informations très complètes fournies par les *koseki,* enregistrements officiels des événements familiaux, ils ont analysé les conditions de la reproduction d'environ 1 000 familles japonaises durant près d'un siècle (1880-1966). La précision des données leur a permis d'étudier aussi bien l'héritabilité du nombre total de naissances par couple que celles du nombre d'enfants « utiles », c'est-à-dire ayant survécu jusqu'à l'âge de la procréation. Les résultats, qui semblent avoir étonné ces auteurs, sont parfaitement conformes à ce que nous venons de voir : la corrélation observée entre le nombre d'enfants des hommes et la taille de la fratrie à laquelle ils appartenaient est nulle (selon les périodes, cette corrélation varie de – 0,09 à + 0,04); pour les femmes, cette corrélation est, en moyenne, positive, mais reste statistiquement non différente de zéro (+ 0,014 pour le nombre de naissances; + 0,058 pour le nombre d'enfants utiles).

Comme choqués d'un résultat auquel ils ne s'attendaient pas, les auteurs s'efforcent de préserver l'idée d'une héritabilité de la fécondité en étudiant la corrélation intraclasse de la fertilité des membres d'une même fratrie : cette corrélation est effectivement positive, mais reste à la limite du seuil de signification (0,09). Il est clair que la corrélation entre frères et sœurs est particulièrement influencée par des facteurs non génétiques (culture, attitude face à la constitution d'une famille...); elle ne peut donc servir à l'estimation d'une héritabilité, au sens génétique de ce mot, qu'avec les plus grandes précautions. Et, pourtant, seul ce résultat concernant les fratries est cité par Ch. Smith (p. 431) dans sa revue générale de l'estimation des paramètres h^2 d'héritabilité de divers caractères. L'idée d'une héritabilité de la fécondité est si communément admise qu'il a cru possible de résumer l'étude d'Imaïzumi et Nei par un h^2 compris entre 0,10 et 0,20, alors que la lecture de leur article aboutit à la conclusion bien claire, même si elle va contre les opinions admises, que $h^2 = 0$. Ce qui veut dire que la fécondité n'est pas héritable.

Certes, cette conclusion peut paraître étonnante : il est assez évident que certaines caractéristiques biologiques, chez les femmes notamment, sont favorables (ou défavorables) à la fécondité; ces caractéristiques sont sous la dépendance du génome et sont, de ce fait, héritables. Chacun peut citer des cas de lignées où, de génération en génération, les familles nombreuses se succèdent. Mais il s'agit là de cas individuels, alors que l'héritabilité est un paramètre collectif. Que certaines femmes possèdent des gènes qui favorisent (ou défavorisent) leur fécondité n'est guère niable, mais, globalement, la présence de ces gènes ne peut entraîner dans la population une ressemblance, pour ce caractère, entre les mères et les filles. Il faut le répéter, une « héritabilité » ne qualifie pas un caractère en soi, mais la structure de la population dans laquelle on l'étudie.

Conclusion

Nous n'avons cherché ici qu'à attirer l'attention sur les abus de langage que peut entraîner l'usage d'un mot dont le sens peut sembler bien clair. Sans doute le lecteur pourra-t-il nous reprocher, après avoir suivi ce développement, de lui avoir apporté plus de confusion que de clarté. Mais cette confusion n'a été ici que révélée; elle préexistait même si, grâce à la merveilleuse ambiguïté des mots, elle n'apparaissait pas.

RÉFÉRENCES BIBLIOGRAPHIQUES

FALCONER (D.S.) : *Introduction to Quantitative Genetics Theory*, Harper and Row, New York, 1960.

FISHER (R.A.) : *The Genetical Theory of Natural Selection*, Clarendon Press, Oxford, 1930.

FRASER (G.) et MAYO (O.) : *Textbook of Human Genetics*, Blackwell Scientific Publ., Oxford.

IMAIZUMI (Y.), NEI (M.) et FURUSHO (T.), 1970 : « Variability and heritability of human fertility », *Ann. Hum. Genet., 33*, p. 251-259.

JACQUARD (A.), 1974 : *The Genetic Structure of Populations*, Springer Verlag, New York.

JACQUARD (A.) et WARD (R.), 1976 : « The genetic consequences of changing reproductive behaviour », *Journ. Hum. Evolution, 5*, p. 139-154.

La théorie de l'héritabilité de la fécondité, qui, à l'évidence, heurtait le plus simple bon sens, n'avait pas, en son temps, franchi les limites d'une petite chapelle de quelques passionnés de théories pour la Théorie. Le monde scientifique y a peu perdu. En tout cas, elle ne s'était pas propagée, ni dans le grand public, ni parmi les médecins, ni dans les publics d'intellectuels.

Il n'en va pas de même, tant s'en faut, des idées qu'Albert Jacquard avait évoquées auparavant dans sa communication orale [1] et qui alimentent des débats brûlants. En voulant démontrer combien suspect il juge le concept statistique d'héritabilité, A. Jacquard, mathématicien, avait introduit en passant des notions globalisantes comme celle d'« intelligence » et semé des doutes sur la nature de la génétique, sur le problème de l'inné et de l'acquis, sur l'hérédité, etc. De l'avis de René Zazzo, des termes et des sujets aussi lourds d'implications idéologiques ne peuvent être utilisés de manière aussi rapide et imprécise pour servir d'arguments, et une mesure aussi complexe que le quotient intellectuel ne peut être citée au même titre que la mesure de la longueur du nez, ou... des jupes! Il a donc réclamé vivement que soient cernés de plus près ce vocabulaire et les raisonnements qui l'utilisaient. Peut-être eussions-nous préféré éviter ce débat qui nous écartait de notre sujet, mais une fois engagé, il était impossible de l'éluder. Il intéresse du reste les hommes et les femmes au même titre. De plus, R. Zazzo inscrit les aspects génétiques des différences – et donc des différences hommes/femmes – dans un cadre conceptuel beaucoup plus riche. Il rappelle qu'on ne peut chercher, envisager, étudier semblablement, avec les mêmes approches, des différences entre individus dans un même groupe, entre groupes, entre classes sociales, entre populations.

Evelyne SULLEROT.

---

1. Voir *supra*, p. 111

Réponse

par René ZAZZO

A. Jacquard n'a guère parlé du *Fait féminin,* mais je voudrais me permettre tout de même de réagir à ses propos. Il a parlé de l'hérédité de l'intelligence, ce qui peut étonner puisque, pour l'intelligence considérée globalement, tous les auteurs sont d'accord pour dire que les femmes sont à égalité avec les hommes. Pourquoi choisir ce terrain? Parce qu'il est le lieu privilégié d'une mobilisation passionnée contre les déterminismes génétiques. Qui peut le plus peut le moins. En portant l'attaque sur le plan de l'intelligence (où l'existence de facteurs génétiques est le mieux assurée), en brocardant le fameux Q.I. (quotient intellectuel) antipathique à tant de gens qui ne savent d'ailleurs pas ce que c'est, on met en œuvre une stratégie qui jette le doute sur le rôle des facteurs génétiques à tous les plans : autrement, pourquoi parler de l'hérédité de l'intelligence à propos du *Fait féminin?*

A. Jacquard connaît mes objections; je les lui ai déjà faites, et il m'a répondu que notre désaccord ne portait peut-être que sur des mots : alors j'aurai bien soin de peser mes mots.

Il n'a pas le ridicule de nier brutalement que l'intelligence dépende du patrimoine génétique. Mais pour brouiller cette évidence théorique, pour la priver de toute conséquence pratique, il développe deux arguments : 1° on ne sait pas ce qu'est l'intelligence; 2° la notion d'héritabilité est confuse et dangereuse. En d'autres termes : nous n'avons pas d'instrument de mesure, et d'ailleurs nous n'avons pas d'objet à mesurer.

Si A. Jacquard cherche en lui-même ou à travers la littérature une *substance,* une entité qu'on appelle intelligence, c'est sûr qu'il ne trouvera rien. Ce terme d'intelligence, suffisant pour la conversation, est trop vague et d'extension trop vaste pour avoir la moindre valeur scientifique. En ce domaine comme en d'autres, depuis le début du siècle, le travail des psychologues a consisté à déceler des unités fonctionnelles ou des structures que recouvre la langue commune. Ces « objets » qu'on appelle intelligence sont multiples : intelligence globale (Binet), facteurs cognitifs (Spearman et ses successeurs), intelligence des situations (Wallon), mécanismes opératoires (Piaget), pensée divergente ou créative, etc. Ces « objets » ont une définition opérationnelle ou fonctionnelle. Construits par une analyse mathématique, ou logique, ou « génétique » (au sens de « développement au cours de l'enfance »), portant sur des populations strictement définies, ils peuvent être retrouvés et évalués en chaque individu par le moyen de réactifs qu'on appelle des tests. On ne sait pas ce qu'est l'intelligence parce que le mot ne signifie rien de précis. On sait ce que sont les diverses « intelligences » que chacun des auteurs a définies en fonction de l'instrument employé pour les découvrir, et avec la marge de crédibilité qu'on peut leur accorder.

Le problème « inné-acquis » se pose pour chacune d'elles. Mais c'est principalement à propos de l'intelligence « globale » que les recherches d'héritabilité ont été les plus nombreuses. Probablement parce que c'est l'« intelligence » qui fut découverte la première, que sa mesure est relativement facile et universellement pratiquée. C'est aussi contre elle que s'acharnent généralement les phobiques de l'hérédité, à cause du calcul du Q.I. Or le Q.I. est considéré comme le représentant patenté de l'hérédité! Et pourquoi donc? A cause de sa *constance* pour un même enfant tout au long de son enfance. Alors de quoi la constance peut-elle témoigner, sinon du pouvoir invariant de l'hérédité? ajoutent-ils. On a beau leur dire que le Q.I. reste à peu près constant *sous la réserve que les conditions socioculturelles dans lesquelles vit l'enfant restent constantes,* ils ne veulent rien entendre. Si le Q.I. n'existait pas, ils l'inventeraient car pour lutter contre le diable, mieux vaut qu'il prenne forme. Ici, le diable a la forme magique d'un nombre. Le combat contre le Q.I. est un exorcisme.

Mais se souvient-on, ou a-t-on jamais su, que le quotient intellectuel exprime tout simplement une vitesse de croissance? Un enfant qui a gagné un niveau mental de 12 ans en 10 ans d'âge a un Q.I. de 120 %. Resterait à savoir, bien entendu, à quels facteurs génétiques, culturels, cette vitesse est due... Le chiffre brut n'en dit rien.

Ensuite, A. Jacquard raconte une fable amusante : supposons, dit-il, qu'un Martien débarque sur la Terre, s'intéresse aux petites filles, et particulièrement aux jumelles, jumelles vraies et fausses jumelles. Il mesure leur tour de tête, leur tension artérielle, leur Q.I. et la longueur de leurs jupes. Parmi les vraies jumelles quatre couples ont des jupes de même longueur. Parmi les fausses jumelles, un seul couple porte des jupes de la même longueur. Le Martien (pourquoi un Martien, après tout?) applique à la « longueur de jupe » la formule h^2, et il constate que ce trait est fortement héréditaire. Si la blague était d'un humoriste, je la trouverais drôle, mais venant d'un scientifique, je me demande ce qu'elle veut dire. Rions, donc, mais de qui? et de quoi? Si je comprends bien, on suppose connus les diagnostics de gémellité fausse et vraie par les parents et par le Martien qui utilise la formule h^2 partant de la distinction entre vrais et faux jumeaux. La longueur de la jupe est donc un trait *lié* à l'hérédité des jumelles; l'identité de longueur devient un *signifiant* par rapport à un *signifié* qui est l'identité génétique. C'est l'information de base qui était inexacte, mais je ne vois pas là qu'il y ait une réfutation de la légitimité du h^2.

Avec juste raison, A. Jacquard dit qu'il faut être conscient des difficultés rencontrées dans l'usage et l'interprétation des indices d'héritabilité. Les déclarant vagues et dangereux, il développe ses critiques pour aboutir à un rejet radical [1].

Reconsidérons ses critiques fondamentales :

– L'indice h^2 ou toute autre formule visant à évaluer l'importance des facteurs génétiques dans la réalisation d'un caractère (plus précisément, convient-il de dire, pour l'explication de *différences* interindividuelles) est fonction de la population étudiée et ne vaut que pour elle. C'est évident, le biologiste Haldane et le psychologue H. Pieron l'ont souligné il y a quarante ans. Concernant la variance des différences intellectuelles, le chiffre de 20% attribué aux facteurs de milieu est dénué de toute valeur générale. Il n'est valable, écrit Pieron, que *dans la marge des petites différences de milieux familiaux d'un même pays.*

– Les calculs d'héritabilité laissent croire à une additivité des facteurs, alors que les phénomènes d'interaction doivent être d'une extrême importance. Tous les psychologues en sont bien d'accord. Des formules comme celles de C. Burt et de R.B. Cattell *(Multiple Abstract Variance Analysis)* font entrer en ligne de compte ces interactions. La notion de « parts relatives » de l'hérédité et du milieu est depuis longtemps dépassée.

– A ces mises au point, j'éprouve le besoin d'en ajouter une autre : à parler rigoureusement, un trait psychique ne s'hérite pas, il se construit. *Il se construit* avec des matériaux génétiques, avec des données culturelles, par l'activité de l'individu.

Revenons aux remarques de A. Jacquard : il ne faut pas considérer, dit-il, que plus grand est l'indice h^2, plus grand est le patrimoine héréditaire. C'est ce que j'ai soutenu, il y a déjà vingt ans [2], en parlant des *effets-de-couple* observés chez les jumeaux, *effets-de-couple* qui peuvent masquer ou bien simuler les facteurs génétiques.

Récemment, des collègues de Glasgow, G. Claridge et ses collaborateurs [3] ont illustré cette notion d'une façon étonnante : soumettant des jumeaux monozygotes adultes à des épreuves de personnalité, ils trouvent, pour le trait bipolaire « introversion-extraversion », *un indice de corrélation de 0,86 pour les jumeaux vivant séparément! Alors que pour les jumeaux vivant ensemble* (donc même hérédité et même milieu, suivant la formule classique) *la corrélation est pratiquement nulle : 0,10!* L'influence très importante du facteur génétique révélée par les jumeaux séparés est masquée, gommée par la vie en couple des jumeaux qui ne se sont pas quittés, dans le cas du trait « introversion-extraversion ». L'*effet-*

1. L'article de Feldman et Lewontin (*Science*, déc. 1975, p. 1163-1168) dont A. Jacquard s'est inspiré est plein d'intérêt dans ses mises en garde, mais pas plus convaincant dans ses conclusions totalement négatives. L'argument majeur est que le calcul statistique, le h^2, ne nous révèle pas les structures biologiques causales sous-jacentes : personne ne l'a jamais prétendu.

2. R. ZAZZO : *Les Jumeaux, le couple et la personne,* Presses universitaires de France, 1960.

3. G. CLARIDGE *et al.* : *Personality Differences and Biological Variations,* Oxford, Pergamon Press, 1973.

de-couple, facteur jusqu'alors ignoré, doit jouer pour tout individu et pas seulement pour les jumeaux. Sans le point d'appui de mes calculs habituels, je n'aurais pas pu le mettre en évidence, je n'aurais pas pu affiner et dépasser ces calculs.

Pour terminer, le calcul d'héritabilité est-il utile? Je sais que ce calcul peut être trompeur si l'on oublie la façon dont il est opéré, si l'on oublie par exemple que les indices obtenus varient d'une population à l'autre. Mais cette relativité ne me gêne guère si j'applique à une même population une batterie d'épreuves clairement définies. Alors je puis aboutir à un *classement* de ces épreuves du point de vue de l'influence des facteurs de milieux (ou, inversement, des facteurs génétiques). Les exemples sont nombreux : citons seulement un travail récent du psychologue britannique P. Mittler [1]. Il soumet une population d'enfants (28 jumeaux monozygotes et 64 jumeaux dizygotes) à une batterie d'aptitudes linguistiques. Cette batterie distingue, par diverses épreuves, deux niveaux (signification et automatisme), deux canaux (audio-vocal et visuo-moteur) et trois processus (décodage, association, encodage). On constate alors que les influences du facteur génétique et du facteur de milieu sont très différentes selon l'aspect linguistique considéré. Ces résultats, obtenus par la méthode gémellaire et en calculant le h^2, sont totalement confirmés en appliquant la même batterie à des enfants non jumeaux de trois classes sociales différentes : les facteurs de milieu affectent le canal audio-vocal beaucoup plus fortement que le canal visuo-moteur. Les conséquences d'ordre pédagogique d'une telle analyse ne sont pas négligeables. A. Jacquard a déclaré : « En plaquant des modèles mathématiques sur des données, on peut aboutir à n'importe quoi. » Certes. Mais on peut aboutir aussi à quelque chose de valable. Ces modèles traduisent une hypothèse « réfutable » (c'est le principe de réfutabilité de Popper) au contraire des idées bavardes de tout idéologue.

L'inné et l'acquis? Le génétique et le culturel? Etrange combat qu'illustre parfaitement ma dispute avec A. Jacquard : nous sommes d'accord, tous les deux, et tous les scientifiques sont d'accord sur l'existence des facteurs génétiques. Tous les scientifiques sont d'accord sur les limites et les dangers de la génétique quantitative. Et ce que j'ai dit sur les « relativités » du h^2 semble rejoindre les critiques d'A. Jacquard.

Un accord du bout des lèvres, que le ton et l'orientation du discours démentent totalement. Comment cela se produit-il? Car, en vérité, affirmer qu'il n'est pas possible de calculer actuellement le rôle des facteurs génétiques, c'est assez dérisoire dès l'instant où l'on a admis l'essentiel, à savoir que ces facteurs existent. Et pourquoi développer une telle argumentation dans un colloque sur *Le Fait féminin?*

L'action psychologique mise en œuvre me paraît assez évidente : en discréditant totalement les instruments de mesure, en l'occurrence le h^2, on jette la suspicion sur l'objet à mesurer, l'hérédité, en jouant sur la conviction qu'il n'y a de

---

1. P. MITTLER : « Influences génétiques et influences mésologiques sur les aptitudes linguistiques », in *Enfance,* 1972, n° 5, p. 519-530.

réalité que mesurable. Et l'argument sera repris, porté à ses conséquences radicales par les militants qui n'ont pas à garder les réserves de respectabilité scientifique. Ils diront que l'hérédité n'existe pas, que les différences entre individus sont toujours dues aux différences de milieu.

C'est ce que je désigne comme « obscurantisme de gauche ».

Obscurantisme parce que refus des faits, parce que confusion de problèmes distincts : en effet la question des déterminismes génétiques et des déterminismes sociaux ne se pose pas de la même façon selon qu'il s'agit d'exprimer les différences *entre individus* au sein d'un même groupe, les différences *entre classes sociales,* les différences *entre Blancs et Noirs,* les différences *entre hommes et femmes.*

Ainsi, grâce au dispositif de comparaison entre jumeaux de même hérédité et jumeaux faux, on a fondé l'hérédologie des différences *entre individus.* Ce savoir n'est évidemment pas transposable pour rendre compte des différences psychiques, d'intelligence notamment, entre classes sociales : là, le milieu seul peut être déterminant. Les différences intergroupes sont autre chose que les différences intragroupes. Pourquoi ne pas l'avoir dit? Pourquoi les militants de l'égalité sociale ne le disent-ils jamais? Cet amalgame est bénéfique aux « conservateurs » qui veulent faire croire à une hiérarchie fondée en nature; sa dénonciation serait plus importante qu'une discussion sur le h^2 qui ne concerne que les différences intrapopulation. Mais la phobie de l'hérédité est si forte qu'il ne faut pas faire quartier. Or, en niant l'hérédité là où elle est évidente, on risque pourtant d'accréditer son existence là où elle n'est pas.

Conclusion

Pour résumer l'ontogenèse *du masculin et du féminin, peut-on dégager quelques lignes de force de ce qui vient d'être dit?*

Il existe dans les deux sexes une bipotentialité *au stade embryonnaire : au début du développement, chez le mâle comme chez la femelle génétique, les structures sont indifférenciées.*

De plus, le programme de base *est le programme* femelle. *C'est lui qui se développe spontanément en l'absence d'inducteurs masculinisants qui viennent « barrer » l'orientation dans le sens femelle.*

On pourrait discuter à l'infini des implications philosophiques (vraies ou fausses) du fait que le sexe féminin soit « sexe de base ». En fait, il n'y en a aucune, et je suis d'accord avec Evelyne Sullerot pour dire qu'il n'entraîne aucun nouveau jugement de valeur opposé à l'ancien; disons qu'il a permis, à tout le moins, de démythifier dans une certaine mesure le « primat du masculin » qui sévit depuis la Genèse jusqu'à Freud.

Sur ce programme de base, le programme mâle est en quelque sorte « surimposé » par deux types successifs d'inducteurs masculinisants :

– Le chromosome Y, qui induit le développement des gonades mâles;

– Les hormones androgènes, sécrétées dès que la gonade mâle est fonctionnelle, c'est-à-dire dès les premières semaines de la vie embryonnaire.

*Il faut souligner que le premier déterminisme génétique ne suffit pas; il faut un deuxième déterminisme chimique (hormonal) qui peut d'ailleurs modifier le premier – la preuve : l'existence de cas d'*intersexualités hormonales *sur caryotype mâle ou femelle bien défini* [1].

---

1. Pour plus de détails sur les diverses formes d'intersexualité, voir O. THIBAULT : *Cours de préparation à l'enseignement de la sexualité humaine*, C.E.D.E.S.

Le deuxième déterminisme hormonal est donc fort important. Les hormones mâles embryonnaires ont une double action :
– Elles induisent la différenciation des structures génitales dans le sens mâle et empêchent la différenciation dans le sens femelle;
– Elles sexualisent les structures nerveuses dans le sens mâle. Or les structures commandent à la fois le fonctionnement physiologique (axe hypothalamo-hypophysaire) et le comportement sexuel.

En ce qui concerne le sexe somatique, *le déterminisme hormonal est* strict, *chez l'homme comme chez l'animal. Le sexe somatique est hormono-dépendant.*

En ce qui concerne le fonctionnement physiologique : *si les structures nerveuses ont été imprégnées par des hormones androgènes pendant la vie prénatale et néonatale, l'hypothalamus fonctionnera selon le mode mâle (stable), sinon il fonctionnera selon le mode femelle (cyclique). Il en est de même, chez l'animal, pour le* comportement d'accouplement.

Soulignons en passant la précocité de ce déterminisme hormonal : *il s'établit au cours d'une courte « période critique », de durée variable selon les espèces, mais qui ne dépasse pas la vie embryonnaire et néo-natale. Une abondante expérimentation l'a montré[1] – par exemple : pour que la castration et l'injection d'hormones du sexe opposé soient efficaces pour réorienter même partiellement le comportement d'accouplement, elles doivent être pratiquées sinon dès la vie embryonnaire, du moins dès la naissance, sans quoi l'orientation est irréversible (expérimentation chez le rat).*

Mais, à partir des primates, *ce déterminisme hormonal est moins strict, car les structures nerveuses conservent une certaine* plasticité *dans les stades ultérieurs de l'ontogenèse. L'orientation est moins irréversible. Et il est évident que si le phénotype reste hormono-dépendant, le comportement l'est beaucoup moins.*

Comme nous le verrons plus loin, l'étude du concept d'identité sexuelle *montre que, dans l'espèce humaine, le sentiment qu'éprouve l'enfant d'appartenir à l'un ou à l'autre sexe dépend moins de son phénotype que de la manière dont il a été reconnu et élevé par son entourage. Les déterminismes hormonaux cèdent le pas aux déterminismes socioéducatifs qui entrent en jeu à partir de la naissance. A cet égard, les données de la pathologie et l'étude des « accidents de parcours » de l'ontogenèse apportent un éclairage extrêmement intéressant.*

Nous avons vu, avec Royer, que l'ontogenèse s'achève à la puberté, *avec l'épanouissement total du phénotype, grâce aux hormones pubertaires mâles et femelles, le début de l'aptitude à la reproduction, et la confirmation du comportement dans un sens ou dans l'autre, qui résultera de la synthèse, de l'articulation et de l'interaction des facteurs biologiques et environnementaux (voir, p. 230, le schéma de Money).*

Cette première analyse montre donc que si des facteurs biologiques endogènes sont à l'origine de l'ontogenèse de la sexualité, dont ils représentent le détermi-

---

1. J.-P. SIGNORET : « Hormones et comportement sexuel des mammifères », Congrès international de sexologie clinique, Paris, juillet 1974.

nisme primaire, *la plasticité des structures nerveuses permet l'intervention d'une seconde série de facteurs, d'origine exogène, qui entreront en jeu à partir de la naissance, au cours d'une seconde période critique qui se situera dans les premières années de l'enfance.*

L'étude de ces facteurs de l'environnement fera l'objet de la deuxième partie de cet ouvrage, mais nous pouvons déjà dire que l'ontogenèse du comportement sexuel se fait au cours de la vie pré et postnatale selon une double programmation :

1° Une programmation biologique, qui se déroule pendant la vie embryonnaire et néo-natale;

2° Une programmation socioculturelle, qui s'établit dès le début de la vie postnatale et vient se greffer sur la première.

Nous allons voir maintenant comment ces différences sexuelles biologiques s'expriment chez l'homme et chez la femme adultes, *et quelles sont, à ce niveau, les spécificités du sexe féminin.*

Odette THIBAULT.

III.

EXPRESSION ET SIGNIFICATION DES DIFFÉRENCES SEXUELLES A L'AGE ADULTE

Nous avons vu que la différenciation des sexes, dès son apparition dans la phylogenèse et son développement, qui culmine dans les espèces les plus évoluées, est une richesse et un avantage sélectif.

Il ne s'agit donc pas de « gommer » les différences, mais de mieux cerner les véritables spécificités de chaque sexe, d'en bien définir les bases hormonales – bref, de préciser les données de la physiologie différentielle, en s'éclairant au besoin de l'apport de la pathologie.

Quelle est exactement la signification du cycle féminin et des règles, la place de la fonction reproductrice dans la vie de la femme, l'évolution de son rôle maternel, etc.? autant de questions qui se posent.

Mais si elles se posent de nos jours avec autant d'acuité, c'est à cause d'un phénomène remarquable de l'évolution de notre culture, apparu au cours du XXᵉ siècle, et plus précisément au cours des trente dernières années : grâce aux progrès de la science, c'est justement dans la physiologie de la femme – et spécialement dans le domaine qui paraissait le plus spécifiquement féminin biologiquement parlant, la maternité – que se sont produits, comme nous le verrons, les changements les plus spectaculaires. Ces acquisitions de la culture scientifique ont déjà entraîné, et risquent d'amener encore dans l'avenir, une évolution importante de la condition féminine. C'est une question qu'il conviendra d'aborder ultérieurement.

Mais pour rester dans le domaine de la biologie, examinons d'abord les données de la physiologie différentielle, à la lumière des connaissances nouvelles.

Baulieu et Haour précisent et cernent de plus près les spécificités de l'homme et de la femme adultes, et Férin traite des contributions de l'endocrinologie à l'évolution de la notion de féminité, et en particulier de la question de la suppression des cycles et de la contraception.

O. T.

1.
Les différences physiologiques et pathologiques entre l'homme et la femme

par Étienne BAULIEU et France HAOUR

La ressemblance très grande des mécanismes régulateurs des grandes fonctions vitales chez l'homme et chez la femme s'arrête au système reproducteur. A ce niveau, les différences anatomiques, fonctionnelles et biochimiques sont importantes. Ce sont d'ailleurs elles qui sont, à leur tour, responsables des différences de fonctionnement de l'ensemble de l'organisme dans les deux sexes.

De façon très schématique, on peut considérer que le déterminisme du sexe se réalise à trois niveaux différents. Tout d'abord, les chromosomes de l'homme et de la femme sont distincts au niveau d'une paire de chromosomes « sexuels », XY et XX (voir Ohno). La présence de l'un ou de l'autre de ces couples de chromosomes détermine ensuite la formation des cellules reproductrices, spermatozoïde ou ovule, qui se développent dans des organes qui deviendront des testicules ou des ovaires. Au cours du développement embryonnaire, ces testicules ou ces ovaires sécrètent des hormones qui vont déterminer les caractéristiques morphologiques mâle ou femelle (voir Jost). Les sécrétions hormonales s'intensifient à la puberté, et à l'âge adulte elles infléchissent, selon le sexe, la plupart des grandes fonctions biologiques communes à l'homme et à la femme. En d'autres termes, la *séquence* : sexe chromosomique → sexe gonadique → différences entre les deux sexes, est *l'axe explicatif fondamental proposé par la biologie*. Quelques différences entre l'homme et la femme sont cependant la conséquence directe du sexe chromosomique sans passer par un relais hormonal gonadique.

On verra plus loin qu'il apparaît de plus en plus clairement que le déterminisme biologique de la différenciation des sexes n'est pas aussi rigide qu'il semblait classiquement, et que l'expérimentation ou l'observation animales et humaines ont permis de mettre en évidence des états intermédiaires entre les états de masculinité et de féminité normaux.

Minimiser les différences biologiques et physiologiques ou en déduire, même involontairement, un système de valeurs sont des écueils qu'il n'est pas toujours facile d'éviter, compte tenu du cadre socioculturel dans lequel nous nous trouvons, médecins et scientifiques inclus...

En essayant de rassembler les différences physiologiques et pathologiques évidentes ou discrètes entre les hommes et les femmes, nous avons été conduits, en général, à utiliser des documents établissant des moyennes pour une population d'Europe ou d'Amérique du Nord. Il est bien évident que les conditions climatiques et de nutrition ainsi que les particularités socioculturelles peuvent modifier les valeurs indiquées ici. Variations et adaptations sont parties intégrantes des phénomènes de la vie et, en retour, les conditionnent et les permettent.

LES HORMONES SEXUELLES

Différences hormonales

Nous les étudierons après l'âge de la puberté qui est plus tardive chez les garçons d'environ deux ans. Malgré l'avancement observé au cours des dernières décennies, ce décalage semble s'être maintenu entre les deux sexes.

La sécrétion hormonale androgène de l'*homme*, ou *testostérone*, est le fait des cellules « interstitielles » des testicules. Sa production est essentiellement stable au long des années de la vie adulte, diminuant sans s'annuler de façon progressive au cours du vieillissement. Cette sécrétion est sous le contrôle de L.H. (figure 1*a*), hormone gonadotrophique produite par la glande hypophyse située à la base du cerveau, en-dessous de l'hypothalamus (voir Harris). Elle en reçoit un composé hormonal, la L.H.-R.H., fabriquée par des cellules nerveuses groupées en « noyaux » spécialisés, par l'intermédiaire d'un système de vaisseaux capillaires. Le fonctionnement hypothalamo-hypophyso-testiculaire est permanent, « tonique » et ne manifeste pas de grandes oscillations cycliques [1]. La production de testostérone exerce à son tour un rétrocontrôle négatif sur les commandes hypothalamo-hypophysaires. Comme l'indique la figure 1*a*, on est en présence d'une boucle complète de régulation endocrinienne.

Au contraire, chez la *femme*, les hormones sexuelles ovariennes sont produites selon un cycle appelé « menstruel » parce qu'il aboutit à des règles, mais qui reflète essentiellement le développement et la régression d'une structure fondamentale, le follicule ovarien, au cours d'une période d'environ quatre semaines (voir Vande Wiele, Bogumil, Dyenfurth, Ferin, Jewelewics, Warren, Rizkallah et Mikhail). On sait en effet que chaque ovocyte est entouré de cellules folliculaires qui se développent dans la première partie du cycle, en particulier sous l'in-

---

1. Chez l'homme comme chez la femme, on enregistre cependant de petites oscillations sécrétoires à court terme qui pourraient refléter le fonctionnement pulsatile du système nerveux et ne sont pas caractéristiques de l'un ou l'autre sexe.

fluence de F.S.H., et produisent l'hormone féminisante *œstradiol* (figure 2). La production d'œstrogènes modifie le fonctionnement hypothalamo-hypophysaire de telle sorte que se produise un « pic » de L.H.-R.H. et de gonadotrophines, puis que se déclenche l'ovulation, c'est-à-dire la ponte de l'ovocyte hors du follicule. On sait qu'il est recueilli au niveau du pavillon de la trompe où se fera éventuellement la fécondation par un spermatozoïde. Au niveau du follicule, dans la deuxième partie du cycle, c'est-à-dire après le 15e jour, on note des modifications cellulaires et la production d'une deuxième vague d'œstrogènes et surtout de celle de *progestérone*. Les cellules ont formé un corps jaune périodique qui régresse en fin de cycle, ainsi que les sécrétions d'hormones. Les hormones ovariennes exercent également un effet de rétrocontrôle sur le fonctionnement hypothalamo-hypophysaire (figure 1*b*). Les variations des œstrogènes et de la progestérone produites par les structures ovariennes cycliques viennent, par des effets stimulateurs et freinateurs selon le cas, renforcer le caractère oscillatoire de la production des hormones hypothalamiques et hypophysaires.

La différence de production de L.H. par l'antéhypophyse, cyclique chez la femme et pratiquement constante chez l'homme, est due à des propriétés fonctionnelles distinctes de l'hypothalamus producteur de L.H.-R.H. On a pu démontrer chez plusieurs animaux de laboratoire que la *différenciation masculine* était due à l'effet de la production périnatale d'androgènes, qui, bien que temporaire (par exemple, pendant quelques jours chez le rat âgé de 3-5 jours), laisse une empreinte fonctionnelle, définitive, au niveau des cellules nerveuses (voir Harris). Cet « androgénisation » du cerveau est un exemple remarquable de l'effet possible d'une hormone à un moment particulier du développement d'un organe, comme on a pu également le constater au niveau des organes sexuels secondaires (voir Jost). Chez l'homme, la démonstration d'un phénomène semblable n'a pas encore été possible, mais on a observé l'augmentation de testostérone au cours d'une période s'étendant entre le 1er et le 6e mois chez les petits garçons (voir Forest, Sizonenko, Cathiard et Bertrand). On peut comprendre à ce propos que l'exposition intempestive de l'organisme à des hormones puisse, à un âge critique, entraîner des conséquences importantes pour la physiologie sexuelle à l'âge adulte, et que les rapports entre la cause survenant pendant l'enfance et l'effet observé bien plus tard puissent être difficiles à mettre en évidence en clinique humaine.

La présence des *hormones féminines chez l'homme* et *masculines chez la femme* est de grand intérêt (figure 3). L'œstradiol et la progestérone sont produits dans le sexe masculin, mais à des taux très inférieurs à ceux que l'on observe chez la femme. Réciproquement, on trouve un faible niveau de testostérone dans le sexe féminin (voir Botella-Lusia). Biologiquement, on peut considérer cette présence bilatéralement réciproque des hormones stéroïdes sexuelles dans les deux sexes comme une conséquence accessoire de leurs mécanismes très voisins de synthèse au niveau des glandes, qui ne peuvent pas être complètement exclusifs pour des raisons chimiques. Mais la question est importante si l'on pense au rôle de ces hormones sexuelles dans la différenciation, le développement, (voir Jost) et dans le contrôle d'un grand nombre de fonctions physiologiques. Rien n'indique qu'une fonction essentielle soit, dans un sexe, contrôlée de façon décisive par une hormone « caractéristique » de l'autre sexe. Cependant, des différences importantes, physiologiques et pathologiques, peuvent être observées selon le taux de l'hormone « opposée » dans un sexe donné.

Des hormones typiquement féminines, telles que la prolactine qui stimule le développement mammaire et la lactation, et l'ocytocine qui provoque les contractions utérines au moment de l'accouchement sont présentes en quantité non négligeable dans le sexe masculin. L'alternative est que l'on ignore une partie de leurs effets, qui seraient communs aux deux sexes, ou s'il s'agit d'un « gaspillage » de la nature sans signification particulière. Enfin, des cellules tumorales, aussi bien chez l'homme que chez la femme, sont capables de sécréter toutes les hormones connues de l'un ou de l'autre sexe, avec les conséquences morphologiques hétérologues qui peuvent en résulter.

Récepteurs hormonaux – Ambiguïté et délétion (masculines)

Pour agir au niveau des cellules qu'elles influencent (cellules-cibles), les hormones « doivent » y trouver une structure réceptrice capable de reconnaître le message hormonal et d'en médier le contenu au niveau cellulaire. En *l'absence de récepteur,* il n'y a *pas d'effet* d'une hormone sur une cellule. D'autre part, l'importance de la réponse d'une cellule-cible à une concentration hormonale donnée dépend du nombre de ses récepteurs qui définit en quelque sorte le niveau de la *réceptivité* cellulaire.

Physiologiquement, on trouve dans les organes sexuels les récepteurs correspondant aux hormones homologues. Il en est ainsi pour les récepteurs de l'œstradiol et de la progestérone dans l'utérus, et on peut même démontrer que le nombre des récepteurs de l'une et de l'autre hormones varie selon la période du cycle en fonction des hormones sécrétées et de l'effet qu'elles exercent. Chez l'homme, les récepteurs des androgènes sont présents dans la prostate, les vésicules séminales, la peau qui recouvre les organes sexuels, etc. (voir Baulieu, Atger, Best-Belpomme, Corvol, Courvalin, Mester, Milgrom, Robel, Rochefort et de Catalogne).

La contrepartie pathologique des observations physiologiques est le fait de l'absence ou du non-fonctionnement des récepteurs des androgènes dû à une mutation impliquant le chromosome X. C'est la seule mutation de récepteur des hormones stéroïdes que l'on connaisse actuellement dans les organismes vivants, et on peut se demander si les autres n'ont pas été observées parce qu'elles étaient létales.

La physiologie des récepteurs pose d'autres questions intéressantes et plus nuancées que la simple normalité ou le défaut génétique. Il existe des *récepteurs des androgènes* dans nombre de cellules de l'*organisme féminin.* Ils sont qualitativement identiques à ceux observés chez l'homme, et on note qu'ils peuvent non seulement reconnaître les androgènes, ce qui les définit fondamentalement, mais qu'ils lient également l'œstradiol, avec cependant une affinité moindre que pour les hormones masculines. Ainsi leur sélectivité hormonale n'est pas très étroite

et une certaine ambiguïté existe à ce niveau. En effet, il y a deux possibilités :
ou bien les œstrogènes qui se lient aux récepteurs des androgènes entraînent un
effet identique aux hormones mâles, et, dans ce cas, une sorte de substitution
peut se faire selon le niveau hormonal pourvu que le récepteur soit présent.
Cependant la concentration physiologique des œstrogènes est trop faible pour
être normalement efficace au niveau des récepteurs androgènes. D'autre part, il
n'est pas encore établi si les œstrogènes, agissant sur les récepteurs des androgènes, entraînent le cas échéant un effet masculin ou au contraire un effet anti-androgène (voir Jung-Testas; Bayard et Baulieu). Les récepteurs des œstrogènes
semblent plus spécifiques, même si leur très faible affinité pour les androgènes
permet leur activation à des doses pharmacologiques (voir Rochefort et Garcia).

Pour illustrer au niveau d'un organe-cible l'importance physiologique des
notions précédentes, on peut citer le cas des *muscles* squelettiques. Ceux-ci sont
plus importants chez l'homme que chez la femme, et en général chez les mâles
que chez les femelles. Cette différence relève certainement de plusieurs déterminants, d'autant qu'elle n'est pas systématique ou du moins qu'elle est préponvé-
rante au niveau de certains muscles. Des mécanismes indirects sont certainement
impliqués, en particulier un contrôle nerveux et l'intensité de l'activité physique,
généralement plus importante chez le mâle et dépendant en partie des effets de
la testostérone au niveau cérébral et sur le métabolisme général des protéines.
L'existence de récepteurs des androgènes dans les muscles striés suggère également un effet hormonal direct à leur niveau. Sans avoir de données chez
l'homme, on a pu observer récemment que leur taux était identique chez les animaux mâles et femelles avant la puberté, et plus nombreux par unité cellulaire
chez le rat mâle que chez le rat femelle adultes (voir Michel et Baulieu). On peut
attribuer cette différence à l'induction des récepteurs des androgènes par la testostérone elle-même, qui permettrait une réceptivité plus élevée des muscles masculins au message androgène. Comme on n'a pas trouvé de récepteur des œstrogènes dans les mêmes muscles striés, il est probable que l'œstradiol ne joue pas
de rôle physiologique à ce niveau, même chez la femelle.

Cependant, dans d'autres tissus, la concentration de récepteurs des androgènes
et des œstrogènes est sensiblement identique dans les deux sexes. Il est encore
prématuré d'interpréter ces observations, d'autant qu'on ignore encore le rôle des
androgènes d'origine surrénalienne qui sont communs à l'homme et à la femme
et sensiblement égaux dans les deux sexes (avec un excès d'androsténedione chez
les femmes et plus de sulfate de déhydroépiandrostérone chez les hommes) (voir
Tait et Burstein). De plus, la transformation locale des stéroïdes les uns dans
les autres peut jouer un rôle important, rendant assez illusoire la confrontation
entre la concentration des récepteurs tissulaires et le taux des hormones sanguines. Pour prendre un exemple, il est possible que le phénomène de masculinisation de l'hypothalamus, qui a été évoqué plus haut et qui fait suite à un accroissement de production de testostérone dans le jeune âge, soit médié finalement par
une transformation de cette hormone androgène en un œstrogène qui agirait au
niveau du récepteur des œstrogènes des cellules nerveuses (voir Naftolin, Ryan,
Davies, Reddy, Flores, Petro et Kuhn). Ainsi voit-on que, s'il faut s'attacher à

déchiffrer le code moléculaire des interactions hormonales, on ne peut, sous peine de simplifications abusives, manquer de les remplacer dans le cadre de l'organisme entier.

Différence des métabolismes

La production prépondérante d'hormones sexuelles distinctes dans chacun des deux sexes entraîne des différences au niveau de nombreux processus métaboliques, non seulement au niveau des structures sexuelles, mais aussi au niveau des différentes fonctions physiologiques et biochimiques. Les androgènes et les œstrogènes ont, selon le cas, un rôle dans le développement musculaire, la texture de la peau, la disposition des graisses, etc. On sait moins qu'ils ont un effet différent sur le transit hydrominéral, la synthèse de l'hémoglobine, la production de nombreuses protéines hépatiques, etc.

Quelques exemples relevant de ces dernières peuvent être signalés, pour qu'on en mesure l'implication générale. Dans le *foie,* les œstrogènes accroissent la synthèse de la transferrine (une protéine qui transporte le fer) et de plusieurs enzymes impliqués dans le métabolisme des sucres et des graisses (voir Rochefort et Garcia). L'excès des œstrogènes au cours de la grossesse et à l'occasion d'administration thérapeutique peut même devenir pathogène. L'œstradiol augmente la synthèse des protéines plasmatiques qui transportent les hormones corticostéroïdes et hormones sexuelles elles-mêmes, et elles modifient la synthèse et le fonctionnement de nombreux enzymes qui inactivent ces hormones dans le foie. Il s'ensuit que le métabolisme des hormones, par-delà leur production différente, ne sera pas identique chez l'homme et chez la femme (voir Baulieu, Robel et Mauvais-Jarvis). Les particularités du métabolisme peuvent, selon le cas, être entretenues de façon permanente par les sécrétions hormonales, régressant au cas où on les supprime, ou avoir été définitivement « imprimées » dans le fonctionnement hépatique à la suite d'une intervention hormonale précoce au cours du développement, comme on l'a vu au niveau de l'hypothalamus (voir Gustafsson, Ingelman-Sundberg et Stenberg). Cette différence du métabolisme des hormones selon le sexe ne leur est d'ailleurs pas particulière, et de nombreux autres substrats, y compris médicamenteux, ont un métabolisme et par conséquent des effets différents selon le sexe.

En conclusion, on voit que les différences hormonales sexuelles entraînent un *réseau* de conséquences biochimiques et fonctionnelles très différentes chez l'homme et chez la femme. Cependant, on peut en distinguer deux catégories, selon que certains de ces effets restent constamment sous la dépendance des hormones et peuvent donc évoluer avec leur changement, et que d'autres apparaissent comme le résultat d'une différenciation irréversible qui s'est produite à un moment donné du développement.

DIFFERENCIATION DES CELLULES REPRODUCTRICES
ET CONTRACEPTION

La formation des cellules reproductrices est très différente chez l'homme et chez la femme. Dès la puberté, les *spermatozoïdes* sont produits en nombre très important, et leur synthèse continuera sans arrêt pendant toute la vie de l'individu. Des milliards de spermatozoïdes se différencient à partir des cellules germinales masculines, et ils n'auront chacun qu'une infime probabilité de féconder un ovule. En effet, pendant toute la période apte à la reproduction chez la femme (environ 30 ans), quelques centaines d'*ovules* seulement arrivent à maturité et sont libérés dans le tractus génital. Cet événement se produit pour chaque ovocyte au milieu du cycle menstruel et nécessite, comme nous l'avons vu, une série d'interactions hormonales complexes. De telles interactions sont nécessaires également pour que la fécondation et l'implantation se réalisent ensuite.

On comprend l'importance de ces observations quand on considère les problèmes posés par la *contraception*. Pour qu'elle soit efficace chez l'*homme,* il faut supprimer ou altérer un phénomène qui se produit de façon constante et pendant toute la vie. Chez la femme, au contraire, il suffit d'intervenir sur un événement qui survient environ douze fois par an et qui implique toute une série d'étapes délicates. C'est ce que réalisent les *pilules* à base de stéroïdes (œstrogène et progestagène) qui bloquent l'ovulation, ou ce que permet le *stérilet* qui empêche l'implantation. Il n'est donc pas étonnant que les premières techniques de contraception chimique aient été à usage féminin, et que les seules méthodes de contraception masculine actuellement utilisables à grande échelle soient de type chirurgical, telles que la *vasectomie* dont le caractère pratiquement irréversible entraîne la stérilité permanente (voir Kessler, Perkin et Standley).

GROSSESSE, LACTATION,
CONTRACEPTION SANS REGLES

Pendant la grossesse, l'organisme féminin est très modifié, en particulier parce que le *placenta* est une glande endocrine très active qui sécrète de très grandes quantités d'hormones protéiques très voisines des hormones hypophysaires, ainsi que des œstrogènes et de la progestérone. Les conséquences s'observent au niveau de toutes les glandes endocrines, du métabolisme énergétique (qui augmente) et de la réactivité immunologique (qui baisse). Un certain nombre d'affections sont aggravées ou déclenchées à l'occasion des grossesses. Les *risques* propres à l'état de grossesse, et éventuellement ceux de son interruption, ne peuvent être négligés quand on compare les caractéristiques différentielles de la pathologie des deux sexes.

La *lactation* entretient une stimulation spécifique de la glande mammaire, par l'intermédiaire d'un réflexe succion-système nerveux-prolactine. Elle produit également, même si on n'en connaît pas le mécanisme dans le détail, une inhibition de la fonction ovarienne avec interruption des cycles menstruels et absence d'ovulation. La lactation et la contraception physiologique qu'elle entraîne sont de grande importance dans les populations primitives où les femmes nourrissent leurs enfants elles-mêmes pendant plusieurs années.

La succession des grossesses et les lactations sont susceptibles d'entraîner pendant la majorité de la vie génitale une *quasi-absence de règles*. Cela peut être reproduit par un traitement contraceptif. En effet, à côté de la pilule classique, qui bloque l'ovulation et ménage des périodes d'arrêt avec hémorragie, on peut utiliser également une méthode de contraception avec un progestagène qui empêche de façon permanente le fonctionnement hypothalamo-hypophyso-ovarien et provoque la suppression totale des règles pendant son administration. *La périodicité hormonale de la femme,* avec ses conséquences possibles sur le comportement et l'activité, peut donc être *supprimée* en dehors de la grossesse. L'évaluation par les femmes elles-mêmes de cette nouvelle possibilité ne sera pas sans conséquence sur son avenir (voir Short).

Aspects morphologiques

Morphologie « normale » et performances physiques

Les différences des morphologies et des performances physiques entre les deux sexes apparaissent ou s'accentuent à la puberté. Elles sont, en effet, la conséquence des différences endocriniennes qui s'amplifient à cet âge.

La figure 4 indique que, chez les jeunes adultes, la taille et le poids sont nettement plus élevés dans le sexe masculin. Par contre, la largeur du bassin est, en valeur absolue, pratiquement identique dans les deux sexes, et n'apparaît plus large chez la femme qu'en proportion avec le reste du corps. On attribue à l'*effet trophique des androgènes* la taille plus élevée et le développement d'une masse musculaire plus importante chez l'homme que chez la femme. Le tableau indique des performances sportives dans différentes disciplines et permet de constater un écart systématique de 10 à 18 %. Cette différence est d'ailleurs sous-estimée puisque les femmes ne sont pas admises dans les épreuves de force telles que les poids et haltères ou les sports de combat. Cet effet trophique est maintenant bien connu et les androgènes ont été utilisés dans le « doping » des femmes athlètes. Des anomalies métaboliques peuvent également entraîner chez la femme la sécrétion d'une quantité anormale d'androgènes. Ces femmes « virilisées » manifestent des capacités sportives supérieures à la moyenne des femmes normales.

Il est bien connu que la présence des androgènes ou celle des œstrogènes se manifeste au niveau des *téguments,* et c'est à eux que l'on doit les différences de pilosité, de texture de la peau et de capitonnage sous-cutané.

On a récemment observé une corrélation significative des caractéristiques de la *voix* avec le rapport testostérone/œstradiol dans le sang circulant : alors que séparément les valeurs de chacune des hormones sont d'interprétation difficile, le rapport est beaucoup plus élevé chez les hommes à la voix de basse que chez les ténors, les barytons se situant entre les extrêmes. La différence hormonale joue certainement un rôle au moment de la formation du larynx, et elle persiste tout au long de la vie. Elle est également liée à la taille et au développement musculaire importants des basses (voir Meuser et Nieschlag).

Un autre exemple concerne le *vieillissement masculin* au cours duquel s'observe une baisse progressive de la testostérone plasmatique, et surtout un déclin important du rapport testostérone/œstradiol (voir Williams); même si les critères quantitatifs n'ont pas encore été établis de façon rigoureuse, on ne peut qu'évoquer la féminisation de l'habitus de l'homme âgé avec la diminution de la musculature, le développement d'un embonpoint de graisse à distribution féminine, la décroissance de la pilosité sexuelle et l'amincissement de la peau.

Les états d'intersexualité et les troubles de l'identité sexuelle – Grandes anomalies et aspects limites.

Mâles et femelles de l'espèce humaine ne sont pas identiques dès la fécondation de l'ovule par le spermatozoïde. En effet, le spermatozoïde contient soit un chromosome sexuel X, soit un chromosome sexuel Y. Après fusion avec l'ovule, qui contient obligatoirement un chromosome X, on obtient une formule XX (femme) ou XY (homme). Entre ce stade initial et l'adulte normal, une série d'événements se produisent *in utero,* dans l'enfance et à la puberté. Les embryons mâles et femelles sont très semblables jusqu'à la 10e semaine. Le chromosome Y est impliqué dans la production d'un antigène spécifique qui « organise » les gonades en testicules (voir Ohno). Les hormones sexuelles fœtales produisent alors une différenciation des conduits qui donneront le tractus génital. On peut dire schématiquement que le phénotype de base est féminin et qu'il faut un facteur spécifique (testostérone) pour que l'embryon mâle se différencie. La castration d'un embryon mâle dans l'utérus aboutit à une morphologie de type féminin (voir Jost). Les organismes seront à nouveau « féminisés » ou « masculinisés » de façon intense à la puberté (voir Royer).

Aux différentes étapes de cette différenciation entre les deux sexes, des anomalies peuvent se produire. Nous prendrons trois exemples extrêmes de ces « erreurs ».

L'hyperplasie surrénale congénitale conduit un embryon génétiquement féminin à naître avec une morphologie partiellement masculine du fait d'un défaut enzymatique qui aboutit à la production excessive d'androgènes par la glande surrénale pendant la vie fœtale. Les ovaires, l'utérus, le vagin sont atrophiques alors que le clitoris est péniforme. On peut actuellement traiter ces sujets par les corticostéroïdes (cortisone) qui bloquent la production d'androgène surrénalien et permettent le fonctionnement ovarien et une évolution en rapport avec le sexe chromosomique. Les anomalies physiques irréversibles sont ensuite traitées chirurgicalement (voir Wilkins).

A l'inverse, dans le cas du *testicule féminisant*, les sujets sont génétiquement mâles et ne se virilisent pas, du fait d'un déficit du récepteur androgène dans tous les tissus; la testostérone qui est sécrétée normalement par les testicules (restant dans la cavité abdominale) n'est pas efficace. Dans ces conditions, l'aspect morphologique est féminin avec des seins, un vagin (souvent atrophique), mais pas de règles puisqu'il n'y a ni ovaire ni utérus.

Entre ces deux extrêmes, de nombreux autres cas intermédiaires ont été décrits. Le mécanisme des anomalies varie selon les cas. En les étudiant, on peut observer que, si les deux sexes diffèrent sans nuances au niveau de la paire de chromosomes sexuels (X et Y), on ne trouve pas de limites infranchissables entre féminité et masculinité au niveau de la morphologie. Aussi n'est-on pas étonné que la chirurgie et les traitements hormonaux puissent permettre de transformer un homme en une « femme » difficile à distinguer de ses consœurs. On sait que, pour des raisons anatomiques évidentes, la réciproque est plus difficile, encore qu'elle ait été tentée, en particulier chez des femmes déjà virilisées pathologiquement.

Enfin, l'hermaphrodisme vrai représente une éventualité extrêmement rare, mais très instructive sur le plan du déterminisme sexuel. La présence des deux morphologies et des deux systèmes reproducteurs chez la même personne est explicable par le fait qu'il y a une véritable mosaïque de cellules de type masculin (XY) et de type féminin (XX), réalisant en quelque sorte une greffe réussie de cellules et d'organismes mâles et femelles.

De toute façon, il faut distinguer ces cas « physiques » des anomalies psychiques de l'identité sexuelle telle que le transsexualisme. Certain que la nature l'a « déguisé », le transsexuel ne se sent à l'aise que dans le rôle du sexe qu'il croit avoir. Une transformation chirurgicale apparaît donc comme la seule solution qui puisse le satisfaire. Les transsexuel(les) se distinguent donc des travestis qui reconnaissent leur identité sexuelle.

Par sa présence, l'homosexualité masculine ou féminine est clairement différente des cas précédents. Tant aux plans morphologique que physiologique (et en particulier hormonal), les différences entre les homosexuels et les hétérosexuels correspondants sont négligeables (voir Doerr, Duclano, Vogt, Pirke et Dittmar). Seules, donc, les pulsions amoureuses et le comportement sexuel sont particuliers par rapport à la « moyenne ». Cependant, ici encore, les composants socioculturels interviennent certainement, et comme nos ancêtres grecs nous l'ont appris, la « normalité » dans ce domaine comme dans d'autres peut être relative...

Vieillissement – La castration anticipée de la femme

La mesure du vieillissement d'un organisme n'est évidemment pas chose aisée. La différence entre l'homme et la femme, cependant, est évidente au niveau des organes reproducteurs.

Chez l'*homme* (figure 5), la fonction endocrinienne du testicule peut être évaluée par la production de testostérone qui atteint un maximum vers 18-20 ans et reste relativement stable jusqu'à la cinquantaine, date après laquelle on enregistre une lente diminution. Cependant, les taux peuvent rester importants, y compris aux âges les plus extrêmes. La différence de la testostérone entre les hommes et les femmes âgées reste ainsi considérable malgré les remarques indiquées. La spermatogenèse continue jusqu'à la fin de la vie, permettant en principe la fécondité à tout âge.

Chez la *femme* (figure 5), les modifications de la fonction ovarienne sont plus brutales. Une diminution de la production des œstrogènes et de la progestérone par l'ovaire se produit dès la quarantième année et s'effondre vers la cinquantaine, où survient la ménopause, c'est-à-dire l'arrêt de l'ovulation. Les taux sont très abaissés et ne subissent plus les cycles de la période précédente; après soixante-dix ans, il n'y a pratiquement plus de sécrétion ovarienne d'œstrogènes. Une telle diminution entraîne une dérépression au niveau du système hypothalamo-hypophysaire avec augmentation des hormones gonadotropes LH et FSH dont le rétrocontrôle est supprimé. Le contraste est très important à cet égard avec l'homme, dont le vieillissement du testicule évolue assez parallèlement aux autres organes. Ce sevrage d'hormones sexuelles, prématuré par rapport au vieillissement de l'ensemble de l'organisme, retentit sur différents organes, peau, os (ostéoporose), système nerveux (troubles neurovégétatifs, bouffées de chaleur, troubles psychologiques). Dans certains cas, les androgènes surrénaliens, dont la sécrétion n'est pas diminuée, entraînent une *virilisation* de la femme ménopausée.

La *ménopause* féminine apparaît donc comme une castration anticipée. On en ignore actuellement la cause, mais elle peut être partiellement *compensée*. L'administration des hormones manquantes, œstrogène et progestérone, permet en effet de suppléer à la carence ovarienne et d'en éviter tous les effets secondaires aussi bien morphologiques et physiologiques que psychologiques. On peut espérer que dans un avenir proche, et si les obstacles culturels et médicaux peuvent être surmontés, un traitement systématique et adéquat permettra, à défaut de prolonger la période de fertilité, au moins de supprimer les effets secondaires à l'arrêt de la fonction ovarienne (voir Van Keep et Lauritzen, ainsi que Férin).

PATHOLOGIE

La pathologie de certaines glandes endocrines non sexuelles est différente chez l'homme et chez la femme. Par exemple, les maladies de la *thyroïde* sont beaucoup plus fréquentes chez la femme, ce qu'on attribue, sans pourtant que les études soient très exhaustives sur le plan des mécanismes, aux hormones sexuelles et éventuellement aux grossesses. L'incidence du *diabète* est supérieure de 25 % chez la femme que chez l'homme, sans qu'on en sache exactement la cause. On sait que la grossesse révèle ou aggrave les manifestations diabétiques. Au cours de la contraception, on a prouvé que l'utilisation des œstrogènes et des progesté-rones dans les pilules combinées ne provoque pas le diabète; chez des femmes diabétiques, elle peut en favoriser les manifestations, mais on revient au statu quo antérieur dès l'arrêt des prises hormonales.

Les maladies liées au sexe, comme l'hémophilie

Ce type de maladie est transmis par l'un des chromosomes X de la mère, et seuls en souffriront les garçons qui ne peuvent la compenser par la présence d'un autre chromosome X non porteur de la maladie. Plusieurs dizaines d'affections différencient ainsi sans nuances les deux sexes chromosomiques.

Cancer

On a indiqué sur la figure 6 que les *femmes jeunes* sont plus sujettes au cancer que les hommes du même âge. C'est principalement le fait des cancers des orga-nes sexuels sensibles aux œstrogènes, comme le sein et l'utérus. Au contraire, les *hommes* meurent plus de cancer que les femmes *après 60 ans*. On peut rappe-ler que la prostate, organe sexuel secondaire très sensible aux androgènes, subit une transformation cancéreuse chez la quasi-totalité des hommes de 80 ans.

On ne comprend pas les différences – d'ailleurs relativement modestes – d'inci-dences de cancers comme ceux du côlon et du pancréas dans les deux sexes (figure 7). Par contre, les différences observées dans le cas du cancer du *poumon* et de la *peau* semblent pouvoir être expliquées par des différences de comporte-ment et de mode de vie. Par exemple, l'attitude typiquement masculine de fumer (la situation change...) est probablement responsable du plus grand nombre des cancers du poumon chez l'homme. Les métiers masculins au grand air (agricul-teurs, pêcheurs, ouvriers des voiries) peuvent entraîner plus de cancers de la peau du fait de l'exposition prolongée au soleil.

La figure 8 indique, pour le cancer de l'*œsophage,* à quel point les statistiques d'un pays européen peuvent différer de celles établies en Afrique ou au Moyen-Orient. Les femmes en France ont 10 fois moins de chances que les hommes d'avoir un cancer de l'œsophage, tandis que celles de certaines régions de l'Iran en ont 100 fois plus en valeur absolue, et 2 fois plus que les hommes.

Aspects psychosomatique et comportemental

Un certain nombre d'affections dans lesquelles la participation *psychosomati-que* est importante, ulcère de l'estomac ou infarctus du myocarde, sont plus fré-quentes chez les *hommes.* On remarque aussi que la population des hôpitaux psy-chiatriques est majoritairement masculine. A l'opposé, les petits *troubles névrotiques* semblent plus fréquents chez les femmes (voir Eisenberg). On conçoit qu'il est difficile d'évaluer les effets des variations physiologiques que sont les cycles menstruels, la ménopause, la grossesse, et les perturbations de toute sorte qu'apporte la participation à la vie sociale et professionnelle, etc. Par conséquent, toute *analyse* différentielle de la pathologie masculine et féminine doit être particulièrement *prudente* dans ses interprétations.

On peut facilement mettre en évidence comment les *conditions de vie* influencent la régulation des fonctions hormonales et de reproduction, dont on a vu plus haut la répercussion sur l'organisme. Par exemple, les perturbations psychologiques ou sociales entraînent des changements dans le rythme des règles chez la femme, ainsi que dans l'importance et le pouvoir fécondant de la spermatogenèse chez l'homme. La sécrétion de testostérone semble influencée non seulement par l'activité sexuelle, mais par l'état amoureux (voir Short).

D'une façon plus générale, les observations récentes dégagent très fortement l'influence extrême dans les comportements du *rôle* masculin ou féminin que l'on affecte au jeune enfant dès sa naissance (voir Luria, ainsi que Money et Ehrhardt). L'entourage, avec tout ce qu'il comporte au plan socioculturel, impose avec force la définition du « genre » masculin ou féminin d'un individu. Si, bien entendu dans l'immense majorité des cas, cette pression s'adresse de façon homologue à un individu de sexe correspondant, il apparaît qu'en cas de « conflit » entre l'éducation, d'une part, et, d'autre part, les gènes et/ou hormones, la première est souvent la plus efficace : on a pu l'observer chez certains jumeaux univitellins ou chez des sujets atteints de pseudo-hermaphrodisme.

Le *comportement sexuel* normal est évidemment en grande partie sous la dépendance des hormones, comme d'innombrables expériences le démontrent chez l'animal. Chez l'homme, l'expérimentation est pratiquement impossible et les corrélations entre les comportements et les hormones ne sont pas concluantes. Si la détermination du *genre* apparaît éventuellement plus importante que les hormones, cela ne veut pas dire que ces dernières soient sans importance, comme l'attestent les modifications apportées par la castration ou la ménopause.

MORTALITE – UNE DIFFERENCE DE LONGEVITE INCONNUE

La longévité moyenne des femmes est de 6 ou 7 ans supérieure à celle des hommes (figure 9). On a vérifié que cette différence moyenne générale était valable également pour des communautés limitées, comme les religieux, dont les modes de vie sont très similaires dans les deux sexes. Ainsi, il ne semble pas que les activités professionnelles et tout ce qui s'y rapporte soient fondamentalement en cause dans cette différence importante dans l'espérance de vie des deux sexes. En pratique, *une femme sur deux* a une chance de dépasser *80 ans,* et *un homme* seulement *sur quatre* y parvient *.

---

* Dans les pays développés.

On peut noter d'ailleurs qu'il naît plus de garçons que de filles (environ 105 garçons pour 100 filles) et que, à 50 ans, les deux sexes se retrouvent cependant à peu près en nombre égal du fait de la mortalité plus grande des hommes (en particulier accidentelle) (figure 10). Après 50 ans, la mortalité masculine augmente de façon importante et le nombre des femmes dépasse largement celui des hommes.

Il se pourrait que l'hormone mâle constitue un facteur important dans le déclenchement de l'athéromatose, de l'artériosclérose et des altérations métaboliques et viscérales qui les accompagnent. Chez les hommes jeunes de moins de 35 ans, la moitié des morts est due à des accidents. Le taux de décès accidentels est plus de deux fois moindre chez la femme. A partir de 40 ans chez l'homme et de 60 ans chez la femme, ce sont les affections cardio-vasculaires qui deviennent une cause fondamentale de décès, la principale chez l'homme de 50 à 70 ans. Les aspects cérébraux-vasculaires de la maladie artérielle apparaissent dès 40 ans chez la femme et deviennent la cause principale de décès à 60 ans, comme ils le sont chez l'homme à 70 ans.

On a déjà évoqué plusieurs différences concernant les cancers dans les deux sexes. La mortalité due à des cancers, comme ceux du foie, du cerveau, du pancréas ou aux leucémies, est cependant essentiellement identique dans les deux sexes.

Conclusions

Si on examine aux divers niveaux les différences entre les sexes, on peut actuellement distinguer des domaines où la transition est relativement imprécise, et d'autres, d'ailleurs peu nombreux, où la distinction est irréductible.

Nous avons vu que la morphologie et le comportement pouvaient être modifiés même chez l'homme et la femme *adultes* par un excès ou un défaut hormonal pathologique ou des traitements endocriniens. Dans la *petite enfance,* la différenciation du « genre » masculin ou féminin semble plus liée à l'éducation qu'à la biologie. Au cours du développement *in utero,* un stade initial existe où la morphologie des embryons des deux sexes est très similaire et certains troubles, au cours de ce développement, peuvent conduire à des états intermédiaires entre mâle et femelle normaux. Une grande similitude initiale et une certaine plasticité semblent donc exister dans la différenciation des deux sexes.

De ce fait, la seule différence infranchissable est liée au matériel génétique [1] héréditaire, car elle entraîne inévitablement le sexe des cellules reproductrices. La transformation accidentelle (ou expérimentale chez l'animal) d'un mâle en femelle fertile, ou inversement, est donc impossible. La reproduction nécessite,

---

1. Le contenu génétique de l'acide désoxyribonucléique propre aux hommes (28) n'est pas complètement élucidé.

chez les mammifères et les espèces supérieures, un individu de chacun des deux sexes. Ils se distinguent en cela des invertébrés chez lesquels la différenciation morphologique des scxes peut être indécelable, cependant que l'hermaphrodisme et l'alternance des sexes (le même individu est successivement mâle et femelle) n'est pas exceptionnel. Il apparaît donc que la différence entre les sexes et la ségrégation du potentiel reproductif observé chez les humains est un des résultats de l'évolution.

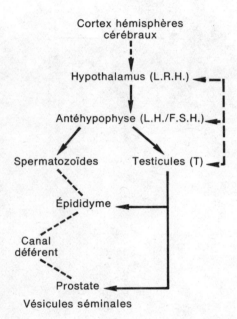

FIGURE 1 *a*

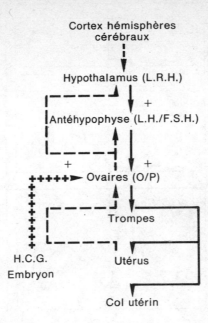

FIGURE 1 *b*

Figures 1 a *et 1* b : Interrelations hormonales entre les différentes glandes et organes de la reproduction chez les deux sexes.

▬ ▬ ▬ ▬ ▬ Indique des connections nerveuses encore mal définies afférentes à l'hypothalamus.

▬ ▬ ▬ ▬ Rétrocontrôles. Ils sont le plus souvent négatifs (freinage hypothalamo-hypophysaire par les œstrogènes et la progestérone ou la testostérone).

+++++ En cas de grossesse, l'embryon sécrète H.C.G. qui entretient le corps jaune.

O	=	Œstrogène.
P	=	Progestérone.
T	=	Testostérone.
L.H.	=	Hormone lutéinisante.
F.S.H.	=	Hormone folliculo-stimulante.
H.C.G.	=	Gonadotrophise chorionique.

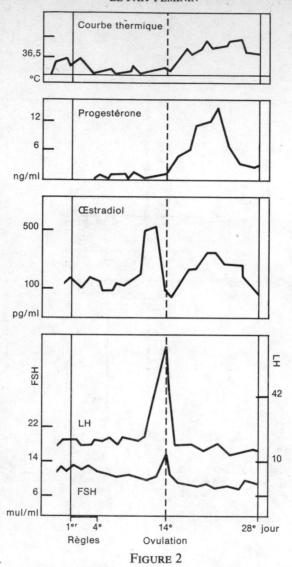

FIGURE 2

Variations cycliques des hormones plasmatiques
chez la femme pendant le cycle.

On sait que la durée moyenne du cycle est de 28 jours. Au milieu du cycle, survient l'ovulation, dont le déclenchement est préparé par la sécrétion de L.H., hormone hypophysaire elle-même mobilisée par l'augmentation préalable des œstrogènes d'origine ovarienne. Une fois l'ovulation produite, des cellules de follicule rompu se transforment (lutéinisation et formation du corps jaune) et sécrètent de la progestérone, cependant que, dans cette deuxième moitié du cycle, survient une deuxième vague d'œstrogènes. Le cycle se termine dans le cas où l'ovocyte n'est pas fécondé. S'il y a fécondation, l'embryon sécrète très tôt une hormone gonadotrope qui stimule la sécrétion de progestérone du corps jaune et la maintient à un taux élévé.

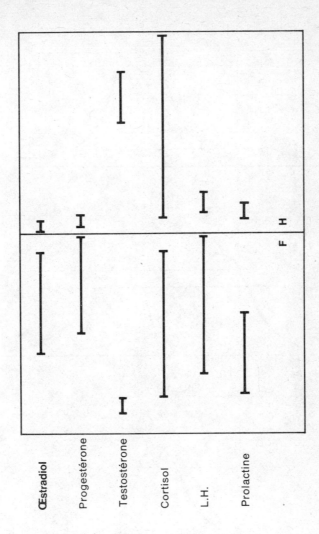

Valeurs relatives de la concentration des différentes hormones dans le plasma chez les hommes et chez les femmes jeunes. (Les résultats sont exprimés en unités arbitraires et prennent en considération les variations physiologiques de toute nature, qu'il s'agisse de cycle nycthéméral ou menstruel.)

A titre d'indication, la testostérone est de 4 à 6 ng/ml chez l'homme et inférieure à 0,2 ng/ml chez la femme. La progestérone est de 6 à 12 ng/ml chez la femme en phase lutéale et de moins de 1 ng/ml chez la femme en phase folliculaire et chez l'homme, etc.

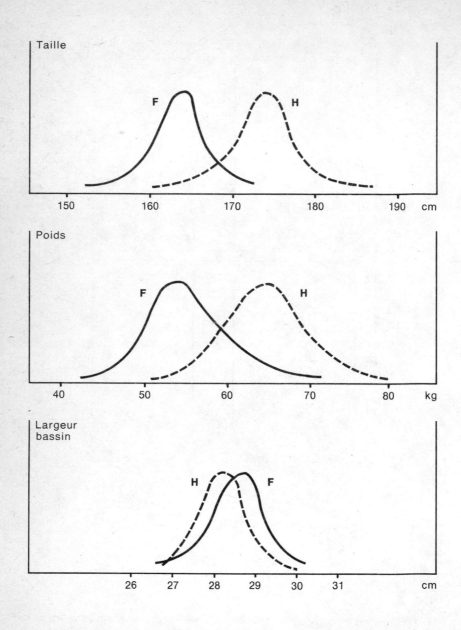

FIGURE 4

   Valeurs moyennes et courbe de fréquence de la taille, du poids et de la largeur du bassin chez les jeunes adultes (18 ans).
   On peut constater que taille et poids sont très différents, alors que la largeur du bassin est presque superposable dans les deux sexes.

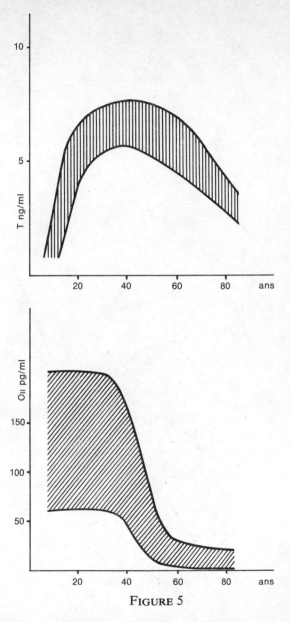

FIGURE 5

Évolution des taux de testostérone plasmatique, des œstrogènes (œstrone et œstradiol) et de L.H. hypophysaire chez l'homme et chez la femme en fonction de l'âge.

En hachuré, la zone des valeurs normales pour les œstrogènes et la testostérone. Les barres représentent L.H.

On observe des modifications très importantes qui apparaissent chez la femme après 40 ans. La régression ovarienne entraîne une diminution des taux d'œstrogènes et une augmentation, qui est relative, de la sécrétion de L.H. (suppression du rétrocontrôle).

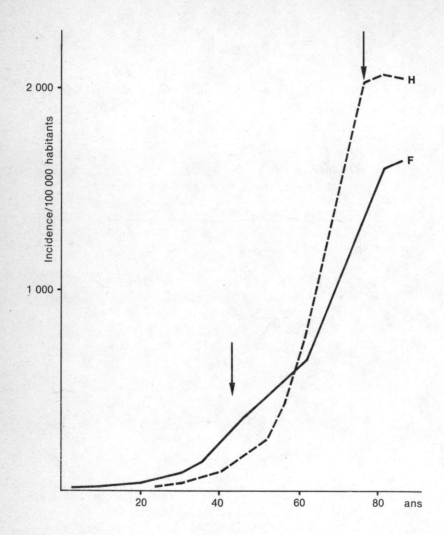

FIGURE 6

Incidence des cancers (Centre international de recherche
sur le cancer, Suède, 1962-1965).

On note la fréquence plus grande chez les femmes autour de la quarantaine, ce qui
représente l'incidence des cancers génitaux (utérus et sein). Au contraire, plus tard, les
cancers de la prostate expliquent principalement les chiffres plus élevés chez l'homme
âgé.

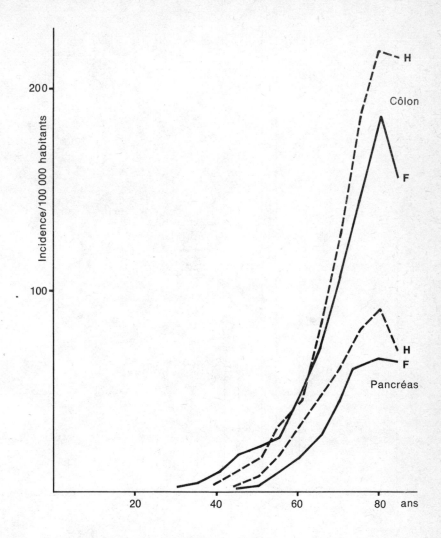

FIGURE 7

Incidence des cancers du côlon et du pancréas chez l'homme et chez la femme
(France, 1972, document I.N.S.E.R.M.).

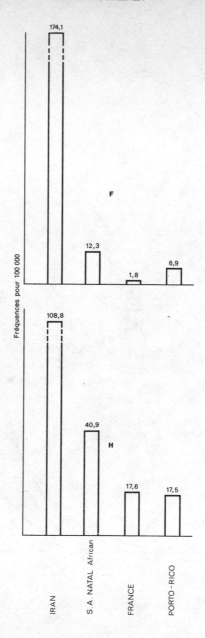

FIGURE 8

Fréquence des cancers de l'œsophage dans différents pays dans les deux sexes
(*Centre international de recherche sur le cancer*, 1972)

On constate l'énorme variation des valeurs observées en valeur absolue et selon les sexes.

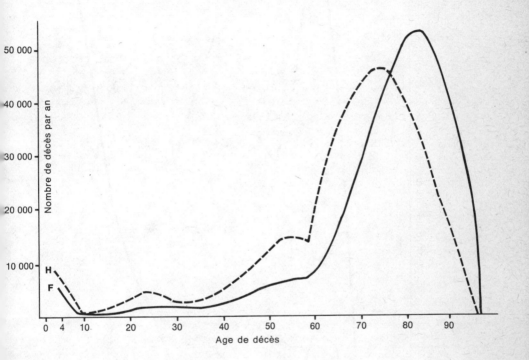

FIGURE 9

Nombre de décès par an, en France, par tranche d'âge chez
les hommes et les femmes (1972, document I.N.S.E.R.M.)

On peut noter la mortalité plus importante des nourrissons, des jeunes adultes et des
adultes des âges moyens dans le sexe masculin.

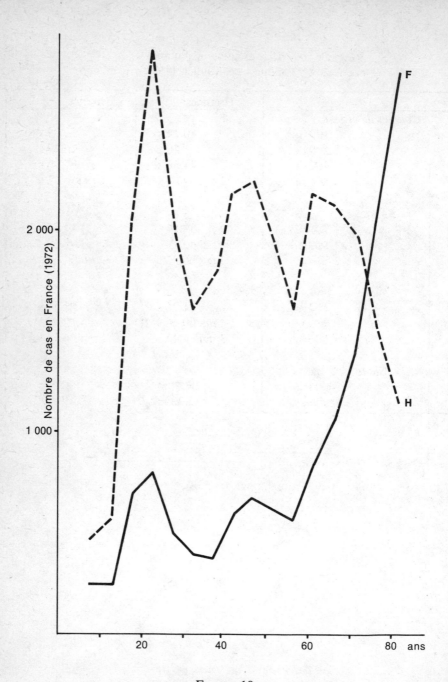

FIGURE 10

Nombre des morts violentes, en France, par tranche d'âge
dans les deux sexes (1972, document I.N.S.E.R.M.)

Records sportifs masculins et féminins
aux Jeux Olympiques de Munich (1972)

	Hommes	Femmes
Courses de vitesse		
100 m	10,14 s	11,09 s
200 m	20 s	22,40 s
400 m	44,66 s	51,08 s
4 × 400 m	2 mn 59,08 s	3 mn 23 s
Patinage		
500 m	39,44 s	43,33 s
800 m	1 mn 45,90 s	1 mn 58,60 s
1 500 m	3 mn 36,30 s	4 mn 06,50 s
Nage		
100 m	51,22 s	58,59 s
400 m	4 mn 00,26 s	4 mn 19,04 s
4 × 100 m	3 mn 26,42 s	3 mn 56,19 s
Sauts		
Longueur	8,24 m	6,84 m
Hauteur	2,23 m	1,92 m

RÉFÉRENCES BIBLIOGRAPHIQUES

OHNO (S.). Ce volume.

JOST (A.). Ce volume.

HARRIS (G.W.) : *Neural Control of the Pituitary Gland,* Arnold, Londres, 1955.

VANDE WIELE (R.L.), BOGUMIL (J.), DYENFURTH (I.), FERIN (M.), JEWELEWICS (R.), WARREN (M.), RIZKALLAH (T.) et MIKHAIL (G.) : « Mechanisms regulating the menstrual cycle in women », *Recent Progress in Hormone Research,* Vol. XXVI, 1970, p. 63-90, Astwood, E.B. Ed., Academic Press, New York and London.

ROSS (G.T.), CARGILLE (C.M.), LIPSETT (M.B.), RAYFORD (P.L.) MARSHALL (J.R.), STROTT (C.A.) et RODBARD (D.) : « Pituitary and gonadal hormones in women during spontaneous and induced ovulatory cycles », *Recent Progress in Hormone Research,* Vol. XXVI, 1970, p. 1-62, Astwood, E.B. Ed., Academic Press, New York and London.

FOREST (M.G.), SIZONENKO-CATHIARD (A.M.) et BERTRAND (J.) : « Hypophyso-gonadal function in human during the first year of life : I. Evidence for testicular activity in early infancy. », *J. Clin. Invest., 32,* p. 65-69, 1974.

BOTELLA-LUSIA (J.) : *Endocrinology of Woman,* W.D. Saunders Company, Philadelphia, 1973.

BAULIEU (E.E.), ATGER (M.), BEST-BELPOMME (M.), CORVOL (P.), COURVALIN (J.C.), MESTER (J.), MILGROM (E.), ROBEL (P.), ROCHEFORT (H.) et DE CATALOGNE (D.) : « Steroid hormone receptors », *Vitamins and Hormones, 33,* p. 649-731, 1975.

JUNG-TESTAS (I.), BAYARD (F.) et BAULIEU (E.E.) : « Two sex steroid receptors in mouse fibroblasts (L-929 cells) in culture », *Nature, 259,* p. 136-138, 1976.

ROCHEFORT (H.) et GARCIA (M.) : « Androgen on the estrogen receptor binding and in vivo nuclear translocation », *Steroids, 28,* p. 541-560, 1976.

MICHEL (G.) et BAULIEU (E.E.) : « Récepteur cytosoluble des androgènes dans un muscle strié squelettique », C.R. Acad. Sci., Paris, *279,* p. 421-424, 1974.

TAIT (J.F.) et BURSTEIN (S.) : « In vivo studies of steroid dynamics in man », in *The Hormones,* G. Pincus, K.V. Thimann, E.B. Astwood Eds, Vol. V, p. 441-557, 1964, Academic Press, New York, London.

NAFTOLIN (F.), RYAN (K.J.), DAVIES (I.J.), REDDY (V.V.), FLORES (F.), PETRO (Z.), et KUHN (M.) : « The formation of estrogens by central neuroendocrine tissues », *Recent Progress Hormone Research, 31,* p. 295-319, 1975.

BAULIEU (E.E.), ROBEL (P.) et MAUVAIS-JARVIS (P.) : « Différences du métabolisme des androgènes chez l'homme et chez la femme », C.R. Acad. Sci., *256*, p. 1016-1018.

GUSTAFSSON (J.A.), INGELMAN-SUNDBERG (M.) et STENBERG (A.) : « Neonatal androgenic programming of hepatic steroid metabolism in rats », *J. Steroid Biochem., 6*, p. 643-649, 1975.

KESSLER (A.), PERKIN (G.W.) et STANDLEY (C.C.) : « The who expanded research programme in human reproduction », *Who Chronicle, 26,* p. 102, 1972.

PINCUS (G.) : *The Control of Fertility*, 1965, Academic Press, New York and London.

SHORT (R.V.) : « Man, the changing animal », in *Physiology and Genetics of Reproduction*, E.M. Coutinho et F. Fuchs Eds., Vol. IV A, Part A, p. 3-15, 1973, Plenum Press New York and London.

MEUSER (W.) et NIESCHLAG (E.) : « Sex hormones and vocal register in adult men », *Acta Endocrinologica, 84, Suppl. 208*, abstract n° 57, 1977.

WILLIAMS (R.H.) : *Text Book of Endocrinology*, W.R. Saunders Ed., Philadelphia, 1974.

ROYER (P.). Ce volume.

WILKINS (L.) : *The Diagnosis and Treatment of Endocrine Disorders in Childhood and Adolescence*, C. Thomas Ed., Springfield, U.S.A., 1957.

DOERR (P.), DUCLANO (H.G.), VOGT (H.V.), PIRKE (K.M.) et DITTMAR (F.) : « Plasma testosterone estradiol and semen analysis in male homosexuals », *Arch. Gen. Psychiatry, 29,* p. 829-833, 1973.

VAN KEEP (P.A.) et LAURITZEN (C.) : *Les Œstrogènes à la postménopause*, Ed. S. Kargen, Bâle, 1975.

FERIN (J.). Ce volume.

EISENBERG (L.). Ce volume.

SHORT (R.V.). Ce volume.

LURIA (Z.). Ce volume.

MONEY (J.) et EHRHARDT (A.A.) : *Man and Woman, Boy and Girl,* The Johns Hopkins University Press, 1972.

COOKE (H.) : « Repeated sequence specific to human males », *Nature, 262,* p. 182-186, 1976.

2.
Contribution de l'endocrinologie à l'évolution de la condition féminine

par Jacques FERIN

Sur le plan génétique, la condition féminine est assurément dominée par la fonction de reproduction. Il est vraisemblable qu'aux temps préhistoriques, la femme devenait enceinte dès les premières ovulations, et les grossesses devaient se succéder à des intervalles de 3 ou 4 ans, ou plus. Leur espacement était assuré par des périodes de lactation prolongée, durant lesquelles la fonction ovarienne était suspendue. Dans ces conditions, la menstruation devait être un phénomène relativement exceptionnel, du moins chez la femme adulte en période génitale. D'autre part, l'espérance de vie était courte et la grande majorité des femmes mourait avant la ménopause, c'est-à-dire, avant l'épuisement de la réserve ovarienne en ovocytes et la réduction simultanée de la production d'œstrogènes.

Dès l'aube des temps historiques et pour diverses raisons, le couple ou l'individu s'est efforcé d'échapper, au moins temporairement, à la loi génétique assurant la perpétuation de l'espèce. L'Egypte des pharaons connaissait des méthodes contraceptives vaginales qui, à la lumière de nos connaissances actuelles, devaient posséder une certaine efficacité. Dès le début du XIXe siècle, le contrôle des naissances s'est étendu de manière considérable dans les régions industrialisées, grâce à l'usage du condom et surtout la pratique quasi générale du coït interrompu. Corrélativement, le phénomène menstruel a gagné en importance. L'apparition régulière, menstruelle, d'une perte sanguine d'abondance appréciable, accompagnée de douleurs pelviennes, est devenue l'un des critères fondamentaux de la santé en même temps que l'assurance de l'absence de grossesse. Cependant, on peut se demander si la répétition à longueur d'année de cycles ovariens avec ponte ovulaire et menstruation, l'absence ou la rareté des grossesses, ne risquent pas d'avoir des conséquences néfastes. Cette situation a, en effet, comme conséquence d'entraîner la prédominance des œstrogènes aux dépens de la progestérone, et, de favoriser peut-être ainsi l'apparition de cancers au niveau des tissus œstrogéno-dépendants, tels que la glande mammaire et l'endomètre.

L'allongement considérable de la durée de la vie a permis, par ailleurs, de constater que la programmation génétique comportait pour la femme une longue période de vie caractérisée par une carence importante en œstrogènes, responsable apparemment d'une accélération significative du processus de vieillissement, et, susceptible d'exercer une influence néfaste sur la vie sexuelle du couple.

Notre but est d'exposer les solutions proposées par l'endocrinologie moderne au problème de la contraception, d'une part, et au problème de la postménopause, d'autre part, et d'en faire ressortir les avantages, les risques et les inconvénients.

La contraception

La première pilule contraceptive associant des analogues des deux hormones ovariennes, œstrogène et progestative, fut essayée à Porto Rico. Les premiers résultats furent publiés par Pincus et ses collaborateurs dès 1958. Pour la première fois dans l'Histoire, la femme disposait d'une méthode efficace à cent pour cent, ou peu s'en faut, et sans interférence directe dans l'acte sexuel. Le mécanisme d'action de cette pilule est relativement simple. La production ovarienne des œstrogènes et de la progestérone qui règlent le déroulement du cycle, est stimulée par les gonadotrophines hypophysaires. La sécrétion de ces gonadotrophines se trouve sous la dépendance étroite de certains noyaux du système nerveux central (hypothalamus) qui à leur tour sont stimulés ou freinés par des stéroïdes ovariens. Lorsque les quantités de stéroïdes administrées dépassent les quantités normalement sécrétées au cours du cycle, l'effet rétroactif exercé sur les noyaux hypothalamiques est un effet essentiellement inhibiteur : l'ovulation et la formation consécutive du corps jaune sont supprimées.

Les initiateurs de la méthode se sont attachés non seulement à conserver le rythme menstruel, mais aussi à le perfectionner en s'efforçant d'obtenir des cycles de 28 jours d'une régularité exemplaire. A telle enseigne que beaucoup de médecins se méprennent sur l'effet réel du médicament et prescrivent la pilule pour régulariser des cycles irréguliers. Ces pertes sanguines périodiques mensuelles n'ont aucune raison d'être sinon celle de rassurer une population féminine mal informée.

Elles constituent en fait des prélèvements répétés sur les réserves de fer de l'organisme. Depuis plus de quinze ans, nous utilisons, avec un certain succès, une méthode de contraception hormonale qui supprime non seulement les ovulations, mais également les menstruations. L'administration quotidienne de 5 mg d'une substance progestative, le lynestrenol, sans addition d'œstrogènes, permet d'obtenir chez 30 % des patientes une aménorrhée durable qui s'installe dès le début du traitement (Férin, 1952 et 1954). Chez les autres sujets, la fréquence des pertes sanguines perthérapeutiques diminue rapidement.

Des résultats comparables peuvent être obtenus également par injection intramusculaire trimestrielle ou semestrielle d'acétate de médroxyprogestérone.

Les autochtones acceptent facilement la suppression des menstruations. Il y a certes une désaffection croissante vis-à-vis de l'image traditionnelle de la femme dans les sociétés plus évoluées. La réticence reste grande, par contre, chez les femmes originaires des pays riverains de la Méditerranée.

La suppression des menstruations peut être souhaitée pour des raisons médicales lorsque les règles, par exemple, sont profuses ou douloureuses; par souci d'hygiène ou d'économie dans les institutions où l'on soigne les handicapés mentaux (Lydecken, 1958), par exemple; ou bien tout simplement par souci de confort.

L'administration à long terme des associations œstro-progestatives (= la pilule classique) entraîne-t-elle des effets indésirables? De nombreuses études rétrospectives ont été publiées. Elles prêtent largement le flanc à la critique. Des études prospectives plus fiables sont menées parallèlement en Grande-Bretagne (Royal College of General Practitioners) et aux Etats-Unis (Kaiser Permanent Medical Center, Californie).

Les risques graves, éventuellement mortels, tels que les thromboses artérielles ou veineuses, les tumeurs bénignes ou malignes du foie, les congestions cérébrales, les infarctus du myocarde, ne surviennent que rarement et chez des sujets prédisposés. Si le mécanisme intime de ces lésions reste mystérieux, certains facteurs prédisposants sont connus, tels que l'âge, l'hérédité diabétique, la sédentarité, le tabagisme, l'obésité et les troubles du métabolisme des graisses.

D'autres effets secondaires nettement plus fréquents n'ont pas, initialement du moins, le même caractère de gravité. L'augmentation pondérale, consécutive à la stimulation de l'appétit, attribuée à la composante progestative, survient également chez des sujets héréditairement prédisposés.

Le comportement peut être perturbé : on observe une tendance dépressive, de l'instabilité émotionnelle, de l'irritabilité, une difficulté de concentration et enfin une perte de libido. Ces symptômes sont attribués par certains à une perturbation du métabolisme du tryptophane et à une carence de vitamine B6 (pyridoxine) (Adams et collaborateurs, 1973). Il est très difficile d'évaluer l'importance de tels symptômes, essentiellement subjectifs (Grounds et collaborateurs, 1970). Leur apparition éventuelle pendant l'administration d'un placebo suggère la possibilité d'interférences psychologiques. La controverse est particulièrement animée en ce qui concerne la dépression du désir sexuel. L'intervention de facteurs psychologiques est ici indiscutable. Une stimulation de la libido est souvent enregistrée au début du traitement lorsque la peur de la grossesse disparaît. Cependant, dans un pourcentage de cas non négligeable, on observe une diminution progressive de la libido au fil du temps et finalement sa disparition totale.

Selon toute vraisemblance, cette disparition est la conséquence du blocage de la fonction ovarienne. La production de testostérone et de stéroïdes précurseurs diminue par suite de l'abaissement des taux plasmatiques de gonadotrophine lutéinisante (L.H.).

Le problème le plus préoccupant concerne le risque de cancer. Une augmentation de fréquence du cancer du sein n'a pas été observée. Par contre, on signale l'apparition, exceptionnelle, de tumeurs hépatiques éventuellement malignes (Nissen et collaborateurs, 1975). Une faible augmentation dans la fréquence du cancer du col de l'utérus est attribuée non pas à l'absorption des hormones sexuelles, mais bien à une promiscuité et à une précocité sexuelles plus grandes. Par contre, il semble hors de doute que l'usage prolongé de formules séquentielles comportant des doses élevées d'œstrogènes favorise l'apparition de cancers endo-métriaux (Silverberg et Makowski, 1975; Lyons, 1975; Vanderick et collaborateurs, 1975).

Quels que soient les risques inhérents à l'usage des contraceptifs hormonaux, ils doivent toujours être mis en balance avec les risques de la grossesse et de l'accouchement, qui sont loin d'être négligeables (50 cas mortels sur 100 000, en République fédérale allemande). Les risques sur la descendance restent hypothétiques *. Les grossesses qui surviennent juste après l'arrêt du traitement contraceptif se déroulent sans problème particulier. Les taux d'avortement et de malformations fœtales ne sont pas significatifs (Döring et collaborateurs, 1976). Il convient cependant d'être vigilant, le devenir des enfants ainsi nés nous est encore inconnu.

De nouvelles méthodes de contraception hormonale sont actuellement expérimentées sur une large échelle de par le monde. Elles consistent essentiellement en l'administration continue de faibles quantités de substances progestatives, soit par voie orale, soit sous forme de petites capsules insérées sous la peau, soit enfin, localement dans l'utérus par l'intermédiaire d'un stérilet spécialement conçu. Le seul inconvénient, à court terme, serait un contrôle souvent insuffisant des pertes sanguines.

La postménopause

Dans l'espèce humaine, la préménopause qui se caractérise par l'irrégularité des cycles menstruels et l'absence fréquente d'ovulation est une phase généralement courte, au cours de laquelle disparaissent les derniers ovocytes. Elle est suivie de la postménopause dont la durée augmente avec l'amélioration des conditions de vie (actuellement environ 25 ans) (Jones, 1975). Dès le début de la postménopause, c'est-à-dire, dans nos régions entre 48 et 52 ans, on observe une réduction relativement brutale et importante de la production ovarienne d'œstradiol. Le déséquilibre neurovégétatif qui s'ensuit se traduit par l'apparition de bouffées de chaleur et de crises de sudation. Les tissus œstrogéno-dépendants, essentiellement les seins et le tractus génital, s'atrophient progressivement. Les menstruations disparaissent.

La capacité vaginale diminue et la réceptivité phallique disparaît. Les rapports sexuels peuvent devenir pénibles ou impossibles. La carence œstrogénique provoque également une accélération de la perte de tissu osseux. Après quelques années, l'ostéopénie peut entraîner des fractures à certains endroits de prédilection (poignets) (Nordin et collaborateurs, 1975). L'épiderme s'amincit et l'indice mitotique au niveau de la couche germinative diminue (Rauramo et Punnonen,

---

* Jusqu'ici, aucune atteinte au capital génétique du fait des contraceptifs hormonaux n'a jamais été constatée. (O. T.)

1975). Les fibres élastiques se raréfient et disparaissent au niveau du derme. L'impact de la carence œstrogénique sur les affections cardiovasculaires est controversé.

En fait, les œstrogènes interviennent dans toutes les fonctions de l'organisme et leur carence est susceptible d'entraîner de multiples perturbations, y compris éventuellement des troubles du sommeil, de l'humeur, dans le sens dépressif, et des troubles du caractère et du comportement : irritabilité, intolérance, etc. Cependant, compte tenu de l'impact psychologique produit par la disparition des menstruations, la relation de causalité entre les phénomènes observés et la carence œstrogénique est souvent difficile à établir sans recourir aux essais pharmacologiques en double aveugle.

Chez certains sujets, notamment obèses et diabétiques, la carence œstrogénique reste moins importante par suite d'une conversion périphérique accrue d'un précurseur d'origine corticosurrénalienne (androstènedione) en œstrone, œstrogène moins actif que l'œstradiol. Cette source extra-ovarienne d'œstrone existe chez toutes les femmes postménopausées mais le taux de production reste insuffisant pour pallier la carence en œstradiol (Siiteri, 1975). L'ovaire postménopausique produit également de petites quantités d'androgènes (testostérone) au moins durant quelques années (Vermeulen, 1976). L'administration d'œstrogènes prévient ou supprime les troubles consécutifs à la carence œstrogénique (Gallagher et Nordin, 1975). La thérapie œstrogénique est actuellement largement utilisée par le corps médical et présentée par de nombreux périodiques féminins comme la moderne « Fontaine de Jouvence ». Cependant, le maintien durant de longues années d'une activité prolifératrice au niveau des tissus œstrogéno-dépendants pourrait augmenter les risques de cancer au niveau du sein et au niveau de l'endomètre.

Aucune étude prospective valable n'a encore été faite sur l'apparition du cancer du sein chez les femmes postménopausées, ou castrées, soumises à la thérapie œstrogénique. Les nombreuses études rétrospectives publiées n'apportent aucun résultat suggérant une relation de causalité entre la thérapie œstrogénique et le développement du cancer du sein (W.H.O. – International Agency for Research on Cancer).

Il en va tout autrement en ce qui concerne le cancer de l'endomètre. Plusieurs études, en effet, ont été publiées récemment qui rapportent une augmentation substantielle du nombre de ces cancers chez les femmes postménopausées traitées par œstrogènes (Smith et collaborateurs, 1975; Ziel et Finkle, 1975). Des critiques sérieuses peuvent néanmoins être formulées : les femmes traitées par œstrogènes sont mieux surveillées et soumises aux explorations nécessaires dès la moindre perte sanguine anormale. Il est probable que chez les femmes non traitées, les cancers asymptomatiques ne seront pas détectés. Enfin, comme le souligne notamment Ostergaard, 1974, certaines anomalies endométriales, considérées par tel ou tel anatomopathologiste comme étant de nature cancéreuse, disparaissent aussitôt, dès l'arrêt du traitement œstrogénique, comme le démontrent les curetages effectués 6 à 8 semaines après cet arrêt. En réalité, la frontière morphologique, aussi bien qu'histochimique, entre l'anomalie bénigne œstrogéno-dépendante et le cancer de l'endomètre est incertaine. Il n'existe pas à l'heure actuelle de méthode de diagnostic sûre pour départager ces deux éventualités. Attendre ne fût-ce que quelques semaines et réexaminer comporte, d'autre part, un risque supplémentaire en cas de cancer.

Quoi qu'il en soit, l'adjonction mensuelle d'une cure progestative au traitement œstrogénique, qui bloque, du moins temporairement, les phénomènes prolifératifs endométriaux et assure en outre la desquamation menstruelle d'une partie au moins de l'endomètre, semble être, sur le plan théorique du moins, un moyen à notre portée, de réduire le risque de carcinogenèse. Le cycle menstruel, considéré, à juste titre semble-t-il, comme une hérésie physiologique chez la femme en période de reproduction, est ainsi paradoxalement réhabilité chez la femme postménopausée qui désire bénéficier des avantages de la thérapie œstrogénique! Une alternative, c'est évidemment la solution chirurgicale, c'est-à-dire l'hystérectomie préconisée par certains pour toutes les femmes de cinquante ans.

En conclusion, le problème de la thérapie œstrogénique de la postménopause est loin d'être résolu. Les avantages et les risques inhérents aux divers traitements proposés doivent être évalués avec précision, dans des études prospectives soigneusement programmées et qui de ce fait seront extrêmement complexes et difficiles.

RÉFÉRENCES BIBLIOGRAPHIQUES

ADAMS (P.W.), ROSE (D.P.), FOLKARD (J.), WIJNE (V.), SEED (M.) et STRONG (R.), 1973 : « Effect of pyridoxinehydrochloride (vitamine B6) upon depression associated with oral contraception », *Lancet*, i, p. 897-904.

DORING (G.K.), KAUKA (E.) et NETZER (A.), 1976 : « Schwangerschafsverlauf und Zustand der Kinder nach Anwendung von Ovulations-hemmern », *Geburtsh. u. Frauenheilk, 36*, p. 57-61.

FERIN (J.), 1962 : « Artificial induction of hypo-estrogenic amenorrhea with methyl-estrenolone or with lynestrenol », *Acta Endocr., 39*, p. 47-67.

FERIN (J.), 1964 : « Hypoestrogenic amenorrhea and/or sterility induced by lynestrenol », *Internat. J. Fertil., 9*, p. 29-34.

GALLAGHER (J.C.) et NORDIN (B.E.C.), 1975 : « Effects of estrogen and progestogen therapy on calcium metabolism in post-menopausal women », in « Estrogens in the Post-ménopause *Front. Hormone Res., 3*, p. 150-176.

GROUNDS (D.), DAVIES (B.) et MOWBRAY (R.), 1970 : « The contraception pill, side effects and personality : report of a controlled double blind trial », *Brit. J. Psychiatr., 116*, p. 169-172.

JONES (E.C.), 1975 : « The post-reproductive phase in Mammals », in « Estrogens in the Post-ménopause », *Front. Hormone Res., 3*, p. 1-19.

LYDECKEN (K.), 1968 : « A study of the nursing problems connected with the menstruation of institutionalized mentally retarded female patients and of the therapeutic amenorrhea caused by lynestrenol therapy », *Scand. J. Clin. Lab. Invest., 21, Suppl. 101*, p. 123-124.

LYON (F.A.), 1975 : « The development of adenocarcinoma of the endometrium in young women receiving long term sequential oral contraception », *Amer. J. Obstet. Gynec., 123*, p. 299-301.

NASH (H.A.), 1975 : « Depo-Provera : a review », *Contraception, 12*, p. 377-393.

NORDIN (B.E.C.), GALLAGHER (J.C.), AARON (J.E.) et HORSMAN (A.), 1975 : « Post-menopausal osteopenia and osteoporosis », in « Estrogens in the Post-menopause », *Front. Hormone. Res., 3*, p. 131-149.

OSTERGAARD (E.), 1974 : « Malignant and pseudo-malignant hyperplasia adenomatosa of the endometrium in post-menopausal women treated with estrogen », *Acta obstet. Gynec. Scand., 53,* p. 97-102.

PINCUS (G.), ROCK (J.), GARCIA (C.R.), RICE-WRAY (E.), PANIAGUA (M.) et RODRIGUEZ (I.), 1958 : « Fertility Control with oral medication », *Amer. J. Obstet. Gynec., 75,* p. 1333-1346.

RAURAMO (L.) et PUNNONEN (R.), 1973 : « The effects of castration and peroral estrogen therapy on a woman's skin », in « Ageing and Estrogens », *Front. Hormone Res., 2,* p. 48-54.

SIITERI (P.K.), 1975 : « Post-menopausal estrogen production », in « Estrogens in the Post-menopause », *Front. Hormone Res., 3,* p. 40-44.

SILVERBERG (S.G.) et MAKOWSKI (E.L.), 1975 : « Endometrial carcinoma in young women taking oral contraceptive agents », *Obstetrics a. Gynecology, 46,* p. 503-506.

SMITH (D.C.), PRENTICE (R.), THOMPSON (D.J.) et HERRMANN (W.L.), 1975 : « Association of exogenous estrogen and endometrial carcinoma », *New Eng. J. Med., 293,* p. 1164-1166.

VANDERICK (G.), BEERNAERT (T.J.), DE MUYLDER (E.) et FERIN (J.), 1975 : « Hormonal contraception. Sequential formulations and the endometrium », *Contraception, 12,* p. 655-664.

VERMEULEN (A.), 1976 : « The hormonal activity of the post-menopausal ovary », *J. Clin. Endocrinol. Metab., 42,* p. 247-253.

W.H.O.-International Agency for Research on Cancer, 1974; *I.R.A.C. Monographs on the Evaluation of Carcinogenic Risk of Chemical to Man. Sex Hormones,* Vol. VI, p. 219-234.

3.
A propos des discontinuités
de la vie de femme

par Claudine ESCOFFIER-LAMBIOTTE, Pierre ROYER,
Massimo LIVI-BACCI, Léon EISENBERG, Roger LARSEN,
Françoise HERITIER, Raymond L. VANDE WIELE,
Evelyne SULLEROT, Jean-Paul ARON

C. ESCOFFIER-LAMBIOTTE : Il importe tout d'abord d'évoquer les changements considérables qui se sont produits depuis deux mille ans en ce qui concerne la physiologie de la femme et de souligner qu'ils sonť d'ordre *culturel* : d'abord, l'avancement de l'âge de la puberté, qui amène une fertilité plus précoce – d'où la nécessité de mettre en œuvre une contraception (pour la préservation du patrimoine génétique, entre autres raisons). Ensuite, nos ancêtres avaient 4 ou 5 enfants qu'elles allaitaient pendant 4 ans; elles connaissaient donc une période de près de 20 ans d'allaitement, donc de stérilité, et elles n'avaient guère plus de 4 années de menstruations au cours de leur période fertile. La femme d'aujourd'hui n'a que deux enfants si elle utilise une contraception (contre 19 qu'elle pourrait avoir sans cela); elle n'allaite plus guère ses enfants, et connaît par conséquent près de 35 années de menstruations et 300 à 400 cycles menstruels inutiles. Enfin, vers 50 ans, elle entre dans une période de vie très longue (plus de 25 ans) après la ménopause, totalement inconnue de ses ancêtres. Devant ces changements physiologiques stupéfiants, on peut se demander si la femme est bien préparée, par ses données génétiqucs, à vivre ces 35 années de menstruations inutiles, et ces 25 années privées de sécrétions hormonales. On peut se demander également si les directions actuelles des travaux en matière de thérapeutique endocrinienne, visant soit à empêcher la conception sans supprimer le cycle, soit à supprimer la montée laiteuse, soit à suppléer aux carences hormonales de là ménopause (pour la plupart conçus par des hommes) ont bien tenu compte de ce passé historique; et on peut se demander s'il ne serait pas souhaitable de concevoir des méthodes contraceptives qui suppriment les règles, ramenant ainsi la femme à la situation qui était la sienne depuis 3 millions d'années jusqu'au siècle dernier. On peut se demander également quelle attitude on doit avoir devant la ménopause; et encore, par quel mécanisme l'allaitement a un effet contraceptif – bref, on peut se demander si les endocrinologistes n'ont et n'auront pas dans l'avenir un rôle très différent de ce qu'il a été jusqu'à présent.

P. ROYER : Je voudrais faire quelques commentaires sur un problème qui me paraît un des points importants du sujet que nous avons à traiter : l'*allaitement*. C. Escoffier-Lambiotte semble considérer ce problème comme exclu des préoccupations de la femme moderne. Comme pédiatre, je ne peux pas partager ce point de vue. Je voudrais rappeler quelques faits : dans les pays industrialisés, contrairement à ce qu'on pense, le pourcentage d'allaitement au sein est relativement élevé. Actuellement, on assiste à une recrudescence en France (mais les chiffres sont très proches de ceux d'autres pays, en particulier d'Amérique du Nord). Actuellement, le taux des femmes allaitant jusqu'à la fin du 3e mois est de 18 %. De plus, on a constaté un phénomène d'ordre sociologique (l'allaitement étant un phénomène plus sociologique que médical) : dans les pays industrialisés, comme la France, les U.S.A., le Canada, c'est dans les zones rurales, les moins développées sur le plan socio-économique, que le taux d'allaitement est le plus bas, et, au contraire, dans les grandes villes (Lyon et surtout Paris) qu'il est le plus élevé : plus de 22 %. Si on compare les classes socio-économiques, c'est dans les classes intellectuellement et économiquement les plus développées (professions libérales, cadres supérieurs) qu'il est le plus élevé. Selon l'enquête faite l'an dernier par Mme Rumeau-Rouquette, dans les classes culturellement développées il dépasse 40 %. Il atteint son maximum chez les femmes de médecins : plus de 50 %, en France comme aux U.S.A. Voici donc un fait intéressant : allaiter son enfant redevient quelque chose qui donne un statut plus élevé à la femme. C'est le contraire qui se produit dans les pays en voie de développement, où l'allaitement artificiel représente pour la femme une promotion. En dehors du fait que, biologiquement parlant, le lait maternel reste le mieux adapté à la majorité des nourrissons, nous nous trouvons là devant un problème de *motivations* qui n'est plus d'ordre uniquement biologique.

C. ESCOFFIER-LAMBIOTTE : Dans les peuplades primitives, l'allaitement était très prolongé : il durait jusqu'à 3 ou 4 ans parfois; il jouait alors un rôle comme facteur d'espacement des naissances. Mais, actuellement, d'après les pédiatres, quelle est la durée d'allaitement au sein souhaitable pour l'enfant?

P. ROYER : Dans les limites de nos connaissances actuelles, nous considérons que 3 ou 4 mois d'allaitement au sein sont tout à fait suffisants.

M. LIVI-BACCI : Une précision statistique : dans les pays méditerranéens, aux XVIIIe et XIXe siècles, la durée moyenne de l'allaitement était de 1 à 2 ans [1].

---

1. Cf. Partie III les contributions d'E. Le Roy-Ladurie et P. Laslett.

L. Eisenberg : Je voudrais m'arrêter un instant sur la signification de l'allaitement dans les sociétés modernes. Sa supression me paraît tenir surtout aux campagnes commerciales des firmes pharmaceutiques qui fabriquent des aliments pour bébés, ce qui a eu certaines conséquences pour les pays sous-développés : la première est que ces pays ont à utiliser des dollars pour importer de la nourriture qui autrement ne serait pas nécessaire; ensuite, la substitution de l'allaitement artificiel à l'allaitement naturel expose les enfants à des risques de contamination par des eaux polluées; la troisième conséquence est la perte de l'effet protecteur des anticorps maternels : il s'ensuit une augmentation des taux de mortalité néo-natale – alors qu'il eût été préférable de promouvoir l'allaitement maternel dans ces pays. En Occident, la situation est différente.

R. Larsen : J'ai une réserve à faire en ce qui concerne l'effet contraceptif de la lactation. Il dépend de la consommation en protéines de la mère. Les études comparatives des différentes cultures montrent que dans les régions où les mères ont une forte consommation en protéines, la lactation ne semble pas inhiber l'ovulation.

F. Heritier : Cette question m'intéresse en tant qu'ethnologue : est-il exact vraiment que la lactation n'empêche pas l'ovulation, si la femme est correctement nourrie en protéines?

L. Vande Wiele : Ce n'est pas tout à fait exact. En fait, les femmes qui ont une bonne alimentation protéique deviennent fertiles dès qu'elles recommencent à ovuler. La preuve en est clairement faite par la mesure des taux de prolactine : au cours des cinq premiers mois de la lactation, il y a une augmentation de la prolactine qui inhibe elle-même l'ovulation; au-delà de 4 ou 5 mois, cette inhibition disparaît et la femme peut devenir enceinte. Simplement, il semble apparaître des études provenant de régions parvenues à des degrés de développement différents, que la lactation a un effet contraceptif plus prolongé si elle s'accompagne d'une alimentation pauvre en protéines que si elle s'accompagne d'une alimentation riche en protéines.

Mais je voudrais parler d'un problème bien présent et des réponses qui peuvent lui être apportées. Culturellement, les femmes vivent une évolution de leur condition qui les conduit à connaître les menstruations pendant la plus longue partie de leurs vies. Nous pouvons dépasser ce stade. Il est tout à fait concevable, et beaucoup d'entre nous songent, au lieu d'utiliser des contraceptifs hormonaux qui respectent les menstruations, à en venir à un mode de contraception qui instaurerait comme état normal un état de stérilité permanente sans règles. On enlèverait la « barrière » contraceptive quand la femme voudrait avoir son ou ses deux enfants. Cela est parfaitement possible avec la technologie à notre disposition. Je ne m'étendrai pas sur les aspects physiologiques, mais j'aimerais évoquer les problèmes du comportement qui pourraient accompagner un tel traitement. Cela me conduit à poser des questions sur les différences de comportement des hommes et des femmes : la menstruation en est-elle un facteur essentiel? Les femmes y sont-elles attachées? Je ne saurais le dire...

Quel est le rôle des hormones dans l'instinct maternel? Dans différents aspects du comportement féminin? Chez les animaux, c'est clair : sans œstrogènes, les femelles animales n'entrent pas en chaleur. D'autres aspects du comportement, telles l'agressivité, la passivité sont hormonodépendants. Vous administrez de la prolactine, et la femelle développe un instinct maternel nettement augmenté. J'ai l'impression que chez les femmes ces comportements ne sont déterminés par des facteurs hormonaux qu'à un degré minime.

Prenons un exemple : les changements intervenant durant le cycle. Combien d'entre eux sont-ils induits par les hormones? Combien dus à des facteurs culturels, c'est-à-dire à l'attitude de la femme en face du fait qu'elle saigne, ou qu'elle va ovuler? Je ne connais pas la réponse. Toutefois j'ai l'impression que virtuellement toutes les réactions des femmes pendant leur cycle menstruel sont culturellement déterminées, sous la dépendance de leurs attitudes vis-à-vis du fait de saigner ou d'ovuler. Une étude bien connue de Benedict Rubinstein utilise la méthode psychanalytique pour déterminer les variations d'humeur des femmes au cours de leur cycle menstruel. Il y apparaît que, pendant la première phase du cycle, les femmes sont plus agressives, plus actives, moins anxieuses. Au moment de l'ovulation l'anxiété augmente rapidement, pour disparaître aussi rapidement et se résoudre dans une phase de passivité introvertie. D'autres investigations de ce type ont été conduites en utilisant différentes techniques. Il est vrai que toutes ces femmes étaient en traitement psychiatrique...

Peut-être la meilleure méthode d'analyse consisterait à séparer les symptômes qui apparaissent au cours du cycle en deux catégories : d'un côté, les symptômes fonctionnels tels que la dysménorrhée, la sensibilité des seins, etc., qui semblent faciles à attribuer à des facteurs hormonaux; d'un autre côté, les symptômes plus complexes comme le changement d'humeur et l'anxiété à l'approche des règles. L'ensemble des données bibliographiques sur ce point ferait plutôt apparaître une corrélation directe entre la tension prémenstruelle et l'apparition d'autres symptômes psychologiques. Il me semble à moi que les événements du cycle de ces femmes, l'ovulation, le fait qu'elles vont saigner sont des indicateurs des troubles de l'humeur, mais pas des causes. La preuve en est que vous pouvez faire disparaître la dysménorrhée par un traitement hormonal simple, par la simple administration d'un agent bloquant l'ovulation, œstrogène, progestérone, ou combinaison, cela aura très peu d'effet sur la tension prémenstruelle. J'ai l'impression que la tension prémenstruelle et les changements d'humeur durant le cycle sont seulement un aspect de la personnalité de la femme qui fluctue selon les événements auxquels elle est attentive. Personne n'a jamais étudié ce que donne par exemple l'administration d'œstrogènes et de progestérone imitant le cycle chez des femmes qui n'ont pas d'utérus, donc des femmes qui ne sauraient pas ce qu'elles prennent et qui ne sauraient pas à quel moment de leur cycle elles se trouvent. Quant aux tentatives pour déceler des variations des fonctions cognitives au cours du cycle, elles ont été négatives. Ma réponse, pour le présent, est donc que changements d'humeur et de comportement durant le cycle ne sont pas hormono-dépendants, mais culturellement dépendants.

Pour traiter la ménopause, nous allons donner des œstrogènes. Or, on le sait, les œstrogènes augmenteront les risques de cancer du sein : mais ces risques décroissent si on y associe la progestérone. Œstrogènes et progestérones diminueront l'incidence du cancer. Mais en les administrant nous influençons peut-être d'autres systèmes. Je traite la ménopause hormonalement, en tant que clinicien, bien qu'avec des réserves car je ne sais pas exactement ce que je fais ni ce qui en résultera à long terme. Cependant c'est pour le moment la « psychothérapie » la moins chère que nous puissions administrer à bien des femmes, et si vous oubliez la biochimie et la physiologie, sur le plan psychologique elle se révèle très bénéfique. Mais alors, pour dire ce qui est bénéfique ou pas, il faudrait définir ce qu'est le bonheur et le malheur... Et parfois nous ne savons pas ce qui est préférable pour nos malades.

C. Escoffier-Lambiotte : En ce qui concerne la ménopause, je voudrais faire remarquer qu'il s'agit là d'un dispositif puissant de préservation de l'espèce, et qu'on ne peut pas écarter tout à fait l'idée que ce dispositif ait joué un rôle dans le processus de sélection. Je veux dire par là que, étant donné que le petit homme exige un très long temps de maternage après sa naissance, une femme âgée donnant naissance à un enfant auquel elle ne survivrait pas, condamnerait cet enfant à la mort (du moins dans les conditions de vie primitives). Si on ajoute que le risque d'anomalies embryonnaires augmente au fur et à mesure que la femme vieillit et ses ovocytes avec elle (puisque tout le stock est constitué dès la vie embryonnaire), la ménopause est certainement, dans une perspective finaliste, un processus de protection de l'espèce.

J'ajouterai que la contraception chimique est, elle aussi, un processus indispensable de protection de l'espèce : la lactation, comme mode naturel d'espacement des naissances, ayant été supprimée, les 35 années d'activité cyclique chez la femme moderne, et les 19 enfants qui pourraient théoriquement en résulter ne sont pas compatibles avec un avantage sélectif. Là, nous nous trouvons donc devant un autre phénomène qui est l'invention par l'homme d'un processus de régulation artificielle dont les effets paraissent évidents pour la protection de l'espèce et non, comme cela a été dit, un facteur qui va dans le sens d'une « permissivité », dans une société aux mœurs particulièrement relâchées!

Enfin, je n'adhère pas sans réserve au point de vue de M. Vande Wiele, selon lequel les troubles résultant de la cyclicité chez la femme sont d'origine culturelle plutôt que physiologique. D'une part, je suis frappée par le fait que le syndrome menstruel ou prémenstruel n'existe pas chez les femmes auxquelles on a enlevé l'utérus, mais qui ont conservé leurs ovaires, donc qui ont des sécrétions hormonales normales. D'autre part, Vande Wiele a reconnu que la dysménorrhée, c'est-à-dire les règles douloureuses, pouvait être amendée par des substances hormonales. Il me semble qu'il parle en homme; mais en tant qu'employeur, sociologue du travail, ou plus simplement en tant que femme, je crois que chacun sait à quel point le syndrome le plus préoccupant de la cyclicité féminine est précisément la dysménorrhée. La douleur qui survient à ce moment-là est la plus grande cause d'absentéisme du travail et de troubles du comportement. Il m'est donc impossible d'adhérer tout à fait à une thèse selon laquelle les troubles de la cyclicité seraient d'origine purement culturelle, et je ne crois pas que quiconque ait pu améliorer une dysménorrhée par une thérapeutique psychanalytique. Je crois personnellement que la douleur est un facteur non négligeable des changements d'humeur; je dirai même que c'est le plus puissant, parce que la douleur est source d'agressivité, source de détresse, source d'incapacité dans le travail, et qu'elle jouera un rôle dans les années à venir, dans un monde où l'insertion de la femme dans la vie professionnelle sera totale, à l'égal de l'homme. Ce phénomène me semble important, et je crois qu'il serait erroné de s'engager dans une thèse selon laquelle ces changements de comportement seraient d'origine uniquement culturelle. Je crois qu'on peut tout faire dire au culturel, et encore plus à la psychanalyse, mais je crois que l'exemple de la dysménorrhée est suffisamment parlant pour qu'on doive en tenir compte.

L. EISENBERG : Je crois qu'on peut fort bien distinguer les aspects biologiques et psychologiques de la douleur. La douleur elle-même est un phénomène très complexe et fort subjectif et des individus ayant subi la même blessure physique ont besoin de quantités fort différentes de morphine pour calmer leur douleur. Donc le fait que les changements d'humeur au cours du cycle soient dus en partie à l'attitude qu'a la femme en face des événements qui s'y déroulent n'exclut pas la possibilité *simultanée* d'une composante physiologique. Il faut dénoncer une certaine attitude paternaliste envers les femmes, qui consiste à réduire tous les changements de comportement au cours du cycle à des facteurs hormonaux et y voir une infériorité congénitale, de même que l'attitude inverse qui consiste à tout réduire à des phénomènes « hystériques » et refuser des thérapeutiques hormonales.

Tout cela n'est évidemment pas très clair, pas plus que ne sont bien clairs les symptômes que l'on traite par la thérapeutique hormonale de la ménopause. Il est clair que l'administration d'œstrogènes exogènes empêche l'atrophie et le déssèchement de la muqueuse vaginale; mais beaucoup d'autres symptômes de la ménopause sont difficiles à comprendre et on n'a pas l'expérience des œstrogènes placebo pour voir quelle est la part des phénomènes psychosomatiques. Mais je suis d'accord pour dire qu'on détient dans les œstro-progestatifs une forme de psychothérapie efficace, du moins à court terme.

M. LIVI-BACCI : Je voudrais faire quelques réflexions d'ordre général. D'abord, je note une certaine contradiction entre les tendances de la pensée moderne et l'attitude actuelle à l'égard de la nature et de la physiologie : d'un côté, nous assistons à un retour à un concept idéaliste, archaïque de la « nature » (lutte contre la pollution, aliments « biologiques », régimes macrobiotiques, vogue de l'homéopathie, etc.), d'un autre côté on a tendance à récuser les inconvénients liés à notre nature mâle ou femelle; la suppression des règles entre dans cette optique. Je soulève la question parce que je pense qu'elle est déjà dépassée par les faits : poser le problème en termes de « contradiction » entre les menstruations et la vie professionnelle est une façon de le poser qui est déjà dépassée. Je pense qu'il faut demander à la société de valoriser la femme telle qu'elle *est* dans sa réalité biologique, et de s'adapter à elle en éliminant les obstacles et les inconvénients sociaux de la biologie féminine.

Ensuite, je voudrais souligner la différence profonde qui existe entre l'expérimentation et l'observation sur les animaux de laboratoire et sur l'homme : en laboratoire, on peut étudier des générations de drosophiles, de rats, de souris, mais on ne peut pas étudier des générations d'hommes et de femmes. Nous ne disposons pas du même temps d'expérimentation quand nous étudions des organismes à cycle de vie très court et quand nous considérons l'espèce humaine où les cycles de vie sont très longs. Nous ne pouvons donc rien savoir des effets à long terme (il en est ainsi pour la pilule). Je serai personnellement très réservé sur l'emploi de méthodes artificielles bouleversant le cycle féminin sans en connaître les implications à long terme.

F. Heritier : M. Baulieu a dit que les femmes ont un certain taux d'hormones mâles. A la ménopause, lorsque disparaissent les hormones femelles, y a-t-il une augmentation du taux des hormones mâles ou simplement une inversion du rapport en faveur de celles-ci? J'aimerais savoir également ce que devient le rapport hormones femelles/hormones mâles pendant la grossesse et l'allaitement.

E. Baulieu : L'androgène testostérone est essentiellement d'origine testiculaire, donc absent chez la femme. Le peu de testostérone qu'on trouve chez elle est essentiellement d'origine extra-ovarienne, et provient d'autres glandes : les surrénales (cette production surrénalienne existe aussi chez l'homme). En fait, le rôle de ces androgènes est mal connu. Ils jouent peut-être un rôle dans le déclenchement de la puberté dans les deux sexes. A l'autre extrémité de la vie sexuelle : en post-ménopause, ces androgènes surrénaliens diminuent dans les deux sexes. Il y a donc un changement d'équilibre. Il n'est pas impossible que dans certaines situations « pathologiques » il y ait, à la faveur des bouleversements de la ménopause, une augmentation des androgènes surrénaliens. Je ne connais pas d'études qui fournissent des résultats bien nets à cet égard. En ce qui concerne la deuxième question, à ma connaissance on n'a pas démontré qu'il y ait des variations des androgènes pendant la grossesse ou la lactation.

C. Escoffier-Lambiotte : Je voudrais faire remarquer que le problème psychologique de la ménopause n'est pas le même dans toutes les cultures. On peut se demander si le statut dévalorisant qu'on accorde aux personnes âgées dans notre société occidentale industrielle n'est pas pour quelque chose dans l'appel thérapeutique actuel, qui serait alors en partie artificiel. J'ai été frappée par le fait qu'en Chine, où les ancêtres sont valorisés et jouent un rôle social important, les gynécologues considèrent qu'il n'y a pas de problème de la ménopause, et qu'une thérapeutique aux œstrogènes est une absurdité. Je pose donc la question – et je pense que les ethnologues pourront y répondre : le problème de l'appel thérapeutique au moment de la ménopause n'est-il pas spécifique d'une société qui a dévalorisé les vieux – et plus spécialement les *vieilles,* car la femme âgée dans notre culture ne bénéficie même pas des compensations sociales dont jouissent les hommes âgés : les honneurs, les académies, l'avantage financier de la retraite, etc. La femme âgée a tout simplement tout perdu (et l'exiguïté des logements lui enlève même parfois le bénéfice de la garde de ses petits-enfants...).

E. SULLEROT : Je voudrais également m'associer, bien que je ne sois pas médecin, à la discrète et ferme protestation de C. Escoffier-Lambiotte contre le tableau, psychologisé à l'extrême, que R. Vande Wiele a tracé du syndrome prémenstruel. Il est assez désobligeant de s'entendre dire que nos états d'âme dépendent du calendrier de notre cycle dans la seule mesure où nous sommes conscientes de ce càlendrier. Si souvent, dans sa vie, une femme, et particulièrement une femme active, oublie complètement « où elle en est » de son calendrier, se laisse surprendre! Mais si souvent, ayant oublié ce calendrier, elle est angoissée, puis, vivement rappelée à l'ordre par des signaux physiologiques, elle comprend alors après coup la cause de cette inexplicable angoisse : c'était donc ça... D'autre part, comme C. Escoffier-Lambiotte, je ne crois pas le moins du monde à la pertinence d'un traitement psychanalytique du syndrome prémenstruel, et j'ai presque trouvé comique l'argumentation qui nous a été présentée : si ces femmes étaient toutes en traitement psychiatrique, et même psychanalytique, pas une n'avait le même passé, le même inconscient; leurs névroses devaient différer largement. Alors comment se fait-il qu'elles montraient de l'agressivité ou de l'angoisse aux mêmes périodes du cycle? Ce serait justement la preuve que leur cyclicité hormonale s'imposait à leur psychisme, et non l'inverse, et transcendait la variété de ces psychismes souffrants.

Mais on vient d'évoquer devant nous deux possibilités d'intervention sur la nature féminine praticables et pratiquées : l'une consiste à effacer la ménopause par l'administration d'hormones et a pour conséquence de perpétuer les règles au-delà de la limite habituelle; l'autre consiste à supprimer purement et simplement les règles par une « barrière » hormonale. On nous a parlé des aspects biochimiques, physiologiques et psychologiques de ces interventions. Mais j'y vois des implications sociologiques importantes. D'abord les femmes n'ont nullement été appelées à se prononcer, ni ne sont même bien informées de ces méthodes d'intervention sur leur « nature » : les féministes, qui ont tant parlé ces dernières années, ne se sont pas préoccupées de ce problème.

Pourtant, c'en est un puisqu'il s'agit de savoir quelle sorte d'artefact toute femme veut et peut devenir, puisque aussi bien elle est aussi éloignée que possible de l'état de nature de la femme préhistorique avec ses grossesses et ses périodes d'allaitement enchaînées. Comment choississons-nous notre modèle de « femme » ou plutôt d'artefact? D'abord au petit bonheur la chance, dans les pays très développés, par une amie d'amie qui connaît un docteur qui te donne un traitement qui... Mais le *modèle social* de femme derrière ces deux traitements est bien différent. Dans le premier cas, à quoi renvoie l'effacement de la ménopause? A prolonger la femme séduisante et reculer cette première mort que signifie la ménopause pour tant de femmes dans une société où la beauté de la femme et son pouvoir de séduction ont donné lieu à un énorme culte public et privé. La presse l'a bien compris : « Vous grossirez moins, votre peau restera plus fine, vos cheveux plus brillants, votre vagin ne se desséchera pas, etc. », en un mot, « encore une minute, monsieur le bourreau », votre narcissisme souffrira moins et moins vite dans cette société où la valeur aphrodisiaque de la femme est exaltée. Dans le second cas – suppression des règles –, l'image sociale derrière ce traitement me semble différente même si (je l'ignore) hormonalement le résultat est comparable. L'artefact, la femme ainsi fabriquée, n'a plus de règles, comme son ancêtre préhistorique. Mais elle n'a pas non plus d'enfant dans le ventre ou au sein pour la gêner dans ses activités. En fait elle ressemble plus à un homme, elle expérimente ce que les femmes ne connaissent pas après leur puberté : une vie où physiologiquement tous les jours se ressemblent, où on n'a pas à se préoccuper si la date du concours qu'on doit tenter, de la compétition sportive à laquelle on se présente, du voyage qu'on veut faire ou du week-end qu'on veut passer avec l'homme de sa vie tombe un « mauvais jour ». Nous sommes donc devant cette alternative à implications sociales importantes – j'ajoute pour mémoire la possibilité de se faire davantage de muscles avec des anabolites! M. Livi-Bacci avait raison, ô combien! qui soulignait le paradoxe de notre société qui s'éloigne de la nature à grandes guides en s'affichant néo-rousseauiste, écologique. Toutes les femmes sont toujours nées femmes, programmées avec une nature. Mais, contrairement à l'affirmation de Simone de Beauvoir, la société ne nous oblige pas à suivre ce programme; elle nous en offre plusieurs : voulez-vous être plus attirante et « féminine » avec pour prix à payer des règles toute votre vie? Ou plus semblable à l'homme et délivrée de cette cyclicité? Bientôt on aura des sondages là-dessus.

J.-P. ARON : A propos de la manière dont la femme contemporaine ressent la ménopause, je songe au contraste entre notre époque et le XIXe siècle bourgeois, j'entends par là celui de la médecine bourgeoise, de la sensibilité bourgeoise que cette médecine traduisait de façon élective et préférentielle. Pendant tout le XIXe siècle la médecine et la sensibilité collective en général ont été obsédées par la perte d'énergie, surtout s'agissant de l'homme : l'énorme obsession relative à la masturbation, par exemple, en fait foi. C'est un phénomène majeur dans tous les pays occidentaux à partir de 1820 : le thème est toujours le gaspillage, l'énergie perdue, donc la perversion. On sait sans doute aussi que les femmes également se masturbent, mais cela semble moins grave, car elles peuvent, malgré tout, enfanter. Alors que, selon la représentation d'alors, un homme qui se masturbait allait vers la consomption, la mort, n'avait plus rien. Or il semble que dans la période où nous vivons une certaine forme d'idéologie féminine redonne à cette notion de gaspillage une singulière valeur. Comme si, en protestant contre l'arrêt des règles, arrêt de la nature, elles exprimaient une sorte d'impatience d'énergie continuée, comme si l'idée du gaspillage d'énergie du XIXe siècle bourgeois se reportait étrangement, subrepticement, sur certaines représentations que les femmes se font aujourd'hui de leur sexualité.

C. ESCOFFIER-LAMBIOTTE : Le traitement de la ménopause ne prolonge absolument pas la fécondité, ne rétablit pas les ovulations. Le titre du livre qui a exposé ce traitement aux Etats-Unis est très explicite : *Feminine for ever*. Comme disait Evelyne Sullerot, c'est le mythe de la jeunesse éternelle, de la séduction éternelle, mais pas du tout un mythe de fécondité prolongée, d'énergie prolongée.

R. Vande Wiele : On a parlé de statistiques de longévité comparée des hommes et des femmes : il faut faire très attention en ce cas de bien spécifier à quelle population on fait allusion. La mortalité pour cause de maladies cardio-vasculaires n'est pas différente entre hommes et femmes dans les pays en voie de développement. L'incidence élevée des affections coronaires masculines est une caractéristique des pays développés.

M. Livi-Bacci : Le Pr Baulieu a parlé de la mortalité différentielle entre hommes et femmes en Suède. Mais c'est un phénomène que l'on retrouve dans tous les pays développés : les femmes survivent aux hommes de plusieurs années en moyenne. Ce phénomène est apparu au cours des cent ou cent cinquante dernières années. Il n'existait pratiquement pas auparavant, au xviiie siècle par exemple.

E. Sullerot : En effet, les différences de longévité entre hommes et femmes dépendent des pays considérés : les femmes ont une durée de vie moyenne supérieure à celle des hommes de 5 ans dans les pays scandinaves, de 7 ans en France et aux Etats-Unis et de 10 ans en U.R.S.S.

O. Thibault : Je voudrais insister sur le fait que si l'écart entre les longévités masculine et féminine présente des différences en valeur absolue, il est toujours en faveur de la femme. La surmortalité masculine se manifeste à tous les âges (même à la naissance), dans presque toutes les cultures, et dans toutes les catégories socioprofessionnelles, comme on l'a vu en comparant les religieux et les religieuses qui ont un mode de vie tout à fait semblable; il en est de même chez les espèces animales. Si des facteurs culturels entrent certainement en jeu (consommation d'alcool, de tabac, compétition sociale, accidents, etc.), ils ne sont sans doute pas les seuls, puisque le phénomène se manifeste dès le moment de la naissance (où les facteurs culturels sont exclus) et dans les catégories ayant une vie sociale tout à fait comparable. Il est donc permis d'invoquer des facteurs biologiques, en particulier un possible effet protecteur des hormones femelles contre l'athérosclérose? Bien qu'il ne soit pas démontré, on remarquera tout de même que les taux d'athérosclérose et de mortalité par maladies cardio-vasculaires sont plus élevés chez les hommes que chez les femmes avant la ménopause, et qu'il augmente chez les femmes seulement *après* la ménopause. Ajoutons que, d'une façon générale, la plus grande résistance biologique du sexe dit « faible » n'est plus à démontrer...

E. Sullerot : M. Livi-Bacci disait fort justement qu'au xviie ou xviiie siècle on n'observait pas cette différence *moyenne* de longévité entre hommes et femmes. Mais on observait néanmoins des différences : les études de démographie historique ont montré qu'alors la mortalité féminine était de 10 à 12 % *supérieure* à la mortalité masculine à l'âge des maternités – lesquelles intervenaient plus tard qu'aujourd'hui, surtout entre 27 et 37 ans. Cette surmortalité féminine pendant une dizaine d'années compensait en quelque sorte la surmortalité masculine qui, elle, se manifestait tout au long de la vie. Les femmes mouraient de fièvres puerpérales surtout, et d'accouchements mal faits. Quand elles ont été délivrées de ce handicap supplémentaire, de ces causes particulières de mortalité (par des médecins qui ont lutté contre la fièvre puerpérale, comme le Hongrois Semmelweiss, et puis surtout par les découvertes de Pasteur qui ouvraient la voie à l'asepsie, enfin par l'amélioration continue des techniques d'accouchement) alors elles ont dépassé les hommes en longévité. Est-ce seulement par une plus grande résistance biologique aux maladies? Comme le disait O. Thibault, la surmortalité masculine n'est pas due seulement aux maladies. Elle est pour une part importante le fait d'intoxications provoquées (l'alcoolisme surtout) d'accidents de toutes natures, de suicides (3 hommes pour 1 femme). Peut-on appeler ces causes de mort violente, auxquelles il faut ajouter la guerre, seulement « culturelles »? Elles semblent bien exprimer un surcroît d'agressivité, d'anxiété et d'activité chez les hommes qui les conduit à s'autodétruire directement ou indirectement. Bien sûr, cela prend des formes différentes selon les cultures et les époques, jusqu'aux holocaustes les plus épouvantables, et on est bien là dans le domaine socioculturel, ne serait-ce que du fait des moyens employés et des fins invoquées.

L. Eisenberg : La mortalité différentielle offre le point de départ d'une étude intéressante. Il faut considérer le taux de mortalité par maladie et non le taux de mortalité générale, car effectivement les morts violentes (accidents, suicides, homicides) sont un facteur considérable de surmortalité masculine. Mais on a certaines données montrant que la morbidité et la maladie sont plus élevées dans le sexe féminin, bien que la mortalité y soit plus faible. Cela est en partie dû à l'astuce des femmes qui contractent de préférence des maladies moins fatales! Mais il y a aussi des maladies à taux de mortalité élevé plus fréquentes chez les femmes que chez les hommes, et cependant moins mortelles pour elles que pour les hommes. Au moment d'interpréter de telles donnnées, on se heurte à deux attitudes opposées : d'un côté ceux qui ramènent tout à l'oppression des femmes, alors qu'il peut y avoir des causes biologiques; de l'autre ceux qui, obnubilés par la biologie, ramènent tout au sexe génétique. Nous commençons seulement à récolter assez de données valables concernant la morbidité et la mortalité – et ce, dans les pays industrialisés seulement. Mais, même dans ces pays, on ne peut pas les interpréter valablement. On commence seulement à pouvoir analyser ce qui est dû au stress social, au mode de vie, et ce qui est dû à tel ou tel facteur lié à l'X ou à l'Y. Il serait dangereux de conclure hâtivement sans avoir examiné cas par cas les spécificités de sexe.

A. Jost : Les données qu'ont apportées E. Baulieu et F. Haour sur la comparaison entre les productions hormonales dans les deux sexes sont importantes à connaître, encore que leur signification profonde reste à établir dans bien des cas. Ainsi, on a cité la prolactine dont on ne sait pas du tout quel rôle elle joue chez l'homme. On pourrait évoquer d'autres exemples troublants, difficiles à interpréter. Mieux vaut, me semble-t-il, ne pas fonder sur de tels dosages des positions philosophiques.

Il a eté question de la vie de la femme et notamment de la cyclicité : faut-il ou non la supprimer? J'ai entendu parfois des arguments tellement finalistes que je ne puis m'empêcher de rappeler un propos d'Alexandre Lifchitz, ce grand endocrinologiste qui a beaucoup étudié l'effet cancérigène des œstrogènes sur l'utérus : il aimait à dire que la cyclicité chez les femmes est le plus grand « truc » que la nature ait trouvé pour empêcher les cancers de l'utérus, parce que si les œstrogènes étaient produits de façon continue, toutes les femmes seraient atteintes d'un cancer de l'utérus! Je le cite, car cela n'est pas faux, mais montre qu'on doit demeurer très réservé avant de faire de la finalité dans ce domaine.

Faut-il ou non supprimer les cycles? Bien entendu les gynécologues sont plus à l'aise pour en parler – mais il apparaît que l'on n'a pas encore le recul nécessaire pour savoir ce qui se passerait à long terme.

Comme c'est, du point de vue social, une question très importante, nous avons beaucoup discuté des troubles prémenstruels, nous interrogeant sur les composantes physiologiques et psychologiques de ces phénomènes. Je pensais alors à des enquêtes qui ont été faites – bien qu'il soit très difficile de faire des enquêtes sur un tel sujet – et entre autres à celle qu'a faite Katherine Halton à Londres : elle a montré, en comparant les succès aux examens d'une part des jeunes gens. d'autre part des jeunes filles et pour celles-ci en tenant compte de la date de leurs règles, que les jeunes filles qui passaient des examens pendant leurs règles subissaient un handicap de 5 %. Ce n'est certes pas énorme, mais peut-être significatif. Dans des livres déjà anciens, Margaret Mead dit que les douleurs menstruelles sont inconnues des peuplades qu'elle a étudiées. Il serait intéressant que des anthropologues nous disent ce qu'il en est dans les cultures différentes de la nôtre qu'ils ont à connaître.

P. Royer a eu bien raison d'insister sur le problème de l'allaitement car il a deux aspects : l'un concerne, bien entendu, la vie de la femme; mais l'autre est son importance pour l'enfant, c'est-à-dire en fait pour le futur adulte.

Ecoutant divers intervenants s'exprimer à propos de la ménopause, j'ai été très frappé par le fait que tous ont dit et redit que la ménopause est l'arrêt des sécrétions ovariennes, mais qu'on a fait seulement allusion une fois, en passant, à l'arrêt des ovulations. En tant que biologiste, je me demande si ce n'est pas l'inverse, si ce n'est pas parce qu'il n'y a plus d'ovulation qu'il n'y a plus de sécrétions? Nous savons bien que pour qu'un ovaire se développe, il faut qu'il y ait des cellules germinales : ce sont celles-ci qui induisent la formation de follicules, lesquels sécrètent des hormones, etc. A partir du moment où il n'y a plus de cellules germinales, il n'y a plus d'ovaires. On a employé le terme de castration en le rapportant au fait que l'ovaire ne produit plus d'hormones; mais c'est une castration bien plus profonde, puisque l'ovaire n'est plus un ovaire, du fait qu'il n'a plus de cellules germinales. C'est secondairement qu'il ne produit plus d'hormones non plus. Par conséquent, même si on maintient le cycle utérin avec des hormones exogènes, on ne restituera pas les cellules germinales qui ont disparu depuis longtemps.

D'un point de vue finaliste, deux ou trois interprétations de la ménopause ont été données, mais je voudrais en ajouter une autre sur laquelle on n'a pas assez insisté : les cellules germinales, en vieillissant, s'altèrent, et les enfants des femmes trop âgées sont plus en danger d'avoir des anomalies. Alors, si on veut voir les choses d'un point de vue finaliste pour l'espèce, le processus qui fait disparaître les cellules germinales avant qu'elles ne soient tout à fait altérées par le vieillissement n'est peut-être pas si mauvais que cela!

Enfin, on a passé trop vite sur un point à mon avis très important : la différence entre l'ovulation et la spermatogenèse. Les ovocytes sont fabriqués chez le fœtus femelle, tout le stock est déjà constitué dès la vie embryonnaire. Il suffit ensuite qu'ils sortent de l'ovaire au moment de la ponte pour être prêts à être fécondés. Chez le mâle c'est très différent : une cellule germinale, prise à l'état de cellule-souche, met plus de deux mois pour devenir un spermatozoïde. Je ne sais quelles implications cela peut avoir du point de vue physiologique et psychologique dans la comparaison de l'homme et de la femme. Il est en tout cas évident que cela a une implication immédiate pour la contraception.

Il semblait nécessaire, à la suite de cette discussion, d'apporter des précisions cliniques sur le syndrome prémenstruel. Jean Cohen en décrit ici les symptômes, donne l'évaluation de leur fréquence et de leur réalité et résume quelques-unes des théories qui ont été avancées de leur pathogénie.

4.
Le syndrome prémenstruel

par Jean Cohen

Définition

On désigne ainsi un ensemble de manifestations survenant au cours de la période qui précède immédiatement les règles : manifestations congestives, troubles nerveux et troubles viscéraux. Ces manifestations sont presque constantes dans les années qui précèdent la ménopause.

Symptômes cliniques

Ils apparaissent trois à cinq jours avant les règles (parfois 48 heures seulement, et d'autres fois dix à quinze jours avant) : mais ils disparaissent avec la survenue des règles.

Les manifestations sont très polymorphes et peuvent être groupées sous trois chapitres :

a) *Manifestations congestives.*

La congestion des seins est un des symptômes les plus courants. Elle associe une sensation douloureuse et une modification du volume. Les seins sont tendus, durs, avec une hyperesthésie cutanée qui rend parfois impossible le port du soutien-gorge. La douleur s'étend vers le creux axillaire, et peut prédominer d'un côté. Dès la simple inspection, on peut certaines fois noter une hypervascularisation de la peau. La palpation, très douloureuse, révèle parfois des lobes glandulaires plus durs, ou comme truffés de grains de plomb. Ces signes disparaissent après la menstruation.

La congestion abdomino-pelvienne : elle peut être isolée ou associée aux signes précédents. La femme se plaint de « prendre du ventre » et de se sentir ballonnée. Quelquefois cette congestion entraîne des symptômes urinaires (cystites prémenstruelles) ou rectaux (douleurs anales).

Une rétention d'eau accompagne ces symptômes. Une prise de poids de un à deux kilos est fréquente. Elle disparaît après la menstruation (le sang menstruel ne peut expliquer cette déperdition).

b) *Des troubles nerveux.*

– Sur un mode mineur, très fréquent, il peut s'agir simplement de nervosité, d'irritabilité, d'anxiété, d'hyperactivité, de troubles du sommeil.

– Sur un mode majeur, on observe parfois des bouffées délirantes (sur des thèmes variés : jalousie, érotisme, persécution) ou des tentatives de suicide. H.G. Robert et collaborateurs citent le cas d'une jeune femme dont les tentatives de suicide se situaient en phase prémenstruelle et qui fut guérie par le blocage des menstruations.

– Certaines migraines surviennent électivement en phase prémenstruelle.

c) *Des troubles viscéraux.*

– Symptômes digestifs : crises de diarrhée ou constipation, dyspepsies, colites, etc.

– Syndromes respiratoires et laryngés : enrouement prémenstruel, asthme.

– Citons encore certains herpès prémenstruels.

Fréquence et réalité

Ce trouble atteint 36 à 40 % des femmes pour H.G. Robert et collaborateurs.

La fréquence est croissante de 18 à 35 ans, et devient presque constante en période préménopausique.

Il semble que l'absence de grossesse dans les cinq ans précédents en augmente la fréquence (voir Hervé).

Devant la labilité du syndrome d'un cycle à l'autre, son caractère cyclique et variable, le rôle quelquefois déterminant du psychisme dans l'éclosion du syndrome, certains ont été jusqu'à nier sa réalité objective.

S'il y a contestation sur sa fréquence et discussion sur sa pathogénie, la majorité des gynécologues a constaté les *signes objectifs* du syndrome dans les jours qui précèdent les règles, notamment :

– Augmentation du volume des seins avec hyperesthésie cutanée : c'est un signe mesurable au centimètre de couturière par le « tour de poitrine ».

– Modification de la trame glandulaire dans les mastodynies à la mammographie (voir Willemin) et à l'échographie (voir Pluygers).

– Modification du poids parfois supérieure à deux kilos.

– Épaississement œdémateux des parois du côlon à des radiographies comparatives comme l'ont montré Herschberg et Creff (voir Herschberg et Creff).

Pathogénie

Nombreuses sont les théories énoncées. Citons pour mémoire :

– La théorie « hyperfolliculinique » fondée surtout sur des arguments thérapeutiques, puisque les antagonistes des œstrogènes guérissent les troubles et que ceux-ci sont accentués par l'administration d'œstrogènes. Mais on n'a jamais mis en évidence d'hyperœstrogénie absolue chez les patientes atteintes de ces symptômes.

– La théorie allergique (les œstrogènes agissent par leur pouvoir cholinergique ou par libération d'histamine) n'a jamais été prouvée non plus.

– Ces dernières années, l'étude systématique par des dosages hormonaux dans le plasma sanguin durant la période de préménopause, a permis de comprendre les phénomènes hormonaux qui accompagnent le syndrome prémenstruel plus fréquent à cette période de la vie.

On doit d'abord rappeler que si chez la femme, comme dans toutes les espèces de mammifères, le stock des ovocytes diminue avec le temps au cours de la vie, la femme est bien le *seul* animal à voir épuiser son capital d'ovocytes à la moitié de son temps de vie (la ménopause survient en moyenne entre 45 et 50 ans). Or, bien avant que la ménopause ne s'installe définitivement, en raison de l'épuisement complet du stock d'ovocytes, on peut observer :

– Une diminution du nombre des follicules évolutifs lors de chaque cycle;

– Une augmentation du nombre des follicules involutifs dont la croissance s'interrompt précocement;

– Une fréquence augmentée des ruptures folliculaires sans transformation des parois en corps jaune.

Ces phénomènes, visibles à l'observation des ovaires, au cours des cœlioscopies ou à l'examen anatomo-pathologique des pièces opératoires, ont pour traduction clinique une insuffisance lutéale, bien mise en évidence par les dosages plasmatiques.

Malgré un cycle menstruel normal en durée, et un décalage de la courbe de température indiquant une ovulation, on note des taux de progestérone plasmatique insuffisants (inférieurs à 10 ng/ml). C'est le reflet d'une qualité insuffisante du corps jaune en raison d'une stimulation insuffisante par la gonadotrophine L.H., que Sherman et Korenman ont appelée *inadequate luteal phase.*

Que le dérèglement soit la conséquence d'une mauvaise réponse ovarienne (en raison du « vieillissement » de l'ovaire) ou d'une mauvaise stimulation hypophysaire due elle-même à un feed-back insuffisant, il en résulte une insuffisance lutéale, c'est-à-dire une sécrétion d'œstradiol normale contrastant avec une sécrétion abaissée de progestérone (voir Sherman et Korenman).

Ainsi l'hyperœstrogénie n'est-elle que relative, due à un déséquilibre par manque de progestérone.

Or la plupart des tissus récepteurs d'hormones (et le sein notamment) demandent la présence d'œstradiol et de progestérone selon un rapport chronologique et quantitatif précis (voir Backstrom et Cartensen).

Au niveau du sein, l'action prédominante des œstrogènes sur les récepteurs permet la prolifération des canaux galactophores, l'œdème interstitiel, sans que la progestérone contrebalance cet effet en différenciant les acinis et en empêchant l'œdème par son action sur la perméabilité capillaire.

Il en est de même, quoique de manière moins bien connue, sur les autres tissus récepteurs d'hormones (endomètre, vaisseaux, etc.).

Le syndrome prémenstruel résulte ainsi de l'action hormonale déséquilibrée, par insuffisance lutéale après l'ovulation. L'explication pathogénique est confirmée par l'action thérapeutique de la progestérone et des progestatifs.

Traitement

La thérapeutique est la même à 20 ans (si le syndrome existe) qu'à 35 ans.

La progestérone administrée du 15e au 25e jour du cycle fait en général facilement disparaître les troubles. Lorsque les troubles mammaires sont prédominants, on peut adjoindre un traitement de progestérone naturelle par voie percutanée qui donne de bons résultats.

RÉFÉRENCES BIBLIOGRAPHIQUES

BACKSTROM (J.) et CARTENSEN (H.) : « Estrogen and progesterone in plasma in relation of premenstruel tension », *J. of Steroid Bioch*, 1974, *5*, p. 257.

HERSCHBERG (A.D.) et CREFF (A.F.) : « Pathogénie du ballonnement abdominal prémenstruel », *C.R. Soc. franç. gyn.*, 1965, *35, 2*, p. 109-117.

HERVE (R.) : « Syndromes prémenstruel et intermenstruel », *Encyclopédie médico-chirurgicale*, 1968, p. 161, C10.

PLUYGERS (E.) et collaborateurs : « Séméiologie échographique du sein normal et du sein dysplasique », *Senologia*, 1977, *1*, p. 3-9.

ROBERT (H.G.), PALMER (R.), BOURY-HEYLER (C.) et COHEN (J.) : *Précis de gynécologie*, Éd. Masson, Paris, 1974.

SHERMAN (B.M.) et KORENMAN (S.G.) : « Measurement of plasma L.H., F.S.H., estradiol and progesterone in disorders of the human mestrual cycle : the short luteal phase », *Journ. Clin. Endoc.*, 1974, 18, 1, p. 89-93.

WILLEMIN (A.) : *Les Images mammographiques*, Éd. S. Karger, 1972, p. 6-7.

Short reprend ensuite les étapes du cycle de la vie sexuelle de la femme, en soulignant la spécificité de certains caractères dans l'espèce humaine.

Il évoque le problème de la suppression des cycles et développe des arguments pour une contraception chimique qui ferait disparaître les règles.

Sa réflexion s'élargit à des dimensions philosophiques et débouche sur l'aspect social des problèmes étudiés, qui est double :

– Incidence des facteurs sociaux sur les phénomènes biologiques;

– Incidence des phénomènes évolutifs dans le domaine de la biologie sur la société.

O. T.

R. Short, qui n'a pas pu participer au colloque Le Fait féminin, *nous a fait parvenir ce texte que nous avons fait circuler parmi les participants. L'attention qu'il a provoquée par l'ampleur des données présentées, par la rigueur de ses analyses et l'intérêt de ses thèses de base, nous a stimulés pour l'inclure dans cet ouvrage. La Royal Society, qui en détient les droits, a publié cet article dans* Proceedings of the Royal Society, Series B, *vol. 195, p. 3-24, Londres, 1977.*

5.

L'évolution de la reproduction humaine

par Roger V. Short

Aucun autre aspect de l'existence humaine n'aurait pu être aussi vulnérable aux influences culturelles que notre reproduction. Le recouvrement par la culture a masqué ce qu'on pourrait appeler l'histoire naturelle de notre espèce, qu'il faut définir avec une certaine précision pour comprendre les causes et les effets de l'explosion démographique récente et être en mesure de prévoir son avenir. Il ne faut pas oublier que, du point de vue génétique, nous sommes toujours des chasseurs-cueilleurs : nous sommes à quatre-vingts générations de la naissance du Christ, et à quelques centaines de générations, au maximum, de l'aube de la civilisation; c'est une période à peine suffisante pour qu'un changement génétique significatif ait pu se produire.

L'homme est un être unique en ce que, seul, par le moyen du langage et de l'écrit, il a transmis des caractères acquis. Comme le remarquait Theilhard de Chardin en 1959, cette capacité lui a évité les démarches aveugles, tâtonnantes et hasardeuses de la sélection darwinienne auxquelles sont vouées toutes les autres formes de vie. Sir Peter Medawar disait (1975) que « l'héritage exogénétique – le passage de l'information par des canaux non génétiques – est devenu, chez les humains, plus important pour leur succès biologique que tout ce qui peut être programmé dans l'A.D.N... Il faut imaginer ce que serait la condition de l'espèce humaine si, pour quelque raison, elle se voyait forcée de repartir de zéro dans une île déserte : non pas le Paradis, mais bien l'âge de la pierre, qui gît quelque part dans notre enfance ».

La transmission du savoir d'une génération à l'autre s'est faite pendant la longue période de contacts entre parents et enfants, dépendance renforcée par l'immaturité du nouveau-né humain. A cause du développement considérable de son cerveau, le petit homme doit accomplir la plus grande partie de sa croissance après sa naissance, sinon sa grosse tête n'aurait jamais pu se frayer un passage par l'étroit pelvis humain. Ainsi cet enfant dépendant, incapable de pourvoir à ses propres besoins a-t-il imposé de sévères contraintes à la liberté de mouvement de sa mère, qui a dû, à son tour, dépendre du père, pourvoyeur des besoins vitaux. C'est cette longue période de dépendance infantile qui a rendu nécessaire l'espacement des naissances, dont le rôle était capital pour la survie de l'enfant dans les communautés primitives (Polgar, 1972). L'aménorrhée induite par l'allaitement devint ainsi un des mécanismes que la nature adopta pour assurer un intervalle important entre les naissances. Chez nos ancêtres chasseurs-cueilleurs, l'entretien des enfants dépendant de la collaboration entre les parents, il était donc important de renforcer les liens parentaux et d'instituer une division du travail entre l'homme et la femme, de façon à les rendre mutuellement dépendants. D'autre part, notre espèce a sans doute exploité le comportement sexuel pour maintenir et renforcer le lien du couple parental. Nous sommes en effet la seule espèce de mammifères chez laquelle n'existe pas le phénomène de l'*œstrus* (période pendant laquelle la femelle est instinctivement réceptrice du mâle et attractive pour le mâle). Au lieu de l'œstrus périodique, dans l'espèce humaine la femelle est potentiellement réceptive à tout moment, depuis l'adolescence jusqu'à la vieillesse. Il semble également probable que nous soyons la seule espèce de primates où pour la femelle la gratification de l'acte sexuel soit accrue par l'orgasme. Un signe de cette exploitation à des fins sociales de la sexualité est peut-être la taille du pénis de l'homme, le plus grand parmi les primates, alors que ses réserves de sperme sont plutôt pauvres et ses testicules relativement petits, de sorte que s'il éjacule plus d'une fois tous les deux ou trois jours son sperme s'appauvrit en densité et en quantité. Ce qui, ajouté au fait que l'acte sexuel est suivi d'une période réfractaire relativement longue, laisse à penser que nous sommes adaptés à un niveau faible d'activité sexuelle continue. On peut aussi se demander si, par nature, notre espèce est monogame ou polygyne. Charles Darwin le premier avança en 1871 la thèse de la sélection sexuelle comme aspect spécifique de la sélection naturelle; Julian Huxley (1938, *a, b*) développa ultérieurement cette idée et attira l'attention sur les différents rôles de la sélection intersexuelle et intrasexuelle. Chez les espèces monogames, les sélections intersexuelle et intrasexuelle tendent à s'équilibrer, de telle sorte qu'il y a peu ou pas de dimorphisme sexuel de la taille du corps. Dans les espèces polygynes, la sélection entre les mâles est plus accentuée, ce qui fait que les mâles deviennent plus grands que les femelles. Les multiples conséquences entraînées par les systèmes d'alliances monogames ou polygynes sont bien illustrées par les primates actuels (Crook, 1972). Comme les femmes ont un poids de 20 % inférieur en moyenne à celui des hommes, sans compter les différences de silhouette et de pilosité, on peut penser que nous avons un passé polygyne. Ford et Beach (1952) ont étudié 185 sociétés humaines « primitives » contemporaines et n'en ont trouvé que 16 % qui fussent exclusivement monogames. Dans toutes les autres sociétés les mariages polygynes étaient tolérés bien qu'en réalité la moitié de ces sociétés pratiquât la monogamie pour des raisons économiques et à cause de la pénurie de femmes. Ainsi la monogamie successive pourrait représenter un compromis entre notre nature polygyne et la nécessité de maintenir le couple conjugal pour le bénéfice des enfants.

On pourrait résumer cette brève introduction à l'histoire naturelle de la reproduction humaine par ces quelques mots de Robert Malthus (1798) : « La passion entre les sexes est nécessaire et demeurera à peu de chose près ce qu'elle est. » Nous allons maintenant passer en revue chacune des étapes de l'histoire de notre reproduction et leur signification biologique et démographique. Puisque c'est la femme qui investit le plus d'énergie dans la reproduction et que les sociétés humaines tendent à être polygynes, c'est la femme qui est le facteur limitant : la nature a donc agi sur les mécanismes physiologiques féminins pour réguler la fécondité. Dans cet exposé je soulignerai les changements et la manière dont des modifications de notre style de vie ont entraîné des modifications imprévues et indésirables dans les mécanismes que la nature avait mis en place pour réguler notre potentiel reproductif [1].

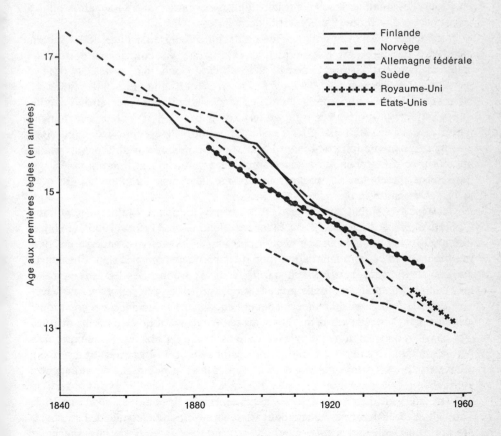

FIGURE 1

---

1. Voir SHORT : *Man, the Changing Animal,* 1974.

La puberté

Tanner fut le premier en 1962 à attirer l'attention sur l'abaissement spectaculaire de l'âge de la puberté en Europe et aux États-Unis au cours de ces cent dernières années (figure 1). Les données plus récentes, analysées par Marshall et Tanner en 1974, semblent indiquer une stabilisation de l'âge de l'apparition des règles dans les pays développés, la moyenne se situant dorénavant entre 12,4 ans et 13,5 ans, tandis que dans les pays en voie de développement, où l'âge moyen des premières règles est nettement plus élevé, la baisse se poursuit. Le fait que les pubertés tardives sont propres aux communautés les plus pauvres laisse penser que la cause déterminante en est l'insuffisance alimentaire, et particulièrement la carence en protéines. Dans les pays développés, à tout âge les enfants ont une taille et un poids plus élevés. Marshall et Tanner (1974) font observer que de nos jours les hommes atteignent leur taille maximale à 17-18 ans, alors qu'il y a cinquante ans ils ne l'atteignaient qu'à 26 ans.

Pour tenter d'éclaircir la cause de ce déclin séculaire de l'âge de la puberté des filles, Frisch et ses collaborateurs ont cherché s'il existait une corrélation entre la date d'apparition des règles, la taille, le poids, ou les deux (Frisch et Revelle, 1970-1971; Frisch, 1974, a, b; Frisch et McArthur, 1974). Ils ont découvert que l'âge de l'apparition des règles est en corrélation plus étroite avec le poids qu'avec la taille, l'âge légal ou le stade pubertaire, et ils ont déterminé un poids critique de 47,8 ± 0,51 kg pour l'apparition des premières règles. Avec un indice de prédiction combinant la taille et le poids, la variabilité était encore moindre, ce qui amena les auteurs à conclure qu'un niveau minimal d'énergie facilement métabolisable stockée sous forme de graisse était nécessaire pour déclencher les règles.

Ces résultats furent sévèrement critiqués par Johnston, Malina et Galbraith (1971), Welon et Bielicki (1973), Billewicz, Fellowes et Hytten (1976), et Cameron (1976). Toutefois ni Frisch ni ses opposants n'essayèrent d'analyser les causes biologiques déterminant l'apparition de la première menstruation. Elle constitue un événement relativement tardif dans la séquence des changements pubertaires (figure 2), mais elle précède généralement de plusieurs années la première ovulation. Ainsi le moment auquel l'endomètre commence à répondre par une hémorragie de privation au flux et au reflux croissant des sécrétions ovariennes d'œstrogènes, ce moment est manifestement très variable et n'a qu'une corrélation lointaine avec la modification en sensibilité du feed-back négatif de l'hypothalamus qui a permis, un ou deux ans plus tôt, le début du développement folliculaire.

Bien qu'il soit quasi certain que l'abaissement de l'âge de la puberté constaté pendant les cent dernières années dans les pays développés découle de l'amélioration nutritionnelle qui a provoqué une accélération du taux de croissance des enfants dès leur prime enfance, on aurait tort d'avancer des hypothèses concernant les mécanismes physiologiques qui déterminent le début de la puberté en s'appuyant sur des corrélations statistiques fondées sur une variable aussi imprécise que les premières menstruations.

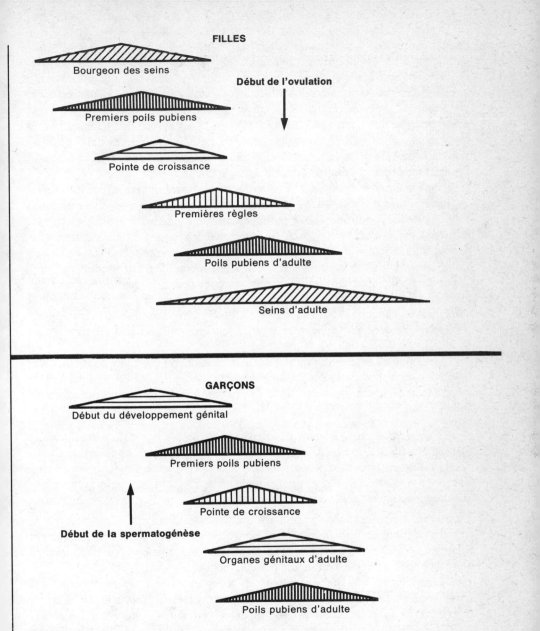

FILLES

Bourgeon des seins

Début de l'ovulation

Premiers poils pubiens

Pointe de croissance

Premières règles

Poils pubiens d'adulte

Seins d'adulte

GARÇONS

Début du développement génital

Premiers poils pubiens

Pointe de croissance

Début de la spermatogénèse

Organes génitaux d'adulte

Poils pubiens d'adulte

8   12   16   20 ans

FIGURE 2

Malheureusement, il n'existe aucune méthode simple de détection des premières manifestations pubertaire du développement folliculaire ovarien chez la
femme. Dans le cas des jeunes Anglaises, le premier signe externe de l'entrée
en puberté est le développement des seins qui commence en moyenne vers 11 ans
et s'achève vers 15 ans et demi (Marshall et Tanner, 1974; voir figure 3). Du fait
que le développement des seins précède de plusieurs années l'ovulation et la
sécrétion de progestérone par le « corps jaune », on peut supposer qu'il s'agit
d'une réaction aux œstrogènes, le sein humain ayant évolué de façon à être uniquement sensible à la stimulation œstrogénique. Nous sommes, en vérité, les
seuls primates dont les seins se développent totalement à la puberté; chez toutes
les autres espèces, y compris les primates supérieurs, ils ne se développent qu'à
la première grossesse, laquelle peut survenir plusieurs années après la puberté
(Milligan, Drife et Short, 1975). De nombreuses données anthropologiques prouvent que les seins ont une valeur érotique dans un grand nombre de sociétés primitives (Ford et Beach, 1952), ce qui, interprété en termes évolutionnistes, assi-
gnerait à la femme une attirance sexuelle précoce lui permettant d'établir un lien
stable avec le futur père de ses enfants avant même d'être féconde.

Les données concernant la puberté des garçons sont plus vagues. Ses manifestations extérieures ont fait l'objet de plusieurs études dans les pays développés
(Marshall et Tanner, 1974, voir figure 3). Mais nous manquons de données sur
les variations que peut présenter l'âge de leur apparition selon les pays et les
époques.

La difficulté de déterminer quand commence la spermatogenèse explique notre
ignorance du début de la fécondité potentielle des garçons. En se fondant sur
la présence de spermatozoïdes dans l'urine comme indice de spermatogenèse,
Baldwin suggérait en 1928 que celle-ci pouvait constituer une des premières
manifestations de la puberté, avant même l'apparition des premiers poils pubiens.
Nos propres recherches (Richardson et Short, données non encore publiées) ont
confirmé que des garçons de taille et poids normaux pour leur âge excrètent des
spermatozoïdes dans l'urine vers 11 ou 12 ans. De leur côté, Kinsey, Pomeroy
et Martin (1948) avaient indiqué que 90 % des garçons éjaculaient pour la première fois entre 11 et 15 ans. Il semblerait donc que, dans les pays développés,
les garçons deviennent fertiles plus tôt que les filles, à un stade très précoce de
leur développement pubertaire, à un moment où ils sont encore physiquement
immatures, tandis que les filles deviennent fertiles beaucoup plus tard, lorsque
leur développement pubertaire est presque achevé.

Malgré la difficulté que présentent la définition et la quantification de ces
variables, il est important de chercher à suivre la corrélation entre les événements
physiques de la puberté et le développement affectif et intellectuel. Kephart
(1973) a défini l'amour romantique comme un fort attachement affectif à l'égard
d'un être du sexe opposé, une tendance à idéaliser cette personne et à avoir à
son égard une forte attirance physique. En se fondant sur une enquête faite sur
mille jeunes Américains des deux sexes, l'auteur a constaté que les garçons
avaient ressenti leur premier émoi vers 13 ans et demi et établi leur première liaison amoureuse vers 17 ans et demi, alors que les filles avaient vécu les mêmes

expériences à 13 ans et 17 ans; les garçons, d'autre part, seraient plus fréquemment amoureux que les filles. Money et Hampson (1955) ont décrit les cas de plusieurs garçons ayant un développement sexuel précoce, dont celui d'un garçon qui faisait des rêves très érotiques de femmes nues à l'âge de 5 ans et demi. Les mêmes auteurs ont décrit parallèlement le cas d'un groupe de filles sujettes elles aussi à un développement sexuel précoce et dont les rêves étaient plutôt romantiques qu'érotiques. Cette différence mise à part, il est intéressant de constater que dans les deux groupes le développement psychologique évolue normalement en fonction de l'âge et ne semble pas être influencé par une précocité du développement sexuel. Des études du déroulement du développement comportemental : constitution de l'ego, contrôle des pulsions, intelligence ne montrent pas chez les enfants normaux d'inflexion au moment de la puberté, et ces traits continuent de se constituer jusqu'à l'âge de 20 ans environ (Bloom, 1965).

Ces constatations semblent indiquer que le développement psychologique est lié à l'âge du calendrier et que le développement psychosexuel est, en fin de compte, déterminé par les conditions nutritionnelles qui contrôlent le début de la puberté. Si c'est vrai, cela pose un problème à l'humanité. Dans les pays en voie de développement où l'âge de la puberté est tardif, l'acquisition de la fertilité coïncide à peu près avec l'acquisition de la maturité intellectuelle et toutes deux se complètent. Dans les pays développés, par contre, le développement de la sexualité semble être bien plus précoce que la maturité intellectuelle qui permet de l'assumer pleinement. Les grossesses précoces de l'adolescence sont un phénomène relativement nouveau dans l'histoire de notre évolution puisqu'elles étaient biologiquement impossibles autrefois. Les conséquences sociales de l'abaissement de l'âge pubertaire semblent donc avoir beaucoup plus d'importance que les conséquences démographiques du prolongement de la période de fécondité.

La stérilité de l'adolescence

Les anthropologues savent bien que dans les communautés primitives les rapports sexuels commencent dès la puberté. Cependant les premières grossesses ne surviennent que plusieurs années plus tard, et ce, en l'absence de précautions contraceptives. Chez les chasseurs-cueilleurs Kung du Kalahari, par exemple, l'apparition des règles et le mariage ont lieu à 15 ans et demi alors que l'âge de la femme à la naissance de son premier enfant est en moyenne de 19 ans et demi (Kolata, 1974). Cette période d'infécondité prolongée semble due au fait que les ovulations ne commencent habituellement que quelques années après les premières menstruations. Döring (1969) a obtenu des relevés de courbes de température correspondant à plusieurs milliers de cycles menstruels chez de jeunes Allemandes à partir de l'âge de 12 ans. Les pourcentages de cycles anovulatoires dans les trois groupes d'âge considérés sont les suivants : 12-14 ans : 60 %; 15-17 ans : 45 %; 18-20 ans : 25 %. Le pourcentage maximal de cycles ovulatoires (95 %) n'apparaît pas avant 26-30 ans. Bien que les mesures de températures soient contestables – l'ovulation pouvant se produire sans modification notable de la température (Johansson, Larsson-Cohn et Gemzell, 1972) –, il y a de bonnes raisons de croire que le taux d'ovulation est faible dans la phase postpubertaire. On sait depuis longtemps (Corner, 1923) qu'il existe des cycles anovulatoires chez le singe Rhésus après la puberté; il a même été prouvé récemment que cette absence d'ovulation est due au fait que le mécanisme de feed-back positif grâce auquel l'augmentation de la sécrétion d'œstrogènes provoque la décharge hypophysaire ovulante ne se met en place qu'un an environ après les premières menstruations chez le singe Rhésus (Dierschke, Weiss et Knobel, 1974). Des études semblables, mais moins complètes (Reiber, Kulin et Hamwood, 1974), suggèrent que la maturation du mécanisme de feed-back positif est tardive également chez les filles.

L'infécondité postpubertaire apparaît comme un phénomène propre aux primates et à eux seuls. On la constate chez les singes à l'état sauvage : des périodes de 1 an à 2 ans et demi séparent les premières règles de la première grossesse (McGinnis, 1973), périodes pendant lesquelles les femelles connaissent l'œstrus et la copulation (Tutin, 1975). On peut imaginer la fonction particulièrement importante qu'a pu avoir ce phénomène au sein des communautés humaines primitives, en laissant une période suffisamment longue pour l'exploration sexuelle et la formation d'un couple stable avant la première conception. Mais, dans les pays développés, l'avancement observé de l'âge de la puberté signifie que désormais beaucoup de filles peuvent être fertiles dès l'âge de 14 ou 15 ans. De ce fait, les sociétés se virent obligées d'imposer une période d'infécondité culturelle – avec l'aide consentie à contrecœur de pratiques contraceptives – pour prolonger la période de stérilité naturelle jusqu'à la maturité intellectuelle. Considérer les rapports sexuels prénuptiaux et l'éducation contraceptive des jeunes lycéens comme les symptômes d'une société permissive et décadente dénote une méconnaissance profonde de la nature changeante de la biologie humaine.

Conception, grossesse et accouchement

Un des paramètres les plus difficiles à quantifier est le taux de fécondité naturelle de l'espèce humaine – celui qu'elle aurait en l'absence de toute pratique contraceptive. On a souvent cherché à calculer la durée de la période féconde du cycle menstruel en se basant sur des hypothèses de durée de vie maximum du spermatozoïde et de l'ovule. Ainsi Potter (1961) conclut que la période féconde normalement durait moins de 48 heures. Pour garder une plus grande marge de sécurité, Tietze et Potter (1972) estimèrent la période fertile à 72 heures, puis ils calculèrent quelle était la probabilité de conception pour un cycle menstruel donné, en fonction de la fréquence des coïts. Ils obtinrent des estimations s'échelonnant entre une probabilité minimale de 28 % pour une fréquence de 6 coïts par cycle et une probabilité maximale de 45 % pour une fréquence de 12 coïts par cycle. Des estimations similaires ont été proposées par Lachenbruck en 1967.

Les meilleures données sur la fécondité humaine naturelle sont peut-être fournies par les études démographiques portant sur les délais de conception chez les jeunes mariés. Ces informations sont données en termes de fécondabilité, c'est-à-dire, en termes de probabilité de conception par cycle menstruel. Dans certains villages de la France rurale du xviiie siècle, la fécondabilité moyenne des femmes âgées de 20 à 29 ans était de 23 %, ($n = 207$) (Henry, 1965). Vincent (1961) analysa la fécondabilité d'une quinzaine de milliers de femmes ayant participé à un concours de familles nombreuses organisé après la guerre de 14-18. Il constata que la fécondabilité allait de 15 % pour l'âge de 16 ans à 24 % pour l'âge de 18-19 ans et qu'elle augmentait ensuite plus lentement pour atteindre un pourcentage maximal de 27 % à 25 ans. Des résultats semblables ont été obtenus à partir d'études réalisées sur des huttérites américains, secte d'anabaptistes dont le taux de fécondité semble approcher le pourcentage maximal. Les huttérites se livrent rarement, pour ne pas dire jamais, aux rapports sexuels prénuptiaux et n'utilisent aucune forme de contraception. Leur population double approximativement tous les 16 ans (Eaton et Mayer, 1953). Au cours de ce siècle, l'âge moyen de la femme huttérite à son premier mariage était de 20,7 ans et la fécondabilité postnuptiale était de l'ordre de 28 % $\pm$ 2.3 S.E. (Sheps, 1965).

Ces observations ayant trait à une population de jeunes mariés concernent évidemment une tranche d'âge pendant laquelle non seulement le taux de fécondité est maximum, mais encore la fréquence des rapports sexuels est la plus élevée – les estimations ainsi obtenues de fécondabilité doivent donc être considérées comme maximales. Le calcul de la fécondabilité biologique réelle après la naissance du premier enfant est malheureusement impossible à réaliser vu le nombre de variables incontrôlables qui peuvent suspendre la fertilité – comme l'aménorrhée de lactation ou de possibles tabous des rapports sexuels dans la période du postpartum (Saucier, 1972). On peut s'attendre que la fécondabilité baisse avec l'âge comme décline la fréquence des rapports sexuels. MacLeod et Gold (1953) étudièrent 428 femmes new-yorkaises qui cherchaient à avoir un enfant et constatèrent les pourcentages suivants de conception en fonction de la fréquence de coïts hebdomadaires (femmes ayant conçu dans les premiers six mois de l'enquête) : 83 % avec 4 coïts ou plus, 51 % avec 3-4 coïts, et 32 % avec 1 ou 2 coïts par semaine.

En comparant ces chiffres aux taux de conception du bétail – qui atteint 75 % avec *une seule* insémination artificielle –, nous pouvons nous étonner que notre espèce présente un taux de fécondité aussi bas; ce phénomène mérite une explication. Le sperme humain normal contient une proportion très élevée de spermatozoïdes morphologiquement anormaux, le taux dépassant souvent 40 %, alors que les autres primates (à l'exception du gorille) ont des spermatozoïdes remarquablement uniformes (Senanez, Martin et Short, enquête non publiée).

Cela laisse penser qu'une forte proportion de spermatozoïdes humains seraient génétiquement défectueux et, s'ils étaient capables de féconder l'ovocyte, produiraient des embryons anormaux. On a beaucoup de raisons de penser que le taux de mortalité embryonnaire dans l'espèce humaine est extrêmement élevé. En examinant les utérus de 210 femmes mariées fécondes ayant dû subir une hystérectomie pour des raisons non spécifiées, Hertig (1975) décela 34 embryons âgés de

1 à 17 jours, dont 21 seulement étaient des embryons normaux, ce qui donne un taux de mortalité embryonnaire de 38 % pour la première période d'aménorrhée. En suivant 3 084 cas de grossesses probables dans l'île hawaienne de Kauai à partir des règles absentes, French et Bierman (1962) enregistrèrent 23,7 % de fausses couches; ils constatèrent aussi que les taux les plus élevés de mortalité embryonnaire se situaient pendant les premiers mois de grossesse et que l'incidence des fausses couches après la 28e semaine de gestation n'était que de 1 %.

Les études chromosomiques des fœtus issus d'avortements spontanés révèlent que le taux d'anomalies est maximal lors des avortements précoces, atteignant près de 50 % à la 8e semaine de la gestation pour se réduire à 5 % vers la fin de la 20e semaine (Alberman et Creasy, 1975). Force est de conclure que notre espèce est très peu féconde. Cette infécondité est probablement due, en grande partie, à la mortalité embryonnaire, et, d'autre part, une forte proportion d'embryons spontanément avortés sont porteurs d'anomalies chromosomiques graves. La grande densité de spermatozoïdes anormaux peut être à l'origine de ces anomalies, bien que les ovocytes puissent être eux aussi en cause, comme le prouve l'influence de l'âge de la mère sur la fréquence du syndrome de Down (Penrose et Berg, 1968).

Traditionnellement, l'efficacité reproductive a été considérée comme sujette aux plus fortes pressions sélectives, aussi les faibles capacités reproductives de notre espèce apparaissent-elles surprenantes. On peut penser que la longue période de fécondité de la femme, qui s'étend approximativement sur trois décennies, a diminué son efficacité reproductive immédiate par rapport aux espèces de plus courte longévité. Une certaine infécondité a même pu être un avantage dès lors que le nouveau type d'« héritage exogénétique » propre à notre espèce se caractérisait par un lien prolongé entre mère et enfant et un long espace entre chaque naissance successive.

L'absence de statistiques concernant les siècles plus reculés ne nous permet pas d'en évaluer les taux de natalité. Tout ce qu'on peut dire avec certitude, c'est que pour les 99 % du million d'années de l'histoire de l'homme, le taux de croissance de la population a été extrêmement lent. C'est seulement au cours des deux cents dernières années que s'est produite l'explosion démographique due à une hausse du taux de natalité et à la chute de la mortalité (Coale, 1974). Bien que certains soutiennent que les taux de natalité et de mortalité étaient élevés dans toutes les sociétés préindustrielles, les informations concernant les communautés actuelles de chasseurs-cueilleurs suggèrent qu'avant la révolution agricole survenue il y a dix mille ans, les taux de natalité et de mortalité étaient plutôt bas (Polgar, 1972). Pour essayer de comprendre les raisons de cette hausse de la natalité, nous analyserons ce qui nous semble essentiel pour ce problème, à savoir les facteurs qui régulent l'espacement des naissances.

L'allaitement et l'espacement des naissances

Les mammifères portent bien leur nom, compte tenu de la manière dont ils nourrissent leurs jeunes grâce à une glande mammaire qui est devenue en quelque sorte le cordon ombilical du nouveau-né. Alors que le transfert des substances nutritives de la mère au fœtus à travers le placenta est un mode de nutrition très efficace, le processus de la lactation comporte un certain gaspillage, autant pour la mère – qui doit synthétiser le lait avec un rendement de 80-90 % (Thomson, Hytten et Billewicz, 1970) – que pour le nouveau-né qui l'absorbe et le digère avec des pertes supplémentaires en cours de route. Rao et Rao (1974) ont démontré que les femmes enceintes pouvaient maintenir un équilibre azoté positif en suivant un régime de 42 g de protéines et 2 100 cal. par jour, tandis que celles qui allaitaient présentaient un déséquilibre en azote de 1 g par jour en moyenne avec le même régime. Ils conclurent que la majorité des femmes indiennes présentaient ce déséquilibre pendant la période de lactation.

Aussi est-il certain que, dès la naissance de l'enfant, la mère doit répondre à une brusque demande d'énergie qui ira en augmentant tout le temps qu'elle nourrira l'enfant au sein. Or, comme le sein est un organe moins efficace que le placenta, alors qu'il doit pourvoir aux besoins d'un enfant plus grand, la lactation apparaît, par rapport à la gestation, comme le point faible du processus de reproduction. La lactation est donc devenue un facteur limitant pouvant contrôler un certain nombre des autres mécanismes de la fonction reproductrice de la femme.

Les mécanismes physiologiques précis par lesquels la lactation inhibe l'activité reproductrice sont mal connus. Les stimuli nerveux afférents provenant des mamelons sont sans doute une composante de l'acte réflexe; en effet si on dénerve les glandes mammaires chez les animaux, on constate que la lactation n'est pas affectée, bien que l'augmentation de prolactine induite par la tétée s'interrompe, et que la fonction reproductrice cesse d'être inhibée (Kahn et Martinet, 1975). On ignore l'effet de la durée et de la fréquence du stimulus de succion sur l'ovulation, mais on peut supposer qu'un bébé porté dans les bras de la mère toute la journée et tétant à volonté exerce un effet inhibiteur beaucoup plus fort qu'un bébé laissé la plus grande partie du temps dans un berceau et nourri seulement à heures fixes.

Il semble probable que les stimulations nerveuses partant du mamelon ont un effet inhibiteur sur l'hypothalamus, ce qui peut être la cause de l'augmentation de sécrétion de prolactine induite par la succion. On pense que la prolactine produite par l'hypophyse se trouve sous le contrôle de l'hypothalamus par l'intermédiaire d'un facteur inhibiteur. Une inhibition d'origine centrale pourrait alors supprimer cet effet régulateur et permettre à l'hypophyse de produire davantage de prolactine. A son tour la prolactine a probablement un effet inhibiteur direct sur l'ovaire lui-même; en effet des doses physiologiques élevées de prolactine humaine peuvent inhiber la sécrétion de progestérone de tissu ovarien en culture (McNatty, Sawyers et McNeilly, 1974). Une substance pharmacologique dérivée de l'ergotamine, le 2-brom-α-ergocriptène (Bromocriptine Sandoz), peut être utilisée pour abaisser les taux de prolactine chez la femme, inhiber la lactation et rétablir ainsi l'ovulation dans certains états anovulatoires (Thorner, Besser, Jones, Davie et Jones, 1975). On ne sait pas cependant si son effet est dû à la levée de l'inhibition hypothalamique centrale qui entraîne des taux élevés de prolactine et l'arrêt de l'ovulation, ou si un simple abaissement par un moyen quelconque, des taux de prolactine fait lever l'inhibition ovarienne et permet aux ovaires de répondre de nouveau aux gonadotrophines endogènes.

Outre les influences neuro-hormonales de la lactation, un autre facteur joue certainement un rôle important sur la fécondité, c'est la nutrition. On a constaté que même dans des conditions de franche malnutrition ou de jeûne réel la lactation n'était que légèrement affectée (Smith, 1947); en effet, en dépit de la diminution du taux de lipides et du volume total du lait, les taux de protéines et d'hydrates de carbone du lait restent pratiquement inchangés (Crawford et Hall, 1975). Il y a priorité donnée au nourrisson aux dépens de la mère; un éleveur ne sait que trop bien comme l'allaitement peut user une vache sous-alimentée. Une forte chute de poids chez la mère, résultant de la dépense que représente l'allaitement, peut, à elle seule, interrompre l'ovulation et entraîner l'aménorrhée. Selon Frisch et McArthur (1974), il existe un « poids critique » assez élevé chez la femme adulte au-dessous duquel les cycles menstruels ne peuvent se maintenir, de même qu'il existe chez l'adolescente un certain poids critique qui doit être atteint pour que les premières règles apparaissent. L'aménorrhée constatée dans certains cas d'anorexie mentale, et le rétablissement des cycles menstruels lorsque le poids commence à augmenter semblent corroborer cette hypothèse.

Pour l'homme comme pour les animaux la lactation semble avoir été le moyen naturel pour espacer les naissances. Les changements des attitudes culturelles et des habitudes alimentaires ont dénaturé cette fonction primordiale du sein; les naissances peuvent alors se produire à une telle fréquence que la santé de la mère et de l'enfant peut se détériorer progressivement (Petros-Barvazian, 1975) déclenchant un cycle de déficiences qui se propagent d'une génération à l'autre. Examinons de plus près ce processus de changement.

Les primates supérieurs nous offrent peut-être l'exemple vivant le plus proche du mode de vie de l'homme primitif. D'après des études récentes sur la reproduction de chimpanzés vivant à l'état sauvage, l'intervalle moyen entre les naissances vivantes est de 5 ans et 10 mois (avec un écart allant de 4 ans et 4 mois, à 7 ans et 6 mois; $n = 8$) (Tutin, 1975). Cet intervalle est diminué par la mortalité des jeunes, ce qui suggère qu'il s'agit d'un phénomène induit par la lactation.

Chez les chasseurs-cueilleurs nomades Kung du Kalahari, l'intervalle moyen entre les naissances est d'environ 4 ans; et bien que ni l'avortement ni la contraception ne soient pratiqués, le taux de croissance de la population n'est que de 0,5 % par an. L'enfant est nourri au sein pendant 3-4 ans; les mères sont maigres, mais bien nourries à base de noix, légumes et viande; et elles ne disposent pas d'aliments spéciaux pour bébés pouvant supplémenter le lait maternel. Certains Kung ont abandonné leur vie nomade pour s'établir au cours des dernières années dans des villages agricoles. Les enfants commencèrent alors a être sevrés plus tôt grâce à la substitution du lait maternel par des céréales et du lait de vache. Le résultat fut un raccourcissement de 30 % de l'intervalle entre les naissances et une hausse correspondante de la croissance démographique (Kolata, 1974). Nous voyons là, dans un microcosme, une démonstration exemplaire du changement qui a pu se produire dans la fécondité humaine lorsque nous sommes passés d'un mode de vie nomade à un mode de vie agraire. Il faut toutefois remarquer que le taux de croissance démographique n'a pas enregistré une hausse significative avant ces deux cents dernières années, ce qui semble indiquer qu'au cours de la révolution agraire la hausse de la mortalité a été parallèle à la hausse de la fécondité; la concentration progressive dans des villages a pu en effet détériorer les conditions d'hygiène et augmenter l'incidence de maladies. On est tenté de croire par ailleurs que des méthodes artificielles de contrôle de la natalité visant à maintenir l'espacement des naissances ont été introduites, au fur et à mesure que l'apparition des éléments de remplacement et les modifications des pratiques d'allaitement tendaient à faire disparaître l'effet inhibiteur de la lactation sur la fécondité. Il est fort probable que les premières méthodes utilisées furent, d'une part, l'infanticide, techniquement plus facile à pratiquer que l'avortement, celui-ci comportant toujours un risque de mortalité maternelle, et, d'autre part, les tabous sur les rapports sexuels pendant la période de lactation. Il est intéressant de noter que de nos jours, l'interdiction des rapports sexuels dans le postpartum est une caractéristique des cultures primitives vivant d'agriculture extensive (Saucier, 1972).

Après la révolution agraire, la natalité a probablement enregistré une nouvelle hausse liée à l'urbanisation. Bonte, Akingeneye, Gashakamba, Mba Sutso et Noleus (1974) ont réalisé une étude très intéressante sur les intervalles de conception suivant un accouchement chez des jeunes Ruandaises qui allaitaient leurs enfants et n'utilisaient aucun moyen contraceptif. Ils constatèrent que dans les zones rurales, où les femmes non seulement étaient mal nourries, mais avaient l'habitude de porter l'enfant toute la journée et de le laisser téter à volonté chaque fois qu'il pleurait, l'intervalle entre l'accouchement et une nouvelle grossesse était de 23 mois chez 50 % de femmes ($n = 619$), alors que dans les zones urbaines, où les femmes étaient mieux nourries et allaitaient leurs enfants à un rythme plus régulier, cet intervalle tombait à 9 mois pour 50 % de femmes ($n = 235$). L'étude, par ailleurs, a relevé peu de différence entre la ville et la campagne pour les femmes qui ne donnaient pas le sein, l'intervalle étant alors de 3 mois pour 50 % de femmes ($n = 54$). Peu de différence également entre ville et campagne pour les mères qui complétaient le lait maternel par d'autres aliments, l'intervalle étant dans ce cas de 4 à 8 mois pour 50 % de femmes ($n = 638$).

Bien qu'il ne soit pas possible de distinguer l'importance relative de l'alimentation et de la fréquence du stimulus de succion dans l'infécondité postpartum chez les Ruandaises, cette étude met l'accent sur l'influence majeure du processus d'urbanisation, avec les changements culturels et nutritionnels qu'il entraîne, sur la fertilité humaine.

Beaucoup d'études d'autres populations, des Eskimos aux Indiens d'Amérique du Sud, chiffrent l'effet de la lactation sur l'intervalle entre les naissances et montrent une réduction de cet intervalle quand l'enfant meurt. Les plus intéressantes sont, semble-t-il, celles qui se rapportent aux potentialités reproductrices les plus élevées. Sheps (1965) observa ainsi l'espacement moyen des naissances chez des huttérites nord-américains dont le haut niveau de santé et d'alimentation est celui d'un pays développé, où toutes les femmes allaitent au sein et n'utilisent aucun moyen contraceptif. D'après l'enquête menée par Eaton et Meyer en 1953, la taille moyenne des familles était de 10,6 et l'intervalle moyen entre les naissances était de 21,7 mois; on peut remarquer que ce chiffre se rapproche de celui de la moyenne enregistrée chez les femmes ruandaises de zone urbaine. Néanmoins, si le dernier-né mourait, on constatait que l'intervalle moyen jusqu'à la naissance suivante se réduisait à 17 mois; cela semble indiquer que même dans cette communauté bien nourrie l'effet inhibiteur de la lactation sur la fécondité pouvait durer 5 mois. Par ailleurs ces données laissent prévoir que si en aucun cas les mères ne donnaient le sein, elles pourraient accoucher à des intervalles moyens de 18 mois et avoir, au terme de 30 ans de vie féconde, une famille de 20 enfants (voir tableau 5).

A l'échelle mondiale, la lactation empêche plus de naissances que tous les moyens contraceptifs pris ensemble. Il n'est donc pas étonnant de constater que les changements sociaux qui ont réduit l'effet contraceptif de la lactation aient provoqué un impact démographique aussi frappant. Petros-Barvazian (1975) a relevé un certain nombre de facteurs qui ont influencé la lactation en Occident, notamment l'urbanisation, l'industrialisation, le travail des mères hors du foyer, l'assistance sociale, les bons substituts du lait maternel, l'influence du marketing, de la publicité et des mass media. On peut ajouter aussi la pudeur de la femme occidentale à donner le sein en public et sa crainte de « perdre la ligne », dans une société qui, comme la nôtre, valorise autant la beauté des seins. Il faut toutefois remarquer que le lait en poudre et les aliments pour bébés n'ont pas la même valeur pour la femme occidentale émancipée, ayant une activité professionnelle et une bonne hygiène, prenant la pilule, que pour la femme vivant dans une misérable *favella*. Plus l'environnement est défavorable, plus la survie de l'enfant et l'espacement des naissances deviennent dépendants de l'allaitement. On dit souvent qu'on ne peut s'attendre à ce que les populations des pays en voie de développement soient prêtes à contrôler leur fécondité avant que leur taux de mortalité infantile s'abaisse à un niveau acceptable. La solution consisterait peut-être à inventer des contraceptifs qui, en favorisant l'allaitement, auraient le double avantage de prolonger l'intervalle entre les grossesses tout en réduisant la mortalité infantile.

La contraception

Du moment où nous avons développé la contraception, nous avons oublié complètement le processus historique ancestral de reproduction.

Chez les chasseurs-cueilleurs, la synchronisation des événements tels que la puberté, le désir sexuel et le mariage, rendait inutile toute répression sociale du comportement sexuel prénuptial. L'adolescente était stérile pendant une période approximative de trois ans suivant le mariage, et la première grossesse était probablement précédée d'une succession de cycles menstruels anovulatoires. Après la naissance du premier enfant, l'aménorrhée de lactation s'étendait probablement sur une période d'environ trois ans, puis un ou deux cycles ovulatoires devaient précéder la nouvelle grossesse. Nous manquons d'informations relatives à l'âge de la ménopause dans les sociétés primitives, mais si l'on tient compte de la courte longévité maternelle, il est peu probable qu'une femme pouvait avoir plus de cinq enfants. Ainsi, au cours de sa période de fécondité, la femme avait 15 ans d'aménorrhée de lactation, un peu moins de 4 ans de grossesses et autant d'années de cycles menstruels. Comparons cette répartition d'états physiologiques avec ceux de la femme moderne, qui est pubère vers 13 ans et ménopausée vers 50 ans (MacMahon et Worcester, 1966; McKinlay, Jeffreys et Thompson, 1972). Deux grossesses avec peu ou pas d'allaitement entre elles apportent donc à une femme un répit de deux ans au plus dans le cycle menstruel qui occupera les 35 ans restants de sa vie reproductrice.

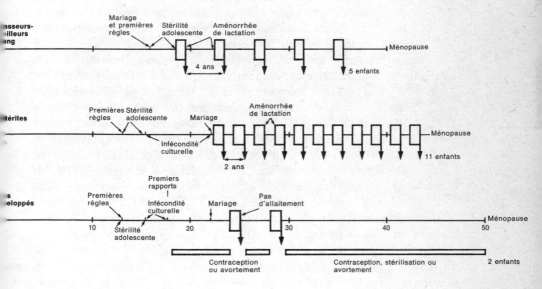

FIGURE 3

Il n'y a aucun doute que cette multiplication par 9 de la durée de la période cyclique pose une série de problèmes nouveaux pour nous : de cela, nous n'avons aucune expérience antérieure dans l'évolution, et nous ne sommes pas génétiquement adaptés pour faire face à une telle situation.

La conséquence inévitable de tout moyen de contraception qui interfère sur la fécondité *après* l'ovulation (le condom ou le stérilet, par exemple) est la multiplication du nombre des cycles menstruels. Chose curieuse, avec la méthode la plus efficace de contraception qui agit *avant* l'ovulation, la pilule, nous avons choisi de mimer le rythme menstruel mensuel; car on considère celui-ci comme un état plus « normal » que l'aménorrhée, donc plus « acceptable ». Or, s'il est plus acceptable, il n'est certainement pas plus « normal ». Les préjugés gynécologiques enracinés dans la médecine occidentale ont sans doute involontairement favorisé le développement de formes de contraception inadaptée aussi bien à l'expérience passée qu'à l'avenir de l'humanité. Il semble même de plus en plus évident que la femme occidentale serait favorable à l'utilisation d'une méthode contraceptive accompagnée d'aménorrhée. Une enquête menée en 1975 par Miller et Smith sur un échantillon de 88 jeunes Californiennes célibataires, blanches, âgées de 18 à 23 ans, parmi lesquelles 50 % menaient une vie sexuelle active, révéla que 80 % d'entre elles étaient favorables à l'élimination des règles. Notre propre expérience clinique menée à Edimbourg, comportant le régime dosé d'un contraceptif oral conventionnel qui réduit la fréquence des règles à 4 fois par an (pilule Tricycle; Londres, Potts et Short, enquête non publiée) révéla que cette méthode est bien accueillie par un bon nombre de femmes.

Si les jeunes femmes célibataires semblent bien accueillir l'aménorrhée, les femmes mariées de la trentaine qui ont le nombre d'enfants qu'elles souhaitaient et ont choisi (ou ont persuadé leur mari de choisir) une méthode de stérilisation irréversible devraient lui faire un accueil encore plus favorable. Elles se trouvent devant la perspective de 200 cycles menstruels totalement inutiles, onéreux en termes de protection sanitaire, inconfortables, gênant leur activité quotidienne et éventuellement douloureux. Cela explique peut-être le fait que 25 à 30 % des femmes américaines soient hystérectomisées (MacMahon et Worcester, 1966). C'est là un moyen de contraception bien trop onéreux pour un pays en voie de développement aux ressources médicales limitées.

On peut facilement établir une liste de symptômes liés aux règles dont les femmes pourraient bien se passer. Le premier et le plus important est la perte de sang proprement dite. Selon des études quantitatives précises, la perte menstruelle moyenne pour chaque cycle est de 43 ml, avec une tendance croissante en fonction de l'âge (Hallberg, Hogdahl, Nilsson et Rybo, 1966) et du nombre d'enfants (Cole, Billevicz et Thomson, 1971). Ainsi, 10 % de femmes perdraient tous les mois au moins 100 ml de sang (Guillebaud, étude non publiée); alors que dans les pays développés ces pertes menstruelles sont généralement sans conséquence, leur effet est grave dans les régions pauvres, où un nombre considérable de femmes souffrent de carence protéinique, de paludisme et de maladies parasitaires.

Un certain nombre de femmes se plaignent de symptômes liés aux règles et souffrent du syndrome de tension prémenstruelle; la nature et la portée de ces symptômes ont été minutieusement décrites par McCance, Luff et Widdowson (1937). Les troubles du comportement pourraient expliquer l'excès manifeste de tentatives de suicide aux alentours de la période menstruelle (Wetzel et McClure, 1972). Les travaux de Dalton (1960, A, *b*; 1968) semblent indiquer que le travail scolaire, le comportement et les performances aux examens des jeunes filles sont affectés pendant la période menstruelle. Le même auteur a également relevé une plus forte incidence d'actes criminels (Dalton, 1961), d'accidents domestiques (Dalton, 1960, *c*) et de maladies psychiatriques (Dalton, 1959). On ignore si ces troubles du comportement sont une conséquence directe de l'action hormonale sur le système nerveux central, ou bien une conséquence indirecte des douleurs utérines et abdominales, ou peut-être encore de la décharge de prostaglandines au niveau utérin au moment des règles. On constate toutefois que les femmes hystérectomisées continuent à ovuler normalement, mais ne manifestent pas de troubles prémenstruels (Beumont, Richards et Gelder, 1975), ce qui suggère que ces symptômes sont dus à l'utérus. Si ces symptômes étaient d'origine purement utérine, ils pourraient bénéficier de nouveaux médicaments pouvant inhiber la menstruation. Un inhibiteur de règles non stéroïdien pourrait avoir une action contraceptive efficace en maintenant une désynchronisation permanente entre l'endomètre et l'œuf fécondé.

Si l'on admet qu'une suite ininterrompue de cycles menstruels est une expérience relativement neuve pour notre espèce, la question se pose de leur éventuelle nocivité. On ne peut y répondre de façon nette, mais on peut souligner certains faits dignes d'intérêt. Nous avons déjà fait allusion au fait que le sein humain doit être extrêmement sensible aux œstrogènes, puisqu'il acquiert son développement complet au cours de la puberté. Dans les sociétés primitives, la puberté est assez rapidement suivie par la première grossesse qui, à son tour, transforme le sein en organisme sécréteur. Aujourd'hui, l'abaissement de l'âge de la puberté, joint au délai imposé par la culture à la première grossesse, fait qu'il s'écoule plus de dix ans entre le développement pubertaire du sein et le début de son activité sécrétrice. Pendant cette période, le sein répond à la sécrétion cyclique des stéroïdes ovariens par un accroissement de 20 % de son volume pendant la phase lutéale, suivi d'un retour brutal à ses proportions normales quand viennent les règles (Milligan, Drife et Short, 1975). Cela peut représenter un véritable stress pour la glande mammaire. Un grand nombre d'études épidémiologiques rétrospectives et prospectives s'accordent pour montrer que le risque de cancer du sein est lié à l'âge de la première grossesse, ou, plus précisément, au laps de temps qui sépare les premières règles de la première grossesse (MacMahon, Cole, Lin, Lower, Mirra, Ravinhar, Salber, Valoas et Yuasa, 1970; MacMahon, Cole et Brown, 1973; Shapiro, Goldberg, Venet et Shax, 1973). Plus le délai est long, plus le risque de cancer du sein est élevé. Ainsi une femme ayant eu son premier enfant à 18 ans ne court qu'un tiers de risque comparée à la primipare de 35 ans. Pendant la première moitié du cycle menstruel, le sein est exposé aux œstrogènes seuls, tandis qu'après l'ovulation ceux-ci sont contrebalancés par un taux élevé de progestérone. Le sein postpubertaire serait donc plus à l'abri de ce risque si on le soumettait à un mélange artificiel d'œstrogène + progestérone qu'en le laissant, pendant des années, soumis à la stimulation des œstrogènes seuls pendant la première moitié du cycle menstruel « normal », surtout si les œstrogènes sont, comme on l'a souvent dit, un facteur cancérigène (MacMahon, Cole et Brown, 1973).

Par ailleurs, les données sur le cancer du sein démontrent de façon assez claire qu'une ménopause précoce en réduit le risque chez les femmes ovariectomisées avant l'âge de 35 ans; le risque est réduit d'1/3 environ par rapport au risque que courent les femmes chez lesquelles la ménopause naturelle survient entre 45 et 54 ans, tandis que dans les cas de ménopause naturelle survenant après l'âge de 55 ans il est augmenté de moitié (Trichopoulos, MacMahon et Cole, 1972). Le cancer du sein est la forme de cancer la plus fréquente chez les femmes; il est tenu pour responsable d'environ 11 000 morts par an en Angleterre et dans le pays de Galles; une femme sur 20 est exposée à en développer un avant l'âge de 70 ans (Doll, 1975). Des études comparées sur l'incidence des taux de cancer mammaire en différents pays révèlent les incidences les plus élevées dans les pays développés (MacMahon, Cole et Brown, 1973).

Ce n'est pas un hasard s'il s'agit justement des pays où l'âge de la puberté est le plus précoce et où le nombre de cycles menstruels après la naissance du dernier enfant est le plus élevé. D'autres troubles gynécologiques, comme les carcinomes de l'ovaire et de l'endomètre, les fibromes et l'endométriose semblent également être plus fréquents chez les nullipares, ce qui est une conséquence probable de l'activité accrue des ovaires (Short, 1974).

Ces faits soulignent la nécessité de mettre au point des contraceptifs non stéroïdes qui permettraient aux femmes de revenir aux conditions représentant l'état normal chez nos ancêtres primitifs : l'aménorrhée. On a peut-être tort de croire, ce qui est courant, qu'une telle forme de contraception serait inacceptable dans les pays développés où les femmes tiennent la menstruation pour un signe de santé. Elles pourraient, tout au contraire, accepter le retour aux longues périodes d'aménorrhée qui suivaient traditionnellement chaque accouchement. Un fait est certain, c'est que la contraception offre les garanties d'une meilleure santé maternelle et infantile. En définitive, si on s'attache davantage dans l'avenir à mettre au point de nouveaux contraceptifs, nous serons capables de réduire l'incidence de ces maladies mortelles et des troubles invalidants qui apparaissent à l'heure actuelle comme « sous-produits » du faible taux de natalité des pays développés.

Conclusion

Le processus de civilisation et de développement a détruit, par des formes subtiles, les régulations naturelles liées à la densité qui limitaient notre démographie et nous permettaient de maintenir l'équilibre avec notre environnement. Nous ne pouvons plus compter désormais sur les changements que l'environnement peut apporter à l'âge de la puberté, à la survie néo-natale et à l'intervalle des naissances pour réguler la population mondiale. Les méthodes artificielles de contraception doivent donc être mises en œuvre activement; elles sont essentielles pour la survie de notre espèce.

En plaçant dans l'organisme de la femme les mécanismes régulant la reproduction, la nature nous oblige à rivaliser avec elle en créant des méthodes contraceptives adaptées à l'organisme féminin. En faisant un pas de plus, nous devrions tenter de récupérer ce que la civilisation a détruit, c'est-à-dire la possibilité de maintenir les ovaires et le tractus génital féminin au repos lorsque la fécondité n'est plus désirée, car l'organisme de la femme n'est peut-être pas adapté pour subir une interminable succession de cycles menstruels qui s'étale sur la majeure partie de sa vie féconde. La reproduction étant de plus en plus soumise à des mécanismes de contrôle volontaires, opposés aux mécanismes naturels, on peut prévoir que la réponse immédiate aux changements sociaux se traduira par des fluctuations des taux de natalité à des rythmes de plus en plus rapides. L'impossibilité de prédire ces fluctuations va inévitablement poser de sérieux problèmes de planification à long terme. Dans l'avenir, il semble inévitable qu'on essaie d'accorder les pratiques reproductrices des couples à l'échelon individuel aux taux de croissance démographique souhaitables sur le plan national.

RÉFÉRENCES BIBLIOGRAPHIQUES

ALBERMAN (E.) et CREASY (M.R.), 1975 : « Factors affecting chromosome abnormalities in human conceptions », in *Chromosome Variations in Human Evolution*, Ed. A.J. Boyce, Symp. Soc. Study Human Biol., *14*, p. 83-95.

BALDWIN (B.T.), 1928 : « The determination of sex maturation in boys by a laboratory method », *J. Comp. Psych., 8*, p. 39-43.

BEUMONT (P.J.V.), RICHARDS (O.H.) et GELDER (M.G.), 1975 : « A study of minor psychiatric and physical symptoms during the menstrual cycle », *Brit. J. Psychiat., 126*, p. 431-434.

BILLEWICZ (W.Z.), FELLOWES (H.M.) et HYTTEN (C.A.), 1976 : « Comments on the critical metabolic mass and the age of menarche », *Ann. Human Biol., 3*, p. 51-59.

BLOOM (B.S.), 1965 : *Stability and Change in Human Characteristics*, John Wiley et Sons Inc., New York.

BONTE (M.), AKINGENEYE (E.), GASHAKAMBA (M.), NBARUTSO (E.) et NOLENS (M.), 1974 : « Influence of the socio-economic level on the conception rate during lactation », *Int. J. Fertil., 19*, p. 97-102.

CAMERON (N.), 1976 : « Weight and skinfold variation at menarche and the critical body weight hypothesis », *Ann. Human Biol.*, in press.

COALE (A.J.), 1974 : « The History of the human population », *Scient. Am. 231*, p. 41-51.

COLE (S.K.), BILLEWICZ (W.Z.) et THOMSON (A.M.), 1971 : « Sources of variation in menstrual blood loss », *J. Obstet., Gynaec. Br. Commonw., 78*, p. 933-939.

CORNER (G.W.), 1923 : « Ovulation and menstruation in *Macacus rhesus* », *Contr. Embryol. Carneg. Inst., 15*, p. 73-102.

CRAWFORD (M.A.) et HALL (B.), 1975 : « Breast feeding and maternal nutrition », *Brit. med. J., 3*, p. 232-233.

CROOK (J.H.), 1972 : « Sexual selection, dimorphism and social organisation in the primates », in *Sexual Selection and the Descent of Man 1871-1971*, Ed. B. Campbell, Aldine, Chicago, p. 231-281.

DALTON (K.), 1959 : « Menstruation and acute psychiatric illness », *Brit. Med. J., 1*, p. 148-149.

DALTON (K.), 1960, *a* : « Effect of menstruation on schoolgirls' weekly work », *Brit. Med. J., 1*, p. 326-328.

DALTON (K.), 1960, *b* : « Schoolgirls' behaviour and menstruation », *Brit. Med. J., 2*, p. 1647-1649.

DALTON (K.), 1960, *c* : « Menstruation and accidents », *Brit. Med. J., 2*, p. 1425-1426.

DALTON (K.), 1961 : « Menstruation and crime », *Brit. Med. J., 2*, p. 1752-1753.

DALTON (K.), 1968 : « Menstruation and examinations », *Lancet, 2*, p. 1386-1388.

DARWIN (C.), 1871 : « The descent of man and selection in relation to sex », London, John Murray.

DIERSCHKE (D.J.), WEISS (G.) et KNOBIL (E.), 1974 : « Sexual maturation in the female Rhesus monkey and the development of estrogen-induced gonadotrophic hormone release », *Endocrinology, 94*, p. 198-206.

DOLL (R.), 1975 : « The epidemiology of cancers of the breast and reproductive system », *Scot. Med. J., 20*, p. 305-315.

DORING (G.K.), 1969 : « The incidence of anovular cycles in women », *J. Reprod. Fert., Suppl., 6*, p. 77-81.

EATON (J.W.) et MAYER (A.J.), 1953 : « The social biology of very high fertility among the Hutterites : the demography of a unique population », *Hum. Biol, 25*, p. 206-264.

FORD (C.S.) et BEACH (F.A.), 1952 : *Patterns of sexual behaviour*, Eyre et Spottiswoode, London, p. 330.

FRENCH (F.E.) et BIERMAN (J.M.), 1962 : « Probabilities of fetal mortality », *Public Health Reports, 77*, p. 835-847.

FRISCH (R.E.), 1974, *a* : « A method of prediction of age of menarche from height and weight at ages 9 through 13 years », *Pediatrics, 53*, p. 384-390.

FRISCH (R.E.), 1974, *b* : « Critical weight at menarche, initiation of the adolescent growth spurt, and control of puberty », in *Control of Onset of Puberty*, Ed. M.M. Grumbach, G.D. Grave et F.E. Mayer, John Wiley et Sons Inc.

FRISCH (R.E.) et MCARTHUR (J.W.), 1974 : « Menstrual cycles : fatness as a determinant of minimum weight for height necessary for their maintenance or onset », *Science, 185*, p. 949-951.

FRISCH (R.E.) et REVELLE (R.), 1970 : « Height and weight at menarche and a hypothesis of critical body weights and adolescent events », *Science, 169*, p. 397-399.

FRISCH (R.E.) et REVELLE (R.), 1971 : « Height and weight at menarche and a hypothesis of menarche », *Arch. Dis. Childhood, 46*, p. 695-701.

GOODALL (J.), VAN LAWICK, 1968 : « The behaviour of free-living chimpanzees in the Gombe Stream Reserve », *Animal Behaviour Monographs*, Vol. I, Part III, Ballière, Tindall and Cassell, London.

HALLBERG (L.), HOGDAHL (A.M.), NILSSON (L.) et RYBO (G.), 1966 : « Menstrual blood loss – a population study », *Acta Obst. Gynec. Scand., 45*, p. 320.

HAMPSON (J.G.) et MONEY (J.), 1955 : « Idiopathic sexual precocity in the female », *Psychosomatic Med., 17*, p. 16-35.

HENRY (L.) 1965 : « French statistical research in natural fertility », in *Public Health and Population Change*, Ed. M.C. Sheps and J.C. Ridley, University of Pittsburgh Press.

HERTIG (A.T.), 1975 : « Implantation of the human ovum. The histogenesis of some aspects of spontaneous abortion », in *Progress in Infertility*, Ed. S.J. Behrman et R.W. Kistner, 2nd ed., Little Brown et Co. Boston.

HINSHAW (R.), PYEATT (P.) et HABICHT (J.P.), 1972 : « Environmental effects of child spacing and population increase in highland Guatemala », *Current Anthropology, 13*, p. 216-230.

HUXLEY (J.S.), 1938, a : « The present standing of the theory of sexual selection », in *Evolution : essays on aspects of evolutionary biology*, Ed. G.R. De Beer, Oxford University Press.

HUXLEY (J.S.), 1938, b : « Darwin's theory of sexual selection and the data subsumed by it in the light of recent research », *Amer. Nat., 72*, p. 416-433.

JOHANSSON (E.D.B.), LARSSON-COHN (U.) et GEMZELL (C.), 1972 : « Monophasic basal body temperature in ovulatory menstrual cycles », *Am. J. Obstet. Gynec., 113*, p. 933-937.

JOHNSTON (F.E.), MALINA (R.M.) et GALBRAITH (M.A.), 1971 : « Height, weight and age at menarche and the « critical weight » hypothesis », *Science, 174*, p. 1148-1149.

KANN (G.) et MARTINET (J.), 1975 : « Prolactin levels and duration of post-partum anœstrus in lactating ewes », *Nature, 257*, p. 63-64.

KEPHARD (W.M.), 1973 : « Evaluation of romantic love », *Med. aspects of Human Sexuality, 7*, p. 92-108.

KINSEY (A.C.), POMEROY (W.B.) et MARTIN (C.E.), 1948 : *Sexual behaviour in the human male*, W.B. Saunders. Co. Ltd., Philadelphia et London.

KOLATA (G.B.), 1974 : « Kung hunter-gatherers : feminism, diet and birth control », *Science, 185*, p. 932-934.

LACHENBRUCH (P.), 1967 : « Frequency and timing of intercourse : its relation to the probability of conception », *Population Studies, 21*, p. 23-31.

MACLEOD (J.) et GOLD (R.Z.), 1953 : « The male factor in fertility and sterility : VI Semen quality and certain other factors in relation to ease of conception », *Fertil. Steril., 4*, p. 10-33.

MACMAHON (B.) et WORCESTER (J.), 1966 : « Age at menopause », *National Center for Health Statistics, U.S. Dept of Health, Education Welfare, Series 11*, n° 19.

MACMAHON (B.), COLE (P.), LIN (T.M.), LOWE (C.R.), MIRRA A.P.B.), SALBER (E.J.), VALAORAS (V.G.) et YUASA (S.), 1978 : « Age at first birth and breast Cancer Risk », *Bull, Wld. Hlth. Org.*

MACMAHON (B.), COLE (P.) et BROWN (J.), 1973 : « Etiology of human breast cancer : a review », *J. Nat. Cancer Inst., 50*, p. 21-42.

MCCANCE (R.A.), LUFF (M.C.), WIDDOWSON (E.E.), 1937 : « Physical and emotional periodicity in women », *J. Hyg., Camb., 37*, p. 571-611.

MCGINNIS (P.R.), 1973 : « Patterns of sexual behaviour in a community of free-living chimpanzees », Ph.D. Dissertation, University of Cambridge.

MCKINLAY (S.), JEFFERYS (M.) et THOMPSON (B.), 1972 : « An investigation of the age at menopause », *J. Biosoc. Sci., 4*, p. 161-173.

MCNATTY (K.P.), SAWYERS (R.S.) et MCNEILLY (A.S.), 1974 : « A possible role for prolactin in control of steroid secretion by the human Graafian follicle », *Nature, 250*, p. 653-655.

MALTHUS (T.R.), 1798 : « Essay on the principle of population as it affects the future improvement of society », *Hodgson Collection, Reprint for the Roy. Economic Society, 1926*, Macmillan Press.

MARSHALL (W.A.), 1970 : « Sex differences at puberty », *J.Biosoc. Sci., Suppl. 2*, p. 31-41.

MARSHALL (W.A.) et TANNER (J.M.), 1974 : « Puberty », in *Scientific Foundations of Paediatrics*, J.A. Davis et J. Dobbing, Ed. Heineman, London.

MEDAWAR (P.B.), 1975 : « Technology and Evolution », in *Technology and the Frontiers of Knowledge*, The Frank Nelson Doubleday Lectures, 1972-1973, Smithsonian Institution, Doubleday et Co. Inc., New York.

MILLAR (W.B.) et SMITH (P.J.), 1975 : « Elimination of the menses : psychosocial aspects », *J. Psychiat. Res., 12*, p. 153-166.

MILLIGAN (D.), DRIFE (J.O.) et SHORT (R.V.), 1975 : « Changes in breast volume during normal menstrual cycle and after oral contraceptives », *Brit. Med. J., 4,* p. 494-496.

MONEY (J.) et HAMPSON (J.G.), 1955 : « Idiopathic sexual precocity in the male », *Psychosomatic Med., 17,* p. 1-15.

PENROSE (L.S.) et BERG (J.M.), 1968 : « Mongolism and duration of marriage », *Nature, 218*, p. 300.

PETROS-BARVAZIAN (A.), 1975 : « Maternal and Child health and breast feeding », *Mod. Probl. Paediat. 15*, p. 155-168, Karger, Bâle.

POTTER (R.G.), 1961 : « Length of the fertile period », *Milbank Memorial Fund Quarterly, 39*, p. 132-162.

POTTER (R.G.), NEW (M.L.), WYON (J.B.) et GORDON (J.E.), 1965 : « Applications of field studies to research on the physiology of human reproduction : lactation and its effects upon birth intervals in eleven Punjab villages, India », in *Public Health and Population Change*, M.C. Sheps and J.C. Ridley, Ed. University of Pittsburgh Press.

RAO (C.N.) et RAO (B.S.N.), 1974 : « Nitrogen balance in pregnancy and lactation in women whose protein intake is marginal », *Indian J. Med. Res., 62*, p. 1619-1626.

REITER (E.O.), KULIN (H.E.) et HAMWOOD (S.M.), 1974 : « The absence of positive feedback between estrogen and luteinising hormone in sexually immature girls », *Paediat. Res., 8*, p. 740-745.

SAUCIER (J.-F.), 1972 : « Correlates of the long postpartum taboo : a cross-cultural study », *Current Anthropology, 13*, p. 238-249.

SHAPIRO (S.), GOLDBERG (J.), VENET (L.) et STRAX (P.), 1973 : « Risk factors in breast cancer – a prospective study », in *Host Environment Interactions in the Etiology of Cancer in Man*, R. Doll and I. Vodopija, Ed. Int. Agency for Research on Cancer, Lyon, p. 169-182.

SHEPS (M.C.), 1965 : « An analysis of reproductive patterns in an American isolate », *Population Studies, 21*, p. 65-80.

SHORT (R.V.), 1974 : « Man, the changing animal », in *Physiology and Genetics of Reproduction, Part A*, E.M. Coutinho and F. Fuchs, Ed. Plenum Publishing Corp., New York.

SMITH (C.A.), 1947 : « The effect of wartime starvation in Holland upon pregnancy and its product », *Amer. J. Obstet. Gynec., 54*, p. 599-606.

TANNER (J.M.), 1962 : Growth at Adolescence, 2nd ed., Oxford, Blackwell Scientific Publications, p. 325.

TEILHARD DE CHARDIN (P.), 1959 : *The Phenomenon of Man*, William Collins Sons, London.

THOMSON (A.M.), HYTTEN (F.E.) et BILLEWICZ (W.Z.), 1970 : « The energy cost of human lactation », *Br. J. Nutr., 24*, p. 565-572.

THORNER (M.O.), BESSER (G.M.), JONES (A.), DACIE (J.) et JONES (A.C.), 1975 : « Bromocriptine treatment of female infertility : report of 13 pregnancies », *Brit. Med. J., 4*, p. 694-700.

TIETZE (C.), 1971 : « The effect of breastfeeding on the rate of conception », *Proc. Int. Popn. Conf., New York, Vol. II*, Nat. Cttee on Maternal Health Inc., New York, p. 129-136.

TIETZE (C.) et POTTER (R.G.), 1962 : « Statistical evaluation of the rhythm method », *Amer. J. Obstet. Gynec., 84*, p. 692-698.

TRICHOPOULOS (O.), MACMAHON (B.) et COLE (P.), 1972 : « The menopause and breast cancer risk », *J. Nat. Cancer Inst., 48*, p. 605-613.

TUTIN (C.E.G.), 1975 : « Sexual behaviour and mating patterns in a community of wild chimpanzees (*Pan troglodytes schweinfurthii*), Ph. D. Dissertation, University of Edinburgh.

VAN GINNEKEN (J.K.), 1974 : « Prolonged breastfeeding as a birth spacing method », *Studies in Family Planning, 5*, p. 201-206.

VINCENT (P.), 1961 : *Recherches sur la fécondité biologique*, Paris, Presses universitaires de France.

WELON (Z.) et BIELICKI (T.), 1973 : « The adolescent growth spurt and the « critical body weight » hypothesis », *Materialy i Prace Antropologique, 86*, p. 27-33.

WETZEL (R.D.), et McCLURE (J.N.), 1972 : « Suicide and the menstrual cycle : a review », *Comprehen. Psychiat., 13*, p. 369-374.

Conclusion

A la lumière des dernières données de la biologie, nous avons pu voir tout d'abord se préciser les spécificités féminines et masculines à l'âge adulte. Mis à part les différences anatomiques évidentes, elles concernent : le fonctionnement hormonal, qui s'exprime selon un mode stable chez l'homme, cyclique chez la femme; les effets métaboliques généraux des hormones, en dehors de leur fonction à proprement parler sexuelle; la répartition différente des récepteurs cellulaires au niveau des organes-cibles, dont dépendent l'action des hormones et la sensibilité des tissus vis-à-vis d'elles; le mode de production totalement différent des gamètes chez l'homme et chez la femme, qui pose des problèmes tout à fait spécifiques au niveau de la contraception; les processus différents de la sénescence sexuelle dans les deux sexes; la morbidité et surtout la mortalité différentielles, où les facteurs biologiques ne sont d'ailleurs pas seuls en cause, et où interviennent des facteurs culturels.

Mais, cela dit, il convient de « nuancer » la différenciation sexuelle :

– En effet, on aura constaté que, comme le dit Baulieu, « il n'y a pas de limite infranchissable entre le masculin et le féminin ». C'est du moins ce que montrent la pathologie, aussi bien mentale que physique, et les divers cas d'intersexualité, qui obligent à admettre que, bien que la loi ne reconnaisse que deux sexes, il existe un nombre varié de types intermédiaires entre le type féminin bien défini et le type masculin bien défini.

– De plus, faut-il insister encore sur ce que l'on sait depuis longtemps, et que Baulieu a précisé ici : c'est qu'il existe dans chaque sexe une petite quantité d'hormones du sexe opposé, et que ce qui définit un sexe est la balance quantitative et qualitative entre les deux types d'hormones. Les hormones sexuelles mâles et femelles sont d'ailleurs très voisines chimiquement, et, au cours de leur synthèse dans l'organisme, on passe par voie enzymatique de la progestérone à la testostérone, puis aux œstrogènes. Mais ce qui est d'observation plus récente, c'est

qu'une fois que le sexe a été orienté précocement dans un sens ou un autre par les mécanismes que nous avons vus dans les chapitres précédents, toute introduction d'hormones exogènes chez l'adulte stimulera le comportement sexuel dans le sens où il a été orienté initialement par la double imprégnation hormonale et psychique de la vie prénatale et postnatale. Ajoutons qu'on a actuellement beaucoup de raisons de penser que les androgènes sont transformés en œstrogènes par voie enzymatique au niveau même du cerveau [1]; ceux-ci représenteraient la forme active des hormones sexuelles sur le comportement dans les deux sexes – ce qui expliquerait le manque de spécificité d'action des hormones sexuelles chez l'adulte.

A tout le moins, on peut dire que chaque sexe comporte certaines composantes physiologiques de l'autre sexe – et sans doute également des composantes psychiques (selon Gellman, la psychanalyse permet de déceler neuf groupes d'identité psychosexuelle [2]).

– On aura vu qu'il était impossible de définir la « féminité » par la « cyclicité », et que la suppression des règles et des cycles pouvait se faire (comme elle se faisait naturellement autrefois du fait des grossesses et des allaitements successifs) sans préjudice pour la santé de la femme. Selon Short, maintenir les ovaires et le tractus génital de la femme en état de repos serait, en fait, bénéfique pour sa santé...

Voilà qui est bien propre à démythifier les attitudes populaires concernant ce qu'on peut appeler « le mythe des règles », qui consiste à considérer celles-ci comme un phénomène important, un signe de féminité et même de jeunesse – on sait à quels abus il a conduit en matière de thérapeutique de la ménopause, et en particulier à un surdosage hormonal pour maintenir une hémorragie de privation purement artificielle (alors qu'il n'y a plus de cycle naturel ni d'ovulation) comme garantie d'une « éternelle jeunesse ». En réalité, si les règles ont toujours eu une valeur symbolique dans toutes les cultures, comme signe de féminité et surtout de fécondité, elles n'ont aucune utilité sur le plan physiologique (elles n'existent d'ailleurs pas chez les autres mammifères et n'apparaissent que chez les primates); elles ne sont qu'un signe négatif : celui de l'absence de grossesse.

Enfin, si les variations psychologiques et comportementales qui peuvent parfois se manifester au cours du cycle ont une base hormonale certaine, elle n'est sans doute pas la seule.

D'une façon générale, pas plus la femme qu'aucun être humain n'est réductible à ses hormones. Le cas extrême du transsexualisme montre que l'identité sexuelle peut être diamétralement opposée au sexe anatomo-physiologique. Quant au comportement sexuel, à la fonction érotique et à la libido, ils n'ont plus grand-chose à voir, chez l'adulte, avec la situation hormonale.

---

1. J.-P. Signoret : « Hormones et comportement sexuel des mammifères », Congrès international de sexologie clinique, Paris, 1974; L. Martini : « Mode d'action des androgènes et du L.H.-R.H. », Congrès international de sexologie clinique, Montréal, 1976.
2. Ch. Gellman : « Dimorphisme sexuel dans l'érotisme », *ibid*, 1976.

En ce qui concerne la maternité, *fonction spécifiquement féminine s'il en fut, il est évident que, sur le plan strictement biologique, la gestation et la lactation sont des spécificités indiscutablement féminines. Mais on n'a pas parlé ici des bases hormonales du* comportement *maternel dans l'espèce humaine. Peut-on dire qu'il existe des « hormones de la maternité »? Œstrogènes? Progestérone? Prolactine? Si elles sont nécessaires à la fécondation, à la gestation et à la lactation, ont-elles vraiment un rôle dans le comportement maternel? Peut-on même parler d'« instinct » maternel? Même chez l'animal, les expériences de Harlow ont montré que le jeune singe femelle, isolé de ses congénères, était incapable de développer un comportement maternel à l'âge adulte. C'est dire que, même chez l'animal, le processus d'apprentissage et de socialisation jouait un rôle primordial dans des comportements qu'on pourrait qualifier de primaires et d'instinctifs. Les données de Maccoby, dans la deuxième partie de cet ouvrage, montreront l'importance déterminante d'un facteur exogène : la stimulation par l'enfant, dans le développement du comportement maternel.*

De plus, c'est précisément dans la différence qu'on peut considérer comme la plus irréductible entre l'homme et la femme : leur rôle dans la reproduction, *que les progrès des sciences biologiques ont apporté le plus de changements, comme nous venons de le voir. Citons :*

— La baisse de la mortalité maternelle à l'accouchement, ainsi que de la mortalité infantile;

— La réduction de la période d'allaitement, qui représentait autrefois un mode naturel d'espacement des naissances;

— L'abaissement de l'âge de la puberté, qui entraîne une fertilité plus précoce;

— Le contrôle de la fécondité par des méthodes scientifiques et efficaces — mode de régulation volontaire des naissances qui s'est substitué, dans l'espèce humaine, aux régulations naturelles disparues et qui permet aux femmes des pays développés de réduire le nombre de leurs enfants à un peu plus ou un peu moins de 2, suivant les pays, contre les 15 à 20 que leur permettrait leur fécondité naturelle théorique;

— Ajoutons l'augmentation de la longévité, dont les femmes ont curieusement bénéficié plus que les hommes, et qui leur permet une longue survie après la ménopause, alors qu'au siècle dernier elles mouraient avant.

Ces acquisitions de la culture scientifique entraînent comme conséquence la réduction de la durée de la fonction maternelle par rapport à la durée de vie.

Quelles peuvent être les conséquences sociales de tels changements? La contraception étant un des plus spectaculaires, on peut se demander quelle révolution culturelle amènera ce qu'on peut considérer comme une révolution biologique.

Il est donc permis, en tant que biologiste, de s'élever contre deux conceptions abusives :

— Celle d'une biologie « punitive » et aliénante, qui vouerait irrémédiablement la femme à une espèce de fatalité liée à sa condition anatomo-physiologique,

alors qu'il convient au contraire de mieux redéfinir les données biologiques, non point pour enfermer la femme dans leurs limites, mais pour les « corriger », les améliorer, afin qu'elles ne représentent pas un handicap social;

— Celle qui consiste à assimiler le comportement sexuel en général au comportement d'accouplement et au comportement reproducteur. Si le comportement d'accouplement ainsi que l'activité reproductrice qui en découle parfois (mais plus du tout inéluctablement) sont du moins en bonne partie déterminés par les données anatomo-physiologiques de l'homme et de la femme, il n'en est pas de même du comportement sexuel dans son sens le plus large (fonction érotique et fonction relationnelle en général), et a fortiori du comportement social. *Les rôles de l'homme et de la femme et leurs statuts sociaux, tels qu'on les a définis selon un certain nombre de stéréotypes culturels, n'ont plus grand-chose à voir avec la biologie. Il importe de la « dédouaner » à cet égard. Deux différences biologiques incontestables dont on n'a pas parlé : la force musculaire (celle de la femme est globalement, les 570/1 000 de celle de l'homme) et l'agressivité (liée en partie aux hormones mâles) ont pu,* à l'origine, *expliquer l'attribution de certaines fonctions sociales aux hommes, et surtout l'établissement de leur domination. Ces deux facteurs mis à part, rien dans la biologie n'a pu justifier dans le passé, et ne peut encore moins justifier* de nos jours, *la pérennisation de cet état de choses et l'inégalité des* statuts de l'homme et de la femme dans nos cultures évoluées.

De plus, on peut fort bien reconnaître les véritables spécificités de chaque sexe sans pour autant admettre que ces différences conduisent automatiquement à l'inégalité et à la discrimination au niveau des statuts et des rôles. Passer de la notion de différence *à celle* d'inégalité *constitue un glissement du plan qualitatif au plan quantitatif qui représente un abus et peut aboutir effectivement à une forme de racisme sexuel* [1]. *La véritable égalité implique précisément la reconnaissance des différences.* Sur ces différences entre les sexes, qu'elle démontre, la biologie n'introduit aucun jugement de valeur qui permette d'en faire des inégalités.

Enfin, une des caractéristiques de l'espèce humaine est la conservation d'une certaine plasticité *du système nerveux central, bien au-delà des premiers stades de l'ontogenèse, pendant la longue période de maturation du petit homme, et sans doute même jusque dans l'état adulte. Or c'est précisément cette donnée* biologique *qui est la porte ouverte à l'influence des facteurs éducatifs et sociaux dans la* psychogenèse.

Il convient donc maintenant d'analyser ceux-ci et de définir les bases psychosociales des comportements féminins et masculins, en ne perdant pas de vue l'interaction possible des deux séries de facteurs : endogènes (biologiques) et exogènes (environnementaux).

Odette THIBAULT.

---

1. Rappelons à cet égard la définition que donne Albert Memmi du racisme : « Le racisme est la valorisation généralisée et définitive de différences réelles ou imaginaires, au profit de l'accusateur et au détriment de la victime, afin de justifier ses privilèges ou son agression. » Ne s'applique-t-elle pas fort bien à l'attitude d'un des sexes envers l'autre?

DEUXIÈME PARTIE

L'individu

LES ASPECTS PSYCHOLOGIQUES

Nous avons vu que la différenciation sexuelle se fait dans les deux sexes selon des modalités très spécifiques, et que le calendrier de ce développement sexuel n'est pas le même non plus.

Mais bien des questions demeurent ouvertes, telle celle-ci : le déterminisme hormonal, dont nous avons vu qu'il entre en jeu dès la vie embryonnaire, est-il aussi strict, aussi prégnant, aussi irréversible qu'il paraît? Une certaine plasticité n'est-elle pas quand même possible, particulièrement s'agissant du comportement des individus sexués? La plasticité des centres nerveux des primates et en particulier des humains permet sans doute à d'autres facteurs que les facteurs hormonaux non seulement de se manifester, mais encore d'être souvent prépondérants dans la genèse du comportement et de la personnalité des êtres masculins ou féminins.

Nous entrons là dans le domaine frontière entre la biologie et la psychologie. Nous avons appris jusqu'ici ce qu'était le sexe féminin, génétiquement, hormonalement, physiologiquement parlant. Nous allons tenter d'étudier maintenant les comportements de ce sexe féminin, ce qui va nous conduire à parler d'identité sexuelle (gender identity) et de rôles sexuels (gender role [1]).

On appelle identité sexuelle le sentiment intime qu'un enfant a d'appartenir à un sexe ou à l'autre. Cette identité sexuelle est fortement ancrée dans la biologie, puisque dès la naissance le « sexe d'assignation » de l'enfant sera fondé sur la déclaration d'état civil, elle-même faite à partir de constatations anatomiques.

---

1. En anglais, on emploie couramment le mot *gender*, qui signifie « genre » au sens de « genre masculin » ou « genre féminin » en grammaire, pour exprimer cette identité sexuelle largement imprégnée de définitions socioculturelles, par opposition à *sex* qui demeure biologique. L'emploi du mot « genre » en français porte trop à confusion à cause de la multiplicité des sens du mot (« bon genre », « mauvais genre », etc.).

A partir de ce moment, l'enfant sera élevé selon le sexe qui lui a été reconnu d'après sa morphologie; il sera peu à peu amené à se « sentir » fille ou garçon selon le modèle qu'on lui propose et qu'on lui assigne à chaque instant.

Même si nous avons bien des critiques à émettre à propos de ce modèle proposé, il ne fait pas de doute que l'immense majorité des femmes ressentent très simplement et évidemment leur identité sexuelle de femmes. Mais que se passe-t-il lorsque l'apparence anatomique de l'enfant est assez ambiguë pour induire en erreur, et que l'enfant est élevé dans une identité sexuelle qui ne correspond pas à son sexe génétique et hormonal? Que se passe-t-il dans les cas patents d'intersexualité? On sait maintenant que l'identité sexuelle se constitue dans le sens du sexe dans lequel l'enfant a été élevé et reconnu par son entourage. Toute tentative de « correction » et de « réorientation » est très difficile psychologiquement passé l'âge de trois ans. Son orientation psychologique semble alors irréversible, même si des traitements chirurgicaux et hormonaux sont aisés. Cette irréversibilité de l'identité sexuelle psychologique est telle que, placés devant des cas complexes, les chirurgiens-gynécologues préfèrent conformer plus ou moins artificiellement le sexe anatomique au sexe psychologique constitué, plutôt que de faire l'inverse. Cet exemple montre bien l'importance de l'identité sexuelle; aussi est-il essentiel de chercher à en cerner le déterminisme et la construction. J. Money, pour ce faire, a observé, écouté et essayé d'aider des transsexuels, des êtres humains qui souffrent d'intersexualité psychique, et il retrace les voies de constitution de la personnalité sexuée. Z. Luria, E. Maccoby et R. Zazzo analyseront ensuite les différences psychologiques et comportementales entre les sexes et la façon dont elles s'établissent.

O. T.

1.
Le transsexualisme et les principes d'une féminologie

par John MONEY

Le phénomène du transsexualisme bouleverse les notions bien établies sur l'origine et la programmation du dimorphisme sexuel, particulièrement en ce qui concerne le comportement. Si la programmation prénatale des différences comportementales selon le sexe n'est pas absolue, elle influence toutefois les seuils de stimulus-réponse. A leur tour, les facteurs sociaux, postnatals, achèvent la programmation différentielle du dimorphisme sexuel, spécialement des rôles codés selon l'appartenance à un sexe ou à l'autre, et à un moindre degré des rôles érotiques authentiques de chaque sexe, à travers les principes d'identification et de « complémentation ». Le résultat final est si bien consolidé que le moindre changement, même touchant à des stéréotypes de rôles codés selon le sexe déterminé historiquement, se heurte à une forte résistance.

Le défi du transsexualisme

Dans un monde masculin, les hommes comme les femmes tiennent la supériorité du rôle de l'homme pour un fait acquis. Les uns et les autres sont donc passablement surpris, et les femmes peut-être flattées, quand un homme se « réassigne » du rôle masculin au rôle féminin. Le véritable transsexuel a la morphologie reproductrice et la fécondité d'un sexe, et une aspiration constante au rôle et aux privilèges de l'autre. Cette aspiration peut être vécue avec une telle intensité qu'elle ne souffrira aucun obstacle et ne cédera à aucun assaut de persuasion.

Un décalage si marqué entre l'aspiration et la morphologie est un défi lancé aux croyances et hypothèses habituelles concernant le caractère absolu des différences entre les sexes. Le transsexualisme, en fait, nous force à examiner de nouveau les similarités entre les sexes, au lieu de nous attacher à maximaliser les différences, comme cela s'est traditionnellement fait.

Option et impératif

Personne n'est assez naïf, bien sûr, pour nier une différence entre les sexes, puisque la différence fondamentale dans la fonction reproductrice n'est pas une option, mais bien un impératif. Du moins en sera-t-il ainsi pour l'avenir prévisible, jusqu'au jour où, qui sait, l'ensemble des organes de la reproduction pourra être transplanté d'un sexe à l'autre, ou, pour aller plus loin dans la science-fiction, jusqu'au jour où la reproduction pourra s'accomplir sans la contribution d'un utérus, *in vitro*, ou dans l'utérus d'un animal « esclave ».

Sauf dans les rares cas où le diagnostic de transsexualisme est associé à un diagnostic du syndrome de Klinefelter (47, XXY) ou d'hermaphrodisme, la fonction reproductrice du transsexuel n'est pas affectée. Autrement dit, la fécondité du transsexuel concorde avec la morphologie de l'appareil génital. La fonction hormonale des gonades concorde avec la fécondité et la morphologie génitale. Pour être plus précis, la fonction hormonale à la puberté et par la suite, telle qu'on peut actuellement la mesurer, concorde avec la fécondité et la morphologie génitale. Cette seconde formulation est nécessaire, car on n'a pas encore procédé chez les transsexuels à des mesures précises des *releasing factors* hypothalamiques du cerveau qui contrôlent les hormones gonadotropes hypophysaires qui agissent à leur tour sur les hormones sexuelles sécrétées par les gonades.

Programmation hormonale prénatale et seuils

Il n'existe pas non plus de mesures des hormones hypothalamo-hypophysaires libérées au cours de la vie prénatale d'un individu qui deviendra plus tard un transsexuel. Les problèmes techniques que pose la mesure de ces hormones prénatales sont insurmontables à l'heure actuelle; quant au problème logistique que poserait la détection *in utero* des transsexuels en ébauche, il n'est tout simplement pas concevable. Pourtant, c'est précisément sur le fonctionnement hormonal prénatal que l'on a besoin d'informations, car on sait par les études animales que le fonctionnement hormonal prénatal influence bel et bien certaines voies sexuellement dimorphiques (c'est-à-dire différentes selon le sexe) dans le cerveau. En outre, les études cliniques de l'hermaphrodisme humain suggèrent que les principes neuro-hormonaux mis au jour dans les expérimentations animales s'appliquent aussi au dimorphisme sexuel du développement prénatal humain.

Dans l'état actuel de nos connaissances, la meilleure façon de conceptualiser ce dimorphisme fonctionnel, contrôlé par les hormones, de la différenciation du cerveau humain n'est pas de le faire en termes absolus de mâle ou femelle, mais bien plutôt en termes relatifs de gradient ou de seuil. En d'autres termes, le comportement qui est habituellement catégorisé comme sexuellement dimorphique est en réalité mixte, mais aussi différent selon le sexe dans son seuil de stimulus-réponse, à l'exception des impératifs sexuellement dimorphiques, à savoir, fécondation chez l'homme et menstruation, gestation, lactation chez la femme.

Les types de comportements mixtes, mais dimorphiques pour le seuil, n'ont pas encore été systématiquement répertoriés, mais ils comprennent ceux de la liste présentée au tableau 1. Il se peut qu'il y ait en plus un seuil dimorphique de réponse aux stimuli érotiques visuels, en particulier si on considère que la réponse masculine à un stimulus érotique visuel est plutôt de prendre l'initiative. Toutefois, il n'existe aucune étude définitive de ce phénomène particulier qui permette de trancher la question dans un sens ou dans l'autre.

Le principe d'Adam et Ève

Toutes les données de l'observation empirique suggèrent que les seuils de dimorphisme sexuel qui sont programmés au cours de la vie prénatale obéissent à ce que l'on pourrait appeler par aphorisme le principe d'Adam et Ève. Nous entendons par là que la priorité de la nature est de différencier tout embryon viable en Ève. Pour différencier Adam, il faut ajouter quelque chose d'autre.

La substance d'Adam est au début un facteur non identifié qui incite le tissu embryonnaire neutre à se différencier en un testicule embryonnaire au lieu d'un ovaire. Puis la substance d'Adam est une sécrétion non identifiée des testicules embryonnaires, seulement connue comme la substance inhibitrice des canaux de Müller. Elle empêche les canaux de Müller embryonnaires de se développer en utérus et trompes de Fallope. Simultanément, les testicules embryonnaires sécrètent l'autre substance d'Adam, l'androgène, l'hormone mâle. L'hormone mâle programme la masculinisation des canaux masculins internes et de l'équipement génital externe indifférencié qui, en l'absence du principe d'Adam, deviendra féminin.

Le principe d'Adam commande et contrôle non seulement la différenciation des organes génitaux externes, mais aussi des seuils au niveau du cerveau. Ces manifestations du principe d'Adam/Ève au niveau des seuils, toutefois, ne prédéterminent pas la masculinité/féminité de la différenciation comportementale ultérieure. En d'autres termes, elles ne prédéterminent pas une identité et un rôle d'un genre spécifique selon le sexe. Elles inscrivent plutôt une prédisposition ou une tendance qui modulera l'orientation vers Adam ou Ève de la différenciation comportementale postnatale.

Dans le cas de transsexualisme de l'homme vers la femme, on est peut-être en présence d'une insuffisance du principe d'Adam dont l'histoire fœtale n'a pas été décelée. Si tel était le cas, l'insuffisance en soi ne pourrait être seule responsable du développement ultérieur du transsexualisme, mais elle aura formé un substrat auquel plus tard les influences socio-environnementales donneront ou non la forme du transsexualisme.

Le syndrome surrénogénital

Bien que l'hypothèse d'une hormone prénatale composante du transsexualisme ne puisse encore être vérifiée, nous avons la confirmation d'une hypothèse symétrique. Elle concerne les enfants de sexe féminin génétique et gonadique soumis à un excès de principe d'Adam, c'est-à-dire à un excès androgénique prénatal. Le syndrome particulier dont il est question est le syndrome surrénogénital. Dans cette condition, ce sont les hormones cortico-surrénaliennes du fœtus lui-même qui produisent l'excès androgénique. Celui-ci suffit à induire une masculinisation des organes génitaux externes. Dans les cas extrêmes, le tubercule, qui est le précurseur à la fois du clitoris et du pénis, se différencie en un pénis au lieu d'un clitoris. A la naissance, le bébé peut être déclaré de sexe masculin et élevé comme un garçon. Puis, en dépit de la discordance du sexe génétique et gonadique féminin, l'enfant grandit comme un garçon du point de vue comportemental et psychologique. Le genre masculin de l'identité et du rôle persiste, même si, à la faveur d'une erreur dans l'organisation endocrinienne, une féminisation vient à se produire au moment de la puberté.

Les bébés présentant le syndrome surrénogénital ne sont pas tous déclarés et élevés comme des garçons, car divers symptômes associés amènent parfois un diagnostic néonatal et la décision de donner au bébé le sexe féminin, avec les interventions chirurgicales et hormonales que cela implique. Dans ce cas, tandis que l'ensemble identité/rôle se différencie en genre féminin, il présente une caractéristique assez bien décrite par le terme de « garçon manqué ». C'est-à-dire que les types de comportements catégorisés au tableau 1 obéissent à des seuils de stimulus-réponse plus souvent rencontrés chez les garçons que chez les filles. La caractéristique du « garçon manqué » se rencontre aussi, mais à un degré nettement moindre, chez des filles qui n'ont pas subi de masculinisation fœtale. Il n'y a pas de stigmatisation sociale du garçon manqué dans les mœurs de notre temps.

Concordance prénatale, discordance postnatale

Les exemples que l'on vient de donner du syndrome surrénogénital constituent une expérience de la nature dans laquelle des individus concordants pour l'histoire et le diagnostic prénatals sont discordants pour le sexe assigné et l'identité/rôle du genre. Ces individus ne sont pas connus pour devenir des transsexuels, qu'ils soient élevés comme des garçons ou comme des filles. Ils démontrent donc de façon concluante que, tandis que le programme sexuellement dimorphique de la vie prénatale a une certaine influence sur la continuation du programme dans la vie postnatale, il ne prédétermine pas la construction finale de l'identité et du rôle au masculin ou au féminin. La construction finale est aussi le produit des informations postnatales fournies par l'environnement social.

Rôles de chaque sexe et rôles codés selon le sexe

Les informations postnatales peuvent avoir un certain effet sur ce qu'on pourrait appeler les rôles « authentiques » de chaque sexe, c'est-à-dire ces rôles qui relèvent des pratiques érotiques et des organes sexuels. Par contre, leur effet est total sur les rôles « codés » selon le sexe. Les rôles codés selon le sexe sont ceux qui sont habituellement attribués aux gens selon l'anatomie de leurs organes génitaux, alors qu'ils n'ont aucun rapport essentiel avec ces organes ou, tout au plus, qu'un rapport tangentiel et dérivé. Il n'y a par exemple aucun fondement sexuel à un certain nombre de coutumes sexuellement dimorphiques concernant le travail, le jeu, la toilette, les droits civils, dont beaucoup sont une question de domination et de subordination, non de sexe.

Identification et complémentation

La programmation postnatale du dimorphisme sexuel d'identité et de rôle s'opère selon les principes d'identification et de complémentation. Les deux impliquent un apprentissage – l'identification en copiant et imitant un modèle du même sexe, et la complémentation en renvoyant ses propres réponses aux stimuli d'un modèle de l'autre sexe. Dans les deux cas, les parents seront vraisemblablement les modèles primitifs, bien que ce ne soit pas la règle inévitable et exclusive. Dans les deux cas, l'apprentissage se fait selon les contingences ordinaires de la récompense qui encourage et de la punition qui décourage.

Deux schémas cérébraux

L'apprentissage comporte l'encodage des informations dans le cerveau. L'identification et la complémentation comportent chacune l'encodage de leurs schémas respectifs dans le cerveau. Le schéma d'identification est celui qui implique : « C'est moi. C'est comme ça que moi et mon sexe faisons. » Le schéma de complémentation implique : « C'est ce que je dois attendre de l'autre sexe et ce à quoi je dois réagir. C'est comme ça qu'ils font. »

Les contenus et les frontières de chaque schéma se différencient dans la plupart des individus avec des délimitations bien nettes. Il en va ainsi quelle que soit l'étendue arbitraire de la zone mixte d'expériences et de réponses humaines communes qui ne sont pas codées selon le sexe, et quel que soit l'arbitraire du contenu de ce qui est traditionnellement codé selon le sexe, en toute époque et en tout lieu.

Transpositions

Le concept des deux schémas cérébraux peut être élargi au concept de leur entrecroisement ou transposition. D'un point de vue phénoménologique, des transpositions paraissent bien avoir lieu (tableau 2). Elles peuvent être permanentes ou épisodiques, et complètes, partielles ou insignifiantes. Les principes ou mécanismes par lesquels elles se produisent ne sont pas encore connus.

La transposition identité-complémentarité caractéristique du travestisme étant épisodique, elle fournit un enseignement spectaculaire, car elle permet à l'observateur de percevoir à plusieurs reprises l'alternance des deux schémas d'une façon totalement manifeste, et convaincante. Non seulement l'individu a deux garde-robes, mais aussi deux noms et deux personnalités. Il y a aussi deux identités et deux complémentarités alternatives, chacune étant stéréotypée de façon typiquement exagérée. Dans le transsexualisme, on voit la même adhésion à des stéréotypes exagérés, mais la transposition des deux schémas, qui est complète, totale, devient permanente et fixe. Une telle totalité n'existe pas dans l'homosexualité ou le bisexualisme, qui peuvent se manifester seulement dans les transpositions érotiques, et non pas professionnelles ou autres, des deux schémas d'identité et de complémentarité. Les transpositions les moins complètes, c'est-à-dire les plus insignifiantes, des deux schémas sont non érotiques. Elles concernent le travail, le statut légal, les loisirs, la toilette et les manières, c'est-à-dire des rôles codés selon le sexe.

Libération

Bien que ces rôles codés selon le sexe n'impliquent pas le sexe érotique ni les parties génitales, ils deviennent si profondément enracinés comme constituants de l'identité du genre que la menace de leur décodage par rapport au sexe est pour beaucoup de gens aussi dangereuse et insoutenable que si les rôles authentiques de leur sexe étaient eux-mêmes menacés. En fait, ils réagissent comme si leur identité même était en jeu, et comme si l'issue pouvait être leur métamorphose en bisexuel, homosexuel, travesti ou transsexuel.

C'est pour cela que la libération de l'un et l'autre sexe se heurte à une telle résistance. C'est aussi pour cela qu'il est si difficile d'établir les principes d'une véritable science de la féminologie.

TABLEAU 1

Comportement mixte à seuil dimorphique
Kinésis générale. Domination, affirmation et rivalité. Course à l'aventure et délimitation du territoire. Défense contre les prédateurs. Défense des petits. Nidification ou fabrication de la maison. Soins parentaux.

FIGURE 1

	Totale.	Partielle.	Insignifiante.
Chronique.	Transsexualisme.	Travestisme.	Travail et statut légal codés selon le sexe.
Épisodique.	Homosexualité masculine efféminée, et féminine virilisée.	Bisexualisme.	Loisirs, toilette et manières codés selon le sexe.

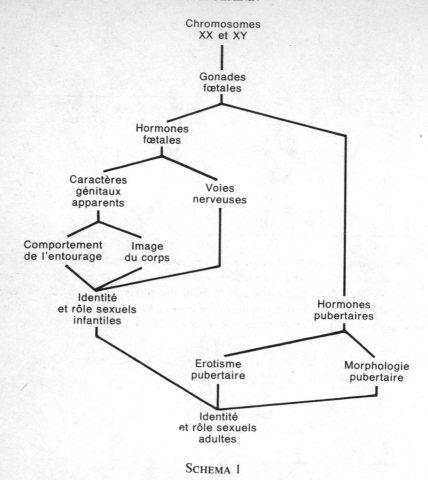

SCHEMA 1

(Facteurs de la différenciation de l'identité et des rôles sexuels)

Ce diagramme résume la séquence de différenciation du mâle et de la femelle commençant avec les chromosomes X et Y, qui dictent le programme des gonades fœtales, lequel dicte à son tour le programme des hormones fœtales, puis le programme des structures génitales apparentes.

On sait maintenant que ces hormones fœtales dirigent aussi un programme de différenciation des structures nerveuses (*neural pathways*) qui, nous pouvons le penser, régulent des *seuils* plus que des différences quantitatives dans le comportement.

A gauche du diagramme, on voit que des structures génitales apparentes dépendra la façon dont les autres se comporteront, ainsi que la propre image du corps de l'individu. Ces deux facteurs déterminent l'identité sexuelle juvénile.

A droite du diagramme : les hormones pubertaires ajoutent un élément important à l'image du corps ainsi qu'à la morphologie et à l'érotisme pubertaires, mais elles ne déterminent pas un comportement mâle ou femelle préalablement orienté dès l'enfance.

Le résultat de ce processus se dessine dans l'adolescence et s'affirme définitivement dans l'identité et les rôles sexuels adultes (*adult gender role/identity*).

S'appuyant sur les travaux de J. Money et A. Ehrhardt, d'une part, et, d'autre part, sur ses recherches propres, Z. Luria souligne l'importance de ces étiquettes sexuelles attachées aux enfants et démontre combien elles sont décisives pour la constitution des stéréotypes du « féminin » et du « masculin », qui vont à leur tour infléchir nos jugements et nos regards sur les êtres.

E. S.

2.
Genre et étiquetage : l'effet Pirandello

par Zella LURIA

C'est le caractère unique de la nature humaine qui permet une confrontation d'idées comme celle-ci. Ce caractère unique procède de l'évolution du cerveau humain qui a apporté le langage et ce processus biologique que nous appelons conscience. Nous nous souvenons d'une histoire depuis longtemps passée et nous projetons un futur lointain. Nous sommes cette espèce unique qui se penche sur elle-même et se préoccupe du *Fait féminin,* qui peut maintenant décider de la prolifération limitée ou accrue de ses gènes, selon les guerres ou les explosions démographiques. Nous sommes cette espèce unique qui *crée* les guerres massives et qui est si créative qu'au lendemain des guerres des systèmes d'incitation ingénieux peuvent être élaborés pour repeupler nos terres. Ce que nous faisons sur cette terre en tant qu'espèce implique une organisation sociale et de classes. Invoquer l'agressivité innée de l'homme ne change rien au fait que de calmes politiciens – pas nécessairement agressifs – décident que d'autres hommes doivent être agressifs sur les champs de bataille. La finalité de ces batailles n'a pas grand-chose à voir avec l'évolution au sens de la sélection naturelle et de l'avantage reproductif. Ces batailles participent de l'évolution culturelle qui, contrairement à la sélection naturelle, *n'est pas* aveugle.

Nous sommes une espèce qui se définit elle-même. Leon Eisenberg a bien saisi cette qualité dans le titre particulièrement heureux d'un de ses articles : « La nature *humaine* de la nature humaine [1]. » « Le fait féminin » et « le fait masculin » sont questions de définition et, si l'on veut, de choix à propos desquels les historiens peuvent nous éclairer au moins autant que les biologistes. Ils connaissent les conceptions que nous, humains, avions en des temps révolus. De la même façon, les anthropologues culturels peuvent nous parler des conceptions de

---

1. « *The* Human *Nature of Human Nature* », *Science,* 14 avril 1972, vol. 176, p. 123-128.

l'homme et de la femme qui ont été celles de sociétés humaines en d'autres lieux. J'aimerais insister sur quelques faits qui prouvent – sans que cela soit pour autant nécessaire – combien la définition du masculin et du féminin n'est pas une définition biologique fermée mais plutôt une définition sociale largement partagée.

Je voudrais citer brièvement un ensemble d'études – principalement les travaux de John Money et Anke Ehrhardt – qui ont montré qu'à partir du même substrat biologique, on peut produire des différences très marquées en ce qui concerne la masculinité et la féminité. Le processus qui aboutit à ce résultat particulier consiste à étiqueter l'enfant comme « garçon » ou « fille » et à l'élever en conséquence. Je vais ici exposer dans les grandes lignes les données qui m'ont inspiré cette conclusion.

Le syndrome surréno-génital est le syndrome qui provoque la virilisation des organes génitaux externes d'un fœtus femelle par une hormone stéroïde du type androgène qui s'accumule au lieu de se décomposer. Cela se produit parce que le fœtus porte deux gènes récessifs qui ne peuvent convertir les stéroïdes en cortisone. On traite généralement ces enfants par des applications de cortisone exogène.

Autrefois, avant le traitement par la cortisone, on prenait souvent pour des garçons les enfants du caryotype 46, XX, à cause de la virilisation de leurs organes génitaux externes. D'autres enfants du même caryotype, également virilisés, étaient reconnus comme des filles. Money et Ehrhardt ont réuni et documenté des cas d'enfants également virilisés; certains avaient été assignés à la naissance comme garçons, d'autres comme filles. Lorsque le traitement devint possible, les enfants qui avaient vécu de longues années avec l'assignation masculine *choisirent* de la garder. Ceux qui avaient vécu longtemps avec l'assignation féminine choisirent une chirurgie génitale corrective dans le sens féminin. Ils étaient devenus ce qu'on leur avait assigné d'être. On peut à juste titre appeler cela *l'effet Pirandello* (Money et Ehrhardt, 1972).

De nos jours, on repère les enfants affectés d'un syndrome surréno-génital et on les traite à la cortisone de sorte que toute trace de virilisation disparaît peu après la naissance. Ils ont toutefois subi une virilisation *fœtale*. Ces filles, virilisées dans leur vie fœtale, sont tout à fait semblables aux filles normales de leur âge, avec cette possible réserve qu'elle tendent plus souvent à se comporter en garçons manqués que les autres filles par ailleurs comparables pour l'âge, la classe sociale et le Q.I.. L'excès androgénique prénatal n'en a pas fait des garçons mais semble les avoir mieux prédisposées aux jeux agressifs.

Il y a une autre comparaison que je voudrais mentionner, celle des sujets de sexe masculin qui sont partiellement insensibles à l'androgène, bien qu'ils soient élevés comme des garçons. Money et Ogunro (1975) ont rapporté huit cas, tous 46, XY. Ces huit hommes, tous élevés comme des garçons, avec des hypophallus d'apparence féminine, présentent tous les comportements qu'ont les autres hommes en devenant adultes : ils ont une vie professionnelle masculine, se marient et font tout ce que les autres hommes font, bien qu'ils ne puissent mener une activité sexuelle masculine normale. Enfants et adultes, ils sont moins intéressés par les sports que ne le sont généralement les garçons et les hommes, mais la différence n'est pas marquée au point qu'on pourrait facilement penser que ce ne sont pas des hommes. Si l'on distribuait sur une courbe une population de garçons selon leur participation aux jeux brusques, les hommes partiellement insensibles à l'androgène se confondraient avec cette partie de la population constituée par les garçons sensibles à l'androgène qui ne sont pas très intéressés par le sport. Après tout, nous connaissons tous des garçons qui s'intéressent plus aux sciences ou à la musique qu'aux sports. Deux des 10 cas 46, XY d'insensibilité partielle à l'androgène reçurent l'assignation féminine. Tous deux se considèrent femmes. L'un a réussi une excellente adaptation psychologique dans ce rôle. L'autre a fait une adaptation plus ambivalente bien qu'il continue à agir comme une femme; il a, cependant, grandi avec trois frères et sœur présentant le même désordre génétique et ayant tous trois choisi de changer de sexe, événement tout à fait extraordinaire à assimiler pour un enfant.

John Money a rendu compte (1975) d'un autre cas qui est peut-être la meilleure preuve du rôle du « choix » humain dans la définition du masculin ou du féminin. Il s'agit de deux vrais jumeaux, l'un étant une fille, l'autre un garçon. Ce n'est pas le rêve d'un écrivain de science-fiction. C'est l'histoire d'une pénectomie accidentelle due à la circoncision fautive de l'un des jumeaux à l'âge de 7 mois, accident qui entraîna sa réassignation féminine avant l'âge de 2 ans. Les enfants ont maintenant à peu près 10 ans, et tous deux – le garçon et la fille – ne sont pas seulement *sexuellement* dimorphiques, mais manifestent aussi un dimorphisme du *comportement*. Leurs vies sont nettement différentes. Médecins et parents ont créé une femme par le biais de l'assignation et de l'éducation, la chirurgie génitale permettant de rendre les parties génitales visibles conformes au sexe assigné.

Le travail de Forest *et al.* (1973) de Lyon apporte la preuve que passé l'âge de 7 mois, on ne constate aucune différence hormonale entre garçons et filles avant la prépuberté. Cela signifie que dans la période fœtale et postnatale, les jumeaux décrits par Money sont semblables jusqu'à la prépuberté. Il y a donc correspondance hormonale fœtale, correspondance chromosomique et correspondance hormonale postnatale jusqu'à la prépuberté. La fille, bien sûr, a été castrée et devra subir plus tard une nouvelle intervention chirurgicale qui lui donnera un vagin fonctionnel. Mais le point intéressant réside en ce que les deux enfants sont décrits comme différents par les parents et que les parents ont *ressenti* ces différences très vite après la réassignation. Je voudrais citer une illustration particulièrement intéressante de la subtilité de ce glissement perceptif chez la mère. L'enfant castré était le jumeau dominant au cours des premiers mois de vie. Quand tous deux étaient des garçons, l'enfant dont on a par la suite changé le sexe était qualifié de leader; plus tard la mère la décrivait comme la « mère poule ». Anke Ehrhardt m'a confié que dans une de ses lettres à John Money, la mère décrivait l'enfant – devenu une fille – comme étant « autoritaire » (*bossy*). Ainsi, quand un garçon commande, c'est un leader, quand une fille commande, elle est autoritaire.

L'étude clinique des anomalies hermaphrodites et pseudo-hermaphrodites a permis d'établir qu'au-delà de l'âge de 3 ans, une réassignation du sexe comporte de graves dangers psychologiques. Avant 3 ans, les enfants surmontent facilement la réassignation si les adultes autour d'eux se conduisent d'une façon qui s'accorde avec le nouveau sexe. Si tel est le cas, les observations suggèrent que le simple fait d'étiqueter un enfant, associé à des méthodes d'éducation suivies et conformes au sexe étiqueté, produira un « homme » ou une « femme ». Comment cela se fait-il? Si on examine la meilleure récapitulation faite à ce jour des différences entre les sexes, le livre de Maccoby et Jacklin (1974), on trouvera peu de différences comportementales selon les sexes chez les très jeunes enfants, jusqu'à 2 ou 3 ans. Les premiers signes différentiels apparaissent avec le choix des jouets. Comment arrivons-nous à voir les petits garçons et les petites filles si différents, quand il y a si peu de différence avant 2 ans?

Il suffit de regarder les résultats des recherches sociopsychologiques pour voir à quel point nous sommes influencés par les étiquettes attachées aux choses et aux personnes. A titre d'exemple, on peut citer deux études socio-psychologiques mettant en évidence la façon dont nous nous faisons une idée des autres. Il y a déjà longtemps (1946), Solomon Asch fit une étude classique où il parla à un groupe de personnes de quelqu'un qu'elles ne connaissaient pas. Pour décrire un étranger, il donna une série d'adjectifs parmi lesquels se trouvait le mot « chaleureux ». A un autre groupe, Asch donna exactement la même série d'adjectifs, mais à la place du mot « chaleureux », il substitua le mot « froid ». Puis il reprit toutes les informations qu'il avait données aux deux groupes. Il constata alors que si l'on demandait aux deux groupes de décrire leur étranger, le groupe qui avait reçu la liste comprenant le terme « chaleureux » ajoutait, pour décrire cette personne hypothétique, des adjectifs tels que « généreux », « heureux », « aimable », « plein d'humour », « humain ». Le groupe qui avait eu la liste comprenant l'adjectif « froid », ajoutait « pas très généreux », « triste », « instable », « maussade » et « intraitable ». Le même type d'expérience fut tenté au M.I.T. [1] (Kelley, 1950). On annonça à des étudiants la venue d'un conférencier. Dans la description faite à une classe, le mot « chaleureux » fut invoqué à propos de la réputation professionnelle du conférencier. Pour une autre classe, on utilisa l'adjectif « froid ». Non seulement les étudiants qui écoutèrent la même conférence des « deux » conférenciers (une seule et même personne en réalité) décrivirent-ils deux personnes tout à fait différentes, mais ils aimèrent davantage le conférencier « chaleureux » et moins le conférencier « froid ». En outre, ils participèrent davantage à la discussion avec le conférencier décrit comme « chaleureux » qu'avec celui décrit comme « froid ». Dans l'étude d'Asch, tout comme dans celle de Kelley, les étudiants ne réagissaient pas à des descriptions *réelles* de personnes, mais à un *stéréotype*.

Avec mes collègues, nous nous sommes alors posé la question suivante : est-ce que nous stéréotypons nos propres enfants? Quand nous avons des bébés (et j'utilise ce « nous » à dessein car je suis persuadée que les bébés sont des créatures

---

1. Massachusetts Institute of Technology.

que les hommes et les femmes ont ensemble), la façon dont les parents les voient est peut-être fonction du sexe qui leur a été annoncé. C'est ce qu'on serait porté à croire d'après les données réunies par Money et Ehrhardt. Mon collègue Jeffrey Rubin, moi-même, et l'un de nos étudiants, Frank Provenzano, avons décidé de chercher la vérité à propos du processus d'étiquetage. Nous avons fait une étude avec un groupe de familles qui venaient d'avoir leur premier enfant. Vingt-quatre heures après la naissance du bébé, nous avons demandé aux pères et aux mères leurs impressions sur lui. Les pères avaient vu les bébés à travers la vitre de la pouponnière, les mères les avaient tenus une fois dans leurs bras. Les bébés, garçons et filles, avaient à la naissance le même poids et la même taille en moyenne, et des scores d'Agpar semblables. Ils étaient tous normaux et nés à terme. Au cours des interviews, les parents ont employé le mot « grand » remarquablement plus souvent pour les fils que pour les filles. Et de façon tout aussi significative, les mots « belle », « mignonne », « gentille », sont revenus plus souvent pour les filles que pour les garçons. Les résultats des questionnaires remplis par les parents montrèrent que les petites filles étaient vues par leurs parents comme étant « douces » et les petits garçons étaient décrits comme étant « solides ». Les petites filles avaient les « traits fins » et les petits garçons avaient les « traits marqués »; les petites filles étaient « petites », les petits garçons de la même taille étaient « grands ». Nous fîmes cette autre constatation intéressante que, tandis que tous les bébés, garçons et filles, étaient décrits comme distraits, les filles étaient significativement plus distraites que les garçons. Nos données montrent un effet d'interaction très significatif entre le sexe des parents et celui de leur bébé. Alors que les deux parents tendent à stéréotyper leur bébé, cette tendance est plus marquée chez le père. Si l'on étudie le père par rapport à la mère d'un même enfant, les pères voient leur fils solide, avec des traits marqués, alors que les mères du même fils le voient doux, avec des traits fins. Les pères les voient *doués d'une meilleure coordination, plus éveillés* et *plus forts* que ne le font les mères, même si les deux parents sont d'accord pour trouver que leur fils est *éveillé* et *costaud* et a une *bonne coordination*. La seule différence intéressante qui ne participe pas de cette interaction se trouve dans le fait que les mères ont davantage envie d'embrasser leurs petits garçons et les pères leurs petites filles, effet que nous avons baptisé l'effet œdipien inversé. Rubin et moi-même avons ensuite donné le même questionnaire à des personnes non concernées, des étudiants qui n'avaient eux-mêmes pas eu d'enfants, et nous avons obtenu des résultats assez différents dans leurs réponses à trois photos d'un bébé âgé d'une semaine. A un groupe d'étudiants, nous avons dit que les photos montraient une petite fille, Sandy, et à un autre groupe qu'elles montraient un petit garçon, Sandy. Il y a eu nettement moins de placage de stéréotype de la part des étudiants que de la part des parents, mais il y en a quand même eu dans une certaine mesure. En général, les étudiants garçons et filles jugeaient la petite fille plus *petite,* plus *mignonne,* plus *fragile* et plus *délicate* que le petit garçon (Luria et Rubin, sous presse). D'après nos résultats, les hommes ne stéréotypent pas *tous* davantage que les femmes, ce sont les pères seulement qui stéréotypent davantage que les mères.

Dans la mesure où, tout compte fait, nous nous intéressons à l'effet du stéréotype sur l'enfant, la création de stéréotype que font les non-pères nous intéresse moins que celle des pères, puisque ce sont bien les pères qui interagissent avec les enfants.

En admettant que nous appartenons à une espèce qui non seulement pose un regard sur elle-même mais qui en plus se stéréotype, quelle conclusion peut-on tirer ? A mon avis, et quoi qu'en disent les scientifiques, une société qui « voit » des différences aidera à créer ces différences dans l'esprit des parents. Les perceptions des parents sont très probablement renforcées du fait que les étiquettes ont toutes les chances d'agir comme des prophéties qui s'accomplissent d'elles-mêmes avec les enfants. Nous n'avons pas de preuves solides que l'étiquetage des parents induit le comportement, mais selon toute vraisemblance, il influence les différences de sexe tout au moins dans la façon dont les parents les perçoivent, et par ricochet, dans l'image propre des enfants. Dans une espèce qui utilise le langage comme nous le faisons, les étiquettes ont peut-être une sorte d'autonomie par rapport au comportement. Tant que nous croirons que les femmes sont distraites, qu'elles ne vont pas travailler à cause du syndrome prémenstruel et qu'elles sont moins organisées, nous ne les verrons pas dans les mêmes types de rôles que les hommes qui doivent être fiables et à toute épreuve.

Les adultes peuvent se surprendre à penser comme de jeunes enfants. Je donne un exemple. Les enfants d'âge préscolaire réagissent souvent à l'emploi du mot « docteur » pour une femme. Ils affirmeront que c'est forcément une « infirmière ». Admettons, le temps de cet exemple, que les enfants emploient ces deux termes dans le même sens que les adultes. Étant donné le nombre de femmes médecins aux États-Unis, on serait tenté de conclure que les enfants ne font qu'énoncer une règle générale fondée sur la probabilité. Une femme vêtue de blanc dans un hôpital a beaucoup plus de chances d'être une infirmière qu'un docteur. De même, il y a beaucoup plus de chances pour qu'un homme vêtu de blanc dans un hôpital soit un docteur, et non un infirmier. Puisque nous voyons les femmes, et rarement les hommes, s'occuper des enfants, nous pourrions en conclure que la femme seule possède ce quelque chose appelé « l'instinct maternel ». Certaines interventions et certains commentaires faits dans ce colloque semblent être arrivés à une telle conclusion. Il existe cependant une abondante littérature éthologique et psychologique sur le mécanisme de l'attachement qui lie le tout jeune enfant à la personne qui prend soin de lui. Comme le psychologue anglais Schaffer (1971) l'a admirablement exposé dans son livre, la nature propose une histoire nettement plus intéressante et plus élégante que cet « instinct maternel ». La nature a programmé l'équipement perceptuel du bébé pour une sensibilité spéciale au contraste, à l'éclat et au mouvement du visage, particulièrement des yeux et de la bouche.

Pour nourrir un bébé, on le tient exactement à la distance focale d'où sa vision est le plus nette, ce qui lui donne toutes les chances de pouvoir scruter le visage – particulièrement l'aspect lumineux, mouvant et contrasté des yeux – dès l'âge le plus précoce. La personne qui s'occupe du bébé répond elle-même par un geste affectif (généralement par un sourire où, là encore, les dents contrastent avec les lèvres) au regard et au sourire : c'est la réponse la plus fréquente des hommes *comme* des femmes à un bébé auquel ils apportent leurs soins. Certains bébés s'attachent plus facilement à leur père qu'à leur mère, cela étant généralement le résultat d'un comportement mieux adapté, de la part du parent préféré, aux signaux de l'enfant (Ainsworth, 1967). Il n'est pas prouvé que la sensibilité à mieux répondre aux signaux humains requière deux chromosomes X. Tous les psychiatres hommes de par le monde se débrouillent pour avoir cette sensibilité-là malgré leur chromosome Y.

Tout comme le jeune enfant apprend que le genre *n'est pas* ce qui détermine le bon emploi du mot « docteur » ou « infirmière », nous devons apprendre que le genre ne détermine pas à lui seul le choix que fait notre société des personnes qui s'occuperont des enfants. Il pouvait en être ainsi en d'autres temps de l'histoire humaine, mais ce n'est plus le cas dans les années 1970. Ceux qui tiennent à justifier l'Histoire par la biologie sont généralement ceux qui tirent un avantage du statu quo. Bien sûr, en dernier ressort, l'Histoire ne peut braver la biologie, car il est évident qu'aucune société ne saurait exiger que ce soient les hommes qui mettent ses enfants au monde. Mais les dispositions que nos sociétés ont prises pour élever les enfants ne sont pas les mêmes que les dispositions de la nature pour la gestation et l'allaitement des bébés. Lorsque des théoriciens en sciences sociales examinent les dispositions communes à toutes les sociétés et en rendent compte comme impératifs biologiques, ils renoncent au travail d'analyse qui est la seule justification de leur discipline.

J'ai vécu assez longtemps pour voir ces théoriciens justifier une seule et même conception de la « place de la mère » par deux explications totalement différentes, chaque explication allant dans le sens du vent qui soufflait alors en psychologie. Dans les années 1940, on a dit aux mères que leurs enfants avaient besoin de leurs soins tendres et aimants. L'affect était en vogue en psychologie. Dans les années 1970, la cognition est au centre de la psychologie et certains psychologues disent aux mères que leurs jeunes enfants ont besoin d'une stimulation cognitive maximale, spécialement au cours des trois premières années (White, 1975). Ces soins tendres et aimants et cette stimulation cognitive peuvent assurément être apportés aussi bien par les pères que par les mères. Et il est certain que rien dans les résultats de nos observations scientifiques ne permet d'écarter l'efficacité d'une source multiple de soins.

Néanmoins, si l'on ne désire pas souscrire – et tel est mon cas – à la théorie d'une conspiration masculine de l'Histoire, comment rendre compte des stéréotypes sexuels que l'on trouve chez les parents, et dans nos sociétés en général?

Pour les parents, le stéréotypage comporte trois avantages. Premièrement, il leur fournit des caractérisations du type « tout l'un », « tout l'autre ». Leurs bébés (normaux) sont de nature masculine ou féminine, jamais entre les deux, contrairement aux mesures des variables du comportement (comme le niveau d'activité ou la sociabilité) qui évoluent dans le temps. Deuxièmement, la création de stéréotypes fournit un ensemble de normes communément admises établissant le portrait-robot du bébé. Amis et relations partagent de telles normes. Lorsque les jugements des parents sur ce qu'ils voient dans leur bébé sont largement partagés, il devient facile de confondre fiabilité et validité. Et, troisièmement, les stéréotypes fournissent un modèle du comportement type, une véritable Gestalt de ce qu'est un garçon et de ce qu'est une fille. Ce modèle aide les parents à naviguer dans les eaux troubles de l'éducation des enfants.

Cela nous ramène à mon titre. Le grand auteur italien, Luigi Pirandello, avait découvert il y a bien longtemps ce que les sciences humaines commencent à élucider. Tout l'art de Pirandello a été de montrer à quel point les êtres humains répondent à un besoin – à la fois illusoire et vaniteux – lorsqu'ils tentent de connaître la « vérité » sur eux-mêmes et sur autrui. Les images que nous avons les uns des autres se reflètent à la façon de miroirs déformants, mais nous devons pourtant vivre comme si nous y voyions clair. *Cosi è se vi pare :* on peut accepter une telle assertion de la part d'un artiste, d'un grand artiste qui exprime toute sa compassion pour les hommes et leurs inévitables illusions. Il ne faudrait cependant pas prendre nos illusions pour des preuves scientifiques.

RÉFÉRENCES BIBLIOGRAPHIQUES

AINSWORTH (M. D. S.) : *Infancy in Uganda*, Baltimore, Johns Hopkins Press, 1967.

ASCH (S.E.) : « Forming impressions of personality », *Journal of Abnormal and Social Psychology*, 1946, *41*, p. 258-290.

FOREST (M.G.), SALZ (J.M.), et BERTRAND (J.) : « Assessment of gonadal function in childhood », *Paediatrician*, 1973, *2*, p. 102-128.

KELLEY (H.H.) : « The warm-cold variable in first impressions of persons », *Journal of Personality*, 1950, *18*, p. 431-439.

LURIA (Z.) et RUBIN (J.Z.) : « The neonate's gender and the eye of the beholder » *Scientific American.*

MACCOBY (E.E.) et JACKLIN (C.N.) : « The psychology of sex differences », Stanford, Stanford University Press, 1974.

MONEY (J.) : « Ablatio penis : normal male infant sex-reassigned as a girl », *Archives of Sexual Behavior*, 1975, *4*, p. 65-70.

MONEY (J.) et EHRHARDT (A.A.) : *Man and Woman : Boy and Girl*, Baltimore, Johns Hopkins University Press, 1972.

MONEY (J.) et OGUNRO (C.) : « Behavioral sexology : ten cases of genetic male intersexuality with impaired prenatal and pubertal androgenization », *Archives of Sexual Behavior*, 1974, *3*, p. 181-205.

RUBIN (J.Z.), PROVENZANO (F.) et LURIA (Z.) : « The eye of the beholder : Parents' view of sex of new borns », *American Journal of Orthopsychiatry*, 1974, *44*, p. 512-519.

SCHAFFER (H.R.) : *The Growth of Sociability*, Baltimore, Penguin, 1971.

WHITE (B.L.) : *The First Three Years of Life*, Englewood Cliffs, N.J., Prentice-Hall, 1975.

3.
La psychologie des sexes :
implications pour les rôles adultes

par Eleanor MACCOBY

Faisant le point du savoir psychologique actuel dans ses applications aux femmes, on me pardonnera, j'espère, d'aborder le sujet en termes de contrastes plus qu'en termes d'absolus. Si l'on désire connaître ce qui est spécifiquement féminin plutôt que simplement humain, il faut se demander ce que l'on observe chez la femme et point chez l'homme, ou bien ce que l'on observe chez l'un et l'autre à des degrés différents. Par conséquent, la psychologie de la femme devient, presque nécessairement, une étude de la façon dont les sexes diffèrent. Il n'existe pas, à ma connaissance, de caractéristiques psychologiques appartenant exclusivement à un sexe. Les différences sont toujours une question de degré, certaines femmes ayant un schéma psychologique plus généralement masculin, et certains hommes étant tout à fait féminins dans leur psychologie. Je me propose d'examiner certaines façons dont les sexes diffèrent, mais ce faisant, je demande au lecteur de garder bien présent à l'esprit que ces distinctions ne sont en aucun cas catégoriques, elles ne font que renvoyer à une différence *moyenne,* différence dans ce qui est le schéma le plus généralement rencontré chez l'un et l'autre sexe. Pour se faire une idée juste, il est important, également, d'avoir connaissance des façons dont les sexes sont semblables. Il y a autant d'hypothèses sur les différences entre les sexes qu'il y a d'auteurs sur la question. Certaines de ces allégations sont solidement étayées par des études empiriques, mais beaucoup ne le sont pas, et il est tout aussi important de savoir quelles convictions à propos des différences entre les sexes *ne sont pas* fondées (ou du moins pas démontrées) que de savoir lesquelles sont les plus fondées.

Les travaux effectués dans le cadre de notre programme de recherches à Stanford ont pour objet principal le développement. Nous nous intéressons au développement des deux sexes à partir de la naissance. Bien que nos propres recherches ne concernent pas directement les espèces animales, nous avons passé en revue certaines des données sur les différences entre les sexes chez les anthropoïdes et avons tenté d'identifier certaines similarités et différences d'une espèce à l'autre en ce qui concerne le rapport entre le sexe et le développement du comportement. Cette conférence s'est fixé entre autres tâches de considérer les continuités phylogénétiques et ontogénétiques (ou leur absence) dans l'ensemble des efforts pour comprendre les caractéristiques psychologiques des hommes et femmes adultes. J'ai donc organisé les remarques suivantes dans cette perspective.

Résumons maintenant ce que nous savons et ce que nous ne savons pas des différences psychologiques entre les sexes. Je me limiterai dans cet article aux aspects non sexuels de ces différences et ne discuterai ni de l'identité sexuelle ni du choix de l'objet sexuel. Autrement dit, la recherche proposée porte presque exclusivement sur le champ normal d'individus qui suivent le schéma de développement hétérosexuel prédominant.

Je réduirai encore l'éventail des thèmes, en mettant l'accent sur les aspects socio-affectifs du développement plus que sur ses aspects intellectuels. Je ne proposerai pas ici une documentation complète pour les conclusions qui seront dégagées. Le lecteur est renvoyé aux comptes rendus de recherches et à la bibliographie commentée dans Maccoby et Jacklin (1974), où il trouvera présentées de façon détaillée toutes les données sur lesquelles sont fondées les assertions qui vont suivre. Les études sont principalement américaines et il reviendra au lecteur de juger lui-même de leur pertinence pour d'autres pays.

Pendant les deux premières années de vie, les deux sexes apparaissent très similaires dans pratiquement tous les aspects du fonctionnement psychologique qui ont été mesurés jusqu'ici, du moins en ce qui concerne les enfants normaux. Il est vrai que les garçons sont plus nombreux à naître avec des déficiences de toute sorte, et ce fait est encore très mal expliqué aujourd'hui. Peut-être est-il lié au fait – déjà relevé ici par d'autres participants – que durant le développement prénatal, le schéma de base est le schéma féminin, auquel le schéma masculin doit être surimposé [1] Aussi, dans un sens, y a-t-il moins de risques d'erreurs de développement au stade prénatal lorsque le fœtus est féminin.

Cependant, mis à part l'incidence des déficiences de naissance, les deux sexes sont très semblables. On peut voir cette similarité dans les schémas sommeil-éveil, les sortes de stimuli auxquelles les bébés des deux sexes prêtent le plus d'attention, dans leur niveau d'activité et leurs réponses sociales à autrui. Il arrive de temps en temps que des études dégagent des différences, mais qui ne sont pas confirmées lorsqu'on procède à des mesures identiques dans une autre population d'enfants. Il n'est pas impossible que les petites filles restent plus calmes quand elles sont contrariées ou frustrées, mais les éléments manquent sur ce point et les exceptions sont nombreuses.

C'est après l'âge de deux ans environ que certaines différences commencent

---

1. Cf. la Partie Ire de ce livre (N.D.R.).

à se dessiner nettement dans le comportement social de chaque sexe. Lorsque les jeunes enfants commencent à jouer avec des compagnons de leur âge, on observe chez eux une certaine tendance à préférer jouer avec des enfants de leur propre sexe. Nous ne sommes pas bien certains de la raison de cette tendance – est-ce parce que les parents et les enfants plus âgés encouragent la formation de groupes de jeux du même sexe? Ou bien est-ce parce que les jeunes enfants sentent plus souvent une certaine compatibilité de comportement chez les enfants de leur propre sexe? Les deux choses sont possibles. Les groupes de jeux n'ont pas seulement tendance à se séparer selon le sexe, ils diffèrent aussi qualitativement de nombreuses façons. Les filles ont tendance à se réunir en groupes plus restreints que les garçons et à l'âge scolaire, on peut déjà détecter chez une fillette la tendance à avoir une ou deux meilleures amies avec lesquelles elle passe le plus clair de son temps, tandis que les garçons se livrent à des jeux rassemblant un plus grand nombre d'enfants. Les filles sont également plus posées, on les voit rarement se mettre à courir comme des folles, se bousculer ou simuler des luttes, toutes choses que l'on observe dans les groupes de garçons. Autre nette différence de comportement : la colère et la bagarre. Les filles se battent très peu et, bien que leur habileté verbale soit au moins égale à celle des garçons, elles n'usent pas de provocations et taquineries verbales entre elles autant que les garçons.

Puisque nous en sommes au comportement agressif, il est intéressant de noter que, par rapport aux garçons, non seulement les filles déclenchent peu de bagarres, mais aussi *servent rarement de cibles* aux attaques d'autres enfants. Dans les groupes de jeux masculins, il y a des garçons qui contre-attaquent immédiatement si un autre enfant dirige l'agression contre eux et très rapidement ces garçons-là sont les plus rarement choisis comme victimes. Les victimes favorites sont les garçons qui s'enfuient ou qui pleurent quand ils sont attaqués, ou qui renoncent à la possession d'un objet convoité. Cependant, ce n'est pas parce qu'elles contre-attaquent que les filles sont moins choisies comme cibles. Les fillettes semblent avoir certaines techniques encore mal comprises, grâce auxquelles elles détournent les entreprises agressives d'autres enfants de telle sorte que l'interaction se trouve transformée; aussi ne deviennent-elles elles-mêmes ni agents ni victimes d'une hostilité continue.

Une autre caractéristique des groupes de filles est qu'ils se préoccupent moins des questions de domination. Les garçons tentent davantage de se dominer les uns les autres et ont tendance à tomber d'accord sur la hiérarchie de domination au sein de leur groupe. C'est-à-dire qu'ils s'accordent à trouver tels garçons « plus forts [1] » que tels autres. Les filles ne voient pas la force comme une dimension particulièrement pertinente quand elles portent un jugement sur leurs camarades, et généralement n'établissent pas ce type de hiérarchie entre elles (Omark *et al.,* 1973). Nous ne savons pas très bien si elles établissent des hiérarchies stables fondées sur d'autres qualités auxquelles elles accordent de la valeur, mais autant que nous puissions en juger actuellement, les relations entre les filles ne s'organi-

---

1. En anglais « plus durs », littéralement (N.D.T.).

sent pas en nette hiérarchie de domination. Du fait que les tentatives de domination des garçons s'exercent entre eux plutôt que contre les filles, il s'ensuit que parmi les garçons il y a tout à la fois plus de dominants et plus de *soumis* que parmi les filles.

Certains de ceux qui observent les jeunes singes nous disent que les schémas de jeu distinctivement masculins et féminins observés chez les enfants humains se retrouvent à un degré remarquable dans le jeu des jeunes primates. En outre, on a démontré qu'un singe femelle qui a reçu des taux artificiellement élevés de testostérone avant sa naissance, aura davantage de jeux violents et d'attitudes de menace et de taquinerie qu'une femelle normale. Les travaux pionniers de John Money et de sa collègue Anke Ehrkhardt concernant les jeunes enfants humains ont mis en évidence une même masculinisation du comportement de la fillette quand elle a été soumise à des taux anormalement élevés d'hormone mâle avant sa naissance.

En moyenne, les filles semblent avoir des relations plus étroites avec les adultes que les garçons. Du moins est-ce le cas dans la société américaine, où les enfants passent probablement plus de temps avec des compagnons de jeu de leur âge, et moins en interaction directe avec les adultes, que dans d'autres pays. Pour les garçons, le groupe des camarades très vite prend une place prépondérante dans les intérêts et les valeurs de l'enfant. Certains éléments indiquent que les filles, dans leur cercle plus restreint de compagnes de jeu, continuent à s'intéresser aux adultes et réagissent plus à eux que les garçons. Elles semblent plus désireuses de faire ce que les adultes attendent d'elles. Mais il faut ajouter que, d'après certaines recherches, elles *utilisent davantage* les adultes pour arriver à leurs propres fins. Observant de grands nombres d'enfants âgés de 3 à 5 ans, Emmerich (1971) a noté que les enfants les plus capables d'accomplir les tâches adaptées à leur âge et les plus persévérants dans la recherche de solutions ont tendance également à se tourner vers les adultes, à leur demander les informations dont ils ont besoin et à chercher auprès d'eux une aide nécessaire. Cependant, ils *refuseront* l'aide offerte par les adultes s'ils n'en ont pas besoin; nous ne parlons donc pas ici d'enfants qui s'en remettent purement et simplement et en tout aux adultes. Au contraire, ces enfants à personnalité vigoureuse semblent bien utiliser les adultes comme une sorte d'expédient pour soutenir leurs propres efforts de résolution de problèmes. Par contraste, d'autres enfants sont absorbés dans le jeu avec des compagnons de leur âge et ne sont ni spécialement orientés vers la résolution de problèmes ni intéressés par les adultes. Dans l'échantillon d'Emmerich, parmi les enfants intéressés aux tâches et tournés vers les adultes, les filles étaient plus nombreuses, et les garçons plus nombreux à l'autre bout de l'échelle, parmi les enfants surtout intéressés à leurs camarades. Peu de recherches touchent directement ce domaine particulier, mais les éléments recueillis suggèrent effectivement que les rapports des jeunes garçons avec les adultes sont plus conflictuels. Ils ont davantage tendance à tenter de dominer les adultes et se conforment moins facilement à leurs souhaits. Pour tout dire, les garçons ont plus de chances de se trouver en conflit de volonté avec les adultes, tandis que les filles ne font pas un tel cas de l'autorité, mais paraissent compter davantage sur quelque forme de négociation et de conciliation pour arriver à leurs fins.

Enfin, en rapport avec la détermination sexuelle spécifique dans son sens le plus étroit, certains comportements enfantins sont définis par notre société comme spécifiquement masculins ou féminins. Jouer à la poupée est féminin; jouer avec des camions et des autos est masculin; se mettre des talons hauts et du rouge à lèvres est féminin; jouer aux cow-boys ou aux soldats est masculin, et ainsi de suite. Les fillettes, du moins dans la société américaine, se sentent beaucoup plus libres d'essayer les types de jeu féminins aussi bien que masculins. Elles semblent éprouver très peu d'angoisse dans les activités de type « garçon manqué ». Les garçons, en revanche, craignent d'être des « poules mouillées ». Ils évitent toute forme de comportement efféminé et, s'ils essaient, c'est généralement en secret, ils ne veulent pas que leurs amis le sachent. En règle générale, ils n'ont que mépris pour les maniérismes et intérêts féminins, surtout s'ils les voient chez d'autres garçons.

J'ai parlé jusqu'ici des différences dans les tendances psychologiques des deux sexes. Il est temps d'évoquer leurs similitudes. Les petits garçons et les petites filles apparaissent très semblables dans leur tendance à développer des liens avec leurs parents et dans le degré de l'intérêt social qu'ils portent à autrui. Semblables également dans l'intérêt qu'ils éprouvent à explorer un nouvel environnement – c'est-à-dire qu'ils manifestent une indépendance et une curiosité comparables. On croit généralement que les filles sont plus sensibles aux réactions d'autrui à leur égard, mais nous n'avons pas réussi à trouver une seule preuve à l'appui de cette assertion. La liste des ressemblances étant longue, contentons-nous de dire que les deux sexes se développent selon un programme très similaire (du moins jusqu'à la puberté) et que, dans la plupart des traits de personnalité, ils sont bien plus semblables qu'ils ne sont différents.

Toutefois, j'ai indiqué qu'il y avait des différences psychologiques entre garçons et filles qui reflètent sans doute une contribution des programmes génétiques mis en œuvre par les hormones sexuelles. Cela implique-t-il que pour chaque sexe certaines caractéristiques du tempérament apparaîtront inévitablement, quel que soit le milieu social? Ou encore que ces différences définissent – *doivent* définir – quels rôles sociaux conviennent respectivement aux hommes et aux femmes dans toute société? Steven Goldberg dans son livre : *The Inevitability of Patriarchy* adopte cette position. Il soutient que c'est au moyen de l'agression que se conquiert une position dominante dans une hiérarchie. Après de nombreux auteurs, il suggère que les hiérarchies de domination sont nécessaires aux sociétés humaines comme moyen de désamorcer et de réglementer l'irruption de la violence au sein du groupe. Puisque les hommes sont naturellement plus agressifs et plus enclins à constituer des hiérarchies de domination que les femmes, avance-t-il, ils graviteront inévitablement vers toutes les positions de leadership et de pouvoir qu'une société peut offrir. Dans des livres plus récents – *Sociobiology,* ouvrage scientifique d'Edward Wilson, qui a eu un gros retentissement, ou *The Hunting Hypothesis,* d'Ardrey, plus populaire –, le mâle de l'espèce humaine est aussi décrit comme une créature dont l'agressivité est innée – un tueur, à n'en pas douter. Mais une certaine subtilité vient retoucher le tableau des instincts du mâle, à savoir que la tendance à coopérer avec d'autres mâles fait partie de l'héritage masculin exactement au même titre que sa tendance à se battre et à tuer. C'est uniquement grâce à la coopération entre mâles chasseurs que l'homme a pu survivre malgré des prédateurs plus puissants que lui. Cependant, le portrait qui est fait de la femelle humaine et de son caractère psychologique instinctif ne se distingue pas par la subtilité. Je cite Wilson :

« La pierre angulaire de pratiquement toutes les sociétés humaines est la famille nucléaire. Les habitants d'une cité industrielle américaine, au même titre qu'une bande de chasseurs-cueilleurs du désert australien, sont organisés autour de cette unité... Le jour, les femmes et les enfants demeurent dans la zone résiden-tielle, tandis que les hommes s'efforcent de dénicher du gibier ou son équivalent symbolique par le troc ou par l'argent. Les mâles s'associent en bandes pour chasser ou négocier avec des groupes voisins. Les liens sexuels sont minutieuse-ment contractés conformément aux coutumes tribales et sont censés être perma-nents. La polygamie, qu'elle soit cachée ou ouvertement sanctionnée par la cou-tume, est pratiquée de façon prédominante par les mâles. »

Ainsi, selon la thèse du sociobiologiste, la femme est ce membre de l'espèce humaine spécialement destiné à rester à la maison pour veiller sur les enfants, le gîte et le foyer, tandis que les hommes s'en vont par monts et par vaux à la recherche de leur pitance et de celle de leur famille. On estime « naturel » que les femmes soient attirées sexuellement par les mâles dominants puisque l'espèce profitera de ce que les mâles les plus forts et les plus capables aient la meilleure performance reproductrice.

Autre doctrine, s'inspirant de la génétique : l'application que fait Trivers (1972) du concept d'*inclusive fitness*. D'après cette thèse, la sélection évolutive favorise l'espèce dans laquelle les individus agissent de façon non seulement à se protéger eux-mêmes, mais aussi ceux qui dans le groupe ont les mêmes gènes qu'eux. L'instinct du mâle est de protéger en premier lieu sa propre descendance biologique. Wilson (p. 327) en déduit que dans toute société il est important pour les hommes de savoir avec certitude quels sont leurs rejetons. De ces prémisses, découle la double norme sexuelle. Les femmes doivent être chastes, mais il n'est pas nécessaire que les hommes le soient. Les femmes doivent être tenues à l'écart et soustraites au contact de tout homme autre que leur mari. La polygamie est naturelle, pas la polyandrie, etc.

Il semble qu'après une longue domination des thèses de l'environnement, aux États-Unis le monde intellectuel aujourd'hui assiste à un retour en force du déter-minisme biologique comme approche intellectuellement respectable de la ques-tion des rôles naturels des sexes. Ces ouvrages récemment parus, celui de Wilson en particulier, exercent une influence certaine et doivent être pris au sérieux. Je voudrais donc discuter certains points du déterminisme biologique, particulière-ment ce qui s'applique aux femmes. Qu'il soit bien clair, pour commencer, que je ne crois pas que l'observation des faits justifie une position totalement « envi-ronnementaliste ». Je ne crois pas que les enfants naissent tous avec le même potentiel ni que leur avenir dépende entièrement de la façon dont la société les traite. Je ne crois pas que le mâle et la femelle humains aient, inscrites en eux, les mêmes prédispositions psychologiques. Il m'apparaît clair, cependant, que l'actuel regain d'intérêt pour les théories évolutionnistes fait la part trop belle à la parenté qui existe entre les êtres humains et les animaux supérieurs, et point assez à cette capacité qu'ont les êtres humains de s'adapter à des conditions sociales en évolution.

Même parmi les primates, les activités sociales caractéristiques de chaque sexe varient énormément. Ainsi, il est vrai que chez les babouins, les mâles s'occupent fort peu ou pas du tout des petits (si ce n'est, à l'occasion, un intérêt protecteur de la part des mâles adultes dominants), mais dans une espèce très proche, les babouins hamadryas, les mâles – même adolescents – gardent les petits et les transportent sur leur dos quand la troupe change d'endroit. Dans le même esprit, si les mâles forment effectivement une hiérarchie de domination parfaitement stable dans certaines espèces, ce n'est pas vrai de toutes les espèces de singes. Si des sous-espèces aussi proches peuvent montrer de telles différences dans les rôles assumés par chaque sexe, il y a lieu de penser que les êtres humains, dans la mesure où leur équipement biologique est apparenté à celui des animaux, ont très bien pu emprunter une voie évolutionniste parmi plusieurs possibles. Biologiquement, un large éventail de possibilités nous est ouvert.

Les sociobiologistes ont toujours accordé une valeur particulière à la présence supposée d'une hiérarchie de domination parmi les hommes – hiérarchie fondée sur la compétition agressive – et au rapport établi entre cette hiérarchie et le contrôle de l'homme sur la femme, d'une part, et la performance reproductrice, d'autre part. Il est important de rappeler que certaines des données de base utilisées dans ce débat ont pour origine l'étude d'animaux placés dans des conditions artificielles où la nourriture était dispensée en quantité limitée et dans un espace restreint. De telles conditions créent des comportements de compétition et de dominance dans des groupes de primates qui ne montrent pas fréquemment de tels schémas à l'état sauvage dans leur milieu naturel (Rowell, 1974). En outre, il paraît s'avérer qu'un mâle dominant – au sens où il contrôle les mouvements de la troupe, protège ses membres des prédateurs et intervient pour mettre fin aux bagarres – n'exerce pas nécessairement une domination agressive sur d'autres membres de la troupe quand une compétition éclate pour de la nourriture ou pour une femelle (voir Wilson, p. 282, pour un résumé partiel). Ainsi n'y a-t-il peut-être pas une seule hiérarchie de domination au sein d'un groupe social. A toutes fins utiles, il n'y a pas un seul mâle « alpha ». De plus, même lorsque l'on peut identifier une hiérarchie de domination tout à fait nette et stable, cela ne signifie pas nécessairement que le mâle dominant soit également le meilleur reproducteur tout au long de sa vie. Chaque mâle tend à évoluer d'une position de faible domination au début de l'âge adulte à une position plus forte à mesure qu'il approche de la maturité, de sorte que la majorité d'entre eux a une chance d'arriver à une position de grand reproducteur. Cette disposition n'assure pas la survie préférentielle des gènes « dominants », elle ne fait qu'éliminer un petit nombre inapte à s'élever dans la hiérarchie (Bernstein, 1970). Le concept de domination a été présenté d'une façon trop simpliste dans les ouvrages de vulgarisation et son utilité biologique nettement exagérée.

En fait, Bernstein a récemment analysé les groupes sanguins des membres d'une troupe de singes afin de déterminer quels étaient les pères biologiques des jeunes animaux. Il s'est révélé qu'il n'y avait pas de corrélation entre le statut de domination d'un mâle et ses performances de géniteur.

Mais l'approche sociobiologique rencontre un obstacle bien plus grave : elle se trouve incapable d'intégrer l'intelligence humaine, qualitativement si éloignée de celle des primates. De fait, les êtres humains sont si intelligents, si créatifs, qu'ils sont capables de provoquer de formidables changements dans leur environnement. D'un point de vue évolutionniste, il est impossible d'admettre qu'une créature qui est capable de cela transporte toujours en elle tous les vieux schémas instinctifs adaptés à un environnement primitif. L'évolution humaine comporte deux volets complémentaires : la capacité d'utiliser des outils, de créer une culture évoluée et de provoquer des changements révolutionnaires dans l'environnement; et simultanément, la disparition progressive des instincts au profit des apprentissages d'une créature qui a développé une variété presque illimitée de schémas de réponses possibles entre lesquels elle a pu choisir celui qui semblait le mieux convenir aux circonstances de l'environnement. Wilson connaît on ne peut mieux cet aspect de l'évolution humaine. Il l'expose d'ailleurs très clairement. Mais il y a dans son livre d'innombrables exemples où il extrapole par analogie des invertébrés aux vertébrés, des anthropoïdes à l'homme, comme si son premier objectif était de montrer que les schémas complexes du comportement humain étaient prédéterminés dans la structure du système nerveux humain ou quelque autre aspect de la physiologie humaine directement déterminé par le code génétique. Ainsi fait-il référence aux gènes qui commandent l'altruisme comme s'ils étaient identifiables, ou comme si l'altruisme était un groupe bien circonscrit de comportements humains que l'on pourrait appareiller à des gènes bien déterminés. En réalité, les psychologues observent que certains individus sont altruistes de telle façon, d'autres de telle autre, et que l'altruisme de chacun varie d'un moment à l'autre. L'altruisme est donc une forme de comportement qui ne constitue pas un groupe ou un « trait » comportemental cohérent. On peut sans doute décrire une espèce dans son ensemble par le degré d'altruisme qui règne parmi ses membres, mais quand il s'agit de comparer individus ou sous-groupes au sein d'une même espèce, le lien entre les gènes et le comportement devient insaisissable. De telles tentatives négligent un élément – celui de l'apprentissage humain individuel, le mécanisme par lequel l'individu s'adapte à un environnement variable.

Comment le processus de l'apprentissage humain se combine-t-il avec les prédispositions biologiques qui peuvent être présentes? Les études sur le développement de l'agression nous en apportent un bon exemple. Lorsqu'on observe jour après jour des enfants dans un groupe de jeux dont la composition ne change pas et où on n'impose pas de discipline stricte, il devient clair que la fréquence avec laquelle un enfant attaque ou taquine d'autres enfants dépend directement de l'issue de ses premières tentatives (Patterson et al., 1967). S'il essaie de s'emparer par force du jouet d'un autre et y parvient, la probabilité d'une récidive avec la même victime augmente considérablement. On peut faire le graphique de la métamorphose d'un enfant pacifique en enfant querelleur en suivant jour par jour l'histoire de ses rencontres avec d'autres enfants et en relevant les succès obtenus dans ses actions agressives et les échecs essuyés dans d'autres modes de réaction aux intrusions d'autres enfants.

Sans le moindre doute, la bagarre est une forme de comportement qui s'apprend. Mais pour revenir aux différences entre les sexes, cependant, nous nous trouvons face à une énigme : dans les travaux de Patterson, les observations détaillées ne révèlent pas de différence systématique dans les aléas connus par l'un et l'autre sexe à la suite d'une agression. En outre, les deux sexes sont également sensibles aux contingences, ils se montrent l'un comme l'autre tout à fait capables d'apprendre à être agressifs. Cependant les garçons, là encore, atteignent des taux d'agression plus élevés que les filles. Il semble possible que même si le comportement est appris, les garçons soient biologiquement plus prêts à l'apprendre. Peut-être cette prédisposition entraîne-t-elle certaines conséquences : les pleurs ou la fuite de la victime par exemple seraient plus gratifiantes pour les garçons que pour les filles. C'est une hypothèse, mais ce que je veux souligner, c'est qu'une prédisposition biologique n'est pas en elle-même suffisante pour entraîner un comportement [1]. Dans un environnement où le comportement agressif n'est pas récompensé, les garçons ne se battent vraiment pas beaucoup. Ceux qui étudient le comportement animal savent bien que l'activation des schémas comportementaux qui sont génétiquement précodés de façon très complexe dans une espèce donnée dépend d'un stimulus spécifique de l'environnement. Ce n'est pourtant pas ce genre de phénomène que je décris chez l'enfant humain. L'agression n'est pas chez lui une séquence d'actions stéréotypée simplement activée par un signal. C'est une catégorie vague d'actions qui diffèrent grandement d'un individu à l'autre, presque infiniment malléable, en ce qu'elle est modelée par l'expérience de chaque individu.

Il reste chez les garçons une sorte de contribution biologique les poussant à lutter, à jouer de façon plus brutale, et l'existence possible de hiérarchies de dominance. Est-ce à dire que les garçons dominants seront nécessairement les membres dominants de la société adulte? Il ne faut pas oublier les changements qui s'opèrent dans la nature de la dominance – ou plutôt du leadership – à mesure que les êtres humains vieillissent. Dans les groupes de garçons, les bagarres et les bousculades disparaissent presque complètement et les hiérarchies fondées sur elles se désorganisent. De nouveaux meneurs apparaissent, des meneurs différents pour différentes sortes d'entreprises. A la fin de l'adolescence et à l'âge adulte, la capacité à devenir « leader » dépend principalement de compétences et de connaissances particulières, des idées qu'on a, de l'aptitude à se concilier des factions rivales, à aider les membres du groupe, à fixer des objectifs au groupe et à planifier et organiser l'activité de façon à atteindre ces objectifs. Qualités qui caractérisent aussi souvent les femmes que les hommes. A mon sens, donc,

---

1. Par exemple, des observations dans plusieurs jardins d'enfants chinois, où les programmes sont très structurés et la surveillance étroite, ont révélé que l'agressivité était faible aussi bien chez les garçons que chez les filles (Kessen, 1975, p. 108-110).

si dans l'enfance les garçons ont un avantage inné dans les luttes pour la dominance, ils ne gardent pas nécessairement cet avantage quand ils sont adultes, excepté dans des situations assez limitées où seul un style de leadership agressif et coercitif peut être efficace.

Un autre changement dans l'organisation sociale – d'origine biologique cette fois – a d'importantes implications pour les rôles adultes des deux sexes. Je veux bien sûr parler de l'éveil d'un intérêt sexuel réciproque à l'adolescence. C'est sans doute ce facteur plus qu'aucun autre qui brise la ségrégation sexuelle spontanée des groupes d'enfants si généralement observée. Les implications de ce changement toutefois ne sont pas strictement sexuelles. Les adolescents et les adolescentes commencent à s'associer non seulement en couples mais en groupes pour des activités politiques, professionnelles, intellectuelles et récréatives aussi bien que pour flirter. Ainsi les hiérarchies de domination masculines antérieurement établies trouvent de nouvelles occasions de se défaire au profit de nouvelles formes de coalition.

Le couple jeune homme/jeune fille ayant une attirance sexuelle réciproque est l'une des situations de l'âge adulte qui se prêtent le mieux aux relations traditionnelles de domination homme/femme. Les jeunes filles continuent de croire qu'elles doivent éviter d'avoir l'air sûres d'elles-mêmes si elles veulent être sexuellement attirantes et elles agissent en conséquence. Les jeunes hommes font étalage de leurs prouesses physiques et intellectuelles et se conduisent avec une assurance et une autorité qui ne correspondent pas forcément à ce qu'ils ressentent dans leur for intérieur. On assiste ainsi à la scène familière où la jeune fille amène la conversation sur un sujet à propos duquel elle a des raisons de penser que son compagnon saura disserter judicieusement. Elle écoute avec admiration, posant des questions dont souvent elle connaît déjà les réponses, à seule fin de donner à son compagnon mâle l'occasion de briller. C'est l'éternelle routine de la cour. Mais les deux parties savent que, dans une certaine mesure, il s'agit d'un jeu. Ils savent que même si ce sont là les façons stéréotypées dont les hommes et les femmes se conduisent, elles ne correspondent pas exactement aux réalités de leur propre vie. L'une des recherches les plus intéressantes que je connaisse à ce sujet a été faite par Leik (1963). Il constitua des familles artificielles. Un trio formé d'un homme, d'une femme et d'un enfant adolescent qui ne s'étaient jamais vus auparavant était invité à s'asseoir autour d'une table et à agir comme une famille en train de dîner. Dans la plupart des groupes ainsi formés, l'homme prenait immédiatement la conversation en main, tandis que la femme et l'adolescent écoutaient respectueusement. La femme était conciliante, modeste et flatteuse. L'adolescent parlait extrêmement peu. La même scène jouée par des familles *réelles* offrait un contraste saisissant : n'importe lequel des trois membres de la famille pouvait à son tour dominer la conversation, selon le sujet abordé et ce que chacun avait à dire. Aucun rapport clair de domination n'apparaissait. Ces constatations s'accorderaient à l'opinion qui veut que dans la société moderne, il n'existe pas chez les hommes et les femmes de prédisposition favorisant la domination d'un sexe par l'autre dans le cadre familial. Au contraire : même quand les stéréotypes sociaux dictent un rapport de domination, les réalités de la nature humaine en viennent à bout, comme l'interaction dans un groupe d'individus se développe dans le temps.

Le problème crucial pour la vie des femmes est celui de leur rôle vis-à-vis des enfants. Je suis convaincue que c'est ce rôle, plus qu'aucun autre, qui a mené à la séparation des fonctions à l'âge adulte. Et c'est ici que l'argument du sociobiologiste prend toute sa force. Même si dans quelques espèces, les mâles ont un rôle important dans l'élevage des jeunes, dans l'écrasante majorité des espèces mammifères, cette responsabilité-là est celle des femelles. La quantité de temps et d'énergie consacrée par la femelle à ses petits varie énormément parmi les primates depuis la mère *tree-shrew* [1] qui construit un nid séparé pour ses petits et ne s'en occupe que toutes les quarante-huit heures, jusqu'à la mère chimpanzé qui porte son petit dans ses bras ou sur son dos pendant une très grande partie de son enfance et conserve une relation avec son enfant (surtout si c'est une fille) jusqu'à son âge adulte.

C'est de toute évidence une exigence biologique que la femelle soit celle qui donne le jour. En est-ce une également qu'elle soit celle qui nourrisse les petits une fois nés? Dans les espèces allaitantes, la réponse est encore bien évidemment oui, du moins pour ce qui est de nourrir, à l'exception peut-être de notre espèce qui a su inventer le biberon. Mais y a-t-il d'autres facteurs biologiques, à part la présence du lait, qui prédisposent les femmes à répondre aux besoins des nouveau-nés et des enfants? Nous ne pouvons donner ici tous les détails des recherches effectuées sur les animaux à ce sujet. Je me contenterai donc d'en résumer les constatations comme je les comprends : des hormones associées à la gestation et à la parturition prédisposent la femelle à un comportement maternel à l'égard des petits. Les femelles, vers la fin de leur grossesse et juste après l'accouchement, sont plus sensibles aux petits que celles qui ne se trouvent pas dans ces conditions hormonales. Il est également vrai que certaines particularités de l'apparence, les bruits et l'odeur des très jeunes animaux agissent comme des signaux activant un comportement maternel. Si l'on donne à une femelle une portée de nouveaunés, elle continuera de montrer un comportement maternel bien après qu'ils seront tous morts si un seul a survécu.

Si les hormones associées à la grossesse et à la parturition sont impliquées dans la réponse des femelles, peut-on supposer qu'une femelle qui n'a jamais été enceinte est semblable aux mâles dans sa façon de répondre aux petits? L'observation prouve le contraire. Mise en présence de petits, une femelle vierge va « s'animer » et commencer à s'occuper d'eux (les lavant, les rapportant dans le nid s'ils s'égarent, faisant un nid, etc.), et cela plus rapidement qu'un mâle placé dans la même situation. En fait, très souvent, le mâle attaquera les petits dès la première confrontation. Il apparaît donc que chez les mammifères où le phénomène a été étudié, le seuil à partir duquel une réponse parentale se développe est plus bas chez les femelles que chez les mâles, et cela aussi bien en l'absence des hormones associées à la lactation et à la parturition. Il faut cependant remar-

---

1. Petits mammifères arboricoles (Asie du Sud-Est), famille des tupidae (N.D.R.).

quer que les mâles laissés en présence de petits, une fois leurs premières réactions agressives passées, commencent bel et bien à s'occuper d'eux et se montrent capables de remplir toutes les fonctions, excepté celle de l'allaitement. Pour les deux sexes, l'habitude de la présence des petits et l'expérience de leurs soins ont une influence déterminante sur la rapidité de la réponse parentale et la qualité de cette réponse. Les mères qui élèvent leur second ou troisième petit sont plus compétentes dans leurs fonctions maternelles qu'elles ne l'étaient lors du premier.

Que peut-on dire maintenant de la façon dont femmes et hommes se conduisent vis-à-vis des nouveau-nés et des enfants? Il existe très peu de données sérieuses à ce sujet. Une étude a été effectuée par Parke *et al.* (1972) sur les pères en visite à l'hôpital juste après la naissance de leur enfant. Le comportement du père y était observé lorsqu'il était seul avec l'enfant et en présence de la mère. Le père manifestait un comportement nourricier envers le bébé au moins au même degré que la mère – le regardant, lui souriant, le touchant, le berçant. En outre, il se montrait généralement *capable* de manipuler le bébé – ne le laissant pas tomber et ne le tenant pas plus maladroitement que la mère. Lorsque les deux parents étaient présents, le père était en fait *plus* nourricier envers l'enfant que la mère, ceci étant vrai aussi bien pour les pères de la classe ouvrière que pour ceux de la moyenne bourgeoisie. Il semblerait donc qu'il n'y ait pas de fondement à l'opinion répandue selon laquelle les hommes ne sont pas particulièrement intéressés par les tout jeunes enfants, et ne commencent à s'intéresser à leurs propres enfants que lorsque ces derniers grandissent.

Des recherches récentes menées par Feldman et Nash, non encore publiées, s'intéressent également à la réponse différentielle des hommes et des femmes aux jeunes enfants. Feldman et Nash ont observé des sujets adultes placés dans une salle d'attente où un bébé inconnu (âgé de 8 à 10 mois) se trouvait assis dans une chaise d'enfant. Ils ont mesuré le degré d'intérêt manifesté par les adultes au bébé – essayaient-ils d'attirer son attention, d'entrer en interaction avec lui, ou bien lisaient-ils simplement une revue mise à leur disposition? Les comparaisons portaient sur des hommes et des femmes à différents stades de leur vie : certains des sujets étaient de jeunes adultes non mariés, mais vivant avec un membre du sexe opposé; certains étaient mariés depuis peu; d'autres, membres d'un couple marié dont la femme était enceinte; d'autres encore, parents d'un premier enfant de moins d'un an. Les résultats observés sont portés sur le diagramme 1. L'attitude des hommes à l'égard du bébé ne variait pas régulièrement en fonction des différents stades de leur vie; contre toute attente prévoyant que les hormones de la grossesse prédisposeraient les femmes à s'intéresser au bébé, c'est lorsqu'elles étaient enceintes que celles-ci montraient la réponse la plus faible. Mais l'expérience vécue avec leur propre enfant a un effet bien plus marqué sur les femmes que sur les hommes, et les femmes déjà mères se montraient nettement plus sensibles que les hommes.

Ces résultats confortent l'hypothèse selon laquelle l'expérience vécue avec un jeune enfant est une condition déterminante pour le renforcement du comportement parental, mais que les femmes sont mieux préparées biologiquement à être sensibles à cette expérience. Une autre explication, également plausible, se présente : après la naissance d'un bébé, c'est la mère qui porte la responsabilité principale des soins et c'est donc elle qui sera le plus touchée par l'expérience des soins que la présence du bébé provoque. Le fait que les couples qui ont servi à cette expérience suivaient des cours d'accouchement sans douleur est à noter. Probablement, ces pères étaient-ils plus disposés que la moyenne à participer aux soins de leurs enfants. Mais, même chez eux, le niveau de participation aux soins réels une fois l'enfant né a dû être considérablement moindre, compte tenu du fait que tous les pères de cet échantillon travaillaient et presque toutes les mères restaient au foyer. Y a-t-il un motif valable de choisir l'une ou l'autre de ces deux hypothèses? Feldman et Nash ont trouvé que parmi les sujets qui n'étaient pas encore parents, les individus les plus sensibles au bébé dans la salle d'attente étaient ceux qui avaient eu plus souvent l'occasion, avant, de s'occuper de bébés. Cela restait vrai qu'il s'agisse de l'un ou de l'autre sexe. Il apparaît donc que les hommes comme les femmes répondent à l'éveil de l'intérêt pour les bébés né de la responsabilité de leurs soins. La balance pencherait alors un peu en faveur de la thèse selon laquelle c'est l'attribution du rôle des soins à la mère, plutôt qu'une meilleure disposition biologique à répondre aux bébés qui est responsable du fait que les jeunes mères deviennent plus sensibles aux bébés en général que les jeunes pères.

Au surplus, on pourrait remarquer que même si les femmes ont effectivement une sorte d'avantage biologique sur les hommes dans leur sensibilisation aux bébés, cela ne signifie pas nécessairement qu'elles continueront à être plus sensibles à mesure que l'enfant grandira. Cela ne signifie pas non plus qu'elles soient nécessairement plus compétentes pour s'occuper des enfants.

Admettons pour l'instant que les êtres humains *ont* ceci de commun avec les primates : le seuil à partir duquel le contact avec de jeunes enfants active ou renforce le comportement de soin a tendance à être plus bas chez les femmes, et cela contribue à l'efficacité de leurs soins. J'aurais personnellement tendance à considérer que cela est à mettre à l'actif et non au passif du sexe féminin, mais c'est là bien sûr un jugement fondé sur des valeurs que tout le monde ne partage peut-être pas. La question importante est la suivante : si cette différence entre les sexes existe effectivement, cela implique-t-il que les fonctions d'élevage des enfants dans nos sociétés modernes doivent et devraient revenir presqu'exclusivement aux femmes? Et d'autre part, à supposer que les femmes continuent de s'occuper davantage des enfants que les hommes, cela doit-il nécessairement limiter leur participation à d'autres aspects de la vie adulte?

Quel effet a sur les hommes le fait de s'occuper d'enfants? Nous n'avons qu'une expérience limitée d'une véritable égalité dans la responsabilité parentale. Aux États-Unis, certains jeunes couples commencent à expérimenter ce type de division du travail, ou même un renversement des rôles, la femme travaillant à l'extérieur, tandis que l'homme reste à la maison avec les enfants. Jusqu'à présent, aucune évaluation sérieuse des conséquences de tels arrangements n'a été faite. Dans une étude comparée d'un certain intérêt, Baldwin-Ember a analysé le comportement de deux groupes de garçons dont un avait eu à garder des enfants plus jeunes, généralement parce qu'il n'y avait pas dans la famille de fille plus âgée pour assumer ces responsabilités et que la mère avait besoin d'une aide pendant qu'elle travaillait. L'autre groupe était composé de garçons qui n'avaient jamais eu de responsabilités envers des frères ou sœurs plus jeunes. Le comportement des garçons fut observé tandis qu'ils jouaient librement avec des camarades de leur âge, à des moments où les garçons des deux groupes étaient dégagés de toute responsabilité à l'égard d'enfants plus jeunes. La comparaison établit que les garçons qui avaient l'habitude de s'occuper d'enfants plus jeunes étaient moins agressifs et plus secourables avec leurs compagnons que les garçons qui n'avaient pas cette expérience. Pour ceux d'entre nous qui estiment important et nécessaire de réduire le niveau d'agressivité dans la société moderne, cette constatation ne suggère-t-elle pas qu'il serait sage d'impliquer les hommes dans les soins aux petits même si, dans un sens, cela ne leur vient pas aussi « naturellement » qu'aux femmes?

Aujourd'hui, beaucoup de jeunes femmes s'intéressent à la question de savoir si les soins aux enfants peuvent et devraient être partagés entre les deux sexes. Il serait naïf de ma part de suggérer que cet intérêt leur est inspiré par le seul désir de partager avec les hommes les joies et les bénéfices psychologiques qu'elles connaissent en s'occupant des enfants. C'est aussi le fardeau qu'elles veulent partager, afin de pouvoir participer plus pleinement à d'autres rôles. Le soin des jeunes enfants est une fonction qu'il est difficile de mener de front avec certains rôles extra-familiaux. Jusque récemment, la question du choix ne se posait pratiquement pas : quand une femme attendait un enfant tous les deux ou trois ans et nourrissait chacun pendant un an ou plus, il y avait peu de chances pour qu'elle puisse s'engager sérieusement dans des activités incompatibles avec les soins maternels. A certaines époques et en certains lieux, les sociétés ont eu suffisamment besoin du travail féminin extérieur pour organiser des garderies ou pour déléguer la charge des enfants à d'autres que leurs mères pour que celles-ci puissent travailler, mais il y a toujours eu un contre-courant puissant ramenant les femmes aux fonctions domestiques.

La révolution scientifique est venue tardivement à s'occuper de la maternité dans la vie des femmes. Le mâle humain qui était, croit-on, adapté biologiquement à la chasse et à la guerre a commencé depuis plusieurs milliers d'années à changer et compliquer ses activités, et s'est adapté depuis la révolution industrielle à une affolante variété de métiers : ingénieur, ouvrier, vendeur, camionneur, programmateur, publiciste – qui sont sans grand rapport avec la chasse et le combat corps à corps, en dépit des analogies très librement établies entre le gibier et l'argent rapportés au foyer. L'adaptabilité du mâle humain n'appelle pas de commentaires. Elle n'est qu'un signe supplémentaire du fait que nous sommes une espèce qui fonctionne grâce à l'apprentissage, avec des contributions relativement atténuées de la programmation génétique. Mais, peut-être parce que les rôles des femmes ont moins changé que ceux des hommes, nous continuons de croire que l'adaptabilité féminine est plus restreinte de par son rôle biologique dans l'enfantement.

Deux éléments très récents sont venus modifier radicalement la situation de l'adaptation féminine. Le premier est la croissance exponentielle de la population humaine totale jusqu'aux limites extrêmes des capacités de notre planète. Le second est la mise au point de moyens contraceptifs peu coûteux et d'une efficacité presque parfaite. Ces deux évolutions signifient premièrement que nous *devons* et deuxièmement que nous *pouvons* limiter le nombre d'enfants mis au monde par chaque femme. Et cela signifie à son tour qu'une grande part de l'énergie féminine autrefois absorbée par les soins aux enfants se trouve désormais libérée pour d'autres fonctions. Il va de soi que l'élevage des enfants restera l'une des plus importantes fonctions accomplies par les êtres humains et que de nombreuses femmes continueront d'en faire leur occupation principale. Ce que je souhaite personnellement, c'est que les hommes investissent davantage dans cette fonction, eux aussi. Mais, en tant qu'espèce, nous nous trouvons face à une situation toute nouvelle – situation dont les implications sont nettement plus importantes pour les rôles traditionnels des femmes que pour ceux des hommes. Nous manquons d'expérience pour prévoir d'ores et déjà quelles solutions à cette situation s'avéreront compatibles avec ce qu'il peut y avoir de structurel dans la psychologie masculine et féminine. Nous savons par contre qu'il ne sert pas à grand-chose d'essayer de trouver la réponse par analogie avec le comportement des primates. Chez les êtres humains rien de ce que nous savons des prédispositions psychologiques dans les deux sexes n'empêcherait les femmes de s'adapter à des situations nouvelles. Jusqu'à présent, les femmes se sont montrées tout à fait capables d'entreprendre avec succès une remarquable variété d'activités extra-familiales. La seule façon de savoir si des modifications des rôles masculin et féminin sont viables, c'est d'en faire l'essai.

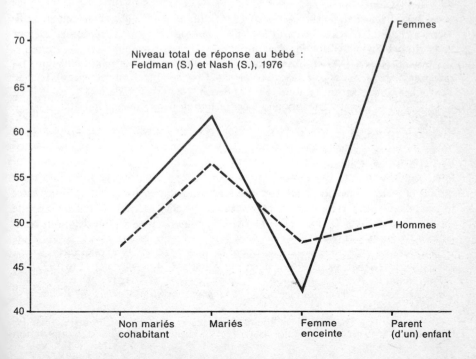

Niveau total de réponse au bébé :
Feldman (S.) et Nash (S.), 1976

RÉFÉRENCES BIBLIOGRAPHIQUES

ARDREY (R.) : *The hunting hypothesis,* Athenum Press, 1976.

BERNSTEIN (I.S.) : « Primate status hierarchies », *Primate Behavior,* 1970, *1,* p. 71-109.

DE VORE (B.I.) : *Primate Behavior : Field Studies of Monkeys and Apes,* Holt, Rinehart and Winston, New-York, 1965.

EMMERICH (W.) : « Structure and development of personal-social behaviors in preschool settings », Educational Testing Service, Princeton, New Jersey, Report of Head Start Longitudinal Study, nov. 1971.

FELDMAN (S.), et NASH (S.) : « The effect of family formation on sex-stereotypic behavior : a study of responsiveness to babies », *Stanford University Psychology Department Report,* Submitted for Publication.

FRANKENHAUSER (M.) et JOHANSSON (G.) « Behavior and catecholamines in children », in *Society, Stress and Disease,* Vol. II (« Childhood and Adolescence »), Lennart Levi Ed., Oxford University Press 1975, London, New York, Toronto.

LEIK (R.K.) : « Instrumentality and emotionality in family interaction », *Sociometry,* 1963, *26,* p. 131-145.

OMARK (D.R.), OMARK (M.) et EDELMAN (M.) : « Dominance hierarchies in young children », paper presented at the International Congress of Anthropological and Ethnological Sciences, Chicago, 1973.

PARKE (R.W.), O'LEARY (S.E.) et WEST (S.) : « Mother-father-newborn interaction : Effects of maternal medication, labor, and sex of infant », *Proceedings of the Eightieth Annual Convention,* American Psychological Association, 1972.

MACCOBY (E.E.) et JACKLIN (C.N.) : *The Psychology of Sex Differences,* California, Stanford University Press, 1974.

MACCOBY (E.) : *Woman's Sociobiological Heritage : Destiny or Free Choice?,* Conference on perspectives on the Psychology of Women, Michigan State, May 1977.

PATTERSON (G.R.), LITTMAN (R.A.) et BRICKER (W.) : « Assertive behavior in children : step toward a theory of aggression », *Monographs of the Society for Research in Child Development,* 1967, *32,* N° 113.

ROWELL (T.) : « The concept of social dominance », *Behaviorial Biology,* 1974, *11,* p. 131-154.

TRIVERS (R.L.) : « Parental investment and sexual selection », in B. Campbell Ed., *Sexual Selection and Descent of Man, 1871-1971,* Aldine Publishing Co., Chicago.

WILSON (E.O.) : *Sociobiology : the New Synthesis,* Harvard University Press, Cambridge, Mass., 1975.

E. Maccoby met le doigt sur la faiblesse de l'argumentation de la sociobiologie en constatant qu'elle n'a pas su intégrer l'intelligence humaine, laquelle a si considérablement modifié l'environnement. A son tour l'environnement réclame des êtres de nouvelles tâches, de nouveaux rôles, donc de nouveaux apprentissages. Dans cette interaction constante de l'homme sur l'environnement et de l'environnement sur les apprentissages de l'homme, il n'y a pas de raison que les femmes soient moins susceptibles de s'adapter à de nouveaux rôles exigés ou permis par un nouvel environnement, et nous en avons sans cesse des exemples sous les yeux.

E. Maccoby en venait toutefois à dire : « *Il est impossible d'admettre qu'une créature qui est capable d'introduire de si formidables changements dans son environnement transporte toujours en elle* tous les vieux schémas instinctifs *adaptés à un environnement primitif.* » *Si ces schémas révolus ne sont plus transportés,* évidemment par les gènes, *que se passe-t-il alors? Certains lecteurs peu familiers avec le débat entre darwiniens et lamarckiens risquent peut-être de ne pas bien saisir l'enjeu du débat actuel à propos de la sociobiologie. Il s'agit bel et bien, d'un côté et de l'autre, d'un débat entre néo-darwiniens, cela vaut peut-être la peine d'être souligné. Les acquis récents de la biologie moléculaire ont permis, entre autres, de régler une fois pour toutes les comptes avec les thèses lamarckiennes.*

Les caractères acquis, contrairement à ce que pensent tant et tant de gens, ne s'inscrivent pas dans le patrimoine génétique et ne se transmettent pas. Non seulement on n'en n'a jamais trouvé un seul exemple, ce qui laisserait à la rigueur encore les tenants de l'héritabilité des caractères acquis sur une position d'attente (peut-être qu'un jour...), mais, comme l'a admirablement écrit Jacques Monod, « *il n'y a pas de mécanisme* possible *par quoi la structure et les performances d'une protéine pourraient être modifiées et les modifications transmises, fût-ce partiellement, à la descendance, si ce n'est comme conséquence d'une altération des instructions représentées par un segment de séquence d'A.D.N. Tandis qu'inversement il n'existe aucun mécanisme concevable par quoi une instruction ou information quelconque pourrait être transférée à l'A.D.N. »* (Le Hasard et la Nécessité, *p. 125). François Jacob a aussi insisté sur cet acquis capital de la biologie moderne :* « Un gène ne peut être transformé par référence à la fonction qu'il gouverne. » *(*La Logique du Vivant, *p. 310.) D'énormes mystifications « scientifiques », ou prétendues telles, ont jalonné l'histoire des tentatives, d'avance vouées à l'échec, de prouver le contraire. L'affaire Lyssenko en U.R.S.S. en est l'exemple le mieux connu.*

Génétiquement, l'environnement ne crée pas du neuf, il ne peut qu'en faire le tri là où il se présente spontanément, avec un très faible taux, par mutations spontanées. L'environnement n'est pas mutagène. Toutefois des changements dans l'environnement peuvent permettre la survie et la reproduction d'êtres porteurs de gènes, qui, dans des conditions d'environnement différentes, n'auraient pu survivre ni transmettre à leurs descendants ces gènes. L'environnement peut donc favoriser ou permettre la sélection de gènes plus adaptés.

Ainsi, par rapport à la majorité des mammifères, les primates – homme inclus – ont perdu l'habilité à synthétiser la vitamine C, sans mauvais effets pour eux car ils ont réorienté leur comportement alimentaire de façon à toujours ingérer, en situation normale, un taux suffisant de vitamine C d'origine végétale. Ce n'est que lors des grands voyages des navigateurs du XVIe siècle qu'on s'est aperçu que les hommes étaient devenus à cet égard dépendants de leur environnement, car il est apparu clair qu'il existait une corrélation directe entre la carence alimentaire et le scorbut. L'homme s'est rendu compte qu'il était dépendant de la qualité et de la diversité de sa nourriture pour sa survie. L'étude des maladies dues à une carence alimentaire ne faisait que commencer.

Plus complexe et plus intéressant pour notre propos est le cas de la déficience congénitale en lactase (enzyme responsable du métabolisme des sucres contenus dans le lait, et en particulier dans le lait maternel). La plupart des mammifères perdent leur capacité de synthétiser la lactase après le sevrage : sauf rares exceptions, ils ne peuvent plus utiliser le lait comme aliment de base. Boire du lait, pour un adulte mammifère, peut entraîner souvent des risques considérables d'intoxication. Or l'espèce humaine présente le même trait. En considérant les trois millions d'années environ pendant lesquelles l'humanité a évolué, on conclut que l'homme et la femme adultes ne peuvent boire du lait, sauf exceptions. Parmi ces exceptions, se sont trouvés jadis les ancêtres des peuplades indo-européennes et asiatiques; aujourd'hui, en particulier, toutes les populations de peau blanche d'Europe et des Etats-Unis, les Asiatiques et quelques populations africaines de pasteurs nomades, tels les Masaï du Kenya et les Tutsi du Ruanda. L'élevage des chèvres, des brebis, des chevaux et des vaches a créé une forte pression sélective favorable à la conservation de la lactase pendant toute la durée de la vie. Cela explique que l'exception soit devenue la règle dans nos pays où les lignées génétiques remontent à des ancêtres qui avaient inventé l'élevage il y a environ quinze mille ans. Mais au regard du temps de l'évolution, quinze mille ans sont peu de chose, aussi paradoxal que cela puisse nous paraître à cause de notre ethnocentrisme et de notre chronocentrisme. La possibilité de boire du lait pendant toute notre vie est une « invention » évolutive toute récente qui a été sélectionnée par une invention culturelle : celle de l'élevage. Cette invention est très peu répandue dans le continent africain, ou chez les natifs d'Australie et d'Océanie.

Après ces exemples, une hypothèse à titre d'illustration : on pourrait imaginer que si certaines femmes étaient porteuses d'un gène empêchant la montée de lait et la lactation après l'accouchement, elles n'auraient pu transmettre ce gène à leurs enfants dans un environnement où la nourriture du bébé par sa propre mère aurait été condition absolue de survie, car ces enfants n'auraient pas vécu. Elles le pourraient en revanche sans problème dans un environnement tel que le nôtre où des nourritures de bébé autres que le lait maternel sont efficaces et très aisées à obtenir. Ce gène pourrait alors se multiplier, et la fonction nourricière des femmes ne plus sembler aussi fortement « inscrite dans la nature » de la femme puisque nombre d'entre elles ne connaîtraient même pas de montée de lait. Si l'environnement venait brutalement à changer, ces femmes ne pourraient élever leurs petits et ce gène se raréfierait.

En aucun cas, le fait culturel de ne pas nourrir soi-même son enfant ne peut provoquer, être directement l'agent, d'une mutation portant sur la capacité d'allaitement de la femme, même après des millénaires. Le fait culturel amplifie ou atténue les phénotypes ou traits contrôlés par les gènes, agissant indirectement sur les fréquences géniques.

D'autre part, la comparaison qu'E. Maccoby fait entre l'évolution ancienne des conditions de vie du mâle humain, qui l'ont éloigné de ses rôles de chasseur-pêcheur, et l'intervention récente de la science et des techniques dans la fonction maternelle des femmes (lait artificiel, contraception possible, etc.) qui tend à démontrer que la femme a eu un temps beaucoup plus court que l'homme pour perdre ses « vieux schémas instinctifs » et s'adapter à de nouveaux rôles, cette comparaison est fort pertinente au regard de l'Histoire. Elle ne l'est pas au regard de la génétique dont le temps n'est pas le même. Admettons que dans certaines zones de la planète l'homme a modifié son environnement depuis vingt mille ans (et c'est là largement compter!), cela ne représente qu'un temps très bref en histoire génétique. Les changements génétiques sont beaucoup plus lents. C'est dire que les extraordinaires modifications de l'environnement intervenues depuis l'ère industrielle ont considérablement modifié les rôles et les apprentissages nécessaires à ces rôles, mais n'ont eu aucune traduction perceptible en génétique.

Evelyne SULLEROT.

Massimo PIATTELLI-PALMARINI.

4.

Quelques constats sur la psychologie différentielle des sexes

par René Zazzo

Je me bornerai à l'énoncé de quelques constats, les uns de date ancienne, les autres relativement récents.

La tonicité

La notion de différence de tonicité entre garçons et filles est ancienne. Gatewood et Weiss (1930), mesurant les réactions du nouveau-né au stabilimètre, trouvent que les garçons réagissent davantage aux stimulations, comme le montre leur accroissement de vitesse respiratoire. Les garçons sont atteints deux fois plus souvent que les filles de tétanie infantile (Baldwin, 1929).

Dans une étude sur le développement moteur, une de nos collaboratrices a mis en évidence une très nette différence de l'extensibilité.

La mesure la plus discriminative d'un sexe à l'autre, comme d'un enfant à l'autre, est celle de l'angle poplité (Mira Stamback : *Tonus et Psychomotricité*, 1963). L'angle poplité est déterminé par les extenseurs de la cuisse. Il est l'angle formé par la cuisse et la jambe, l'enfant étant complètement couché sur le dos. L'angle est de 80° environ à la naissance et il augmente progressivement jusque vers 18 mois (180°) pour diminuer ensuite jusqu'à vers 3 ans.

Sur la population étudiée par M. Stambak, la différence entre garçons et filles apparaît vers l'âge de 9 mois (respectivement 130 et 150°). Les filles atteignent le maximum de 180° à 12 mois et s'y maintiennent jusqu'à 2 ans alors que les garçons l'atteignent à 15 mois et commencent à régresser dès l'âge de 18 mois. A 3 ans, âge limite de l'observation, les garçons ont en moyenne un angle poplité de 130° et les filles de 160°.

Ces observations peuvent aussi s'exprimer de la façon suivante :

– Parmi les *hyperextensibles* (enfants qui atteignent très tôt – 7, 8 ou 9 mois – le maximum de 180°); on compte 15 filles et 3 garçons.

– Parmi les *hypoextensibles* (ceux qui atteignent le maximum après 15 mois ou jamais), on compte 13 garçons et 4 filles.

Le même auteur a mis en évidence une corrélation entre les divers indices d'extensibilité, d'une part, l'apparition de la marche et de la parole, d'autre part. Les enfants plus toniques (hypoextensibles) marchent plus tôt, les enfants moins toniques (hyperextensibles) parlent plus tôt. Ainsi la relative précocité des garçons pour la marche, la relative précocité des filles pour la parole, seraient déterminées, au moins partiellement, par la différence de tonicité.

On sait par ailleurs que de nombreux auteurs, parmi lesquels Henri Wallon, considèrent que la tonicité des postures et des attitudes intervient dans l'établissement des relations à autrui dans la prime enfance, et dans la qualité, la plus ou moins grande facilité de ces relations.

Mécanismes d'« attachement » et de « peur » dans la prime enfance.

Nouveau champ d'investigation ouvert notamment par l'éthologie : comment l'enfant parvient-il à des attachements spécifiques (notamment avec la mère)? Comment les réactions (positives ou négatives) à l'égard des personnes étrangères sont-elles en rapport avec les phénomènes d'attachement?

Dans les recherches relatives aux réactions du jeune enfant à la personne étrangère, la plupart des auteurs (Tennes et Lampl, 1964; Morgan et Ricciuti, 1969; Jacques Goulet, 1969, publication en 1972) indiquent une tendance chez les garçons à réagir plus positivement que les filles.

Dans l'analyse de Jacques Goulet, la plus minutieuse de toutes, la différence entre garçons et filles est mise en évidence très nettement au moment précis de l'expérience où la personne entre en contact physique avec l'enfant. Une réponse fortement positive est observée pour 9 garçons sur 15, et seulement pour 3 filles sur 15 (fin de la première année, début de la seconde). Il y a là l'amorce d'une étude objective des origines de l'affectivité et de ses différences éventuelles en fonction du sexe.

Force et capacité vitale

La force d'étreinte de la main dominante est supérieure de 10% chez les garçons à l'âge de 7 ans. A 18 ans, la supériorité moyenne est d'environ 60%. La courbe cesse de croître chez les filles vers l'âge de 16 ans.

La capacité vitale (respiratoire) est plus discriminative entre les sexes que la taille et le poids. Elle est sans doute plus significative pour le comportement puisqu'elle détermine en bonne partie le rendement énergétique qu'un individu est capable de soutenir.

La supériorité des garçons est d'environ 7% à l'âge de 6 ans, 12% à l'âge de 10 ans, 35% à l'âge de 20 ans.

Taux de maturation

En ce qui concerne le développement du squelette, les filles sont supérieures aux garçons à la naissance. A 6 ans, elles ont en moyenne 1 an d'avance, et 2 ans d'avance à l'âge de 13 ans.

Sous toutes les latitudes, les filles atteignent leur puberté 18 mois ou 2 ans plus tôt que les garçons. Le décalage séculaire abaisse pour tous l'âge de la puberté, mais maintient l'écart entre les deux sexes.

Les fonctions cognitives

Les tests d'intelligence globale ne décèlent aucune différence entre les sexes.

Cependant la quasi totalité des recherches poursuivies depuis un demi-siècle parviennent au constat de deux tendances : supériorité verbale chez les filles, supériorité de l'aptitude spatiale chez les garçons.

Le trait le plus caractéristique des garçons est leur supériorité dans les activités intellectuelles qui supposent l'élaboration logique et la visualisation spatiale (le facteur K d'El-Koussy, le facteur S de Thurstone).

Cette supériorité de l'aptitude spatiale, combinée à des facteurs d'ordre culturel, conduirait à la supériorité des aptitudes techniques.

La différence des aptitudes techniques, déjà sensible au début de la scolarité primaire, s'accentue avec l'âge de telle sorte qu'à l'adolescence, les performances des garçons peuvent être supérieures à celles des filles de 50% à 100%.

Un auteur comme R.F. Stafford prétend démontrer que le facteur spatial est héréditaire et lié au sexe par l'étude des corrélations entre les mesures de visualisation effectuées sur 104 parents et leurs enfants (« *Sex differences in spatial visualization as evidence of sex-linked inheritance* », *Percept motor Skill*, 1961).

La supériorité des filles sur le plan verbal est peut-être à rapporter aux caractéristiques toniques, déjà mentionnées. On sait que les filles sont en moyenne plus précoces pour reproduire les sons (McCarthy). Elles articulent mieux, bégaient moins fréquemment (Schuelle), s'expriment plus facilement (Gesell, Wellmann).

Dans une recherche déjà ancienne, j'avais constaté la supériorité des filles à une épreuve d'orthographe à tous les âges entre 8 et 14 ans, avec la supériorité des garçons à une épreuve de copie de dessin géométrique pour la même période. Il ne s'agit, bien entendu, que de supériorité à l'échelle des populations. En fait, les courbes de distribution des deux sexes chevauchent très fortement.

Différences de comportement à l'école maternelle

Il s'agit d'une observation que j'ai faite sur la population d'une grande section de l'école maternelle (5 à 6 ans), avec la *méthode des échantillons temporels* : dans la salle de classe, en activité libre, chaque enfant était observé, chaque jour, pendant une période de 5 minutes. Au moyen d'un code préparé à l'avance, je procédais à une notation intégrale du comportement de l'enfant, de 5 secondes en 5 secondes. Pour chaque enfant de cette classe maternelle, 50 minutes d'observation ont été prises.

Trois différences majeures sont constatées entre garçons et filles :

1. L'agitation et la plus grande turbulence des garçons. Sur le total de 50 minutes, on observe en moyenne *5 minutes* d'agitation pour les garçons, et *30 secondes* seulement chez les filles. Le rapport est donc ici de 1 à 10.

2. Une coopération, une sociabilité beaucoup plus développée chez les filles avec une activité verbale étroitement liée à cette coopération. *21 minutes* d'activité à deux ou plusieurs contre *1 minute et demie* chez les garçons. *15 minutes* de communication verbale chez les filles contre *4 minutes* chez les garçons.

3. Constat complémentaire du précédent : une tendance beaucoup plus marquée chez les garçons à s'isoler, non pas dans l'inaction, d'ailleurs, mais dans des activités de construction qui sont très rares chez les filles. Pendant les 50 minutes d'observation : 33 minutes d'activité solitaire chez les garçons, contre 20 minutes chez les filles.

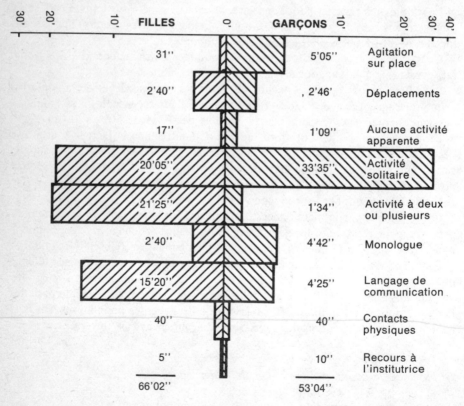

FIGURE 1

(Durée moyenne des divers types de comportement
en situation d'activité libre.)

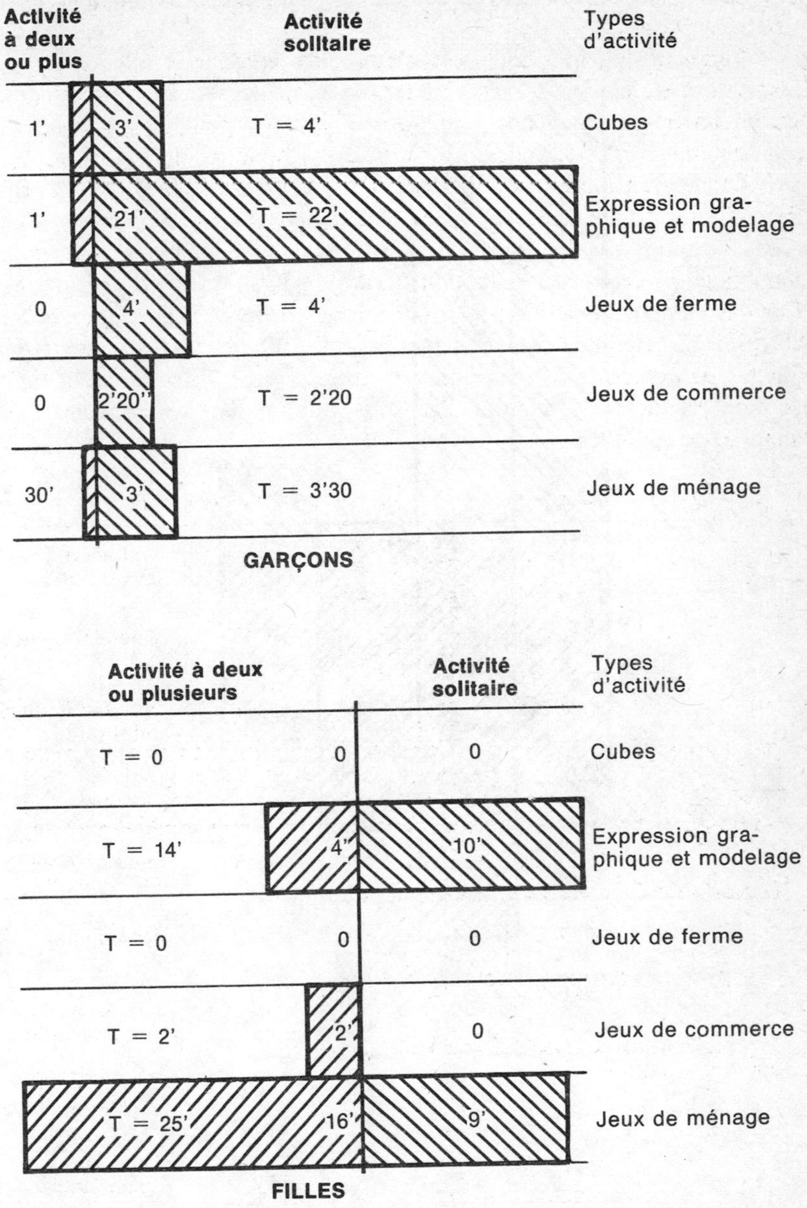

Activité à deux ou plus		Activité solitaire	Types d'activité
1'	3'	T = 4'	Cubes
1'	21'	T = 22'	Expression graphique et modelage
0	4'	T = 4'	Jeux de ferme
0	2'20''	T = 2'20	Jeux de commerce
30'	3'	T = 3'30	Jeux de ménage

GARÇONS

Activité à deux ou plusieurs		Activité solitaire	Types d'activité
T = 0	0	0	Cubes
T = 14'	4''	10'	Expression graphique et modelage
T = 0	0	0	Jeux de ferme
T = 2'	2'	0	Jeux de commerce
T = 25'	16'	9'	Jeux de ménage

FILLES

FIGURE 2

Répartition des activités libres
(durées moyennes pour l'échantillon d'enfants témoins.)

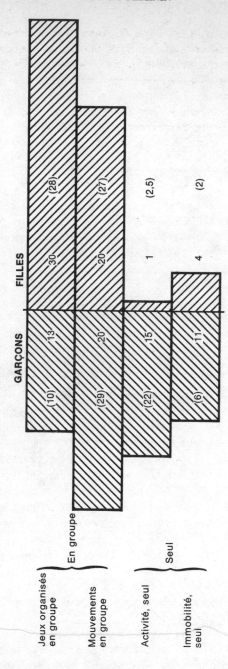

FIGURE 3

Incidence de chaque type de comportement en récréation
pour l'ensemble de la classe (les chiffres entre parenthèses
donnent la moyenne pour l'échantillon des huit enfants témoins).

La dominance de l'activité technique des garçons et la dominance de l'activité verbale des filles apparaissent donc ici dans un contexte bien défini. D'après certains auteurs, la supériorité verbale des filles (leur intuition des nuances verbales) serait déterminée par la plus grande pratique de la lecture, et celle-ci liée à leur introversion, à leur tendance à l'isolement. En fait, leur aptitude verbale apparaît bien avant qu'elles sachent lire. A l'école maternelle, où nous les avons observées, leur activité verbale est une expression de leur sociabilité.

Nouvelles recherches sur l'adaptation à l'école

Une étude intensive d'une population scolaire a été conduite à Nanterre (banlieue parisienne, à dominante « ouvrière ») sous la direction de Bianka Zazzo. Les facteurs de *milieu* et le facteur *sexe* ont été systématiquement analysés.

L'adaptation (mesurée par la participation aux activités de classe) est meilleure en moyenne chez les filles que chez les garçons, et cela dès le plus jeune âge où les enfants sont observés (5 ans, école maternelle).

Cette meilleure adaptation est en rapport avec une plus forte motivation pour les activités scolaires, avec une meilleure stabilité motrice, un meilleur contrôle psychomoteur. Ces divers indices d'adaptabilité sont obtenus par le recoupement de plusieurs techniques : observations codifiées, description des enseignantes, épreuves de contrôle psychomoteur (test de barrage, de freinage, stabilimètre).

A l'école maternelle, les différences dues au sexe sont au moins aussi importantes que les différences dues au milieu. En cours préparatoire (première année de l'école élémentaire), les différences dues au milieu l'emportent sur les différences dues au sexe. Celles-ci s'amenuisent dans le milieu relativement favorisé. Elles se maintiennent dans le milieu défavorisé.

Tous milieux mêlés, 32% des garçons sont instables contre 6% de filles; 19% des garçons participent activement aux activités de classe contre 37 % de filles; 49 % des garçons participent passivement contre 57 % de filles.

Pour un même milieu et à intelligence égale, en cours moyen 2e année (après 4 ans de scolarité primaire), le pourcentage des redoublants et des triplants est nettement plus élevé pour les garçons que pour les filles.

Sur l'ensemble de la population, 43% seulement des garçons n'ont pas de retard contre 66% des filles.

Cette différence, au bénéfice des filles tout au long de la scolarité, s'observe dans tous les milieux. Mais elle tend à s'amenuiser dans les catégories socioprofessionnelles les plus élevées.

Ainsi, pour les enfants appartenant au milieu le plus défavorisé (ouvriers non qualifiés) le taux des filles en scolarité normale est de 29%, et de 6% seulement pour les garçons. Dans le milieu le plus favorisé de la population observée (cadres moyens) les chiffres sont respectivement de 80% pour les filles et de 67% pour les garçons.

Renversement des rôles

Au cours de nos recherches gemellaires, nous avons fait un constat inattendu : la dominance des filles dans les couples bisexués.

Sur une population de 216 couples bisexués extraits d'une population de 1 500 couples de jumeaux, examinés par questionnaire rempli par les parents, j'avais obtenu les résultats suivants : la dominance de la fille commence à se manifester dès l'âge de 1 ou 2 ans, elle semble atteindre son maximum entre 8 et 10 ans. Elle diminue de 10 à 15 ans pour augmenter de nouveau de 15 à 20 ans. Une observation directe a été faite ultérieurement sur 21 couples (5 à 7 ans).

Un rapport de dominance est déclaré pour la totalité des couples : 8 fois au bénéfice des garçons, 13 fois au bénéfice des filles (cette proportion correspond exactement, pour les âges considérés, à ce qui avait été trouvé au cours de l'enquête).

Pour les 21 couples, les facteurs de liaison avec la dominance sont, dans l'ordre d'importance : la précocité du langage, la moindre timidité, la précocité de la propreté, la moindre fréquence des maladies graves.

Les caractéristiques de force, de robustesse sur quoi se fonde d'habitude la tyrannie des garçons sur les filles, cessent d'être efficaces. Par contre, les avantages habituels des filles jouent ici au maximum. Contrairement aux normes ou opinions courantes, les filles sont, dans ces couples en tout cas, moins timides que les garçons. En conséquence, pour la majorité des couples, c'est la fille qui mène le garçon.

Si les caractéristiques favorables aux garçons ne jouent pas, c'est sans doute que les rapports de hiérarchie s'établissent fermement dès la petite enfance et qu'à cette période de la vie, ces caractéristiques sont encore mal affirmées et dépourvues d'efficacité. Ce qui prime alors, ce sont les facultés de rapport avec autrui, les fonctions sociales de l'émotivité qui sont probablement, en moyenne, plus développées chez les filles que chez les garçons. S'il y a plus grande maturité, c'est aux yeux des parents, selon leurs critères de valorisation. On peut aussi faire l'hypothèse supplémentaire, la dominance pouvant être d'ailleurs fortement surdéterminée, que la tendance précoce des filles à s'intéresser aux bébés les incite à établir de très bonne heure une tutelle sur leur frère; cette tendance au « maternage » est un aspect de leur goût du contact physique, de leur sensibilité féminine.

Ces facteurs qui amorcent les rapports de la prime enfance ont des effets qui à leur tour deviennent des facteurs de dominance : le garçon, entretenu dans son état de bébé, marche plus tard que sa sœur, est propre plus tard: s'ajoutent à cela, chemin faisant, les effets de différences banales comme la meilleure réussite scolaire des filles. Supériorité hautement valorisée par les parents et qui, sur la base d'une hiérarchie déjà établie, prend une force exceptionnelle.

Pour la psychologie différentielle des sexes, l'étude du couple bisexué nous apprend que la dominance du sexe masculin, considéré traditionnellement comme sexe fort, est chose fragile. Les caractéristiques masculines n'ont pas de valeur absolue. Les supériorités d'ordre physique ne prennent leur signification de supériorité que dans une certaine structure de rapports humains, que dans une société où opère à tous les âges une ségrégation valorisée des sexes.

A égalité d'âge, dans les comportements premiers de la vie quotidienne et en dépit des stéréotypes sociaux, la confrontation des sexes renverse la hiérarchie : c'est alors la fille qui domine le garçon.

RÉFÉRENCES BIBLIOGRAPHIQUES

GOULET (J.) : « Notions de causalité et réactions à la personne étrangère chez le jeune enfant », in GOUIN-DECARIE (Th.) : *La Réaction du jeune enfant à la personne étrangère,* Montréal, publ. de l'université de Montréal, 1972.

STAMBAK (M.) : *Tonus et psychomotricité dans la prime enfance,* Neuchâtel, Delachaux et Niestlé, 1963.

ZAZZO (B.) : *Étude des modalités et facteurs de l'adaptation scolaire,* ronéo, 1976, pour paraître en 1978 aux P.U.F., coll. « Croissance de l'enfant, genèse de l'homme ».

ZAZZO (R.) : *Conduites et Conscience,* t. Iᵉʳ (Delachaux et Niestlé, 4ᵉ éd., 1977), chap. XIII : « Contribution à la psychologie différentielle des sexes au niveau préscolaire »; chap. XIV : « Attitudes et représentations sociales des enfants d'âge préscolaire. »

ZAZZO (R.) : *Conduites et Consciences,* t. II, 1968, chap. IX : « La dominance des filles dans les couples gémellaires bisexués. »

5.
A propos de la psychologie différentielle des sexes

par Cyrille KOUPERNIK, Evelyne SULLEROT,
Philippe ARIÈS, Roger LARSEN, Norbert BISCHOF.
John MONEY, Zella LURIA,
René ZAZZO, Eleanor MACCOBY

C. KOUPERNIK : Je voudrais m'arrêter sur une des parties de l'exposé remarquable du Dr Money, à savoir l'image du corps.

En psychiatrie, on remarque qu'un certain nombre de malades ont tendance à s'exprimer par leur corps, et non par leur langage; c'est un des critères les plus sûrs de l'hystérie (qui n'est d'ailleurs pas un syndrome exclusivement féminin). L'image du corps apparaît également dans une affection dix fois plus fréquente chez les filles que chez les garçons : l'anorexie mentale. L'image du corps féminin, avec sa morphologie particulière, semble effrayer parfois les jeunes filles et (par un mécanisme inconnu, mais qui a sans doute un relais hypothalamique) les conduire à un état cachectique et à l'aménorrhée.

Il existe en revanche, un état psychopathologique propre à l'homme, c'est celui de voyeur. La plupart des hommes sont très attirés par l'image de femmes nues, qu'ils cherchent à voir sans être vus eux-mêmes, alors qu'il est beaucoup plus rare que les femmes s'intéressent au corps masculin. Dans la même perspective (mais je fais là une extrapolation hasardeuse), il semble que l'ablation du cortex n'ait pas la même importance pour la persistance du comportement chez le chien mâle et chez la chienne : il semble d'après des expériences déjà fort anciennes que l'ablation du cortex chez le mâle aboutit à la disparition du désir – je ne veux pas dire par là que le désir du mâle soit plus « intellectuel », mais qu'il y a sans doute, parmi les composantes de ce désir, des facteurs *visuels* probablement plus importants chez l'homme que chez la femme, ce qui expliquerait peut-être un autre apanage du sexe masculin (dans un sens différent) : l'exhibitionnisme.

Enfin, je conclurai en disant que le problème dont nous débattons aujourd'hui a déjà fortement intéressé les Chinois. Le Tao chinois est à la base de la complémentarité de deux principes : le Yan, principe mâle, et le Yin, principe femelle. Je soulignerai que les habitants de l'ancienne Chine étaient plutôt sexistes, puis-

que le Yan est porteur de qualités évidentes (il est chaud, sec, lumineux), tandis
que le Yin est au contraire froid, humide, sombre. Cela montre que le sexisme
ne date pas d'aujourd'hui et qu'il a probablement toujours existé. Mais j'espère
qu'une des conséquences de notre réunion sera de faire réfléchir un certain nombre d'hommes sur l'image qu'ils se font de la femme.

E. Sullerot : Il n'y a pas que les Chinois, nous le verrons avec les anthropologues. Dans nos sociétés, l'importance prégnante des stéréotypes, soulignée par
Z. Luria, est particulièrement défavorable aux femmes, car les stéréotypes du
« féminin » sont beaucoup moins valorisants que les stéréotypes du « masculin ».
Les femmes elles-mêmes entérinent ces stéréotypes et, en conséquence, en viennent à se sous-estimer collectivement. C'est là un phénomène caractéristique des
groupes dominés, des peuples colonisés, etc. : même critiquant violemment leurs
oppresseurs, ils ont tendance à leur reconnaître davantage de qualités et de
valeurs qu'ils ne s'en reconnaissent à eux-mêmes. Appelées à décrire elles-mêmes
les stéréotypes de la femme et de l'homme, les femmes trouvent davantage de
traits pour décrire l'homme, et plus souvent de traits reconnus comme étant des
« qualités » par la société où elles vivent; et elles présentent un stéréotype de la
femme plus pauvre en items et moins brillant. Je voudrais à ce sujet rappeler
le très intéressant travail de B. Zazzo sur la psychologie différentielle de
l'adolescence [1]. Elle a fait établir par des filles adolescentes une liste des traits
de caractère typiques de l'adolescente; et elle remarque que ces traits sont peu
nombreux et que deux ou trois seulement peuvent passer pour positifs. Tous les
groupes de filles qu'elle a interrogés refusent aux filles des qualités comme la
raison ou la maîtrise de soi. Le stéréotype de la fille établi par ces groupes de
filles apparaît moins stable que celui qu'elles font du garçon, et il néglige les aspirations, les projections du devenir – que les garçons mentionnaient dans le stéréotype du garçon. Mais le plus intéressant est que, interrogées une par une sur leur
propre ressemblance à cette adolescente type, les filles, en majorité, se désolidari-
sent de leurs semblables (ce que ne faisaient pas les garçons) et répondent : « Moi,
je ne ressemble pas à cette fille type que je viens de décrire. » Un seul des groupes
de filles qu'étudiait B. Zazzo se distinguait des autres : les apprenties, au niveau
culturel le moins élevé, parmi lesquelles 43,6% disaient ressembler en général
aux filles de leur âge et se reconnaître dans le portrait type. Dans tous les autres
groupes composés d'étudiantes de différents niveaux socioculturels et de jeunes
filles déjà salariées, seule une minorité (de 14 à 27% selon les groupes) disait
ressembler aux autres filles. Parmi les garçons, les proportions de ceux qui décla-
raient ressembler beaucoup aux autres garçons et entérinaient pour leur propre
compte le stéréotype du garçon étaient beaucoup plus importantes. Par conséquent, s'agissant de « soi », une majorité de filles faisait individuellement opposition au stéréotype de la jeune fille, mais néanmoins elles acceptaient ce stéréotype
comme décrivant « les autres filles » en général. Elles montraient par là même,

---

1. Bianka Zazzo : *Psychologie différentielle de l'adolescence,* Presses universitaires de France, 1972.

d'une part, à quel point elles dévalorisaient leur propre sexe, d'autre part, combien peu elles s'en sentaient solidaires, puisqu'elles étaient si nombreuses à lui infliger un désaveu. Par ailleurs, les différences de statut socioculturel introduisaient moins de différences entre les réponses des filles qu'entre les réponses des garçons. Pour les filles, l'appartenance au sexe féminin – par ailleurs déprécié par une majorité des sujets – jouait plus fortement que le milieu social, que le niveau culturel ou que l'âge. Leur insatisfaction était d'autant plus frappante, et semblait bien lourde à porter, car elle ne permettait quand même pas une vraie prétention à l'autonomie, l'affirmation de soi et la préparation à l'avenir étant moins marquées.

Ph. Ariès : Je voudrais faire un commentaire à propos d'un cas particulier de ces stéréotypes sociaux auxquels il a été fait allusion. Historien, je l'emprunterai à l'histoire du costume. On sait que dans la bourgeoisie européenne et américaine du xixe siècle, le petit garçon, pendant ses premières années était habillé d'une robe. Jusqu'à l'âge de quatre ans environ, il n'y avait donc pas de différence entre l'habillement des petites filles et l'habillement des petits garçons. Cela paraît assez amusant à mentionner, d'autant que des psychologues de formation psychanalytique ont tenté d'expliquer ce phénomène par une volonté de féminiser le petit garçon! Il est plus intéressant de rechercher à la suite de quel processus historique le petit garçon s'est retrouvé habillé, comme la petite fille, d'une robe. En fait, deux ou trois siècles auparavant, habiller quelqu'un d'une robe ne voulait pas du tout signifier l'habiller comme une femme. Les magistrats et les prêtres étaient vêtus de robes, parce que tous les hommes d'une certaine qualité en portaient une. Vers le xive ou xve siècle, la mode a été, pour les hommes, d'enlever cette robe et de s'habiller très court et très collant – manière qui paraissait d'ailleurs tout à fait obscène aux écrivains ecclésiastiques de la fin du Moyen Age et de la Renaissance. La robe a donc été, depuis cette époque, d'une part l'attribut des femmes, d'autre part l'habit des hommes sérieux, de ceux que l'on appelait justement les « hommes de robe ». Survient alors, vers la fin du xvie siècle, un second phénomène qui tend non pas à faire une distinction entre les garçons et les filles, mais à en opérer une entre les enfants et les adultes. Dans la période précédente, les enfants, garçons et filles, étaient habillés comme des adultes. Pour des raisons variées, et qui n'ont rien à voir avec le sujet de ce colloque, à partir d'une certaine époque on a éprouvé le besoin de distinguer les enfants. Et on a – chose curieuse – habillé les garçons comme des hommes de robe, tandis que les filles continuaient à être habillées comme les femmes. Cela, évidemment, se passait dans les classes supérieures. Le jour où les garçons quittaient la robe, vers l'âge de sept ans, était l'occasion d'une cérémonie importante. C'était ainsi que le garçon et la fille, pendant le xvie, le xviie et une partie du xviiie siècle, étaient habillés avec une robe, mais une robe différente. La robe du garçon ressemblait à la soutane d'un prêtre. Au xviiie siècle, la robe du garçon est devenue peu à peu semblable à la robe de fille. Mais, initialement, on n'a pas eu l'intention d'habiller le garçon comme une fille. C'est par une série d'approximations successives qu'on a assimilé la robe mâle du petit garçon à une robe de fille.

R. LARSEN : Je suis pleinement d'accord sur le point de vue du Dr Money en ce qui concerne la notion de *seuil* et de différence de seuils entre les sexes. C'est un point que les psychologues n'ont pas suffisamment pris en considération dans les images qu'ils se font des deux sexes. Des observations chez les singes-écureuils ont montré que les comportements parentaux étaient initialement identiques dans les deux sexes. Pourtant ils étaient peu observés en pratique chez les mâles : pour la bonne raison que les femelles menaçaient le mâle qui tentait trop de s'approcher des enfants, appelant les autres mâles à la rescousse pour éloigner l'intrus. Ainsi les mâles sont-ils conditionnés très tôt à ne pas attacher leur attention aux enfants, et le comportement paternel de soins aux jeunes est supprimé dans un certain type d'organisation sociale.

Il ne faut pas perdre de vue que nous ne considérons pas des individus qui ont une certaine biologie, mais une *espèce* dont la biologie inclut l'organisation sociale et des schémas spécifiques de relations entre mâles et femelles, et entre mâles. Ces schémas d'organisation ont un effet sélectif sur les manifestations comportementales et ont également des effets sur les seuils d'apparition de ces comportements.

N. BISCHOF : Lorsqu'on s'engage dans un débat comme celui-ci, il apparaît en général une certaine dichotomie entre les gens qui portent l'étiquette de biologistes et d'autres celle d'environnementalistes. Ce qui signifie qu'il y a deux catégories de gens : certains croient qu'il existe des différences sexuelles fondées sur la biologie auxquelles s'ajoutent les différences culturelles; d'autres prétendent qu'il n'y a réellement aucune différence importante fondée sur la biologie. Or le schéma de J. Money montre clairement l'articulation des unes sur les autres [1] : l'apparence génitale a une action sur l'identité sexuelle, mais il en est de même de la perception qu'en a non seulement l'individu lui-même, mais son entourage. Là se greffe l'influence de l'environnement. Une autre voie est la voie nerveuse, qui influe sur le rôle sexuel *(gender role)* de l'enfant. J'aimerais demander au Dr Money si ces caractéristiques qu'il décrit comme des différences de seuil entre les hermaphrodites élevés comme des filles et les mêmes hermaphrodites élevés comme des garçons sont bien transmises par les voies nerveuses?

J. MONEY : Je pense que les programmes transmis par les voies nerveuses sont, en vérité, directement transmis de cette façon. Dans le cas des hermaphrodites, l'un élevé comme une fille, l'autre comme un garçon, et présentant par conséquent une divergence dans les sexes en dépit du syndrome initial semblable, ces individus ont été capables d'incorporer leurs programmes nerveux dans leurs identités sexuelles respectives : pour l'un, celle d'un garçon; pour l'autre, celle d'une fille. Si on la compare à une fille turnerienne (au caryotype XO), une telle fille hermaphrodite (de même que les filles androgénisées) doit grimper jusqu'à une seuil élevé avant de se sentir à l'aise avec l'idée d'entrer dans une relation amoureuse avec un homme. Elles y viennent toutes assez tardivement. Elles ont

1. Voir schéma, p. 230.

une autre barrière à franchir avant d'arriver à accepter l'idée d'être enceintes et de prendre soin d'un bébé. Pourtant plusieurs de mes patientes ont eu une, deux ou trois grossesses, et ont pu sans difficulté manifester un comportement maternel.

Bref, ces « effluves » spéciaux – si je peux utiliser ce terme –, qui sont transportés par l'intermédiaire d'une programmation des voies nerveuses, peuvent être intégrés au cours de la période postnatale dans une différenciation dans le sens mâle ou femelle de l'identité ou des rôles sexuels.

Cela me fait prendre conscience du peu que je sais de ce qu'on appelle les enfants « normaux » qui ont pu avoir des programmations différentes de leurs voies nerveuses. C'est pourquoi je suis si indulgent envers les transsexuels qui réclament un changement de sexe. Je ne sais pas ce qui a pu se passer dans leurs structures nerveuses au cours de la vie prénatale. Je sais seulement que lorsqu'ils arrivent à l'hôpital, ils sont désespérés de quitter l'orientation sexuelle qu'on leur avait assignée; néanmoins j'ai constaté qu'après l'intervention leur vie était un petit peu plus facile. La réorientation est pour eux une réhabilitation. Alors qu'au contraire les hermaphrodites demandent très rarement une réorientation de leur sexe. Ils intègrent sans difficulté ce qui est programmé au niveau de leurs structures nerveuses dans le sexe qui leur a été assigné et selon lequel ils ont été élevés.

Z. LURIA : Je puis répondre ceci à la remarque du Dr Bischof : il n'y a rien dans la recherche dont j'ai rendu compte qui tende à prouver qu'il n'y a pas de différences sexuelles. Ce n'est pas du tout ce que vise cette étude. Ce qu'elle suggère est que l'image que nous avons de la nature des différences sexuelles est si extrême que nous sommes enclins à voir de nombreuses différences en l'absence de toute information qui démontre ces différences. Puisque les êtres humains ont les uns des autres des approches si partiales, puisque les parents adoptent ces attitudes biaisées avant même d'avoir été en relation avec leur propre enfant, les chercheurs doivent se rendre compte que ce ne sera pas une mince affaire que de trier parmi les observations celles qui sont projections de stéréotypes de celles qui sont évidence réelle de différences. Il me semble parfaitement plausible qu'il doive exister des différences sexuelles de comportement associées à un programme génétique de différenciation sexuelle, et particulièrement les comportements qui ont à voir avec la fonction reproductrice. Je pense cependant que la plupart des jugements que nous émettons à propos des différences sexuelles entre hommes et femmes ne sont pas bien loin de valoir ceux portés par les pères et les mères dans mon étude. La petite poignée de différences établies par Maccoby et Jacklin est loin de la quantité de différences entre les sexes que nous promenons dans nos têtes.

Il y a un autre problème dans la littérature sur l'identité et les rôles sexuels dont il n'a pas été question ici, car nous avons mis l'accent sur le fait féminin et l'étroitesse du champ des rôles des femmes. Je pense pour ma part que la façon extrême des mâles de stéréotyper les rôles sexuels reflète un plus grand usage des stéréotypes des rôles mâles que des rôles femelles tôt dans la vie. La pression sociale sur les garçons, par le biais de la peur d'avoir l'air de poules mouillées, réduit l'éventail des rôles que peut jouer le garçon. La pression pour se conformer à ces rôles ne vient pas seulement des parents, mais des autres garçons. Une recherche de Guttentag (1976) sur les changements de stéréotypes des rôles sexuels chez des enfants de l'école secondaire a montré que les garçons étaient plus contraints et moins capables de s'élever contre les stéréotypes que les filles. Je fais remarquer que dans mon étude [1] les pères étaient plus « stéréotypeurs » que les mères. Je suggérerais que c'est peut-être la socialisation précoce pour un éventail étroit de comportements mâles qui conduit les hommes à forcer hommes et femmes dans des rôles plus différents et distincts qu'il n'est nécessaire. C'est là un effet social. Je ne pense pas qu'il soit biologiquement programmé.

R. Zazzo : Je voudrais tout d'abord énoncer quelques considérations générales concernant les idéologies, puisqu'il est bien évident qu'en ce colloque où nous étions invités tout d'abord à un inventaire minutieux de constats sur le thème du *Fait féminin,* les prises de position idéologiques interviennent déjà subrepticement pour postuler le primat des facteurs culturels. S'il s'agit d'affirmer l'importance de ces facteurs dans la différenciation entre hommes et femmes, cela relève de la lutte politique, mais non d'un colloque scientifique, *car tout le monde,* je crois, *en est d'accord.* S'il s'agit d'affirmer péremptoirement que ces facteurs sont les seuls à jouer, ou presque seuls, alors il ne s'agit pas non plus de travail scientifique, mais d'une profession de foi.

Quand Jacques Monod a eu le projet d'un colloque sur *Le Fait féminin,* c'était pour revenir à des faits précis, des faits à examiner et à critiquer avec rigueur, au-delà des débats passionnés auxquels on a assisté pendant l'année de la femme.

Et cette intention, cette attitude anti-idéologique de Jacques Monod, j'en trouve l'écho, me semble-t-il, dans la note accompagnant la lettre d'invitation qu'Evelyne Sullerot a envoyée aux participants où, parmi d'autres, elle dénonçait « le tabou qui conduit à négliger toute étude de l'inné ou à en nier la possibilité même, pour faire porter tous les efforts sur l'étude des conditionnements sociaux ».

Evidemment, aucun de nous n'est indemne d'idéologie. Nos échelles de valeur peuvent toujours déformer notre vision des faits. Alors ne serait-il pas salubre que chacun de nous commence par donner son équation personnelle? Pour moi, je suis persuadé que toutes nos conduites, que toutes nos réactions dépendent peu ou prou, directement ou indirectement, de facteurs génétiques. Et qui donc, s'agissant de garçons et de filles, pourrait mettre en doute l'existence de différences biologiques qui interviennent dans la genèse de différences psychiques? Mais, et cela est important, ces différences biologiques (concernant par exemple les modes de sensibilité, la réactivité émotionnelle) peuvent être valorisées par la société, et du même coup cultivées, amplifiées. Ainsi peuvent naître les stéréotypes de l'homme et de la femme, variables d'ailleurs d'une société à l'autre.

Zella Luria parle justement des stéréotypes. Mais peut-on les réduire *toujours* à n'être qu'une illusion? Il y a quelques années, nous avons entrepris, avec une

---

1. Cf. p. 235.

population d'enfants, garçons et filles, une étude des typologies de Sheldon, typologies concernant à la fois la morphologie et le tempérament. Il est incontestable qu'interviennent, dans les témoignages donnés par les parents sur le tempérament de leurs enfants, le préjugé déformant des stéréotypes de la fille et du garçon, et aussi les stéréotypes relatifs à ce que doit être psychologiquement un enfant dont l'aspect physique est longiligne (ectomorphe) ou tout en rondeurs (endomorphe) ou athlétique (mésomorphe). Nous avons démontré qu'il serait faux d'attribuer totalement à des facteurs génétiques non seulement les traits tempéramentaux décrits par les parents, mais même les traits tempéramentaux que nous pouvions saisir objectivement : l'individu se met à ressembler plus ou moins à l'image qu'on a de lui, qu'il a de lui.

Mais il ne serait pas sérieux de nier pour autant l'action des facteurs génétiques : les différences objectives de la morphologie (déterminée génétiquement) sont réfléchies plus ou moins fortement par les stéréotypes. En bref, un stéréotype peut être considéré, bien souvent, comme une exagération tendancieuse, comme une caricature de vérité. En tout cas, l'hypothèse vaut d'être envisagée.

E. MACCOBY : Pour ma part, je trouve très intéressant le concept du « seuil » du Dr Money, mais je pense qu'il faut creuser plus loin, car il existe un danger à dire qu'un sexe a, pour un certain comportement, un seuil plus bas que l'autre sexe, ce qui serait une autre façon de dire que ce sexe montre plus fréquemment ce comportement. Si ce n'est pas du tout cela que nous entendons par ce mot, alors nous devons nous demander : entendons-nous par là qu'il faut un stimulus plus fort à un sexe qu'à l'autre pour obtenir un comportement? Ou qu'un sexe est plus susceptible que l'autre de percevoir les stimuli appropriés? Ou que le sexe qui manifeste un certain comportement tendra probablement à le renforcer et par conséquent le répétera en d'autres occasions? Il y a bien des significations que nous pouvons donner à ce concept de seuil, et il se trouve de ce fait au centre de notre problème.

Dans les efforts pour décrire et comparer les caractéristiques psychologiques des deux sexes, nous rencontrons de plus grandes difficultés que nos collègues qui observent le comportement animal. J'envie mes collègues éthologues qui ont affaire chez les rats à une réponse comme la lordose, aussi clairement définie, et même si je comprends que ce comportement se rencontre chez des mâles aussi bien que chez les femelles, ce n'en est pas moins un modèle de comportement femelle facile à identifier comme tel.

Il n'en va pas de même avec la plupart des comportements des enfants. Il n'en est pas de très caractéristiques du garçon ou de la fille. Nous trouvons plutôt des ensembles mal définis auxquels nous attachons l'étiquette par exemple de « niveau d'activité ». S'agissant de la comparaison entre les sexes, nous trouvons parfois des différences moyennes entre les deux groupes qui s'appliquent à quelques composants de l'ensemble seulement. De plus, fort souvent, nous découvrons une différence, publions ce résultat, les gens commencent à y croire, et puis cette différence ne se retrouve plus dans d'autres échantillons de populations. Dans l'effort que j'ai fait pour faire une revue complète de l'état actuel de la connaissance dans ce domaine, j'ai rencontré de grandes difficultés pour découvrir tous les cas d'échec à la répétition. Il est vrai aussi que les expérimentateurs ont un peu tendance à publier des résultats positifs et à ne pas permettre que les résultats négatifs tombent sous les yeux du lecteur. En conséquence, ne parlons de différences entre les sexes que lorsque nous avons répété l'expérience et retrouvé la même différence avec des populations variées.

Je vais vous donner maintenant des exemples de différences sexuelles sur lesquelles on a de solides données, en dehors de celles que j'ai mentionnées dans mon papier. Commençons par les aptitudes à la vision spatiale. Je suis sûre que tous les participants à ce débat savent que c'est là un des rares domaines où les différences entre les sexes sont avérées. N'exagérons pas l'importance et la portée de ces différences. Il fut un temps où l'on pensait que parce que les mâles réussissent mieux un certain nombre de tests d'aptitudes spatiales, cela signifiait qu'ils étaient plus analytiques, plus capables de briser une structure donnée ou de restructurer un problème de manière créative, etc. On n'a pas pu prouver tout cela. Les seules choses qui demeurent sont des aptitudes très étroites et banales que j'appellerai aptitudes à la vision spatiale : cela implique une meilleure capacité chez les garçons à faire tourner une figure dans l'espace mentalement, qu'il s'agisse d'une représentation plate ou d'un objet à trois dimensions. Nous ne savons pas quelles fonctions, quelles occupations sont concernées par cette aptitude. En tout cas, elle se révèle être différente selon le sexe, surtout après l'adolescence. Pour la plupart des aptitudes, hommes et femmes sont remarquablement semblables. Je ne mentionne cette différence que parce que, très récemment, on a commencé de découvrir que la latéralisation des hémisphères cérébraux était impliquée ici, comme l'a montré le travail de Witelson [1].

E. SULLEROT : Une remarque d'ordre sociologique. E. Maccoby s'est exprimée à propos de cette supériorité des garçons dans la vision spatiale (aptitude à faire tourner une figure dans l'espace, à la faire pivoter, etc.) comme si tous les participants en étaient informés. Les éducateurs, en tout cas, et le grand public ne le savent pas, ne le « portent pas dans leur tête », et je n'ai jamais pour ma part rencontré de gens qui en étaient informés quand j'évoquais ces questions, si j'excepte les psychologues. Mais là n'est point ma question : E. Maccoby a minimisé ces aptitudes spatiales, en faisant remarquer que contrairement à ce qu'auraient pensé certains, cette supériorité des garçons n'induit pas qu'ils aient des aptitudes analytiques, cognitives, d'abstraction supérieures. Elle a donc parlé d'aptitudes « banales et étroitement spécialisées ». Certes, elles n'intéressent, peut-être en psychologie, qu'un champ étroit d'activités. Il est certain que des différences de cette sorte, observées en laboratoire, ne peuvent guère apparaître comme des à-côtés sans grande importance tant les similitudes entre filles et garçons l'emportent sur les différences, et surtout dans les « aptitudes nobles ». Mais dès que l'on passe de la psychologie à la sociologie, de l'observation répétée des

1. Voir la contribution de S. Witelson, p. 285.

individus et des petits groupes à l'observation de macrophénomènes, de sociétés entières et de leurs évolutions – ces petites différences apparemment étroites peuvent acquérir de l'importance dans certaines conditions socioéconomiques, et pour une part peut-être jouer un rôle dans l'émergence de différences de statuts entre hommes et femmes, lesquelles influenceront à leur tour les stéréotypes et donc les comportements, etc. Si je m'arrête à ces différences, vérifiées et consistantes, des aptitudes spatiales des garçons et des filles, c'est qu'elles ont eu, me semble-t-il, des conséquences dans nos pays industrialisés. Que les hommes voient mieux en trois dimensions et conçoivent mieux les aspects d'une figure ou d'un objet qui pivote ne sert peut-être de rien aux hommes de Nouvelle-Guinée. Mais comment peut-on expliquer que dans tous les pays industrialisés on trouve des femmes dans la chimie en proportions variables mais toujours importantes (en France le salaire horaire moyen des femmes dans l'industrie chimique est même un peu supérieur au salaire moyen des hommes, ce qui est la preuve qu'elles sont plus qualifiées) et que nulle part on n'en trouve dans l'industrie mécanique autrement que comme ouvrières non qualifiées? Dans tous les pays, on ne trouve qu'une infime minorité de filles dans les formations professionnelles qualifiées de mécanique, même dans les pays de l'Est où un fort conditionnement et même des décisions d'orientation cherchent à les pousser dans cette direction. Je n'évoque pas là la pléthore bien connue d'étudiantes en lettres comparée à leurs maigres effectifs en sciences, je me borne à deux branches relativement nouvelles, deux branches scientifiques, techniques et industrielles. Nous n'aurions pu prévoir, il y a cent cinquante ans, si nous avions tenu un colloque sur *Le Fait féminin* et avions exploré le futur de la science et de l'industrie alors en pleine expansion, que les femmes iraient en bonnes proportions vers la chimie et s'y qualifieraient, mais que nulle part elles n'iraient vers la mécanique, si ce n'est contraintes et forcées pour y effectuer les fonctions subalternes. Jusque-là, l'alchimie avait été affaire d'hommes et les femmes qui se mêlaient de doser les substances étaient accusées de sorcellerie.

Je m'occupe en France d'orientation professionnelle de femmes adultes et suis allée étudier l'orientation et la formation professionnelle des jeunes filles et des femmes dans sept pays d'Europe, Est et Ouest. J'étais persuadée au commencement de ces travaux voici une dizaine d'années – mes écrits en témoignent – que seuls les conditionnements sociaux et l'éducation étaient responsables de toutes ces différences observées entre hommes et femmes dans les choix des métiers et la réussite dans ces métiers. Je le pense toujours pour une part extrêmement importante des différences d'intérêt et de goût qui font choisir une formation et un métier. Toutefois ma foi environnementaliste a été questionnée par des faits, par des faits résistants. Aussi ai-je fait le chemin inverse de beaucoup qui ont récemment amplifié démesurément le rôle des causes sociales. Ne comprenant pas par l'analyse sociale toutes les causes de certaines distributions des sexes dans les métiers, non plus que certains échecs d'expériences d'éducation et de formation tendant à faire changer les stéréotypes, j'en suis venue à m'interroger sur les aptitudes spatiales respectives des garçons et des filles. Loin de moi la pensée qu'elles expliquent tout! Simplement, je voudrais témoigner que, partie de faits qui ont des conséquences importantes, économiques et sociales, pour les femmes, j'ai, bien sûr, commencé par tout expliquer par l'environnement, l'enchaînement et la répétivité des stéréotypes, l'impossibilité pour les filles de nouveaux apprentissages et la domination économico-politique exercée par les hommes à leur profit.

J'ai cherché dans des secteurs particuliers de la mécanique, comme l'horlogerie, où les tâches ne demandent pas de force physique, où l'environnement n'est ni sale, ni bruyant, ni empesté d'odeurs d'huile chaude. De plus, je savais qu'il y avait toujours eu des femmes dans la joaillerie depuis le Moyen Age, et l'horlogerie pouvait en un sens être aussi vue comme une sorte de dérivation d'une branche de la joaillerie. J'ai dû me rendre à l'évidence : partout les femmes montent – fort vite et fort bien – les pendules et les montres. Sauf de rarissimes exceptions elles n'en dessinent pas les mécanismes, n'en inventent pas, et même ne les réparent pas. En U.R.S.S. on a mis d'abord filles et garçons dans les mêmes écoles d'horlogerie. Maintenant il existe un enseignement pour le montage et un pour la réparation : il n'y a que des filles dans le premier et que des garçons dans le second. La division n'a pas été voulue, elle a même été combattue. Elle s'est peu à peu imposée. Je pourrais donner beaucoup d'autres exemples, tous relatifs à des professions où jouent les aptitudes spatiales. Des différences entre garçons et filles, qui peuvent paraître de peu d'importance à l'observation en laboratoire, sont tout de même susceptibles d'avoir des conséquences sociales importantes, car elles peuvent être exploitées et relayées par des structures socioéconomiques et sociopolitiques qui en amplifient les effets. Ces structures sociales ne peuvent être totalement considérées comme seules causes des conséquences observées. Elles utilisent des différences, et des phénomènes de résonance se produisent.

Mais, surtout, après la notion de seuil introduite par Money et qui semble si utile, particulièrement aux psychologues, je voudrais introduire encore une fois la notion de *distribution différentielle*. E. Maccoby a insisté avec raison sur la nécessité de répéter les expériences et les observations en psychologie des comportements et de multiplier les études comparatives dans différentes populations. Quand on envisage de très grands groupes et de très grands domaines d'activités et de comportements, l'étude de la fréquence plus ou moins grande de phénomènes conduit à cette autre dimension : la *distribution*. Un trait différentiel ne peut être écarté parce qu'il n'apparaît pas toujours et partout chez les individus masculins et féminins. Ses conséquences sociales peuvent tenir à sa distribution différentielle. Il y a beaucoup plus de similitudes que de différences entre les sexes et quand on observe une différence c'est affaire de degré, et il y a presque toujours une minorité de garçons qui présente le trait majoritairement féminin et une minorité de filles qui présente le trait majoritairement masculin. Mais cette distribution majorité/minorité peut avoir des effets considérables quand elle étaie à son tour des phénomènes sociaux. Ainsi, quelle que soit l'opinion que nous portons les uns ou les autres sur la valeur des tests d'intelligence, il n'en est pas moins vrai pour tout le monde que : 1° avec ces instruments de mesure (*dont sont du reste retirées les épreuves qui introduisent trop de différences entre garçons et filles, chose que le public ignore souvent*), filles et garçons obtiennent *en moyenne les mêmes résultats dans toutes les populations;* 2° mais la *distribution* des Q.I. révèle toujours la même différence entre filles et garçons : les résultats obtenus par les filles sont davantage groupés autour de la moyenne, formant une courbe de Gauss assez resserrée, et ceux des garçons sont plus dispersés, avec davantage de résultats très faibles et davantage de résultats très élevés. Sociologiquement, nous savons bien ce qui s'est passé : la plus forte proportion de débiles légers et profonds chez les garçons est fâcheuse, mais on ne la mentionne que rarement. En revanche, la plupart des sociétés, pour ne pas dire toutes, ont organisé des filières d'éducation supérieure pour les garçons très doués depuis longtemps, des serres chaudes pour favoriser leur réussite intellectuelle et sociale, des traditions de préparation de l'« élite » intellectuelle masculine se traduisant ensuite par des filières de réussite et de pouvoir. On a vu très récemment s'ouvrir aux filles les portes de ces pépinières pour « grosses têtes » dans plusieurs pays, dont les Etats-Unis et la France, mais elles en sont encore exclues ailleurs, et, de toute façon, le handicap à surmonter socialement pour la minorité féminine de cette minorité surdouée est énorme.

Au cours de ces débats, E. Maccoby a mentionné les travaux conduits par S. Witelson sur le rôle des hémisphères cérébraux dans les différences d'aptitudes spatiales des garçons et des filles. Nous avions en effet communiqué à E. Maccoby les travaux de S. Witelson qui n'a pas pu participer à notre colloque, afin qu'ils fussent résumés. Ces travaux nous ont semblé trop importants cependant pour ne pas intégrer dans ce livre un texte original de S. Witelson écrit à l'intention du Fait féminin; *en dépit de ses obligations elle a pris le temps de composer pour nous le texte important qu'on va lire. Il offre le double avantage sur ses précédentes publications d'intégrer des travaux encore plus récents et d'avoir été pensé dans l'optique même de notre projet : elle y examine les caractéristiques du sexe féminin et le compare au sexe masculin; elle recherche les causes possibles des différences observées; elle explore les conséquences possibles de ces mêmes différences, toujours dans le domaine qui est celui de ses recherches, à savoir les aptitudes cognitives. Du fait que ce texte nous est parvenu plusieurs mois après le colloque, on n'a pu en discuter, et nous ne pouvons que le déplorer. En effet, il apporte des informations très importantes. La piste biologique permettant d'expliquer des différences d'aptitudes cognitives entre filles et garçons aujourd'hui dûment constatées est ici suivie sans aucune réticence idéologique, mais avec une grande prudence. Cette piste est explorée dans ses différentes modalités causales et opérationnelles : génétiques, hormonales, neurologiques, sans que soient, bien sûr, négligés les facteurs de l'environnement.*

Partant, comme je viens de l'indiquer brièvement [1], de constatations de sociologie du travail féminin convergentes et répétées intéressant de nombreux pays et une durée importante et qui toutes plaidaient en faveur d'une distribution diffé-

---

1. Voir *Supra*, p. 279.

rentielle des aptitudes spatiales entre femmes et hommes, j'en étais venue à formuler plusieurs hypothèses à vérifier, dont l'hypothèse génétique d'un gène récessif placé sur le chromosome sexuel X. Cette hypothèse avait retenu l'attention et l'intérêt de J. Monod qui, immédiatement, avait posé d'une part les conditions de sa vérification et d'autre part imaginé ses importantes implications si elle venait à être vérifiée. La mort ne l'eût-elle pas enlevé peu de temps avant le colloque sur Le Fait féminin, il l'eût certainement mise en discussion. Claudine Escoffier-Lambiotte et moi-même avons tenté en notre nom de le faire, mais la prudence nous a été conseillée et la question a été éludée, faute peut-être d'expériences permettant d'en étayer la discussion. En demandant, postérieurement à nos débats, à S. Witelson d'exposer ses travaux sur les hémisphères cérébraux nous ne nous attendions pas à trouver cette même hypothèse génétique exposée, argumentée, critiquement évaluée et complétée. Nous n'en regrettons que plus qu'elle n'ait pu être discutée par tous, y compris par ceux qu'elle trouvait réticents.

S. Witelson complète ces informations par l'apport de ses propres travaux sur les rôles dévolus aux deux hémisphères cérébraux dans le mécanisme de certaines aptitudes cognitives : ces rôles semblent différents chez les hommes et les femmes, les modalités de ces différences devant être fort subtiles et complexes.

Le grand mérite de S. Witelson, outre ses qualités d'investigateur dans un domaine de la recherche encore assez peu exploré, est d'énoncer les implications pour les femmes de ce qu'elle met au jour ou soupçonne. Nous ne pouvons que la suivre quand elle réclame que les recherches dans ce domaine se fassent une règle de distinguer les hommes des femmes et de procéder systématiquement à des expériences sur les deux sexes. Les recherches extrêmement intéressantes conduites en France sur les hémisphères cérébraux n'ont pas jusqu'ici exploré cette voie et distingué entre les sexes, et nous ne pouvons donc exposer leurs résultats dans ce volume.

D'une manière générale et en tout état de cause, il ne peut être qu'utile de rendre ces distinctions possibles en cours de recherches : si l'on ne trouve aucune dissemblance entre les sexes, on n'en est que mieux armé pour réclamer un traitement et des chances semblables pour filles et garçons, hommes et femmes. Si l'on est conduit, comme S. Witelson, à mettre au jour certaines différences, il convient, comme elle le fait, d'en explorer les implications et de rechercher alors les modalités éducatives et professionnelles qui seraient les meilleures pour les différents individus (puisque aussi bien il s'agit plutôt de distribution différentielle que de coupure nette entre les deux sexes). Cela serait à tout prendre moins défavorable aux femmes que de continuer à leur appliquer à toutes et sans discernement les normes et les méthodes élaborées dans bien des cas par des hommes pour des hommes. Ce que nous suggérons là, c'est surtout une attitude ouverte de la recherche; elle doit s'accompagner d'une grande prudence et d'une grande persévérance. Il est exclu que l'on puisse tirer trop vite des conclusions et passer à des applications pratiques avant d'avoir largement étoffé les résultats acquis qui jusqu'ici sont minces et n'autorisent, comme le dit elle-même S. Witelson, qu'à des suppositions et des suggestions de recherches. Mais que ceux et celles *qui craignent que toute mise au jour de différences entre les sexes ne devienne source de nouvelles inégalités veuillent bien considérer que, si de telles différences existent réellement, les nier et agir comme si elles n'existaient pas ne peut pas magiquement les supprimer. La preuve en est que jusqu'ici, dans l'ignorance de leur existence prouvée, l'inégalité s'est bel et bien instaurée dans la formation professionnelle et le monde du travail à partir des différences d'aptitudes spatiales. L'étude du mécanisme de ces différences ne peut conduire à les accentuer, mais peut en revanche ouvrir peut-être de nouvelles voies à la pédagogie et à la formation des adultes de manière à mieux servir les possibilités spécifiques de chaque être. C'est bien ce que laisse entendre la citation de Virginia Woolf que S. Witelson a choisi de mettre en épigraphe de ces pages. En outre cette étude, comme plusieurs de celles qui la précèdent dans cet ouvrage, montre bien qu'en dévoilant la variété que déploie la nature on en vient toujours à vérifier que les différences constatées n'impliquent pas un avantage décisif d'un sexe sur l'autre, une supériorité d'un des deux sexes sur l'autre.*

Evelyne SULLEROT.

6.
Les différences sexuelles
dans la neurologie de la cognition :
implications psychologiques, sociales,
éducatives et cliniques

par Sandra WITELSON

> « Puis les nerfs qui vivifient le cerveau semblent être différents chez l'homme et la femme et, si vous voulez qu'elles travaillent pour le mieux et avec le plus d'efficacité possible, il faut que vous trouviez quel traitement leur convient; si, par exemple, ces heures de lecture à haute voix, que les moines inventèrent il y a sans doute des centaines d'années, leur conviennent. Quelle est l'alternance de travail et de repos dont elles ont besoin, considérant que le repos n'est pas l'inactivité, mais le goût de se livrer à une activité différente; de quelle nature devrait être la différence entre ces activités? »
>
> (V. WOOLF : *Une chambre à soi*,
> traduit par Clara Malraux.)

Nous allons dans ces pages décrire quelques-unes des principales différences d'aptitudes mentales et cognitives entre les sexes. Certaines, particulièrement l'aptitude à percevoir les relations spatiales, semblent liées à des facteurs biologiques, peut-être aussi à des facteurs environnementaux. Ces aptitudes cognitives, en outre, apparaissent placées sous la dépendance de zones particulières du cerveau et nous donnerons des preuves de leurs substrats neurologiques. Les plus récentes – certaines seront fournies par mes propres recherches dont j'exposerai les résultats – suggèrent une organisation cérébrale sous-jacente à ces aptitudes différente pour les hommes et les femmes. Nous étudierons également diverses implications pratiques et théoriques qu'entraîne un tel dimorphisme neurologique entre les sexes.

Différences sexuelles des processus cognitifs

Les différences physiques entre les sexes sont évidentes. En outre, hommes et femmes n'ont pas les même profils de niveau d'aptitudes cognitives. Une abondante littérature suggère que les filles sont en général supérieures aux garçons pour au moins quelques aptitudes linguistiques à certains stades du développement, principalement dans les premières années (Harris, 1977, *a;* Maccoby, 1966; Maccoby et Jacklin, 1974). Par exemple, les filles acquièrent plus rapidement que les garçons certains phonèmes comme « ba », « ma », forment plus tôt mots et phrases, leur articulation et leur fluidité verbale sont meilleures et elles semblent apprendre plus facilement à lire. Ces différences peuvent être minces dans certains cas, mais de sens concordant. Bien que quelques études ne fassent pas apparaître de différences, la majorité d'entre elles conclut presque toujours à un avantage pour les filles. Ces différences ne s'accroissent pas avec l'âge, mais diminuent plutôt et peuvent disparaître à l'adolescence. Le fait qu'elles diminuent avec l'âge laisse penser qu'on ne peut pas les attribuer, ou pas entièrement, à des facteurs relevant de l'environnement ou de l'expérience.

Pour les aptitudes cognitives autres que linguistiques, l'avantage est inversé et, en particulier pour les tâches impliquant la perception de relations spatiales des stimuli, les hommes sont supérieurs aux femmes. Ainsi en va-t-il pour la lecture des cartes, la reconnaissance de la droite et de la gauche, la capacité mentale de faire tourner des objets dans l'espace, et la perception d'objets à trois dimensions par des représentations à deux dimensions. La différence entre les sexes pour les tâches de perception spatiale est plus marquée que pour l'aptitude verbale : l'écart entre les deux sexes est plus grand et la proportion d'individus de chaque sexe accusant cette différence plus importante.

Pour les tâches spatiales, l'éventail des scores obtenus par les hommes et l'éventail des scores obtenus par les femmes se recouvrent beaucoup moins que pour les tâches linguistiques. Contrairement à ce qui se passait pour le langage, les différences entre les sexes dans les aptitudes spatiales n'apparaissent pas dans les premières années ou la petite enfance mais seulement vers dix ans et persistent ensuite tout au long de la vie (Harris, 1977, *b;* Maccoby et Jacklin, 1974). Cependant il est possible que des études ultérieures portant sur d'autres tâches spatiales révèlent une différence à un stade plus précoce du développement.

Facteurs biologiques liés aux différences sexuelles de cognition

Etant donné ces faits dûments établis, le problème est d'en découvrir les mécanismes sous-jacents. Les facteurs culturels, sociaux, l'environnement et l'éducation ont tous été considérés comme des variables utiles. On peut en effet concevoir que dans tous ces domaines les deux sexes peuvent être soumis à des expériences différentes telles que les aptitudes spatiales sont plus encouragées chez les garçons que chez les filles. Depuis la naissance et tout au long de sa vie, un individu peut être entouré d'attentes et soumis à des expériences différentes selon son sexe. Des influences de l'environnement évidentes aussi bien que subtiles peuvent jouer un rôle dans le développement cognitif d'un enfant : depuis les jouets qu'on lui donne, les jeux qu'on lui apprend, jusqu'aux comportements attendus par les gens de son entourage et par la société. Cependant quand on observe une corrélation entre le sexe et quelque variable de l'environnement (ce dont font état de nombreux rapports) la question du facteur causal demeure. Par exemple, une étude de Witkin et ses collègues (1962) montrait que les enfants qui excellaient dans les tâches de perception spatiale, surtout des garçons, étaient ceux qui s'éloignaient davantage de chez eux et qui étaient moins tenus par leurs parents dans leurs activités. D'où l'on concluait que les aptitudes cognitives testées sont accrues par ces expériences. Toutefois il est possible que les enfants doués d'aptitudes spatiales supérieures soient ceux-là mêmes qui s'éloignent plus de chez eux, ou que ces enfants soient perçus différemment par leurs parents qui leur laissent davantage d'indépendance.

Pour mieux connaître l'influence des stéréotypes culturels et environnementaux sur des différences cognitives, on peut rechercher ce qui se passe dans d'autres cultures où les stéréotypes sexuels et les différences d'éducation sont moins accusés ou même inversés. Il n'existe guère d'études comparatives en ce domaine. Quelques-unes laissent cependant entendre que socialisation et stéréotypes sexuels peuvent jouer un rôle. Ainsi, chez les Eskimos, le style de vie, l'environnement et les règles sociales permettent et exigent un usage considérable des aptitudes spatiales tant dans la chasse, la circulation, que les activités artistiques. Dans une étude des Eskimos, Berry (1966) n'a pas trouvé de différences entre les sexes pour un test d'aptitude spatiale, ni chez les enfants ni chez les adultes.

Toutefois, si le facteur critique des différences entre les sexes était l'environnement, il faudrait s'attendre à ce que les différences existantes s'accusent avec les années. Or tel n'est pas le cas. Les différences d'aptitudes linguistiques s'atténuent avec le temps et les différences d'aptitudes spatiales demeurent stables. Si l'environnement social et intellectuel auquel sont soumis les individus favorisait particulièrement les aptitudes verbales des femmes et les aptitudes spatiales des hommes, on ne voit pas pourquoi ces facteurs environnementaux créant des différences s'atténueraient avec le temps. On pourrait s'attendre en fait à ce qu'ils s'accentuent de plus en plus distinctement au fur et à mesure du développement sexuel. Que les différences de comportement entre les sexes n'augmentent pas en l'occurrence de l'enfance à la maturité plaide pour l'explication par des facteurs biologiques plutôt que par l'environnement.

Récemment, la recherche a commencé à découvrir que des variables biologiques associées au sexe sont liées aux différences cognitives. L'évidence suggère que l'aptitude spatiale est héritée. Bock et Kolakowski (1973) ont réuni les recherches sur ce sujet et présenté de nouvelles preuves de la détermination génétique de la forte aptitude spatiale par un gène récessif sur le chromosome X.

La femme a deux chromosomes X, un de chaque parent; l'homme a un seul chromosome X, de sa mère, et un chromosome Y, venant de son père. Généralement l'influence des gènes opère par paire de gènes, un sur chacune des paires de chromosomes. Cependant le chromosome Y porte peu de gènes [1], et ainsi les gènes du chromosome X déterminent pour cette paire l'information génétique. Puisqu'un gène récessif ne peut se manifester que s'il n'est pas supplanté par un gène dominant, un mâle porteur d'un gène récessif de forte aptitude spatiale sur le chromosome X manifestera cette aptitude, tandis qu'une femelle pour manifester le même trait devrait avoir deux gènes récessifs, un sur chacun de ses deux chromosomes X. Ainsi une femelle donnée peut être aussi douée que le meilleur mâle, mais la proportion de femelles douées d'une telle aptitude sera toujours moindre que celle des mâles.

Bock et Kolakowski appuient leur théorie du mode d'hérédité de l'aptitude spatiale par un gène récessif lié au sexe sur les résultats de leurs recherches : l'aptitude spatiale (testée par des épreuves de rotation mentale de figures) se trouve présenter entre les membres d'une même famille des corrélations très voisines de ce qu'on peut attendre selon le modèle génétique. La corrélation mère/fils est plus forte que la corrélation mère/fille (le chromosome X du fils ne peut venir que de sa mère, tandis que les chromosomes X de la fille viennent de ses deux parents); la corrélation père/fille est égale à la corrélation mère/fils (dans chacun de ces cas, un chromosome X de l'enfant vient de ce parent) et la corrélation père/fils est voisine de zéro (aucun chromosome X n'est commun entre les deux). Comme le notent les auteurs, aucune théorie environnementaliste ou culturelle ne pourrait rendre compte de telles corrélations.

En outre, ce mode d'hérédité génétique permettrait de prédire qu'environ 25 % des femmes dépasseraient le score moyen de la population générale tandis que 50% des hommes le dépasseraient. Ils ont découvert que tel était bien le cas dans une étude sur environ huit cents adolescents. Comme nous l'avons noté ci-dessus, cela signifie que bien qu'un individu féminin puisse être aussi doué en aptitudes spatiales qu'un individu masculin, la proportion des femmes atteignant des scores élevés sera toujours et de manière significative plus basse que celle des hommes. Reste à déterminer si c'est bien là le modèle exact d'hérédité génétique qui fonctionne en l'occurrence, ou bien si, dans l'hérédité de l'aptitude spatiale, des facteurs polygéniques situés sur les autosomes (les chromosomes non sexuels) ne sont pas également impliqués.

Toutefois, les mécanismes biologiques influençant l'aptitude spatiale apparaissent plus complexes que la seule hérédité génétique. Il existe des groupes cliniques variés d'individus qui comptent un nombre anormal de chromosomes sexuels ou des niveaux d'hormones sexuelles anormaux. Ainsi les individus atteints du syndrome de Turner ont un phénotype féminin mais ne sont pas génétiquement des femmes normales. Ils ont un seul chromosome X par cellule, c'est pourquoi on les décrit souvent comme des individus à caryotype XO. Si l'aptitude spatiale était déterminée principalement par la présence d'un gène récessif

---

[1]. Cf Partie Ire, p. 58.

situé sur le chromosome X, les femmes atteintes du syndrome de Turner se trouvant, avec un X unique, dans la même situation que les hommes, on pourrait s'attendre à ce qu'elles soient bien douées en aptitudes spatiales à l'instar des hommes et en tout cas de façon supérieure aux femmes normales (le niveau intellectuel des individus présentant le syndrome de Turner se situe dans la moyenne). Or c'est le résultat inverse que l'on peut observer : les femmes à caryotype XO ont des aptitudes spatiales inférieures à leurs aptitudes verbales, et un niveau encore plus médiocre que les femmes normales à caryotype XX (Money, 1968; Shaffer, 1962). Bock et Kolakowski (1973) aussi bien que Harris (1977, *b*) notent en conséquence que de tels faits laissent à penser que le niveau de l'hormone mâle qu'est la testostérone peut jouer un rôle dans l'expression du gène de l'aptitude spatiale. Or les femmes présentant le syndrome de Turner n'ont pas d'ovaires et ne produisent ni hormones féminines ni hormones mâles, comme c'est le cas pour les femmes normales. Il se peut qu'un certain niveau de testostérone soit nécessaire pour permettre la manifestation de l'information génétique.

Cette dernière hypothèse se trouve corroborée par les observations faites sur des groupes présentant des niveaux de testostérone inférieurs à la normale, et qui, également, ont de très faibles aptitudes spatiales. Le syndrome clinique de féminisation testiculaire caractérise des individus génétiquement mâles (à caryotype XY), mais présentant un phénotype féminin. Chez ces individus, bien que la présence des chromosomes Y ait entraîné le développement initial des testicules et la production de testostérone, au niveau des cellules la réceptivité à la testostérone n'existe pas, d'où le même résultat que s'ils ne produisaient pas de testostérone du tout. Généralement, on s'intéresse à leur cas et on en vient à les examiner parce que ces femmes en apparence ne sont jamais ni réglées ni enceintes. Chez ces individus, les aptitudes spatiales sont inférieures aux aptitudes verbales (Masica, Money, Ehrhardt et Lewis, 1969) ce qui suggère à nouveau l'association hormone mâle/bonnes aptitudes spatiales.

Enfin, l'étude des individus atteints de déficience protéinique (kwashiorkor) va dans le même sens. Chez les mâles, cette maladie présente un syndrome de gynécomastie, trouble endocrinien entraînant l'hypertrophie des glandes mammaires, une atrophie testiculaire et une certaine féminisation. On pense que cette maladie est due à une déficience des androgènes. Dawson (1967) a découvert que les aptitudes spatiales de ces individus sont de manière significative inférieures à leurs aptitudes verbales et inférieures à celles des individus ne présentant pas ce trouble.

Ainsi, des facteurs génétiques et des facteurs hormonaux peuvent jouer un rôle important dans la détermination du niveau des aptitudes spatiales.

Substrats neurologiques des aptitudes verbales et spatiales

Des facteurs d'environnement, des facteurs génétiques et des facteurs hormonaux peuvent influencer le niveau de certaines aptitudes cognitives. Cependant le mécanisme immédiat sous-tendant la cognition doit inclure des mécanismes cérébraux. Ces différentes aptitudes cognitives passent principalement par la médiation de différentes parties du cerveau, comme le démontre une importante littérature. Chez les êtres humains, les deux hémisphères cérébraux ont des fonctions différentes, chacun étant spécialisé dans la médiation de types différents de processus intellectuels ou cognitifs.

On a bien établi maintenant que pour la grande majorité des individus l'hémisphère gauche est prédominant dans le traitement des tâches analytiques, linguistiques et séquentielles. L'hémisphère droit est prédominant dans le traitement des tâches globales, non verbales et spatiales. Cette différence fonctionnelle des deux hémisphères est appelée *spécialisation des hémisphères* ou, pour utiliser une terminologie plus ancienne, *dominance cérébrale*.

On peut se demander comment il est possible de déterminer quelles parties du cerveau humain sont concernées par différentes tâches intellectuelles. Il existe plusieurs méthodes qui permettent une telle étude de l'organisation cérébrale. La première, et fort importante, est l'étude des individus dont le cerveau a été endommagé et dont on connaît la blessure ou la lésion. La localisation dans différentes parties du cerveau de certaines fonctions intellectuelles peut être déterminée par relation entre la localisation (hémisphère et site précis) de la blessure ou de la lésion et les déficits cognitifs ou comportementaux qui ont suivi. C'est ce type d'étude clinique qui a par exemple permis d'établir qu'à un hémisphère gauche endommagé correspondaient des troubles de l'élocution et de l'étendue du langage (aphasie) ou de la lecture (alexie). En revanche, lésions ou blessures de l'hémisphère droit entraînent des déficits par exemple de la perception des formes, des relations spatiales, des aptitudes musicales (Mountcastle, 1962; Vinken et Bruyn, 1969, pour bibliographie).

Bien entendu, on ne peut utiliser cette approche avec les individus neurologiquement indemnes. Depuis vingt ans à peine, on a développé des épreuves qui permettent une investigation de l'organisation cérébrale des individus au cerveau intact. Pour mettre au point ces tests, on est parti du fait que les informations sensorielles arrivant d'abord à un des organes des sens (main, oreille, partie de l'œil, etc.) sont transmises de manière prédominante à l'hémisphère opposé du cerveau, ou hémisphère « contralatéral ». Donc, puisqu'on a trouvé que l'information présentée à une main, une oreille, un champ visuel d'un côté est plus rapidement et plus fidèlement perçue que l'information présentée à la main, l'oreille ou le champ visuel de l'autre côté, on peut en déduire que l'hémisphère opposé (contralatéral) au côté de l'organe de perception le plus fidèle est plus efficace et traite l'essentiel de cette tâche. Ces différences gauche/droite sont particulièrement manifestes dans les tâches requérant la stimulation des deux côtés en même temps, par exemple des deux oreilles ou des deux mains. Il apparaît qu'il s'établit une sorte de compétition entre les deux hémisphères qui permet d'élucider leurs différences fonctionnelles.

En variant les stimuli utilisés, on peut déduire quel hémisphère est spécialisé dans différentes sortes de fonctions intellectuelles. Nous avons exposé ailleurs les méthodes variées qu'on peut utiliser pour étudier la spécialisation des hémisphères cérébraux (Witelson, 1977, *c*).

Or, il se trouve qu'il y a des différences entre les sexes pour les tâches cognitives qui sont traitées par deux moitiés différentes du cerveau : les opérations linguistiques surtout par l'hémisphère gauche, et les aptitudes spatiales surtout par l'hémisphère droit.

Pendant longtemps, on a pensé qu'il n'existait aucune différence entre l'organisation cérébrale des hommes et des femmes. Pourtant, presque toutes les données ayant trait à la spécialisation des hémisphères établies sur des individus ayant eu le cerveau endommagé l'avaient été sur des hommes blessés à la tête durant la guerre, et de ce fait, les premières études sur la neurologie de la cognition étaient faites principalement sur des hommes. Même s'il se trouvait des femmes examinées dans ces travaux, comme on ne s'attendait nullement à des différences, les résultats n'étaient pas donnés par sexe et toute possible différence passait inaperçue. Lansdell (1961, 1962), le premier, émit l'idée que l'organisation cérébrale pouvait être quelque peu différente selon les sexes.

En général, la dichotomie verbale/spatiale entre respectivement l'hémisphère gauche et l'hémisphère droit existe pour les hommes et les femmes. Toutefois, des travaux récents tendent à prouver que le degré de spécialisation des hémisphères n'est pas le même dans les deux sexes – la latéralisation des fonctions étant moindre chez les femmes. De nombreuses études ont montré que tant les femmes que les hommes opèrent la perception linguistique d'abord dans l'hémisphère gauche. Néanmoins, les travaux de Lansdell montrent que les femmes qui ont une lésion de l'hémisphère gauche manifestent dans certaines tâches verbales un déficit linguistique moindre que des hommes affectés de lésions similaires. Une interprétation possible est que peut-être l'hémisphère droit peut traiter davantage d'information verbale chez les femmes que chez les hommes, ce qui expliquerait pourquoi leur langage est moins touché. Bien que d'autres preuves aient été apportées qui confortent cette hypothèse (par exemple, Levy et Reid, 1977) de nombreuses études ne trouvent pas de telles différences. Par exemple, Lake et Bryden (1976) ont recherché de telles différences mais n'ont trouvé une moindre latéralisation chez les femmes que si elles avaient des membres de leur famille qui étaient gauchers. Aussi la situation peut être plus complexe encore. Aucune étude sur les enfants n'établit clairement une moindre latéralisation des filles par rapport aux garçons. Nous avons donné une revue complète de ces travaux dans un autre article (Witelson, 1977, *c*). Le point important ici semble la possibilité d'une différence dans le *degré* de la spécialisation de l'hémisphère gauche pour le langage. Cette différence n'est pas uniformément observée, mais quand elle l'est, c'est toujours dans le sens d'une moindre latéralisation de la fonction chez les femmes.

Les différences d'organisation cérébrale entre les sexes sont plus marquées s'agissant de la perception spatiale. Cela mérite d'être noté puisque, comme nous l'avons vu précédemment, les différences d'aptitude cognitive entre les sexes sont plus importantes pour la perception spatiale que pour l'aptitude verbale. Plusieurs études comparant des individus au cerveau lésé et des individus indemnes ont montré que les femmes présentent une spécialisation de l'hémisphère droit pour différentes tâches de perception spatiale moindre que celle des hommes

(Hannay, 1976; Lansdell, 1962; Levy et Reid, 1977; McGlone et Davidson, 1973). La même chose a été aussi observée pour les enfants (Witelson, 1976, a) (pour bibliographie, voir Witelson, 1977 c).

La démonstration la plus frappante de la représentation bihémisphérique des fonctions spatiales dans le sexe féminin peut être trouvée dans notre propre travail sur la spécialisation de l'hémisphère droit pour une tâche de perception non verbale de formes, chez des enfants normaux. Le sujet doit reconnaître, par palpation ou toucher actif seulement (perception haptique), deux objets différents présentés simultanément, un dans chaque main. On appelle ce procédé stimulation « dichaptique » (« di » se référant à la stimulation simultanée de deux objets, et « haptique » à la sensation active des objets). Pour l'étude des contributions relatives des deux hémisphères dans les tâches spatiales non verbales, nous avons utilisé des formes gratuites. L'enfant [1] les sentait de l'index et du majeur de chaque main durant environ dix secondes et devait ensuite les reconnaître dans un ensemble de représentations visuelles de six formes du même genre. Ainsi peut-on déterminer si l'individu reconnaît mieux les objets présentés à sa main droite ou à sa main gauche. Comme nous l'avons indiqué déjà, du fait que les informations venant de chaque main sont principalement traitées par l'hémisphère du côté opposé (contralatéral), si l'hémisphère droit est meilleur pour la perception des formes, on peut prédire que les objets touchés par la main gauche seront reconnus de manière plus exacte. Et c'est effectivement ce que montrent les résultats – mais seulement pour les garçons.

Nous avons étudié deux cents enfants droitiers, cent de chaque sexe. Nous avions vingt-cinq enfants de chaque sexe pour chaque intervalle de deux ans d'âge, entre six et treize ans. Dans l'ensemble, garçons et filles ont pareillement bien exécuté cette épreuve, et leurs scores totaux avec l'usage combiné des deux mains croissaient avec l'âge dans les deux sexes. Cependant, les scores obtenus avec la main gauche seule étaient pour les garçons de manière significative plus élevés que ceux qu'ils obtenaient avec la main droite seule à tous les âges, montrant ainsi une plus grande participation de l'hémisphère droit dans cette épreuve. Chez les filles, à aucun âge, cette différence entre les deux mains n'apparaissait. Ces résultats, nous les avons interprétés comme indiquant une perception des formes à processus bi-hémisphérique chez les filles.

Sur la base de ces résultats, il semble que les garçons normaux de six ans et plus ont l'hémisphère droit spécialisé dans les tâches spatiales. Cependant, chez les filles, au moins jusqu'à treize ans, il semble y avoir un processus de représentation spatiale bilatéral. Ainsi, les mêmes structures neurologiques peuvent avoir des fonctions différentes chez les garçons et chez les filles, au moins en ce qui concerne un aspect cognitif, ou, en d'autres termes, la même tâche peut être traitée par des structures neurologiques différentes chez les individus masculins ou féminins. Toutefois, des recherches supplémentaires doivent encore être poursuivies pour clarifier et enrichir l'étude de cette possible différence sexuelle dans l'organisation cérébrale.

---

1. Sans les voir.

La démonstration ci-dessus, quand on l'envisage comme un tout, suggère que le cerveau est un organe sexualisé. Ce qui signifie que le cerveau des garçons et des filles, des hommes et des femmes est organisé différemment et fonctionne différemment à certains égards. Le fait surprenant est qu'il apparaît que c'est le cas même pour une conduite comme la cognition *non spécifique du sexe,* par opposition à des conduites comme par exemple l'accouplement ou l'élevage des petits. Pourtant l'hypothèse que les cerveaux masculins et féminins ne sont pas semblables ne signifie pas qu'un type d'organisation cérébrale est nécessairement meilleur que l'autre.

Implications des différences sexuelles dans l'organisation cérébrale

Cette notion d'un dimorphisme sexuel dans l'organisation cérébrale peut avoir de vastes implications dans de nombreux domaines.

1. *Implications psychologiques.*

Cognition. Les différences d'organisation nerveuse entre les sexes semblent concerner les fonctions où le niveau d'aptitudes n'est pas le même dans les deux sexes. Ces résultats combinés suggèrent une association possible entre le niveau d'aptitudes et le degré de latéralisation de cette fonction cognitive. Mais cette association, si elle existe, doit être très complexe. Dans le cas du langage, si un sexe est supérieur à l'autre c'est le sexe féminin, et les femmes ont tendance à montrer une moindre latéralisation des aptitudes linguistiques dans l'hémisphère gauche que les hommes. Donc, dans ce cas, une plus faible latéralisation de la fonction serait associée à des niveaux supérieurs de l'aptitude. Ce qui est corroboré par de nombreuses études de gauchers. Les gauchers en tant que groupe sont connus pour avoir une moindre latéralisation du langage dans l'hémisphère gauche et, récemment, plusieurs études ont montré que chez les gauchers les aptitudes verbales sont supérieures aux aptitudes spatiales (Levy, 1969). Au contraire, les hommes en tant que groupe sont supérieurs aux femmes pour les tâches de perception spatiale. Ces hommes montrent une plus grande latéralisation des fonctions spatiales dans l'hémisphère droit que les femmes. Dans ce cas, un plus haut niveau d'aptitude est associé à une plus forte latéralisation dans le cerveau.

Si le niveau d'aptitude dépend du degré de latéralisation, la combinaison est certainement complexe, variant selon des aspects de l'intelligence et variant selon les sexes.

Il y a une autre conséquence possible de la différence sexuelle pour la cognition. Bien des tâches cognitives peuvent être accomplies de plus d'une façon ou dépendent des deux types de procédure cognitive. Un exemple en est la lecture. Un individu peut mettre l'accent sur l'analyse du code symbolique des sons, ou sur la configuration visuelle du mot entier, et l'associer directement à la dénomination de ce mot. Dans le premier cas, l'approche est surtout d'analyse linguistique et donc intéresse particulièrement l'hémisphère gauche. Dans le second cas, l'approche est une perception globale d'une forme visuelle qui peut s'ajouter à l'analyse phonétique, se servant de l'hémisphère droit aussi bien que du gauche. Si, en général, hommes et femmes diffèrent dans ces aptitudes cognitives, il se peut que chaque sexe tende à utiliser l'approche particulière ou la stratégie où il excelle, ou bien qui lui est plus aisée. Ainsi, une majorité des personnes de chaque sexe peut avoir différents biais dans ses stratégies cognitives : devant une tâche donnée qui peut être exécutée de façons différentes, les femmes peuvent choisir une stratégie linguistique et les hommes une stratégie spatiale globale. De plus, si les sexes diffèrent dans l'organisation neurologique sous-jacente à ces stratégies cognitives, cela signifierait que différentes structures nerveuses seraient impliquées dans les deux sexes, même quand ils exécutent la même tâche intellectuelle. Ainsi, dans l'exemple de la lecture, pour les femmes, la partie du cerveau concernée serait surtout l'hémisphère gauche et, pour les hommes, les deux hémisphères pourraient l'être davantage.

Dans certaines tâches cognitives, il se peut qu'une stratégie intellectuelle soit moins efficace qu'une autre, ce qui conduira à une performance moins bonne. Ainsi, une épreuve de rotation mentale de formes (nécessaire, par exemple, dans le dessin industriel) peut être bien exécutée par une approche spatiale globale, et pas par une approche analytique verbale. Si les femmes se servent de cette dernière, cela peut gêner leur performance.

Je mentionnerai une implication de plus de la différence sexuelle dans l'organisation cérébrale : il peut être plus difficile aux femmes qu'aux hommes de faire deux tâches cognitives différentes en même temps. Il peut être plus difficile aux femmes qu'aux hommes de traiter les aspects spatiaux de l'environnement, le chemin qu'elles prennent par exemple, tout en parlant au même moment. On peut imaginer cela puisque chez les femmes chaque activité peut concerner les deux hémisphères à un quelconque degré et, ainsi, interférer, avec pour résultat qu'une activité prend le pas sur l'autre. Dans le cas des hommes, si les deux hémisphères forment des systèmes neurologiques plus indépendants, peut-être leur est-il plus aisé de faire simultanément deux tâches distinctes. Je ne puis citer aucune étude ayant traité de cette question ou fournissant des données en rapport avec elle. Cependant, mon expérience personnelle et des anecdotes ayant trait à d'autres personnes me laissent à penser qu'il est possible que les femmes aient plus de difficultés à faire simultanément certaines tâches.

Bien qu'une telle différence puisse apparaître comme handicapant les femmes – cela peut n'être le cas qu'à cet égard seulement. Une telle différence, si elle est réelle, peut aussi devenir un avantage pour les femmes en ce sens qu'elles seraient plus capables de concentrer leur attention sur une tâche particulière à la fois, ce qui peut être bénéfique.

Attention et perception. On a découvert que la direction dans laquelle un individu déplace les yeux pendant qu'il traite une information est associée à la spécialisation hémisphérique. Généralement, les mouvements des yeux interviennent du côté opposé à l'hémisphère le plus actif durant une tâche particulière. Ainsi quand les individus traitent une information linguistique, ils ont tendance à regarder vers la droite même si le test leur est présenté oralement juste en face d'eux et que rien dans ce qui les entoure n'a de rapport avec le problème. En revanche, les gens ont tendance à regarder à gauche pendant qu'ils exécutent des tests avec images visuelles (Gur, Gur et Harris, 1975; Kinsbourne, 1972; Kocel, Galin, Ornstein et Merrin, 1972). Cela étant, si l'organisation cérébrale est différente chez les hommes et les femmes, même quand ils sont absorbés dans des tâches différentes, hommes et femmes peuvent prêter attention à des aspects différents de leur environnement.

Un problème semblable est soulevé par une autre étude : on a découvert que les droitiers jugeaient plus esthétiques les scènes dont le contenu principal ou plus important se situait dans le champ visuel droit du spectateur. Chez les gauchers, on n'observait pas de préférence directionnelle, ce qui laissait penser qu'une telle préférence perceptive est liée à la dominance cérébrale puisque la dominance manuelle lui est liée. Une étude de peintures célèbres montre un même biais directionnel dans l'organisation par les artistes du contenu de leur tableau. Levy (1976) pense que pour la plupart des gens, quand ils regardent des tableaux, l'hémisphère droit est attiré de manière prédominante, ce qui a pour effet de biaiser l'attention vers le côté gauche de l'espace. Ainsi les peintures préférées sont-elles celles qui corrigent cette tendance par l'importance du contenu qui se trouve à droite : ainsi, une fois encore, l'organisation cérébrale peut affecter la part de l'environnement à laquelle les individus prêtent le plus d'attention. Si l'organisation cérébrale est différente pour les deux sexes, à nouveau certains facteurs de perception et d'attention peuvent être différents, et dans ce cas particulier, hommes et femmes peuvent avoir des préférences esthétiques différentes. Comme artistes, il est possible que les femmes peignent des œuvres ayant une organisation de base différente.

Emotion. Tout récemment, on a impliqué l'hémisphère droit dans la médiation des réponses émotionnelles. En utilisant pour les sujets de leur expérience des verres de contact spécialement exécutés qui permettent de montrer un film à l'hémisphère droit seulement, ou au gauche seulement, Dimond, Farrington et Johnson (1976) ont trouvé que les sujets évaluaient de façon significativement différente des films divers de catégories émotionnelles variées selon que le film était présenté à l'hémisphère droit ou à l'hémisphère gauche. Quand les films étaient présentés à l'hémisphère gauche, les classements ne différaient pas de ceux donnés par le groupe de contrôle qui voyait le film dans des conditions normales, avec les deux hémisphères. Mais quand les films étaient vus par l'hémisphère droit, tous étaient jugés plus désagréables. Les auteurs ont pensé que peut-être l'hémisphère droit perçoit des aspects émotionnels des stimuli différemment du gauche. Et parce que les évaluations faites par les sujets avec le seul hémisphère gauche ne différaient pas de celles du groupe témoin en conditions libres, ils font en outre l'hypothèse que, généralement, l'hémisphère gauche est dominant. Dans le même ordre d'idées, Schwartz, Davidson et Maer (1975), pour explorer les rapports entre émotion et organisation cérébrale, ont observé les directions fixées par l'œil de sujets à qui on pose des questions « émotionnelles » ou « non émotionnelles ». Les mouvements de l'œil vers la droite sont interprétés comme indiquant une activité de l'hémisphère gauche, et vice versa. Les auteurs ont trouvé que les sujets fixaient davantage la gauche quand on leur posait une question « émotionnelle » que dans le cas des questions « non émotionnelles », et beaucoup moins souvent la droite. A la lumière de ces résultats, l'hémisphère droit plus que le gauche semble participer aux situations émotionnelles.

Dans aucune de ces études, il n'a été fait de cas du sexe des sujets. Les résultats semblent indiquer que l'hémisphère droit est plus, et différemment, impliqué dans l'affect que le gauche. Il se peut qu'hommes et femmes diffèrent dans l'organisation neurologique de la perception émotionnelle, comme pour la perception spatiale. Les femmes ont peut-être une représentation bihémisphérique de l'émotion. S'il en était ainsi, cela pourrait avoir des implications d'une grande portée dans la vie quotidienne. Les femmes, du fait d'une telle organisation neurologique, pourraient moins bien que les hommes dissocier leurs comportements émotionnel et analytique verbal. L'observation courante, en dehors des conditions d'expérimentation, donne à penser que les femmes sont moins capables de compartimenter leurs réponses émotionnelles à part de leur conduite rationnelle analytique. En témoigne par exemple l'effet du stress émotionnel sur la situation de travail chez les hommes et les femmes. Une fois encore cependant, on doit noter que cette différence ne donne aucune supériorité à un sexe sur l'autre. Des avantages différents peuvent être associés à l'intégration de l'émotion dans le processus rationnel ou à l'indépendance des deux processus.

2. *Implications sociales.*

Il est bien connu que les femmes sont moins représentées que les hommes dans certaines professions. Cela peut être dû aux facteurs que nous venons d'exposer tels que les différences en aptitudes spatiales et en stratégie cognitive préférentielle. Le fait qu'il n'y a que très peu de femmes architectes, ingénieurs ou artistes tient peut-être au fait que ces professions requièrent la façon de penser et de percevoir l'espace qui est le mieux accompli par l'hémisphère droit. Des facteurs similaires peuvent jouer pour expliquer le plus faible nombre de femmes compositeurs de musique. En contraste, les interprètes (chanteuses et instrumentalistes) sont beaucoup moins rares. Peut-être parce que les aptitudes requises (production séquentielle motrice de la voix ou de la main) sont surtout sous le contrôle de l'hémisphère gauche. Il est parfaitement raisonnable de penser que les individus choisissent les professions pour lesquelles ils ont le plus d'aptitudes. Rappelons encore que les femmes diffèrent des hommes par le *nombre* des individus doués d'excellentes aptitudes pour certains types d'activité, mais pas par le *niveau* de l'aptitude parmi les individus hautement doués.

3. *Implications éducatives.*

La majorité des résultats d'un grand nombre de recherches indique que les filles apprennent plus vite à lire que les garçons (Sheridan, 1976). Cette différence entre les sexes est-elle en quelque façon liée à l'organisation neurologique? Bien qu'habituellement on classe la lecture dans les aptitudes linguistiques, ce n'est pas un processus uniquement linguistique. Elle comporte aussi des aspects de perception spatiale. Dans l'apprentissage de la lecture des langages alphabétiques, un enfant doit apprendre à reconnaître et à mémoriser des symboles visuels (lettres-mots) et à les traduire en symboles linguistiques (unités phonétiques et mots). Comme nous l'avons vu, les cerveaux des filles et des garçons peuvent être, pour ces deux processus cognitifs, différemment organisés juste pendant la période où ils apprennent à lire. Aussi la lecture doit-elle en appeler à différentes parties du cerveau à un degré différent chez les garçons et chez les filles.

Il existe différentes méthodes d'apprentissage de la lecture pour les enfants : la méthode « alphabétique » met l'accent sur l'analyse des sons et doit être surtout dépendante de l'hémisphère gauche, tandis que la méthode « globale » qui demande la reconnaissance de la configuration visuelle des mots peut solliciter l'hémisphère droit comme le gauche. Puisque les filles ont sans doute une représentation bilatérale du processus spatial, il se peut que, indépendamment de la méthode d'apprentissage enseignée, elles soient plus aptes à intégrer les deux aspects de la lecture. Ce peut être un avantage dans l'apprentissage. Etant donnée la séparation plus nette des fonctions entre les deux hémisphères chez les garçons, cette intégration peut leur être plus difficile. Peut-être les différentes méthodes d'apprentissage de la lecture ont plus ou moins d'efficacité sur les garçons et sur les filles. Mais cela n'est qu'hypothèse. Cela souligne cependant l'importance qu'il y aurait à considérer le sexe comme une variable indépendante dans les études de l'évaluation des programmes éducatifs.

Braille. Le braille est un langage alphabétique, mais il comporte un aspect important de perception pour reconnaître les différents arrangements des six points en relief du système Braille. De là, vraisemblablement, les deux hémisphères sont de même intéressés. On peut soulever la question de savoir avec quelle main il est préférable de lire le braille. Beaucoup d'études – pas toutes – indiquent que la main gauche est supérieure, ce qui voudrait dire que le traitement de l'hémisphère droit, et par conséquent la perception spatiale, peut être particulièrement important dans la lecture du braille (pour bibliographie, voir Witelson, 1977, *c*). Si les filles ont une représentation bihémisphérique de la perception spatiale, il se peut fort bien que la main gauche ne soit pas pour elles la plus apte à lire le braille. Comme pour les études à venir d'apprentissage de la lecture, le sexe doit être considéré comme une variable indépendante dans l'étude de la lecture Braille.

4. *Implications cliniques.*

Si l'hémisphère droit des filles n'est pas aussi spécialisé que celui des garçons dans certaines fonctions cognitives déterminées, alors, en comparaison des garçons, le cerveau des filles doit offrir une plus grande plasticité fonctionnelle, c'est-à-dire que différentes parties du cerveau doivent pouvoir relayer des fonctions que normalement elles ne favorisent pas. Ainsi, dans le cas d'une lésion précoce de l'hémisphère gauche, les fonctions du langage peuvent être plus aisément transférées à l'hémisphère droit chez les filles que chez les garçons.

En d'autres termes, les filles sont mieux « assurées » neurologiquement contre les risques. Leur plus grande plasticité cérébrale explique peut-être la plus faible incidence chez elles des troubles du développement qui peuvent être associés à la dysfonction de l'hémisphère gauche. Les filles connaissent en effet beaucoup moins de troubles entraînant comme symptôme majeur des déficits linguistiques comme la dyslexie du développement (Critchley, 1970; Witelson, 1976, *b*), l'aphasie du développement (Benton, 1964), et l'autisme infantile (Rutter, Bartak et Newman, 1971).

Dyslexie. La dyslexie est un trouble clinique qui se manifeste par une difficulté marquée à la lecture chez des enfants par ailleurs normaux du point de vue intellectuel, émotionnel et médical. Dans la population scolaire, son incidence est estimée à 5 %. Dans les études de la dyslexie une des découvertes les mieux établies est la distribution différentielle du trouble selon les sexes. La dyslexie est quatre à cinq fois plus fréquente chez les garçons que chez les filles (Witelson, 1976, *b;* 1977, *b*). L'étiologie de ce trouble n'est toujours pas bien comprise, mais l'hypothèse d'Orton (1937) d'une dominance cérébrale anormale a été considérée avec une attention particulière depuis ces deux dernières décennies où des tests expérimentaux ont permis la recherche de la dominance cérébrale chez des individus ne présentant aucune lésion connue localisable. Si le modèle de spécialisation hémisphérique est différent dans les deux sexes, et si la dyslexie est liée à la dominance cérébrale, alors le substrat neurologique de la dyslexie peut être différent chez les filles et les garçons – en d'autres termes, le trouble peut ne pas être le même dans les deux sexes.

J'ai consacré une partie de mes recherches de ces dix dernières années à ces problèmes. Pour résumer les résultats de nombreuses études (Witelson, 1976, *b;* 1977, *a;* 1977, *b*), j'ai donné à un groupe important de garçons droitiers dyslexiques plusieurs tests de spécialisation hémisphérique dont une tâche d'écoute verbale dichotique [1] pour évaluer la spécialisation de l'hémisphère gauche pour le langage, ainsi que le test déjà décrit plus haut de stimulation dichaptique [2] avec des formes gratuites pour évaluer la spécialisation de l'hémisphère droit à la perception. D'après les résultats, les garçons dyslexiques ont une représentation du langage de l'hémisphère gauche, mais une représentation bihémisphérique de la perception des formes. Ce dernier trait les différencie de ce qu'on observe chez les garçons normaux. J'ai étudié un plus petit groupe de filles droitières dyslexiques (elles sont plus difficiles à trouver). Elles ne montraient aucune différence d'organisation neurologique par rapport aux filles normales. La représentation de la perception des formes était bilatérale chez les filles normales et chez les filles dyslexiques. Donc, on trouvait chez les garçons dyslexiques un aspect d'organisation cérébrale atypique en relation avec le trouble, mais on ne trouvait rien d'atypique chez les filles. Ainsi, même si la dyslexie peut apparaître semblable dans les deux sexes, son substrat neurologique est différent. L'étiologie ne doit pas être identique dans les deux sexes, et le traitement approprié peut n'être pas le même pour les garçons que pour les filles.

Ces résultats peuvent sembler paradoxaux dans la mesure où les garçons dyslexiques ont une organisation neurologique semblable à celle de filles normales qui n'ont pas de difficultés à lire. Mais, chez les garçons, on trouvait aussi des

1. Chaque oreille recevant des stimuli différents (N.D.R.).
2. Cf. p. 292.

preuves d'un mauvais fonctionnement de l'hémisphère gauche qui n'était pas observé chez les filles normales. De plus, ce qui peut être normal et approprié pour les filles peut ne pas l'être pour les garçons – comme c'est le cas pour n'importe quel organe sexuel.

RÉFÉRENCES BIBLIOGRAPHIQUES

BENTON (A.L.) : « Developmental aphasia and brain damage », *Cortex*, 1964, *1*, p. 40-52.

BERRY (J.W.) : « Temne and Eskimo perceptual skills », *International Journal of Psychology*, 1966, *1*, p. 207-229.

BOCK (R.D.) et KOLAKOWSKI (D.) : « Further evidence of sex-linked major-gene influence on human spatial visualizing ability » *American Journal of Human Genetics*, 1973, *25*, p. 1-14.

CRITCHLEY (M.) : *The Dyslexic Child*, London, Heinemann, 1970.

DAWSON (J.L.M.) : « Cultural and physiological influences upon spatial-perceptual processes in West Africa », Part II, *International Journal of Psychology*, 1967, *2*, p. 171-185.

DIMOND (S.J.), FARRINGTON (L.) et JOHNSON (P.) : « Differing emotional response from right and left hemispheres », *Nature*, 1976, *261*, p. 690-692.

GUR (R.E.), GUR (R.C.) et HARRIS (L.J.) : « Cerebral activation, as measured by subjects' lateral eye movements, is influenced by experimenter location », *Neuropsychologia*, 1975, *13*, p. 35-44.

HANNAY (H.J.) : « Real or imagined incomplete lateralization of function in females? », *Perception and Psychophysics*, 1976, *19*, p. 349-352.

HARRIS (L.J.) : « Sex differences in the growth and use of language », in *Women : a Psychological Perspective*, E. Donelson and J.E. Gullahorn Ed., New York, Wiley and Sons, 1977, *a*, p. 79-94.

HARRIS (L.J.) : « Sex differences in spatial ability : possible environmental, genetic, and neurological factors », in *Hemispheric Asymmetries of Function*, M. Kinsbourne Ed., England, Cambridge University Press, 1977, *b* (in press).

KINSBOURNE (M.) : « Eye and head turning indicates cerebral lateralization », *Science*, 1972, *176*, p. 539-541.

KOCEL (K.), GALIN (D.), ORNSTEIN (R.) et MERRIN (E.L.) : « Lateral eye movement and cognitive mode », *Psychonomic Science*, 1972, *27*, p. 223-224.

LAKE (D.A.) et BRYDEN (M.P.) : « Handedness and sex differences in hemispheric asymmetry », *Brain and Language*, 1976, *3*, p. 266-282.

LANSDELL (H.) : « The effect of neurosurgery on a test of proverbs », *American Psychologist*, 1961, *16*, p. 448 (abstract).

LANSDELL (H.) : « A sex difference in effect of temporal-lobe neurosurgery on design preference », *Nature*, 1962, *194*, p. 852-854.

LEVY (J.) : « Possible basis for the evolution of lateral specialization of the human brain », *Nature*, 1969, *224*, p. 614-615.

LEVY (J.) : « Lateral dominance and aesthetic preference », *Neuropsychologia*, 1976, *14*, p. 431-445.

LEVY (J.) et REID (M.) : « Variations in cerebral organization as a function of handedness, hand posture in writing, and sex », *Journal of Experimental Psychology : General*, 1977.

MACCOBY (E.E.) (Ed.) : *The Development of Sex Differences*, California, Stanford University Press, 1966.

MACCOBY (E.E.) et JACKLIN (C.N.) : *The Psychology of Sex Differences*, California, Stanford University Press, 1974.

MASICA (D.N.), MONEY (J.), EHRHARDT (A.A.) et LEWIS (V.G.) : « Fetal sex hormones and cognitive patterns : studies in the testicular feminizing syndrome of androgen insensitivity », *Johns Hopkins Medical Journal*, 1969, *123*, p. 105-114.

MCGLONE (J.) et DAVIDSON (W.) : « The relation between cerebral speech laterality and spatial ability with special reference to sex and hand preference », *Neuropsychologia*, 1973, *11*, p. 105-113.

MCGLONE (J.) et KERTESZ (A.) : « Sex differences in cerebral processing of visuo-spatial tasks », *Cortex*, 1973, *9*, p. 313-320.

MONEY (J.) : « Cognitive deficits in Turner's syndrome », in *Progress in Human Behavior Genetics*, S.G. Vandenberg Ed., Baltimore, Md., The Johns Hopkins Press, 1968, p. 27-30.

MOUNTCASTLE (V.B.) (Ed.) : *Interhemispheric Relations and Cerebral Dominance*, Baltimore, Md., Johns Hopkins University Press, 1962.

ORTON (S.T.) : *Reading, Writing and Speech Problems in Children*, New York, W.W. Norton, 1937.

RUTTER (M.), BARTAK (L.) et NEWMAN (S.) : « Autism – a central disorder of cognition and language? », in *Infantile Autism : Concepts, Characteristics and Treatment*, M. Rutter Ed., London, Churchill Linvingstone, 1971, p. 148-171.

SCHWARTZ (G.E.), DAVIDSON (R.J.) et MAER (F.) : « Right hemisphere lateralization for emotion in the human brain : interactions with cognition », *Science*, 1975, *190*, p. 286-288.

SHAFFER (J.W.) : « A specific cognitive deficit observed in gonadal aplasia (Turner's syndrome) », *Journal of Clinical Psychology*, 1962, *18*, p. 403-406.

SHERIDAN (E.M.) : *Sex Differences and Reading*, Delaware, International Reading Association, 1976.

VINKEN (P.J.) et BRUYN (G.W.) : *Handbook of Clinical Neurology : Disorders of Speech, Perception and Symbolic Behavior*, New York, John Wiley, 1969.

WITKIN (H.A.), DYK (R.B.), FATERSON (G.E.), GOODENOUGH (D.R.) et KARP (S.A.) : *Psychological Differentiation*, New York, Wiley, 1962.

WITELSON (S.F.) : « Sex and the single hemisphere : Right hemisphere specialization for spatial processing », *Science*, 1976, *a*, *193*, p. 425-427.

WITELSON (S.F.) : « Abnormal right hemisphere specialization in developmental dyslexia », in *The Neuropsychology of Learning Disorders : Theoretical Approaches*, R. Knights and D. Bakker Ed., Baltimore, Md., University Park Press, 1976, *b*, p. 233-256.

WITELSON (S.F.) : « Developmental dyslexia : Two right hemispheres and none left », *Science*, 1977, *a*, *195*, p. 309-311.

WITELSON (S.F.) : « Neural and cognitive correlates of developmental dyslexia : age and sex differences », in *Psychopathology and Brain Dysfunction*, Proceedings of the 66th Annual Meeting of the American Psychopathological Association, 1976, C. Shagass, S. Gershon, and A. Friedhoff Ed., Raven Press, N.Y., 1977, *b*, p. 15-49.

WITELSON (S.F.) : « Early hemisphere specialization and interhemisphere plasticity : An empirical and theoretical review », in *Language Development and Neurological Theory*, S. Segalowitz and F. Gruber Ed., Academic Press, 1977, *c*.

7.
A propos du rôle des hormones dans les comportements

par Eleanor MACCOBY, Raymond L. VANDE WIELE,

Leon EISENBERG, Etienne BAULIEU

E. MACCOBY : Plus que par les différences d'aptitudes, je suis personnellement intéressée par les différences de tempérament, car, sans méconnaître les effets possibles des premières, les différences de tempérament me semblent avoir affaire avec les différences de dominance, d'agression, qui ont de très fortes implications sociales dans les performances et les relations des deux sexes. A ce sujet voici les résultats d'une expérience effectuée dans mon laboratoire. On a présenté à de jeunes enfants de 12 mois un jouet effrayant, qui a dû être conçu en Amérique par un malfaisant personnage : un singe qui hurle, montre les dents et envoie des éclairs avec ses yeux de manière épouvantable. Beaucoup d'enfants en ont peur, tandis que d'autres sont fascinés par ce jouet et rampent vers lui. Nous

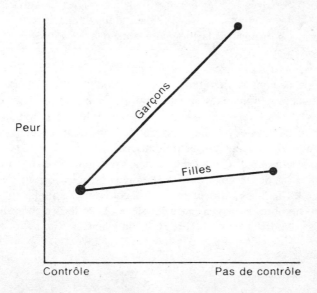

l'avons utilisé comme diagnostic de timidité ou de hardiesse. L'enfant, dans cette expérience, était assis à une petite table avec une manette qu'il pouvait presser pour faire démarrer le singe. Dans un groupe d'enfants servant de groupe de référence nous faisions marcher le jouet un nombre équivalent de fois, mais l'enfant ne contrôlait pas le démarrage de son effrayante performance. Nous comparions les enfants qui pouvaient faire marcher le jouet par eux-mêmes, de leur propre fait, et ceux qui le voyaient marcher un nombre équivalent de fois mais sans pouvoir le contrôler. Nous étions à même de prendre des mesures, sûres et offrant de bonnes garanties, du degré de peur montré par l'enfant.

Nous n'avons pas répété cette expérience, et restons donc prudents avant de l'attribuer à une différence entre les sexes, mais elle nous a intrigués. On pourrait penser qu'avoir ou non le contrôle de la marche du jouet était indifférent aux filles, mais on doit savoir que quand les filles pouvaient actionner elles-mêmes le jouet, elles montraient davantage de joie, riaient et souriaient davantage. Mais elles ne semblaient pas effrayées quand elles ne pouvaient le contrôler. C'est alors que nous avons eu à connaître d'une intéressante expérience faite à l'université de Stockholm par Frankenhauser et Johansson (1975) : ils ont découvert que, placés dans des situations de stress, les mâles déchargent plus de catécholamines que les femelles placées dans les mêmes conditions. Le laboratoire de Frankenhauser a travaillé avec des hommes et avec des adolescents dont les plus jeunes avaient 11 ou 12 ans, aussi ne savons-nous pas à quel âge cette différence dans la décharge d'adrénaline et de noradrénaline commence dans l'enfance. Si ce phénomène commence aux plus jeunes âges, il se peut qu'il ait à voir avec les résultats que nous avons observés. Je me demande si une décharge similaire de produits hormonaux chez les garçons et les hommes intervient dans des situations comme l'agression ou les jeux brutaux. Cela mériterait d'être vérifié. Si cela se produit vraiment, cela pourrait expliquer certaines coutumes sociales qui mettent en jeu les efforts déployés par les femmes pour calmer les hommes. Je me suis aussi demandé si des preuves de cette différence étaient apportées, si cela n'aurait rien à voir avec les disparités de longévité dont il a été question.

R. VANDE WIELE : La concentration périphérique d'adrénaline dans l'urine a été mesurée dans de nombreuses études, mais ne rend pas compte, me semble-t-il, des modifications intracrâniennes de l'adrénaline. On a ici parlé [1] des différences entre le cerveau mâle différencié et le cerveau non différencié féminin en termes de cyclicité. Songeant à la cyclicité, ceux qui ne travaillent pas dans ce domaine pensent toujours aux œstrogènes, et puis arrive la L.H.R.H. (*Lutenizing Hormone Releasing Hormone*)! Chez les hommes, sans doute avec un effet de seuil, on peut produire une décharge de L.H.R.H. après œstrogènes, mais c'est difficile, alors que chez les femmes on peut le faire à volonté. On oublie toujours qu'il y a un certain nombre de degrés entre les deux, entre le déclencheur que sont les œstrogènes et la décharge de L.H.R.H. Maintenant, il est de plus en plus évi-

---

1. Cf. Partie Ire, p. 60 et suivantes.

dent que les neurotransmetteurs doivent jouer un rôle dans les phénomènes strictement endocriniens et dans l'humeur. Ainsi la G.N.R.H. (*Gonadotropine Releasing Hormone*) peut avoir un effet sur la libido. Mais ce qui est intéressant pour notre sujet, c'est que quand on donne des œstrogènes, il est probable qu'on obtient une décharge de noradrénaline dans l'hypothalamus. Aussi de dopamine, mais c'est incertain. On a aussi évidemment une décharge de gonadotropine. Donc, la masculinisation du cerveau consécutive à l'action des androgènes, qu'elle se produise pendant la période intra-utérine ou périnatale, peut avoir des effets très variés. Quant à l'adrénaline, il se peut que la petite quantité déchargée dans l'hypothalamus entraîne une décharge de L.H.R.H. et ait un effet sur d'autres fonctions.

L. Eisenberg : Un des aspects les plus passionnants de la recherche endocrinienne en psychiatrie récemment a été l'étude de la prolactine et d'autres hormones centrales, non à cause de leur intérêt par elles-mêmes, mais parce que les différentes hormones pituitaires et hypothalamiques sont probablement sous le contrôle des neurotransmetteurs centraux – aussi recherche-t-on la prolactine ou l'hormone de croissance comme indicateurs d'un mauvais fonctionnement possible des neurotransmetteurs du cerveau. La recherche sur la testostérone montre un exemple de la relation entre l'hormone et l'état affectif et cognitif : on peut modifier le niveau de testostérone d'un singe ou d'un homme en changeant ses conditions de vie. Les singes placés dans une colonie où ils occupent les derniers rangs dans la hiérarchie voient leur testostérone baisser. Mais les mêmes singes, si on les retire de cette cage et qu'on les place avec des femelles réceptives, voient remonter le niveau de leur testostérone et, à son tour, la testostérone modifie le comportement du singe : rien de plus difficile que de savoir ce qui est cause et ce qui est effet dans l'imbrication complexe des phénomènes hormonaux et comportementaux. Un chercheur britannique du nom de Fox a conduit une étude sur lui-même à l'occasion de ses relations avec sa femme, pendant plusieurs années. Il a pu démontrer qu'après des rapports avec sa femme son taux de testostérone grimpait. Curieusement, après la masturbation, du moins pour ce gentleman, il n'y avait pas augmentation du taux de testostérone, bien qu'il ait eu orgasme et éjaculation. Les circonstances psychologiques semblent avoir là un effet majeur sur le niveau de la testostérone.

E. Baulieu : Il y a certainement des différences de métabolisme des cathécolamines entre l'homme et la femme. Comme pour la testostérone, y a-t-il au départ un substrat différentiel des métabolismes qui permettrait le développement de la peur chez les garçons par rapport aux filles? C'est une question extrêmement intéressante, mais par où la prendre? Car c'est un phénomène intégré qui n'est pas facile à dépouiller. Concernant la testostérone, l'expérience de l'Anglais Fox et de sa femme a été vérifiée par d'autres Anglais : un même garçon avait une augmentation du niveau de la testostérone quand il avait des rapports avec la femme qu'il aimait, mais pas d'augmentation quand l'acte sexuel avait lieu avec une fille quelconque pour laquelle il n'éprouvait pas de sentiment particulier. Mieux encore, il a vérifié qu'en rentrant chez lui dans la ville où habitait la femme qu'il aimait, sa testostérone augmentait, alors que quand il allait retrouver dans une autre ville la fille qu'il n'aimait pas le niveau de sa testostérone ne bougeait pas...

Un grand nombre de systèmes, en particulier endocriniens, sont construits de telle sorte que le stimulateur d'hormones et le récepteur sont véritablement inscrits dans un cycle qui se développe de façon intégrée positive : ainsi la testostérone développe ses propres récepteurs dans les muscles et peut ainsi mieux agir ensuite. Dans le comportement que nous décrivions, la testostérone, déclenchée par un stimulus d'origine nerveuse, permet ensuite un comportement plus positif dans une sorte de régulation interne. Mais c'est très difficile à étudier.

Pour reprendre l'exemple qu'Eleanor Maccoby a posé – la peur et l'adrénaline –, il est important de distinguer entre deux types de rôles des hormones. D'une part, on peut mesurer les hormones, considérer quelle quantité on peut injecter, et observer l'effet, et la grandeur de l'effet : c'est ce que les pharmacologistes appellent les rapports de la dose à l'effet, vieille notion mécaniste. Elle est probablement fondée, et probablement insuffisante pour toutes circonstances. D'autre part, une autre idée est le phénomène de seuil, que je préfère appeler « permissivité ». On cherche alors à établir que la présence d'un certain nombre de facteurs (dont les hormones) est nécessaire pour que d'autres facteurs sans aucune relation hormonale avec eux puissent s'exprimer. Ainsi, manifestement, la génétique est « permissive » de manière tout à fait fondamentale par rapport aux facteurs d'environnement.

Ces extraits de débats montrent assez combien délicate est la tâche des psychologues confrontés avec le problème des différences sexuelles, qu'il s'agisse d'aptitudes ou de comportements tout aussi bien. Ils doivent s'interroger – sinon ils le seront vivement par ceux qui les surveillent et les critiquent – à la fois sur les méthodes d'observation et de codage qu'ils mettent au point, sur l'étiologie possible des phénomènes qu'ils constatent, sur l'interprétation à faire.

Les méthodes d'observation dépendent de la question posée, du but poursuivi donc. Comme telles, elles sont en relation directe avec les résultats. Si on cherche une différence, on mettra en place un système permettant de piéger cette différence. Ce faisant, on ne la créera pas, on ne la modifiera pas si on est bon chercheur, mais on la privilégiera sûrement. C'est pourquoi les recherches sur la psychologie différentielle des sexes ont été si vivement contestées et attaquées ces dernières années, accusées de « fabriquer de la différence ». Ces critiques ont exercé une influence bénéfique sur la recherche en la rendant plus consciente des dangers de contamination par les préjugés sexuels courants, par les stéréotypes dont parlait Zella Luria [1]. (Mais sa recherche à elle était elle-même une démarche pour trouver des stéréotypes, et donc elle était à peu près sûre d'en trouver et de les privilégier...) Il est nécessaire de mentionner ici que dans le domaine délicat de la psychologie différentielle des sexes nombre d'observations ont été faites fortuitement, au cours d'une recherche qui ne portait pas sur les différences entre les sexes mais qui en faisait apparaître sans les avoir cherchées.

La recherche de l'étiologie possible est encore plus difficile : quelle est la part respective, dans le phénomène observé, de la génétique comme « permissivité », pour reprendre l'excellente expression de E. Baulieu, la part des hormones, du

---

1. Voir sa contribution à ce volume, p. 231.

calendrier du développement, de l'éducation reçue, de l'environnement social? Il y a bien rarement une réponse tranchée : le plus souvent tous ces facteurs sont en interrelation. Parfois l'un domine nettement, apparaît prépondérant ou seul concerné. Mais qu'on incrimine un ou plusieurs facteurs, il faut chaque fois en explorer le fonctionnement possible et en expliquer le mécanisme. Il ne suffit pas de dire d'une différence qu'elle doit être génétique, ou qu'elle est sûrement d'origine sociale, encore faut-il remonter la filière et décrire le mode d'action des modifications.

Au moment d'énoncer les résultats, cette explicitation sera capitale.

Des causalités hâtivement attribuées à la génétique peuvent freiner l'effort d'éducation et donc d'égalisation des chances entre filles et garçons; des causalités hâtivement attribuées à l'environnement peuvent provoquer des découragements devant les échecs des efforts entrepris pour modifier les conditionnements sociaux, et de pénibles situations pour les enfants ou les adultes qu'on cherche à habituer à vivre le comportement de l'autre sexe.

Les idées préconçues sur les différences sexuelles sont nombreuses et largement soumises à la mode. Pendant des siècles, la « nature féminine » a été un système d'interprétation commode. Aujourd'hui c'est plutôt « la société » qui joue ce rôle de fourre-tout et d'accusé permanent. Bien entendu, devant une différence de comportement ou de performances, on trouve toujours a posteriori une belle explication. Il est plus difficile de pronostiquer a priori les résultats qu'obtiendront filles et garçons, hommes et femmes à une épreuve donnée. Il m'est arrivé de demander cet exercice périlleux à des tenants trop passionnés d'un seul type d'étiologie. Les erreurs de pronostic sont énormes. Ces erreurs montrent bien que « ces idées que nous avons dans la tête » sont souvent puissantes, mais mal préparées à observer le réel. Les idées du néo-progressisme environnementaliste privilégiant absolument l'influence de la société et l'éducation reçue sont tout aussi « biaisantes » que les autres. Ainsi, plusieurs années de suite, j'ai donné à faire à mes étudiants de sociologie, presque tous de cette religion à part quelques tenants de la psychanalyse, et s'entendant tous pour faire taire quiconque eût osé parler de chromosomes, un amusant exercice : « Récemment, les échelles métriques d'intelligence ont été révisées, après passation de chaque test sur des milliers d'enfants de chaque âge. Certains tests ont été, après cette mise à l'épreuve du grand nombre, retirés des échelles car ils introduisaient trop de différence entre filles et garçons. Je vais vous lire l'énoncé de chacun des tests qui donnaient l'avantage à un sexe sur l'autre. Etant donné ce que vous savez de l'éducation, de l'environnement, des influences subies par les garçons et les filles, voulez-vous me dire lesquels de ces tests, à votre sens, avantageaient les garçons, et lesquels avantageaient les filles? » *Les diagnostics-pronostics ont été constamment erronés. Le test des « chiffres à rebours » a toujours été indiqué comme avantageant les garçons – à cause des chiffres! –, alors qu'en réalité le contraire s'était produit, et le test « Quel chemin devez-vous parcourir dans ce champ pour retrouver une balle que vous y avez perdue? » était indiqué comme favorisant les filles, alors que les garçons, en réalité, s'y étaient montrés un peu supérieurs.*

Sociologue, je ne retire de cette intéressante contre-épreuve qu'un enseignement : les modes idéologiques peuvent être un temps moteur de nouvelles recherches, provoquer certains chercheurs et les contraindre à plus de rigueur, à introduire dans leurs méthodes des perspectives jusqu'ici négligées; elles deviennent appauvrissantes dans la mesure où elles interdisent à certains de poser certaines questions, où elles simplifient les problèmes, où elles négligent ce qui les gêne. Tout n'est pas génétique, tout n'est pas hormonal, tout n'est pas environnemental, tout n'est pas social, tout n'est pas politique.

Pour le tri des étiologies possibles, pour le scrupule méthodologique, pour la richesse de l'information et la pertinence et la prudence avec lesquelles elle est traitée, le Pr Eisenberg donne une magistrale leçon. Et pourtant son sujet : les troubles psychiatriques et leur distribution différentielle selon le sexe, était un des plus périlleux qui fussent.

Evelyne SULLEROT.

8.
La répartition différentielle des troubles psychiatriques selon le sexe

par Leon EISENBERG

Les difficultés qu'il y a à déterminer la signification de la relation entre appartenance à un sexe et troubles psychiatriques ressortent nettement de l'examen d'une hypothèse à première vue plausible de Gove et Tudor (1973), hypothèse qui illustre parfaitement les spéculations sociologiques actuelles. Se fondant sur les données de prédominance rapportées dans la littérature (avec une attention particulière pour le net accroissement de la prépondérance féminine signalé depuis la Seconde Guerre mondiale), Gove et Tudor suggèrent : « En raison des difficultés associées au rôle féminin dans les sociétés occidentales modernes, les femmes, en plus grand nombre que les hommes, sont atteintes de maladies mentales. »

Cette proposition constitue un exemple instructif des problèmes conceptuels et méthodologiques que pose l'évaluation des hypothèses sur les conséquences psychiatriques des différences de sexe. Entrent en jeu les problèmes suivants : trouver la pondération convenable d'assemblage de cas éliminant la contamination du diagnostic par le préjugé sexuel, et la logique scientifique permettant d'établir des relations causales entre des données en corrélation.

L'utilisation de cette catégorie indifférenciée de « maladie mentale » est-elle adéquate? Notre propos sera ici de démontrer le contraire. Dans l'étude de la répartition différentielle de maladies mentales spécifiques, certains troubles apparaissent plus fréquents chez les femmes que chez les hommes, d'autres chez les hommes que chez les femmes et d'autres enfin en proportion à peu près égale dans les deux sexes.

La méthodologie en cours nous fournit-elle des informations fiables et valides sur les taux de morbidité par sexe? Cela dépend. Broverman *et al.* (1970) ont montré, pour les Etats-Unis du moins, que les aliénistes n'ont pas les mêmes définitions de la santé ou de la maladie mentale pour les hommes et pour les femmes. Aussi, devons-nous nous méfier de la contamination des jugements par la variable même de l'intérêt central. Ce à quoi il faut d'autant plus s'attendre que nous jetons un filet plus vaste pour pêcher les symptômes mentaux.

C'est en particulier un problème pour certains des faits cités par Gove et Tudor dans la mesure où ils se fondent sur des expressions de détresse personnelle sans rapport nettement établi avec un trouble psychiatrique clinique.

Si nous sommes convaincus qu'il existe effectivement une différence, comment prouver qu'elle est bien le fait du « rôle féminin dans les sociétés occidentales modernes » plutôt que d'une caractéristique biologique liée au sexe? Malheureusement, une bonne part du débat sur les désordres psychiatriques a été dominée par des théories psychiatriques « décervelées ». Le système nerveux central a été considéré comme à peine plus important qu'un lest mis là pour empêcher la tête de s'envoler dans l'espace. La contribution de facteurs biologiques n'ayant pu être établie de façon concluante que pour un petit nombre de troubles psychiatriques, l'hypothèse a prévalu que tous les autres désordres étaient psychogènes ou sociogènes. Si des différences de prédominance peuvent être liées à des variables sociales, on s'autorise *ipso facto* à impliquer ces variables dans la pathogenèse. La découverte d'une différence significative n'est, cela va de soi, que le premier pas dans la recherche de sa cause. L'histoire de la psychiatrie abonde en exemples qui illustrent la subtilité des interactions sociobiologiques. La coexistence de plusieurs cas de pellagre dans une même famille fut en son temps l'argument justifiant une étiologie génétique ou infectieuse; finalement, on put établir que cette concentration de cas était due à une carence en niacine dans l'alimentation familiale. Encore cette vue devait-elle se révéler incomplète; on sait maintenant qu'une minorité de cas (maladie de Hartnup) provient d'une anomalie génétique dans le transport du tryptophane. De même, le kuru n'étant observé que dans certains groupes tribaux en Nouvelle-Guinée, on y vit la preuve qu'il s'agissait d'une mutation génétique transmise au sein d'une population endogamique; on sait maintenant que le kuru est dû à un virus lent qui atteint le tissu nerveux et dont la transmission est grandement facilitée chez ces peuplades par des rites funéraires de cannibalisme. (Nous y reviendrons par la suite.) Le Moyen Age et ses procès de sorcellerie nous fournissent un dernier exemple; la concentration des accusations sur les femmes reflétait une équation théologique femme = mal; selon toute vraisemblance, certaines des vieilles femmes reconnues coupables de sorcellerie souffraient d'une psychose sexuelle (Rosen, 1968).

Avant d'en venir aux preuves communément admises de la répartition différentielle des troubles psychiatriques selon le sexe, qu'il me soit permis d'exposer brièvement les limites qu'imposent à leur généralisation certains problèmes encore non résolus en épidémiologie psychiatrique.

Problèmes de définition et de méthodologie

1. Le faible niveau de signification d'une catégorie globalisante comme « la maladie mentale » dans sa totalité apparaît bien quand on considère qu'elle comprend des troubles aussi disparates que, d'une part, le syndrome de Down

– aberration chromosomique déterminée à la conception et dont les conséquences sont décelables dès la naissance – et, d'autre part, la psychose sénile
– maladie dégénérative de cause inconnue qui se déclare vers la fin de la vie.
Le caractère trompeur de tels agrégats ressort nettement des études de santé et
de maladie générales. Les hommes montrent une mortalité plus importante et une
longévité moindre; cependant, les femmes connaissent une incidence plus forte
des conditions aiguës et une prédominance des maladies chroniques. La contradiction apparente entre ces deux constatations s'explique en partie par le fait que
« les maladies à excédent masculin sont lourdement grevées de mortalité, mais
celles à excédent féminin dominent dans les tables de morbidité ». Cependant,
quelques conditions spécifiques n'en expliquent pas moins la surmortalité masculine et la surmorbidité féminine. Une explication plausible de ce renversement
est que les femmes transforment peut-être leur « désavantage de morbidité » en
un « avantage de mortalité » grâce à un comportement lié au rôle sexuel face à
la maladie, qui favorise un diagnostic précoce et une plus grande adhésion aux
régimes médicaux (Verbrugge, 1975). Pour que l'épidémiologie puisse réellement
contribuer à élucider l'impact du sexe sur la morbidité psychiatrique, il est essentiel d'étudier séparément des troubles qui diffèrent dans leurs manifestations cliniques et leur évolution (que nous soyons ou non capables de préciser d'ores et
déjà leurs causes).

2. Etablir la fiabilité et la validité des diagnostics psychiatriques pose des problèmes encore sans solution. Généralement, l'accord se fait plus aisément sur les
catégories du niveau moyen (exemple, la dépression) que sur les sous-catégories
(exemple, psychose maniaco-dépressive ≠ dépression endogène ≠ dépression
névrotique). Les jugements sur la « santé mentale » fondés sur des questionnaires
de symptômes font ressortir une psychopathologie bien supérieure à celle qui se
dégage des diagnostics fondés sur l'examen clinique. Il est impossible de tabler
sur la comparabilité des pratiques diagnostiques d'une étude à l'autre dans différents pays, ou dans un même pays à différentes périodes. Dans ces dernières
années, la formulation de critères opérationnels plus précis a permis une réelle
amélioration de la fiabilité du diagnostic psychiatrique (Feighner *et al.,* 1972;
O.M.S., 1973; Friedman et Katz, 1974).

3. La plupart des études épidémiologiques font état des cas traités, c'est-à-dire
du nombre de cas pris en charge et communiqués à une administration centrale
par les centres d'hygiène mentale desservant une population donnée. Le nombre
de cas traités est inévitablement inférieur au nombre réel de cas; il est fonction
de l'accessibilité et du coût des soins, de l'empressement des malades à rechercher ces soins et du caractère plus ou moins complet des rapports médicaux;
par exemple, les malades psychiatriques soignés par des médecins généralistes,
par des spécialistes en clientèle privée et par des praticiens hétérodoxes ne sont
généralement pas pris en compte dans les statistiques de santé mentale; dans les
pays en voie de développement, il se peut que l'essentiel des soins soit dispensé
par les guérisseurs traditionnels (Carstairs et Kapur, 1975).

4. Pour déterminer la prédominance réelle, des enquêtes nationales doivent
être menées sur des populations convenablement échantillonnées. De telles études

sont rares; elles sont complexes et onéreuses. L'échantillon doit être corrigé pour tenir compte de la répartition par âge de la population; par exemple, la dépression et les psychoses séniles étant associées au vieillissement, il faut pondérer la supériorité numérique des femmes âgées sur les hommes âgés en fonction de leur longévité différentielle.

5. La prédominance (nombre total de cas de troubles dans la population à un moment donné) doit être distinguée de l'incidence (nombre de cas nouveaux connus pour une période de temps donnée). Pour les troubles chroniques, la prédominance est nettement supérieure à l'incidence. D'autre part, et surtout quand on étudie l'impact des changements sociaux (par exemple, le mouvement féministe comme source de nouvelles attentes), c'est l'incidence plutôt que la prédominance qui révélera les différences, s'il y en a. Cependant il n'est pas facile de déterminer l'incidence pour des états dont les débuts insidieux caractérisent la plupart des troubles psychiatriques.

Compte tenu des réserves qu'inspirent les variations des critères de diagnostic et l'imprécision des méthodes en cours, que peut-on dire des différences entre les sexes dans la prédominance de troubles psychiatriques spécifiques? Etant donné que les manifestations et les répercussions des troubles psychiatriques diffèrent chez l'enfant et chez l'adulte (et que les relations entre les deux n'ont rien d'évident), nous étudierons séparément les données pour chacun.

Troubles psychiatriques chez l'enfant

Pour les Etats-Unis, les admissions totales en consultation externe d'enfants de moins de 14 ans font apparaître une proportion de 2,5 garçons pour 1 fille; entre 14 et 17 ans, les admissions sont sensiblement égales (*Statistical Note 79*). En revanche, pour les admissions au-dessus de 18 ans, la proportion est de 1,4 fille pour 1 garçon. Les admissions de malades hospitalisés de moins de 18 ans montrent une même prépondérance masculine dans une proportion de 2 pour 1 (*Statistical Note 81*). La surreprésentation masculine ressort aussi nettement des prestations de soins aux communautés noires et économiquement faibles (Novack *et al.*, 1975).

Les meilleures études épidémiologiques (celles effectuées en Grande-Bretagne par Rutter *et al.*, 1976) établissent une prépondérance masculine significative (de 2 à 4 pour 1) pour : les troubles du comportement ou de la conduite; les difficultés d'apprentissage et les déviations développementales telles que l'énurésie et l'encoprésie; les troubles affectifs (névrotiques) sont observés en proportion à peu près égale dans les deux sexes. Le trouble exceptionnel qu'est la psychose infantile (4 à 5 pour 10 000) est deux à trois fois plus fréquent chez les garçons que chez les filles aux Etats-Unis, tout comme en Europe et au Japon (Eisenberg, 1956; Makita, 1966; Rutter, 1971, 1975; Wing *et al.*, 1976).

Des données administratives provenant des établissements d'enseignement (prototype de prédominance traitée) ont permis d'établir qu'un retard mental bénin était plus courant parmi les garçons (Gruenberg, 1966). Cependant, lors de l'étude de la population totale de l'île de Wight (Rutten *et al.*, 1970), l'examen individuel des enfants dans chacun des groupes d'âge indiqués n'a mis en évidence aucune différence significative entre les sexes. La prédominance des troubles de comportement et des problèmes d'apprentissage chez les garçons a conduit les services éducatifs à les considérer indûment comme retardés.

L'anorexie mentale – état psychosomatique caractérisé par le refus de s'alimenter, une importante perte de poids, l'aménorrhée (chez les filles) et des troubles profonds de l'humeur (Halmi et Sherman, 1975; Sherman *et al.*, 1975) – survient dix fois plus souvent chez les filles que chez les garçons (Bruch, 1973). L'anorexie peut alterner avec la boulimie et une psychose schizophrénique manifeste. La psychopathologie associée (perfectionnisme, distorsions de l'image corporelle, poursuite acharnée de la maigreur) a incité les cliniciens à se concentrer sur une étiologie psychogène; ces dernières années, l'attention s'est déplacée vers un éventuel dérèglement de la fonction neurotransmettrice de l'hypothalamus (Nawson, 1974; Martin *et al.*, 1975).

La prédominance masculine – 3 à 4 pour 1 – observée dans les états neuropsychiatriques les plus courants chez l'enfant (troubles de conduite, troubles d'apprentissage et déficiences développementales) qui se trouve régulièrement confirmée dans les enquêtes épidémiologiques et les statistiques des admissions en consultation extérieure, demande une explication. Parmi les nombreuses hypothèses avancées pour rendre compte de ces constatations, citons les suivantes :

1. *Vulnérabilité génétique.* Il faut replacer la différence entre les sexes observée dans les troubles neuropsychiatriques les plus courants chez l'enfant dans le contexte plus large des constatations similaires faites pour de nombreux autres états maladifs (Childs, 1965). Les cas mortels de méningite sont plus fréquents chez les tout jeunes enfants de sexe masculin; ceux-ci sont également davantage handicapés par l'hyperbilirubinémie néo-natale, pâtissent davantage d'une naissance prématurée, sont plus souvent atteints de troubles moteurs d'origine centrale, et ainsi de suite. L'une des principales causes de cette vulnérabilité réside peut-être dans le fait que l'homme ne possède qu'un seul chromosome X et accusera donc les effets néfastes de tout allèle pathologique sur ce chromosome [1]; les femmes, elles, sont en fait des mosaïques chromosomiques (l'un des 2 chromosomes étant au hasard rendu inactif dans chaque cellule somatique), et sont peut-être ainsi « protégées » des effets d'un gène par l'action d'un allèle normal dans 50 % des cellules somatiques (Lyon, 1962).

2. *Vulnérabilité développementale.* Le chromosome Y détermine la différenciation des testicules à partir de la gonade primitive au cours des premières 6 à 7 semaines de la grossesse [2]. Seul le fœtus mâle est exposé à la sécrétion de la substance masculinisante des canaux et de la testostérone (ou de son métabolite actif). Certains effets hormonaux peuvent contribuer à créer des différences développementales dans les taux de maturation postnatale, ce qui expose peut-

---

1. Cf. p. 66 (N.D.R.).

2. Cf. Partie Iʳᵉ, p. 83 (N.D.R.).

être le garçonnet à un plus grand risque de déviance. Son niveau plus élevé d'activité et sa tendance plus marquée à un comportement agressif peuvent mettre le petit garçon en conflit après l'impératif social de conformité. L'hormone mâle est probablement impliquée dans ces différences comportementales liées au sexe; elles sont très nettes chez d'autres primates; les filles exposées à un excès androgénique (dû à une hypersécrétion surrénale ou à des sources exogènes) ressemblent aux garçons à cet égard (Money et Ehrhardt, 1972). En outre, les garçons font preuve d'une relativement moins grande précocité dans le maniement du langage et des notions plus abstraites, ce qui peut les exposer à un échec au cours des premières années de la scolarisation. Chez les mammifères sous-primates, on a démontré que les différences structurelles et fonctionnelles liées au sexe dans l'organisation hypothalamique résultaient d'une exposition précoce (fœtale ou néo-natale) à l'action de substances androgènes (Raisman et Field, 1973; McEwen, 1976). Cela n'est pas forcément vrai dans la même mesure pour les primates; un feedback positif aux œstrogènes (caractéristique du cycle S.N.C. femelle) persiste chez le macaque mâle adulte (Karsch *et al.,* 1973). Néanmoins, les modifications comportementales provoquées par les androgènes chez les macaques réservent cette possibilité qu'il y ait pour certains aspects de la fonction S.N.C. un dimorphisme sexuel des seuils résultant de l'androgénisation fœtale.

3. L'impératif social de réussite s'exerce sans doute plus fortement sur les garçons que sur les filles, en raison de la plus grande importance attachée à la réussite masculine dans une société sexiste. On a avancé que parents et professeurs identifiaient plus facilement les problèmes chez les garçons, parce que ceux-ci sont considérés comme plus importants. Cependant, ce n'est pas l'étiquetage qui fournira l'explication de la prédominance masculine dans les troubles de comportement et d'apprentissage, car cette prédominance se dégage aussi bien des enquêtes épidémiologiques que des rapports cliniques et scolaires.

4. Le rôle supposé des influences sociales peut produire un excédent masculin dans l'enfance et un excédent féminin à l'âge adulte par un processus divergent, mais entraînant des conséquences parallèles. Autrement dit, la correspondance au stéréotype masculin attendue du garçon dans la préadolescence peut être cause d'un excès de tension dans cette course à la réussite que tout le monde ne peut gagner; la médiocrité des attentes pour les filles est peut-être « protectrice » à cet égard. C'est peut-être seulement à l'âge adulte que la répression de l'expression de soi et l'« impuissance apprise » provoquent chez les femmes une perturbation fonctionnelle.

Les éléments dont nous disposons actuellement ne permettent pas de faire le départ avec certitude entre ces hypothèses alternatives; notons toutefois qu'elles ne s'excluent pas l'une de l'autre, même si elles sont souvent présentées ainsi. La prépondérance masculine dans les psychoses infantiles, déviations développementales et troubles d'apprentissage plaide fortement en faveur de la thèse des déficiences biologiques (génétiques et hormono-développementales). Cette même prépondérance masculine, concernant cette fois les troubles de comportement, reflète plus vraisemblablement l'interaction entre la dyssynchronie du développement masculin et les impératifs sociaux attachés au rôle. Pour l'anorexie mentale, il s'agit vraisemblablement d'une interaction biosociale : l'axe neuro-endocrinien (neuro-transmetteur – *releasing factor* – gonadotrophine – hormone endocrine et les différents niveaux de feedback positif et négatif) est tout à la fois plus complexe et plus facilement perturbé dans sa fonction cyclique féminine (Root, 1973); l'image du corps, comme construction sociale, est plus caractéristique de la définition de la sexualité féminine. Cependant, des énoncés à un tel niveau de généralité sont de peu d'utilité. Il faudra construire des hypothèses pathogénétiques nettement plus spécifiques (et vérifiables) si l'on veut développer des pratiques curatives et éducatives qui aient un sens.

Troubles psychiatriques chez l'adulte

Lorsqu'on étudie la prédominance de troubles psychiatriques spécifiques selon le sexe, on constate principalement : une prédominance féminine de 2 pour 1 dans les dépressions et de 3 pour 1 dans les névroses, une prédominance masculine de 4 à 5 pour 1 dans les toxicomanies et les troubles sociopathologiques et de 2 pour 1 dans les hospitalisations pour retard mental, et enfin aucune différence significative entre les sexes pour ce qui est de la schizophrénie (Lemkau, 1974). Jusque récemment, l'homosexualité était classée aux Etats-Unis comme trouble psychiatrique; l'homosexualité est trois fois plus courante chez les hommes que chez les femmes (Saghir et Robins, 1973). Toutefois, la reconnaissance du préjugé social qui qualifie de pathologique l'homosexualité, par ailleurs asymptomatique, a conduit à sa suppression de la nomenclature officielle de l'American Psychiatric Association (nous n'y ferons plus référence dans ces pages).

La prédominance des psychoses séniles connaît un accroissement aussi bien chez les hommes que chez les femmes – simple conséquence du vieillissement de la population. Dans la mesure où les femmes vivent plus longtemps que les hommes, il y aura plus de cas féminins de psychose sénile. Il existe une seconde raison à cet accroissement. L'utilisation des antibiotiques a sensiblement réduit la mortalité due à la pneumonie, longtemps appelée « l'amie du vieillard » parce qu'elle venait mettre un terme à des vies devenues pénibles; la régression de la mortalité grâce aux antibiotiques a été plus nette parmi les vieillards atteints d'une maladie cérébrale chronique que parmi les autres. Ainsi, les tables de survie différentielle dégagent-elles des mouvements séculaires qui sont d'un enseignement capital pour la planification des services sociaux, s'agissant des femmes en particulier (Gruenberg et Hagnell, 1976). Les éléments dont nous disposons actuellement sur les soins psychiatriques épisodiques dispensés aux personnes âgées de 65 ans ou plus pour des syndromes cérébraux organiques donnent une proportion supérieure d'hommes que de femmes (Kramer, 1974). Toutefois, ce dénombrement apparaît d'une utilité douteuse, vu la fréquence avec laquelle les maladies séniles sont désormais soignées dans des maisons de retraite plutôt que dans les hôpitaux. Les femmes de plus de 65 ans sont moins nombreuses que les hommes dans les asiles et plus nombreuses dans les maisons de retraite (Kramer, 1975).

Nous consacrerons le reste de cet exposé à l'excédent féminin dans la dépression. La documentation est remarquablement complète et a été minutieusement étudiée dans un ouvrage savant de Weissman et Klerman (1976) que j'ai eu le privilège de lire avant parution. En revanche, l'information sur les névroses pâtit d'une plus grande incertitude diagnostique, d'un manque de comparabilité internationale, d'une contamination par les préjugés sexuels et d'un plus grand désaccord sur le bien-fondé du « modèle médical » (Eisenberg, 1976).

Le syndrome dépressif se caractérise par un changement affectif anormal et persistant caractérisé par des sentiments d'inutilité, de culpabilité, d'impuissance, de désespoir, de l'anxiété, des pleurs, une tendance suicidaire, une perte d'intérêt, et une certaine incapacité d'accomplir les fonctions quotidiennes. On observe chez le malade d'importants troubles somatiques : inappétence, variation du poids, diminution de l'intérêt et de l'activité sexuels, sommeil perturbé, constipation et troubles psychomoteurs (Winokur et al., 1969). Les taux de cas traités relevés aux Etats-Unis au cours de ces cinquante dernières années ont constamment indiqué une prépondérance féminine dans un rapport de 2 femmes pour 1 homme. Cela est vrai pratiquement de tous les pays industriels (Silverman, 1968). Les enquêtes nationales sur des échantillons pris au hasard font apparaître une prédominance féminine dans un rapport allant de 1,6 à 3,8 pour 1 dans tous les pays (Etats-Unis, Islande, Danemark, Iran, Inde), et ce pour toutes les périodes prises en compte (Weissman et Klerman, 1976). Dans la mesure où les tentatives de suicide peuvent être considérées comme expressions de la dépression, il est intéressant de constater qu'il y a 2 à 3 fois plus de tentatives de suicide chez les femmes que chez les hommes dans tous les pays, l'Inde exceptée (Stengel, 1964; Brooke, 1974). Il convient toutefois de noter que le suicide réussi est plus fréquent chez les hommes, peut-être parce qu'ils utilisent des méthodes plus meurtrières, et d'autre part que le suicide peut se produire en l'absence de toute dépression clinique. Par ailleurs, les études de la dépression chez les conjoints survivants l'année qui suit le décès du mari ou de la femme ne fait pas apparaître de différence significative entre les sexes quant à la fréquence ou au type des symptômes dépressifs (Clayton et al., 1972). La dépression de deuil est considérée comme une réponse normale, mais elle peut, quand elle est trop violente et prolongée, marquer le début d'une dépression clinique. L'égale répartition entre les sexes de la dépression de deuil contraste avec la prépondérance féminine de la dépression clinique, ce qui indique des implications différentes pour les deux phénomènes.

Faut-il voir dans la fréquence supérieure de la dépression chez les femmes un artefact des différences entre les sexes dans l'expression de la tension et de la détresse? Des échelles d'événements pénibles de la vie ont été utilisées pour la recherche des facteurs déclenchant de nombreux états maladifs; leur fréquence est plus élevée chez les malades que dans les groupes témoins (Holmes et Rahe, 1967). Cependant, aucune différence entre les sexes ne se dégage nettement (Horowitz, 1975). Si les femmes ne rapportent pas un plus grand nombre d'événements créateurs de tension, elles expriment pour un même niveau de tension une plus grande intensité des symptômes (Uhlenhuth et Paykel 1973, a, b). Est-ce parce qu'un même événement est pour elles source d'une plus grande tension? Dans la mesure où on peut se fier à ces échelles, les femmes n'exagèrent pas la pénibilité des événements (Paykel *et al.*, 1971). Elles expriment plus de symptômes de détresse affective que les hommes, mais l'analyse des données ne permet pas d'inférer que leur réponse est déformée.

On observe que les femmes recourent plus souvent aux soins médicaux, aux prescriptions pour des médicaments de toute sorte, et aux psychotropes (Parry *et al.*, 1973; Mazer, 1974). Lorsqu'elles sont déprimées, les femmes recherchent plus souvent un traitement médical. Cependant, ces différentes attitudes face au traitement médical n'expliquent pas les différences de prédominance dans les enquêtes nationales qui ne se fondent pas sur l'utilisation antérieure des services cliniques. En revanche, l'abus de l'alcool et des drogues est beaucoup plus fréquent chez les hommes. On a avancé l'idée que l'alcoolisme était peut-être un « équivalent masculin de la dépression ». Il existe des associations familiales entre l'alcoolisme et la dépression et cela a conduit à supposer que l'un et l'autre étaient les manifestations de la même prédisposition génétique (Reich *et al.*, 1974; Winokur et Clayton, 1968). En outre, les hommes sont beaucoup plus délinquants.

On a suggéré, mais non prouvé, que la dysphorie détermine chez l'homme un comportement qui le conduit en prison, alors que la dysphorie chez les femmes est identifiée et soignée comme dépression (Mazer, 1974). Quelle que soit la valeur de cette suggestion, il reste à expliquer un phénomène important, à savoir l'importance différentielle de la dépression clinique manifeste selon le sexe. De nombreuses hypothèses ont été proposées :

1. *Transmission génétique.* On observe chez les parents au premier degré des malades une prédominance du trouble affectif supérieure à celle observée dans l'ensemble de la population, et un taux de concordance supérieur chez les jumeaux monozygotes que chez les jumeaux hétérozygotes (Slater et Cowie, 1971). Est-ce lié à l'X? Si la dépression est liée au chromosome X et récessive, elle apparaîtra rarement chez les parents ou les enfants des hommes atteints de dépression, mais toujours chez le père et les fils d'une femme atteinte. La thèse selon laquelle la transmission héréditaire de la psychose maniaco-dépressive est liée à l'X a été également soutenue et récusée (Perris, 1971; Helzer et Winokur, 1974; Goetzel *et al.*, 1974). Les faits contradictoires cités dans la littérature reflètent peut-être l'hétérogénéité des troubles dépressifs, dont l'un des sous-types pourrait être lié au chromosome X. L'incidence du sexe observée pourrait également résulter d'un seuil différent de réceptivité aux facteurs de l'environnement plutôt que d'un ou des gênes totalement pénétrants. Nous n'avons pas suffisamment de preuves pour pouvoir confirmer ou infirmer les hypothèses génétiques.

2. *Facteurs hormonaux.* De nombreuses études confirment la présence de changements d'humeur dysphoriques associés aux phases du cycle menstruel, mais les mesures objectives de ces changements ne sont pas en corrélation avec l'expression des symptômes ou les jours du cycle (Sommer, 1973). Il reste à établir l'existence de liaisons vérifiables avec des niveaux hormonaux spécifiques.

Il y a un risque accru de dépression chez les utilisatrices de contraceptifs

oraux, mais nous manquons de données pour mettre en évidence dans ces substances un rôle pharmacologique direct (Weissman et Slaby, 1973). Une histoire
psychiatrique antérieure et la crainte d'effets secondaires nocifs contribuent à
accroître l'expression de symptômes dépressifs. Chez quelques femmes, les hormones stéroïdes peuvent occasionner une carence en pyridoxine. Celle-ci, à son
tour, peut freiner la synthèse d'amines biogéniques dont les faibles taux dans le
cerveau sont, pense-t-on, caractéristiques de la dépression.

Dans le postpartum immédiat, la dépression puerpérale est si courante qu'elle
est en fait la norme. Cependant, Kendall *et al.* (1976) ont montré un accroissement significatif de l'incidence de dépression psychotique chez les mères dans
la période de trois mois qui suit l'accouchement (par rapport à leurs maris ou
à des groupes de contrôle constitués de femmes du même âge).

Contrairement à la vue communément admise en psychiatrie qu'il existe un
syndrome spécifique de « mélancolie d'involution », les études épidémiologiques
montrent qu'il n'y a pas un plus grand risque de dépression pendant la ménopause qu'à d'autres moments de la vie (Winokur, 1973; Hallstrom, 1973).

En résumé, les symptômes dépressifs chez la femme montrent une relation intéressante mais inconsistante avec les changements hormonaux qui accompagnent
le cycle menstruel, le postpartum et l'utilisation d'un stéroïde contraceptif. Il
existe à l'heure actuelle trop peu d'éléments pour établir clairement un rôle spécifique des hormones sexuelles dans la dépression féminine et trop pour en rejeter
l'hypothèse (Weissman et Klerman, 1976).

3. *Facteurs psychosociaux.* Que le rôle de la femme dans la société occidentale soit une question chargée d'implications a été suffisamment souligné ici pour
que j'insiste davantage (voir aussi Eisenberg, 1975); que la tension liée au rôle
contribue à la prépondérance féminine dans la dépression, cela semble plausible
au vu de ce qui précède. Mais quelles sont les voies qui mènent des « difficultés
associées au rôle de la femme » à la dépression?

Weissman et Klerman (1976) ont décrit deux séquences pathogènes parallèles,
l'une mettant l'accent sur les tensions sociales externes, l'autre sur les structures
psychologiques internes qui en résultent. *L'hypothèse du statut social* insiste sur
les discriminations sociales objectives qui entravent chez les femmes la maîtrise
dans l'action directe et l'affirmation de soi. « Les inégalités de statut social débou-
chent sur l'impuissance juridique et économique, l'état de dépendance par rapport aux autres, donc sur une sous-évaluation de soi chronique, de médiocres
aspirations et, au bout du compte, la dépression clinique. » *L'hypothèse de
l'impuissance apprise* insiste sur le rôle des attentes sociales dans le développement de dispositions cognitives internes contraires à l'affirmation et à l'autonomie. « Les fillettes apprennent l'impuissance au cours de leur socialisation et...
développent un répertoire de réponses limité » pour affronter les tensions. « Ces
images de soi et ces attentes sont intériorisées durant l'enfance », tant et si bien
que la jeune fille en vient à accepter le stéréotype autodévalorisant de la féminité.

L'argument le plus solide à l'appui de cette thèse qui attribue au statut social
un rôle décisif dans les symptômes dépressifs est apporté par une constatation
étonnante et constamment confirmée : les symptômes dépressifs sont plus nom-

breux chez les femmes que chez les hommes parmi les personnes mariées, mais non *parmi les célibataires, les divorcés et les veufs* (Gove, 1972, 1973; Radloff, 1975). Tout se passe comme si le fait d'être marié avait un effet protecteur sur les hommes et nuisible sur les femmes. Une autre explication possible de cette inversion des différences entre les personnes mariées et non mariées est la sélectivité différentielle dans le mariage. En d'autres termes, si la dépression détournait du mariage les hommes et non les femmes, les constatations précédentes se trouveraient expliquées. Il se peut que ce soit le cas pour la schizophrénie (Malzberg, 1964), mais il n'y a pas de preuve directe que cela le soit pour la dépression.

Jessie Bernard (1973) a déclaré abruptement : « Etre ménagère rend les femmes malades. » Cela ne résout pas la question puisque les femmes qui travaillent sont, tout comme les femmes d'intérieur, plus dépressives que leurs maris (Radloff, 1975). On pourrait s'attendre à ce que le rôle de ménagère soit plus pénible aux femmes qui ont un niveau d'instruction supérieur. C'est le contraire qui est vrai; meilleure est l'instruction (et plus élevée la classe sociale), moins on compte de dépressions (Radloff, 1975; Brown *et al.,* 1975). La covariance de l'instruction et de la classe limite toutefois l'intérêt de cette analyse.

Gove et Tudor (1973) suggèrent que la restriction de rôle est responsable de la détresse des femmes à la maison. Les hommes mariés ont deux sources potentielles de satisfaction, l'une dans leur travail et l'autre dans leur mariage, tandis que pour la femme à la maison, il y a le mariage et c'est tout. Ainsi, la femme qui travaille devrait être plus semblable au mari qui travaille. Les données communiquées par Radloff indiquent un nombre de dépressions un tant soit peu inférieur chez les femmes qui travaillent que chez les femmes à la maison. La différence n'a de signification que si les niveaux de la satisfaction tirée du travail et du mariage restent constants. Il n'en reste pas moins que les femmes qui travaillent sont plus dépressives que leurs maris. Cela n'est pas surprenant. Des études menées dans les pays capitalistes et socialistes montrent que lorsque les deux conjoints travaillent, la femme continue de supporter les trois quarts des travaux ménagers et des soins nécessaires aux enfants (Szalai, 1973). Dans l'étude de Radloff, toutefois, le plus grand nombre de dépressions n'était pas justifié par un simple comptage des heures consacrées aux travaux ménagers. Quant au concept de la mère d'âge moyen déprimée parce que ses enfants sont partis, les données dont nous disposons indiquent que le nombre de dépressions est *inférieur* parmi celles dont le « nid s'est vidé » (Radloff, 1975; Brown *et al.,* 1975).

La classe sociale ainsi que la qualité des relations conjugales sont très nettement associées aux niveaux de dépression. Dans une enquête communale à Londres, Brown *et al.* (1975) ont montré que les femmes mariées de la classe ouvrière ayant de jeunes enfants à la maison avaient les taux de dépression les plus élevés. A des niveaux de tension équivalents, les femmes de la classe ouvrière avaient cinq fois plus de chances de souffrir d'une dépression que celles de la classe moyenne. Une activité professionnelle extérieure, de même que l'intimité des relations avec le partenaire masculin, atténue la dépression face aux tensions. Pour les femmes de classe inférieure, le travail hors de la maison n'offre pas seulement l'avantage d'élargir le contexte social, de soulager l'ennui, il réduit aussi la privation économique. La médiocrité des relations interpersonnelles au sein du mariage est étroitement associée à la dépression féminine. La discorde conjugale est couramment répertoriée comme déclencheur; les femmes qui souffrent de dépression aiguë ont beaucoup plus de problèmes conjugaux, par rapport aux groupes de contrôle; les problèmes conjugaux ne s'effacent pas complètement avec la rémission de la dépression (Weissman et Paykel, 1974).

Le concept du préjudice dû au statut comme facteur de la dépression est étayé par les différences liées au sexe dans le mariage. Mais cela n'explique pas le fait que parmi les personnes non mariées les femmes aient un taux de dépression inférieur aux hommes, en dépit du statut professionnel inférieur – qui vaut pour toutes les femmes – et de la réprobation sociale attachée au statut de femme seule. C'est peut-être que les femmes qui ne se marient pas le font par choix et non par nécessité et constituent un groupe électif, plus affirmé et plus entreprenant.

4. *Hypothèses psychanalytiques.* La théorie freudienne de la psychologie féminine pose le narcissisme, le masochisme, la dépendance et l'hostilité inhibée comme résultantes du mode féminin de résolution du complexe d'Œdipe. Pour citer Freud (1933) : « La découverte de la castration marque, dans l'évolution de la fillette, un tournant décisif. Trois voies s'offrent alors à elle : la première aboutit à l'inhibition sexuelle ou à la névrose, la seconde à une modification du caractère, le complexe de virilité, la troisième, enfin, à la féminité normale... Nous imputons à la féminité un narcissisme plus développé qui influence le choix objectal, de sorte que, chez la femme, le besoin d'être aimée est plus grand que celui d'aimer. C'est encore l'envie du pénis qui provoque la vanité corporelle de la femme, celle-ci considérant ses charmes comme un dédommagement tardif et d'autant plus précieux à sa native infériorité sexuelle. La pudeur, vertu qui passe pour être spécifiquement féminine et qui est, en réalité, bien plus conventionnelle qu'on ne pourrait le croire, a eu pour but primitif, croyons-nous, de dissimuler la défectuosité des organes génitaux... La femme, il faut bien l'avouer, ne possède pas à un haut degré le sens de la justice, ce qui doit tenir, sans doute, à la prédominance de l'envie dans son psychisme. Le sentiment d'équité, en effet, découle d'une élaboration de l'envie et indique les conditions dans lesquelles il est permis que cette envie s'exerce. Nous disons aussi que les femmes ont moins d'intérêts sociaux que les hommes, et que chez elles la faculté de sublimer les instincts reste plus faible. » (Même à cette époque, Freud n'était pas à l'abri des critiques. « Chaque fois qu'un parallèle semblait devoir être défavorable à leur sexe, ces dames nous soupçonnaient, nous analystes mâles, d'être farcis de préjugés profondément ancrés qui nous empêchaient d'y voir clair et de nous montrer impartiaux en tout ce qui concerne la féminité. En revanche, nous pouvions facilement éviter toute impolitesse en demeurant sur le terrain de la bisexualité. Nous n'avions qu'à dire : « Mais, voyons! cela ne vous concerne nullement. Vous savez bien qu'à ce point de vue vous êtes une exception, plus virile que féminine! »)

La théorie psychanalytique de la dépression est fondée sur la similarité de la dépression et du processus de deuil (Freud, 1917). La dépression clinique manifeste est considérée comme le résultat du retournement contre soi d'une pulsion agressive déclenchée par la perte d'une personne aimée de façon ambivalente.

Ces deux lignes de théorie psychanalytique ne sont mentionnées que pour des raisons historiques. L'une comme l'autre sont dénuées de toute crédibilité. Freud, dans sa psychologie de la féminité, a payé tribut à la capacité humaine de rationaliser ce qui est en ce qui devrait être; l'observation empirique n'établit en rien la doctrine de la dépression comme résultat du retournement contre soi de l'agressivité.

5. *La rupture des liens d'attachement : une théorie biosociale.* Weissman et Klerman (1976) proposent la valeur explicative du lien d'attachement, concept dérivé de l'éthologie. La formation de liens entre les membres d'un groupe est un puissant mécanisme biocomportemental qui contribue à la survie phylogénétique du groupe et des individus. Dans les expériences menées sur les primates, séparer les petits des mères ou de leur substitut conduit à des réponses physiologiques et comportementales qui ont l'apparence caractéristique de la dépression humaine. Par la sélection naturelle, a-t-on avancé, « les femelles » ont acquis des attachements plus forts (...), renforcés biologiquement par des processus neuro-endocriniens endogènes ainsi que des processus biocomportementaux en interaction avec le milieu gratifiant l'accomplissement des fonctions de reproduction. Historiquement, par suite de l'apprentissage social et du fait que les possibilités d'indépendance se présentent en plus petit nombre [...] les femmes sont peut-être plus vulnérables, de par le conditionnement social, à la perte des liens.

A cause de leurs rôles traditionnels dans la société, les femmes, qui investissent plus dans les liens familiaux, peuvent ressentir une plus grande détresse de leur rupture. La société industrielle moderne se caractérise par une grande mobilité (1 Américain sur 5 déménage tous les ans); de tels mouvements sont peut-être plus angoissants pour les femmes que pour les hommes, dans la mesure où on peut penser que l'homme qui en prend l'initiative en retire des avantages économiques ou autres. Des effets similaires pourraient provenir de l'accroissement du taux des divorces, de la mortalité masculine plus importante et peut-être également des valeurs contemporaines qui dévalorisent le rôle féminin traditionnel.

Weissman et Klerman concluent que « si la théorie de l'attachement est correcte, nous devrions assister à une diminution des taux de dépression chez les femmes occidentales au cours de la prochaine décennie, la société allant vers une plus grande égalité sociale et un relâchement de la pression pour la reproduction. Ces événements devraient réduire la vulnérabilité féminine à la rupture des liens d'attachement ».

Conclusions

L'étude des différences dues au sexe dans les troubles psychiatriques est beaucoup plus susceptible de fournir à la recherche psychiatrique une source féconde d'hypothèses étiologiques à vérifier par les méthodes de l'épidémiologie et de l'expérimentation qu'elle ne l'est d'apporter des informations décisives pour la compréhension du rôle féminin et de ses conséquences. La multiplicité des théories (Akiskal et McKinney, 1975), la fragilité de l'assise factuelle, et la « boîte de Pandore des problèmes de définition de cas et de mesures » (Dohrenwend et Dohrenwend, 1974), tous ces facteurs permettent d'étayer de la même façon propositions et contre-propositions, pour peu que l'on pratique une lecture sélective de la littérature publiée.

Reprenons l'exemple du kuru, maladie caractérisée par une ataxie cérébelleuse et des tremblements, qui évolue peu à peu vers l'incapacité motrice totale et entraîne la mort environ un an après ses débuts (Gadjusek et Gibbs, 1975). Le fait que cette maladie soit limitée au groupe linguistique Fore dans les hautes terres de Nouvelle-Guinée suggérait une base génétique. La forte prépondérance féminine – dans un rapport de 3 pour 1 – est d'un particulier intérêt pour notre débat. La double constatation de la fréquence de cette maladie chez tous les enfants – garçons comme filles –, mais de sa prépondérance féminine chez les adultes, posait un problème particulièrement déroutant. Lorsque son étiologie infectieuse fut établie par transmission expérimentale au chimpanzé d'un agent provenant d'un cerveau humain (un virus lent) (Gadjusek et al., 1966), il devint possible d'expliquer sa répartition inhabituelle. Le cannibalisme rituel – expression rituelle de deuil et de respect envers les parents morts – provoque la contamination des participants – essentiellement des femmes et de jeunes enfants – par un tissu cérébral hautement infectieux. L'abandon de l'endocannibalisme a entraîné une forte chute de l'incidence de cette maladie au cours de ces quinze dernières années.

Ce qui est éthiquement correct, ce qui accroît la créativité humaine, ce qui améliore la qualité de la vie ne peut être déterminé simplement d'après des statistiques de santé. Prenons le pire des scénarios. Actuellement, la mortalité de mort violente est de loin inférieure chez les femmes. Supposons que la complète égalité sociale doive provoquer chez les femmes des patterns de comportements identiques à ceux que l'on observe aujourd'hui chez les hommes. Si le résultat devait en être un accroissement de la mortalité féminine pour égaler celle des hommes, cela justifierait-il la conclusion que, « pour leur bien », les femmes doivent rester dans un rôle de soumission? Je ne prétends pas qu'un accroissement de la violence féminine soit une conséquence inévitable de l'obtention de l'égalité des rôles (un résultat plus plausible pourrait bien être une régression du machisme). Ce que je veux dire, et qu'on ne saurait trop souligner, c'est que cette éventualité même ne permet pas de trancher le débat éthique et social.

A l'inverse, il se peut que le sexe continue de jouer un rôle différentiel dans les troubles psychiatriques, même si la justice sociale est atteinte. Et la détresse résultant de l'inégalité des rôles peut très bien engendrer insatisfactions et perturbations fonctionnelles sans produire pour autant de troubles psychiatriques spécifiques. Sans doute peut-on raisonnablement supposer que les insatisfactions de la vie (chez les individus qui ont une prédisposition génétique à la maladie psychiatrique) augmentent les chances de maladie manifeste, mais ce qui est raisonnable n'est pas nécessairement vrai. Je distinguerai la présence et la persistance du trouble psychiatrique clinique du rôle vécu par le malade psychiatrique. A un niveau donné d'incapacité, l'expérience sociale de l'individu est notoirement influencée par les structures de soutien mises en place par la société. Ainsi, par exemple, les possibilités d'activité professionnelle ouvertes aux paraplégiques ou aux infirmes moteurs cérébraux changent leur vie du tout au tout sans pour autant pouvoir modifier la déficience sous-jacente du système nerveux central.

Admettons même, comme certains le font, que l'évolution a « destiné » les femmes aux rôles familiaux traditionnels, et que celles auxquelles ces rôles seraient refusés ou qui se les refuseraient elles-mêmes souffriraient de conséquences psychobiologiques négatives. Quand bien même cela serait (et cela ne paraît guère fondé), nous aurions toujours la possibilité d'imaginer des remèdes à ces conséquences (de même que nous donnons des lunettes aux myopes et des régimes spéciaux aux galactosémiques).

Les différences homme/femme qui semblent bien exister montrent un chevauchement dans la répartition des traits plus qu'une répartition bimodale entre les deux populations. Ce qui fait le caractère unique du développement humain, c'est sa conquête évolutionnaire d'une incomparable aptitude au comportement appris et le recul progressif de l'état de dépendance par rapport à des mécanismes programmés (Eisenberg, 1972).

Au bout du compte, *Le Fait féminin* est une question politique et non pas biologique.

RÉFÉRENCES BIBLIOGRAPHIQUES

AKISKAL (H.S.) et McKINNEY (W.T.), 1975 : « Overview of recent research in depression », *Arch. Gen. Psychiat., 32,* p. 285-305.

BERNARD (J.), 1973 : *The Future of Marriage,* Bantam, New York.

BROOKE (E.) (Ed.), 1974 : *Suicide and Attempted Suicide,* World Health Organization, Geneva.

BROVERMAN (I.K.), BROVERMAN (D.M.) et CLARKSON (F.E.), 1970 : « Sex-role stereotypes and clinical judgements of mental health », *J. Consult. Clin. Psychol., 34,* p. 1-7.

BROWN (G.), BHROLCHAIN (M.) et HARRIS (T.), 1975 : « Social class and psychiatric disturbance among women in an urban population », *Sociology, 9,* p. 225-259.

BRUCH (H.), 1973 : *Eating Disorders : Obesity, Anorexia Nervosa, and the Person within,* Basic Books, New York.

CARSTAIRS (G.M.) et KAPUR (R.L.), 1976 : *The Great University of Kota : Stress, Change and Mental Disorder in an Indian Village,* Univ. California Press, Berkeley, p. 58-70.

CHILDS (B.), 1965 : « Genetic origins of some sex differences among human beings », *Pediatrics, 35,* p. 798-812.

CLAYTON (P.J.), HALIKAS (J.A.) et MAURICE (W.L.), 1972 : « The depression of widowhood », *Brit. J. Psychiat., 120,* p. 71-78.

DOHRENWEND (B.P.) et DOHRENWEND (B.S.), 1974 : « Social and cultural influences on psychopathology », *Ann. Rev. Psychol., 25,* p. 417-452.

EISENBERG (L.), 1956 : « The autistic child in adolescence », *Amer. J. Psychiat., 112,* p. 607-612.

EISENBERG (L.), 1972 : « The *human* nature of human nature », *Science, 176,* p. 123-128.

EISENBERG (L.), 1975 : « Caring for children and working : dilemmas of contemporary womanhood », *Pediatrics, 56,* p. 24-28.

EISENBERG (L.), 1976 : « Conceptual models of « physical » and « mental » disorders », in *Research and Medical Practice,* Ciba Foundation Symposium 44, Elsevier/Excerpta Medica, Amsterdam.

FEIGHNER (J.P.), ROBINS (E.), GUZE (S.B.), WOODRUFF (R.A.), WINOKUR (G.) et MUNOZ (R.), 1972 : « Diagnostic criteria for use in psychiatric research », *Arch. Gen. Psychiat., 26,* p. 57-63.

FREUD (S.), 1917 : « Mourning and melancholia », in *Collected Papers,* Vol. IV, Hogarth Press, London, 1950.

FREUD (S.), 1933 : *New Introductory Lectures in Psychoanalysis,* W.W. Norton, New York, p. 153-185.

FRIEDMAN (R.) et KATZ (M.), (Eds.) 1974 : *The Psychology of Depression : Contemporary Theory and Research,* V.H. Winston and Son, Washington, D.C.

GAJDUSEK (D.C.), GIBBS (C.J.) et ALPERS (M.), 1966 : « Experimental transmission of a kuru-like syndrome to chimpanzees », *Nature, 209,* p. 794-796.

GAJDUSEK (D.C.) et GIBBS (C.J.), 1975 : « Slow virus infections of the nervous system », in *The Nervous System,* Vol. II (« The Clinical Neurosciences »), T.N. Chase Ed., Raven Press, New York, p. 113-135.

GŒTZEL (U.), GREEN (R.), WHYBROW (P.) et JACKSON (R.), 1974 : « X linkage revisited », *Arch. Gen. Psychiat., 31,* p. 665-672.

GOVE (W.),1972 : « The relationship between sex roles, marital status, and mental illness », *Social Forces, 51,* p. 34-44.

GOVE (W.), 1973 : « Sex, marital status and mortality », *Amer. J. Sociol., 79,* p. 45-67.

GOVE (W.R.) et TUDOR (J.F.), 1973 : « Adult sex roles and mental illness », *Amer. J. Sociol., 78,* p. 812-835.

GRUENBERG (E.), 1966 : « Epidemiology of mental illness », *Int. J. Psychiat., 2,* p. 78-134.

HALLSTROM (T.), 1973 : *Mental Disorder and Sexuality in the Climacteric,* Orstadius Boktryckeri A.B., Göteborg.

HALMI (K.A.) et SHERMAN (B.M.), 1975 : « Gonadotropin response to L.H.-R.H. in anorexia nervosa », *Arch. Gen. Psychiat., 32,* p. 875-878.

HELZER (J.E.) et WINOKUR (G.), 1974 : « A family interview study of male manic depressives », *Arch. Gen. Psychiat., 31,* p. 73-77.

HOLMES (T.H.) et RAHE (R.H.), 1967 : « The social re-adjustment rating scale », *J. Psychosom. Res., 11,* p. 213-218.

HOROWITZ (M.), 1975 : « New direction in epidemiology (review) », *Science, 188,* p. 850-851.

KARSCH (F.J.), DIERSCHKE (D.J.) et KNOBIL (E.), 1973 : « Sexual differentiation of pituitary function : apparent difference between primates and rodents », *Science, 179,* p. 484-486.

KENDELL (R.E.), WAINWRIGHT (S.), HAILEY (A.) et SHANNON (B.), 1976 : « The influence of childbirth on psychiatric morbidity », *Psychol. Med., 6,*p. 297-302.

KRAMER (M.), 1974 : « Issues in the development of statistical and epidemiological data for mental health services research », presented at World Psychiatric Association Symposium, *Psychol. Med., 6,* p. 100 215, 1976.

KRAMER (M.), 1975 : « Psychiatric services and the changing institutional scene », presented to the President's Biomedical Research Panel.

LEMKAU (P.V.), 1974 : Epidemiologic contributions to psychiatric classification. LaPouse Memorial Lecture, American Public Health Association.

LYON (M.F.), 1962 : « Sex chromatin and gene action in the mammalian X chromosome », *Amer. J. Human Genet., 14,* p. 135-148.

MAKITA (K.), 1966 : « The age of onset of childhood schizophrenia », *Folia Psychiatrica Neurologica Japonica, 20,* p. 111-121.

MALTZBERG (B.), 1964 : « Marital status and the incidence of mental disorder », *Int. J. Soc. Psych. 10,* p. 19-26.

MARTIN (J.B.), RENAUD (L.P.) et BRAZEAU (P.), 1975 : « Hypothalamic peptides : new evidence for « peptidergic » pathways in the C.N.S. », *Lancet, II,* p. 393-396.

MAWSON (A.R.), 1974 : « Anorexia nervosa and the regulation of intake : a review », *Psychol. Med., 4,* p. 289-308.

MAZER (M.), 1974 : « People in predicament : a study in psychiatric and psychosocial epidemiology », *Soc. Psychiat., 9,* p. 85-90.

MCEWEN (B.S.), 1976 : « Interactions between hormones and nerve tissue », *Scient. Amer., 235,* p. 48-67.

MONEY (J.) et EHRHARDT (A.A.), 1972 : *Man and Woman, Boy and Girl,* Johns Hopkins Press, Baltimore.

NOVACK (A.H.), BROMET (E.), NEIL (T.K.), ABRAMOVITZ (R.H.) et STORCH (S.), 1975 : « Children's mental health services in an inner city neighborhood », *Amer, J. Pub. Health, 65,* p. 133-138.

PARRY (H.J.), BALTER (M.B.), MELLINGER (G.D.), CISIN (I.H.) et MANHEIMER (D.I.), 1973 : « National patterns of psychotherapeutic drug use », *Arch. Gen. Psychiat., 28,* p. 769-783.

PAYKEL (E.S.), PRUSOFF (B.A.) et UHLENHUTH (E.H.), 1971 : « Scaling of life events », *Arch. Gen. Psychiat., 25,* p. 340-347.

PERRIS (C.), 1971 : « Abnormality on paternal and maternal sides : observations in bipolar and unipolar depressive psychoses », *Brit. J. Psychiat., 118,* p. 207-210.

RADLOFF (L.), 1975 : « Sex differences in depression : the effects of occupation and marital status », *Sex Roles, 1,* p. 249-265.

RAISMAN (G.) et FIELD (P.M.), 1973 : « Sexual dimorphism in the neuropil of the preoptic area of the rat and its dependence on neonatal androgen », *Brain Res., 54,* p. 1-29.

REICH (L.H.), DAVIES (R.K.) et HIMMELHOCH (J.M.), 1974 : « Excessive alcohol use in manic-depressive illness », *Amer. J. Psychiat., 131,* p. 83-86.

ROOT (A.W.), 1973 : « Endocrinology of puberty II : Aberrations of sexual maturation », *J. Pediat., 83,* p. 187-200.

ROSEN (G.), 1968 : *Madness in Society,* University of Chicago Press, Chicago.

RUTTER (M.) (Ed.), 1971 : *Infantile Autism : Concepts, Characteristics and Treatment,* Churchill Livingstone, London.

RUTTER (M.), 1974 : « The development of infantile autism », *Psychol. Med., 4,* p. 147-163.

RUTTER (M.), TIZARD (J.) et WHITMORE (K.), 1970 : *Education, Health and Behavior,* Longman, London.

RUTTER (M.), TIZARD (J.), YULE (W.), GRAHAM (P.) et WHITMORE (K.), 1976 : « Research report : Isle of Wight studies, 1964-1974 »; *Psychol. Med., 6,* p. 313-332.

SHERMAN (B.M.), HALMI (K.A.) et ZAMUDIO (R.), 1975 : « L.H. and F.S.H. response to gonadotropin-releasing hormone in anorexia nervosa : effect of nutritional rehabilitation », *J. Clin. Endocrin. Metab., 41,* p. 135-141.

SILVERMAN (C.), 1968 : *The Epidemiology of Depression,* The Johns Hopkins Press, Baltimore.

SLATER (E.) et COWIE (V.), 1971 : *The Genetics of Mental Disorders,* Oxford University Press, London.

SOMMER (B.), 1973; « The effect of menstruation on cognitive and perceptual-motor behavior : a review », *Psychosom. Med., 35,* p. 515-534.

Statistical Note 79, 1973 : « Admissions to outpatient psychiatric services by age, sex, color and marital status, 1970-1971 », Biometry Branch, National Institute of Mental Health, D.H.E.W. Publication (H.S.M.) 73-9005,Washington, D.C.

Statistical Note 81, 1973 : « Differential utilization of psychiatric facilities by men and women-United States, 1970 », Biometry Branch, National Institute of Mental Health, D.H.E.W. Publication (H.S.M.) 73-9005, Washington, D.C.

STENGEL (E.), 1964 : *Suicide and Attempted Suicide,* Penguin Books, Middlesex.

SZALAI (A.) (Ed.), 1973 : *The Use of Time : Daily Activities of Urban and Suburban Populations in Twelve Countries,* Mouton Publishing, The Hague.

UHLENHUTH (E.H.) et PAYKEL (E.S.), 1973, *a :* « Symptom intensity and life events », *Arch. Gen. Psychiat., 28,* p. 473-477.

UHLENHUTH (E.H.) et PAYKEL (E.S.), 1973, *b :* « Symptom configuration and life events », *Arch. Gen. Psychiat., 28,* p. 744-748.

VERBRUGGE (L.M.), 1975 : *Sex Differences in Illness and Death in the United States,* The Johns Hopkins University Center for Metropolitan Planning and Research, Baltimore.

WEISSMAN (M.M.) et SLABY (A.E.), 1973 : « Oral contraceptives and psychiatric disturbance : evidence from research », *Brit. J. Psychiat., 123,* p. 513-518.

WEISSMAN (M.M.) et KLERMAN (G.L.), 1976 : « Sex difference and the epidemiology of depression », *Arch. Gen. Psychiat.* (in press).

WEISSMAN (M.M.) et PAYKEL (E.S.), 1974 : *The Depressed Woman : a Study of Social Relationships,* Univ. of Chicago Press, Chicago.

WING (L.), YEATES (S.R.), BRIERLY (L.M.) et GOULD (J.), 1976 : « The prevalence of early childhood autism : comparison of administrative and epidemiological studies », *Psychol. Med., 6,* p. 89-100.

WINOKUR (G.), 1973 : « Depression in the menopause », *Amer. J. Psychiat., 130,* p. 92-93.

WINOKUR (G.) et CLAYTON (P.J.), 1968 : « Family history studies, IV : comparison of male and female alcoholics ». *Quart. J. Stud. Alcoh., 29,* p. 885-891.

WINOKUR (G.W.), CLAYTON (P.J.) et REICH (T.), 1969 : *Manic Depressive Illness,* Mosby, St. Louis.

W.H.O., 1973 : *Report of the International Pilot Study of Schizophrenia,* World Health Organization, Geneva.

TROISIÈME PARTIE

La société

LES ASPECTS SOCIAUX

Dans la première partie de cet ouvrage, plus particulièrement dévolue aux sciences biologiques, nous avons, avec N. Bischof, évoqué la phylogenèse. Nous nous sommes interrogés sur le pourquoi deux sexes dans les espèces animales supérieures et particulièrement dans l'espèce humaine.

Puis nous sommes passé à l'étude de la constitution de ce sexe dans les individus de sexe féminin. Cette étude de la spécificité féminine nous a conduits, dans une seconde partie nourrie par les sciences humaines, à la constitution psychologique de l'identité sexuelle, aux rôles et comportements des filles par rapport aux garçons, aux stéréotypes du féminin qui imposent des déformations à notre perception des faits et conduites, enfin à la distribution différentielle des manifestations psychopathologiques entre les sexes.

Constamment, et de plus en plus au fur et à mesure que nous progressions dans la complexe interrelation du biologique et du psychologique, les aspects sociaux ont été évoqués : images sociales des femmes et des hommes, influence sur les comportements; relations des sexes entre eux; définitions, statuts, rôles, pouvoirs – autant d'aspects des faits sociaux qui eux aussi font l'appartenance à un sexe.

Maintenant nous allons envisager ces faits sociaux : comment Le Fait féminin se situe-t-il dans l'organisation sociale de l'espèce humaine? Pour éviter de généraliser abusivement en disant « la femme » au singulier, pour éviter de raisonner seulement à partir de notre petit champ d'observations personnelles à chacun hic et nunc, nous ferons appel à des ethnologues afin d'ouvrir le champ de références à d'autres cultures, et à des historiens afin d'ouvrir le champ de références à d'autres époques.

Mais, auparavant, nous ferons appel à des anthropologues dont la réflexion

sur les différences de statut social, économique et politique entre hommes et fem-
mes s'est fortement articulée sur l'étude des variables physiologiques (R. Larsen)
ou sur l'étude des comportements sociaux des primates (R. Fox) dans une vue
évolutionniste.

Certains aspects de leurs perspectives théoriques ont été déjà vivement criti-
qués par certains des précédents auteurs; aussi nous semble-t-il indispensable de
leur donner la parole à leur tour. Les lecteurs européens en particulier sont assez
peu au fait de l'importance et de l'acuité des discussions que ces problèmes soulè-
vent en Amérique.

Evelyne SULLEROT.

Après sa participation au colloque, mais avant qu'il puisse entreprendre la rédaction d'un nouveau texte qu'il nous avait promis, particulièrement consacré au *Fait féminin* et nourri des débats auxquels il avait participé, R. Larsen a dramatiquement et très précocement disparu. Ce très brillant chercheur, encore dans sa trentaine, avait déjà attiré l'attention du monde scientifique international. Le texte qu'on va lire (que nous devons à la courtoisie de Mme Larsen et de Clemens Heller d'intégrer à ce livre) constitue un vaste et précieux synopsis que nous avions fait circuler parmi les participants au colloque.

1.
Les fondements évolutionnistes des différences entre les sexes

par Roger LARSEN

Les récentes tentatives des femmes pour échapper aux stéréotypes féminins et améliorer leur position politique et économique ont suscité un débat général sur les causes de leur statut économique et politique inférieur. L'essentiel de ce débat s'est centré sur le rôle de facteurs causals exogènes tels que les schémas de socialisation, le fonctionnement des systèmes économiques et les schémas du contrôle religieux et politique. Implicitement et explicitement, on refuse un rôle significatif aux facteurs endogènes ou biologiques, du fait qu'il implique un préjugé quasi racial et que l'égalité des femmes dans la pratique se trouve sapée par l'hypothèse de leur différence dans la théorie (Tiger, 1972, p. 30). La plupart des anthropologues, par exemple, soutiennent que les différences de personnalité et de statut entre les sexes sont déterminées culturellement et que la physiologie et la psychologie sont l'une comme l'autre impropres à rendre compte de la division politique ou économique du travail (e.g.; Mead, 1935, 1949; Brown, 1970; Williams, 1971; Sanday, 1973; Lee, 1974).

Williams (1973) se prononce très clairement contre l'idée qu'il existe une relation entre le biologique et les rôles propres à chaque sexe. Elle rappelle la décision de l'American Anthropological Association condamnant toute théorie fondée sur une infériorité de race, de sexe ou de classe et déclare que :

« ... la détermination physiologique implique beaucoup plus que le fait que les femmes, non les hommes, portent et nourrissent les enfants. Ce terme connote l'image d'une forme féminine intrinsèquement inférieure, en particulier d'une forme d'intelligence inférieure, qui relègue naturellement toutes les femmes dans l'exécution de certaines tâches bien délimitées. En outre, le terme de « déterminisme physiologique », dans son emploi usuel, écarte toute explication culturelle de la division sexuelle du travail, que l'anthropologue considère l'espèce humaine dans son ensemble comme une espèce animale capable de culture ou qu'il considère des groupes humains spécifiques comme les représentants de diverses cultures individuelles. » (1973, p. 1925.)

Toutefois, adopter de telles vues fausse gravement la position de ceux qui soutiennent que les facteurs biologiques sont d'importantes variables dans le développement des divisions politiques et économiques du travail. De plus, nombre de données biologiques et physiologiques se trouvent ainsi oblitérées, ce qui nous met en demeure d'admettre des explications incomplètes, car, ainsi que Tiger (1969, 1972) et Van den Berghe (1973) le rappellent, la principale différenciation de la plupart des sociétés – tant humaines que non humaines – s'articule sur les faits biologiques des différences d'âge et de sexe. Et, comme Marx et Engels l'ont saisi, la différenciation de la société selon l'âge et le sexe est également le principe de différenciation du pouvoir.

Je vais tenter dans cet article d'élaborer une appréhension des origines des différences de statut économique et politique entre les sexes qui intégrerait aussi bien les variables socioculturelles que biologiques. J'estime que nous devons centrer nos recherches sur l'interaction des facteurs culturels et biologiques si nous voulons parvenir à une vision claire d'un phénomène tel que la division sexuelle du travail dans les domaines politique et économique.

Comme hypothèse de départ, je pense que les différences entre les sexes sont plus quantitatives que qualitatives; cela posé, mon intérêt va à l'élaboration sociale des facteurs biologiques. Ma position n'est pas celle d'un déterminisme biologique; je m'intéresse plutôt à la façon dont les différences biologiques influent sur la fréquence et l'intensité avec lesquelles hommes et femmes produisent des types de comportement spécifiques, et à la façon dont ces variations, combinées à des pratiques culturelles, contribuent à établir des différences de statut entre les sexes. Ce type d'examen requiert non seulement une approche transculturelle et psychologique, mais aussi une approche transspécifique comparant différentes espèces biologiques (Van den Berghe, 1973). Comme je l'ai soutenu ailleurs (Larsen, 1974), cela n'implique pas que l'on souscrive à l'idée selon laquelle la biologie détermine la culture, ou même que la biologie est un déterminant du comportement. L'accent porte plutôt sur la nature probabiliste du comportement et sur le fait que le comportement n'est pas soit inné, soit acquis, mais les deux ensemble. Plus précisément, le comportement se développe dans la mesure où des organismes ayant telles caractéristiques génétiques particulières sont en interaction avec des environnements présentant telles propriétés spécifiques de stimulation ou d'activation. Tout comportement est influencé par le matériel génétique et l'environnement d'un organisme. Certains comportements seront facilement activés parce qu'ils auront, avec le matériel génétique, un degré élevé de complémentarité, d'autres le seront plus difficilement en raison d'une moindre complémentarité, d'autres enfin seront tout à fait impossibles à acquérir.

Je ne veux pas insinuer que la biologie humaine a été totalement absente des discussions sur la division sexuelle du travail, mais plutôt que les implications comportementales des facteurs biologiques n'ont pas été pleinement explorées. Les anthropologues ont reconnu que la responsabilité d'élever des enfants est essentiellement féminine et qu'une activité si coûteuse en termes de temps et d'énergie affecte nécessairement la société (cf. Brown, 1970; Nerlove, 1974). On a aussi envisagé certaines implications de l'investissement inégal d'énergie de la part des hommes et des femmes dans la reproduction, la défense et la subsistance (voir en particulier Sanday, 1973, 1974).

Le travail de Sanday est sans doute l'un des meilleurs exemples de cette façon de s'arrêter trop tôt dans l'exploration des implications comportementales d'un argument. Sanday ne considère que l'inégalité du pouvoir et de l'autorité au détriment des femmes, définissant le statut des femmes par le degré de pouvoir et/ou d'autorité qu'elles détiennent dans le domaine public. Elle reconnaît l'universalité d'un statut masculin supérieur dans ce domaine, mais souligne que le degré d'inégalité de statut varie considérablement d'une culture à l'autre. D'après le modèle qu'elle propose, l'activité reproductive incombant aux femmes détourne une part de leur énergie qui pourrait être utilisée à d'autres activités. A son tour, cette contrainte imposée aux femmes permet aux hommes d'investir davantage d'énergie en d'autres tâches, et d'être ainsi relativement mieux placés pour prendre le contrôle des ressources. La question de fond se pose donc ainsi : dans quelles conditions écologiques et démographiques l'énergie investie par les hommes et les femmes peut-elle être redistribuée, de telle sorte que le déséquilibre du pouvoir à l'avantage des hommes en soit modifié? (1974, p. 189-190.) Sanday a constaté que deux conditions, soit celle d'une absence prolongée des hommes, soit celle d'un ensemble de facteurs écologiques, étaient favorables à la participation accrue des femmes aux activités de subsistance. Trois scénarios différents semblent possibles : les femmes jouent un rôle temporaire dans les sphères masculines d'activité de subsistance, auquel cas le statut de la femme ne change pas; les femmes continuent de prédominer dans ce qui était auparavant une sphère masculine d'activité tandis que les hommes développent de nouvelles sphères de contrôle; ou encore, hommes et femmes établissent une division équilibrée du travail de subsistance, auquel cas le statut féminin s'améliore avec la création de groupes de solidarité féminine (*ibid.*, p. 205). En résumé, il apparaît que :

« ...La production féminine n'est pas dans un rapport simple au statut féminin. En réalité, d'après les résultats d'une étude type, la corrélation de la production féminine et de la mesure du statut féminin est négative... Il apparaîtrait donc que les activités productives sont une précondition *nécessaire* mais non *suffisante* au développement du pouvoir féminin. Il apparaît également que dans les sociétés où pouvoir et production sont liés, le pouvoir féminin est susceptible de se développer si les femmes participent activement à la production de marchandises valorisées. Toutefois, dans de nombreuses sociétés, le contrôle est donné au titre magique ou religieux qui est détenu par les hommes. Dans ces sociétés, le statut des femmes n'a aucune chance de progresser, à moins qu'une influence exogène ne crée une nouvelle demande ou n'aboutisse à une réévaluation de la production féminine. » (1973, 1967, mots indiqués en italique par l'auteur.)

En dépit de la valeur générale de l'argumentation de Sanday, j'y vois deux failles majeures. En premier lieu, si effectivement elle explique en grande partie la variation du statut féminin en termes d'écologie et de démographie, elle n'explique pas pourquoi des inégalités de statut subsistent là où existe une division équilibrée du travail de subsistance. Et second point, plus important, son raisonnement ne tient pas compte de l'incidence des différences comportementales entre les sexes. Il se peut que l'incidence des différences comportementales sur les différences de statut ne soit pas un élément pertinent, mais cela n'a pas encore été vérifié. C'est ce problème que je vais maintenant considérer.

Le débat social et psychologique sur les différences entre les sexes et la position des femmes dans la société a presque toujours lié les différences entre les tâches accomplies respectivement par les hommes et les femmes à des dissimilitudes de motivation et s'est développé autour de deux pôles. Certains chercheurs ont mis en valeur les effets de la socialisation sur la motivation (par exemple Maccoby, 1966; Mischel, 1966, 1970), alors que d'autres ont privilégié le rôle des différences biologiques intrinsèques (Bardwick, 1970; Hutt, 1972; Diamond, 1965). Les partisans de la socialisation maintiennent que l'organisme humain est psychosexuellement neutre à la naissance et que c'est une entité d'une extrême plasticité qui se modèle en réponse aux conditions de l'environnement – approche qui implique que l'arbre poussera selon l'inflexion donnée au rameau. L'idée sous-jacente est que, malgré quelques limites biologiques à la plasticité, le contenu de l'expérience et de la socialisation peut modeler l'organisme dans n'importe quelle direction. On nie qu'il existe des traits absolument masculins ou féminins et l'on pense qu'hommes et femmes peuvent être semblablement socialisés en des êtres agressifs, ou dépendants, ou passifs, etc. Cette vue trouve une parfaite illustration dans les travaux précurseurs de Money et Hampson (1955). Au pôle opposé, se situent ceux qui croient que l'enfant nouveau-né est une entité sexuelle inhérente, soit mâle, soit femelle, dont les traits comportementaux spécifiques seraient dans l'ensemble plus semblables à ceux de son sexe qu'à ceux du sexe opposé. On considère qu'hommes et femmes diffèrent considérablement dans leurs attributs physiques et psychologiques. On reconnaît l'importance de l'apprentissage et de l'expérience ontogénétique, avec cependant cette réserve que ce qui est appris est le contenu spécifique de l'identité psychosexuelle plus qu'une disposition générale (voir également Draper, 1975, pour une argumentation similaire).

Ces deux positions ne sont pas incompatibles et ne devraient pas être opposées. Le vaste catalogue des données sur les effets de l'apprentissage social et de la biologie dans la production de différences entre les sexes devrait rendre compte de la profonde et complexe interaction des facteurs biologiques et sociologiques. Cependant, les relations causales entre socialisation et motivation et entre biologie et motivation n'étant pas toujours claires, la discussion aboutit souvent à une dichotomisation arbitraire. Le fond du problème est que l'on s'efforce vainement d'isoler des facteurs causals impliqués dans des différences sexuelles spécifiques mais mal définies, qui ne sont par ailleurs ni unitaires ni « causées par » des facteurs isolés. Une autre méthode serait de procéder à un vaste tour d'horizon comparatif des origines des différences entre les sexes et d'examiner plus particulièrement les différences d'intensité dans la répartition des traits, les causes du dimorphisme sexuel *per se* et les formes caractéristiques de dimorphisme sexuel à travers les espèces. Cela reviendrait finalement à étudier les rôles spécialisés de chaque sexe dans tous les organismes à reproduction sexuée et à établir des comparaisons à tous les niveaux taxonomiques. Bien entendu, un tel programme de recherches empiriques pèche par son ampleur même et il est peu probable qu'il soit jamais mené à terme. Pourtant, certains développements récents de la théorie darwinienne de la sélection sexuelle offrent à cette entreprise un cadre intégratif intéressant.

Williams (1975) a présenté la question de la façon suivante : la différence essentielle entre les sexes réside en ce que les mâles produisent généralement des gamètes petits et mobiles, tandis que les femelles en produisent de plus grands et moins mobiles. L'objectif ultime des mâles et des femelles est une représentation génétique maximale dans les générations à venir. Même si mâles et femelles d'une même espèce vivent généralement sous le même régime écologique – habitat, maladies, alimentation –, ils présentent souvent des dimorphismes comportementaux et morphologiques considérables. En outre, leurs objectifs reproductifs immédiats diffèrent souvent de façon frappante, les mâles assumant un rôle plus manifeste dans les conduites de courtisage, prêtant un intérêt moins actif aux petits, étant plus enclins à la mixité et à la contestation physique à l'égard des autres mâles. Selon les termes de Williams, « le contraste masculin-féminin met de *prime abord* la théorie évolutionniste en question. Pourquoi, si chaque individu cherche à maximaliser sa propre survie génétique, une femelle serait-elle moins anxieuse de voir ses ovules fécondés qu'un mâle n'est de les féconder, et pourquoi les petits représenteraient-ils davantage pour l'un que pour l'autre? » (1975, p. 124).

Wynne-Edwards (1962) a tenté de répondre à ces questions en partant du principe que la plupart des différences comportementales et morphologiques entre les sexes relèvent d'une simple sélection darwinienne et du contrôle de la densité démographique. Selon lui, une grande part du comportement social s'est développée à seule fin de faciliter la régulation homéostatique de la densité démographique. La survie à long terme des espèces animales supérieures est censée dépendre de façon cruciale de l'évolution d'adaptations physiologiques et comportementales qui limitent la reproduction bien en dessous du niveau que permettraient les conditions écologiques. Parmi les adaptations comportementales essentielles, se trouvent celles qui entrent en jeu dans la lutte pour la dominance et le territoire. A la suite de ces luttes, alors que certains animaux – par ailleurs parfaitement sains – ne peuvent plus procréer, d'autres sont contraints de partir à la conquête de nouveaux territoires. De cette façon, la population est limitée dans chaque zone et la dissémination de l'espèce en même temps facilitée.

Wynne-Edwards articule sa thèse sur le rôle différent que chacun des deux sexes joue dans ce dispositif. Il rassemble un nombre considérable de faits pour démontrer que les mâles sont habituellement le sexe épidéictique [1], c'est-à-dire le sexe qui signale la densité démographique aux congénères, reçoit ces mêmes signaux des congénères et ajuste l'activité reproductive en conséquence. Occasionnellement, ces tâches incombent aux femelles, mais un tel renversement est rare chez les mammifères et ne survient pratiquement que chez les oiseaux.

---

1. Épidéictique : du grec εηιδεικτικός, « qui sert à montrer »; fait pour la montre, pour l'étalage (N.D.T.).

Si les mâles constituent normalement le sexe épidéictique, c'est que les femelles supportent une part bien plus grande de l'activité reproductive. Les femelles fournissent les ovules, qui sont en nombre limité et chargés de substances nutritives précieuses, et dans la mesure où c'est généralement la femelle qui est chargée de l'entretien des petits, elle est plus importante pour la survie de l'espèce. Par conséquent, si elle devait encore participer au comportement épidéictique, cela alourdirait excessivement son rôle et comporterait le risque qu'elle néglige sa progéniture. Lorsque les femelles assurent effectivement un rôle épidéictique important – comme c'est le cas chez certains oiseaux –, le rôle des mâles à l'égard des petits s'accroît en proportion. Cependant, une telle situation se produit rarement chez les mammifères, où seules les femelles possèdent des glandes mammaires fonctionnelles et où l'alimentation des petits ne peut donc pas être assurée indifféremment par l'un ou l'autre sexe.

La thèse de Wynne-Edwards s'est révélée hautement contestable et a été radicalement critiquée par de nombreux chercheurs (cf. Lack, 1966; Williams, 1971). Il n'est pas nécessaire de rouvrir ici le débat; contentons-nous de noter que sa théorie repose en grande partie sur l'hypothèse que la plupart des espèces sont conditionnées pour vivre en groupe (*group selected*), et que cela détermine l'établissement de hiérarchies fondées sur la compétition entre mâles.

Même si l'on est prêt à convenir de l'universalité des hiérarchies, c'est une tout autre question que d'accepter les formes et les fonctions que Wynne-Edwards leur prête. L'analyse des schémas hiérarchiques d'organisation sociale indique qu'il n'y a aucune raison a priori de supposer une quelconque primauté de l'organisation hiérarchique des mâles dans la formation d'un système social. Il semble au contraire plus fécond de voir la caractéristique première d'un système social dans la nature des relations entre les sexes. Les divers systèmes sociaux possibles dépendent alors du style et du degré de coopération existant entre les sexes. Etant donné qu'une telle coopération est indispensable pour élever et protéger les petits, les limites imposées à la variabilité et à la forme de l'organisation sociale sont en un sens prédéterminées (Callan, 1970, p. 134). Si cette organisation sociale est d'une façon ou d'une autre ordonnée hiérarchiquement ou fondée sur la domination, les paramètres de variabilité se trouvent davantage circonscrits. Les femelles doivent s'intégrer par un biais, une capacité quelconque, et les possibilités logiques sont :

« ...*a*) Aucune participation des femelles à un quelconque comportement « hiérarchique »; *b*) hiérarchies indépendantes parmi les femelles, sans rapport avec les mâles; *c*) compétition pour le rang sans distinction de sexe au sein d'un système unique; *d*) ordre hiérarchique séparé parmi les femelles, mais associé par quelque lien à celui des mâles; *e*) assimilation de la femelle au rang de son partenaire, par laquelle elle devient son équivalent dans la hiérarchie. »

Ces données indiquent que chacune des possibilités a été utilisée et qu'elles sont susceptibles de fonctionner en combinaison (voir Eisenberg *et al.,* 1972, pour un inventaire des systèmes sociaux et des écologies). Ces possibilités constituent des catégories logiques qui s'excluent les unes les autres, tout en étant empiriquement conciliables. Certains types d'organisation peuvent être plus efficaces que d'autres, mais c'est là une question qui ne nous concerne pas forcément au premier degré. Il nous suffit d'admettre la variété des schémas possibles et cette implication importante, à savoir que la hiérarchisation des mâles n'est pas nécessairement antérieure à la forme déterminante que peuvent revêtir les relations socio-sexuelles.

Dans ce qu'ils considèrent comme une apostille à la théorie de Wynne-Edwards, Gray et Buffery (1971) ont examiné l'adaptivité des différences d'origine neurologique entre les sexes et leurs corrélations affectives et cognitives pour une variété de mammifères, y compris *homo sapiens*. En centrant leur examen sur l'agressivité, la craintivité, les aptitudes spatiales et, pour les humains, les aptitudes linguistiques, ils avancèrent l'hypothèse que le dimorphisme sexuel est une conséquence de la division fondamentale des rôles mâle et femelle dans le comportement procréateur. La prémisse majeure de leur raisonnement est que « l'explication la plus vraisemblable des différences comportementales entre les sexes se trouve certainement dans les rôles spécialisés que jouent les mâles et les femelles dans l'organisation sociale mammifère » (1971, p. 92). Gray et Buffery résument ainsi leurs conclusions :

« 1. La différence d'agressivité entre les sexes provient du rôle joué par le mâle dans l'établissement des hiérarchies de domination... Ce rôle est resté inchangé pour l'essentiel au cours de l'évolution des mammifères.

« 2. Les différences de craintivité entre les sexes proviennent du rôle joué par la femelle dans l'établissement des hiérarchies de domination; ce rôle a évolué différemment chez les primates et chez les non-primates.

« 3. La différence d'aptitude spatiale entre les sexes est en partie liée au rôle du mâle dans les interactions de domination et en partie (au niveau des primates) à son rôle dans la protection du groupe contre d'autres groupes de la même espèce ou contre des prédateurs.

« 4. La différence d'aptitude linguistique entre les sexes a son origine dans le couple mère-enfant; il est en effet indispensable que l'enfant trouve un environnement linguistique adéquat auprès de l'adulte en compagnie duquel il passe l'essentiel de son temps.

« 5. Au niveau du système nerveux, il y a un chevauchement des structures liées au contrôle verbal du comportement et de celles qui sont impliquées dans le comportement de soumission et de crainte; cela a pour effet de lier chez les humains la différence de craintivité à la différence d'aptitude linguistique. »

Tout en réunissant une masse considérable de preuves, Gray et Buffery fondent leur argument sur quelques postulats contestables. Ils tiennent pour acquis que l'agressivité et la craintivité sont des concepts unitaires qui ont été mesurés de façon adéquate, ils sous-estiment la variabilité des différences entre les sexes et attribuent une nature génétique relativement stable à toutes les différences entre les sexes. Comme le dit Archer :

« Le raisonnement développé par Gray et Buffery à partir de la théorie de

Wynne-Edwards est à la fois simple et séduisant : le territoire ou la domination joue un rôle capital dans l'établissement d'un système de compétition convention-nel; les femelles ayant un rôle reproductif et parental plus important, les mâles sont les principaux acteurs dans la compétition territoriale, et ces rôles différents constituent des comportements différents. Cependant, la nature variable et complexe des résultats obtenus à partir d'études sur le terrain... nous force à aller voir au-delà des vieux concepts usés – comme ceux de domination ou de territo-rialité – et des idées toutes faites sur les rôles mâle et femelle avant de pouvoir appréhender convenablement l'ensemble des influences adaptives et autres qui ont déterminé des comportements aussi différents chez les animaux mâles et femelles comme chez les hommes et les femmes. » (1971, p. 425-426.)

En dépit de ces mises en garde, l'approche Wynne-Edwards/Gray-Buffery garde à mes yeux quelque mérite. A condition d'en corriger les postulats et asser-tions problématiques, l'hypothèse de base concernant les rôles de chaque sexe, les différences entre les sexes et la reproduction pourrait être conservée et avoir une valeur explicative considérable. Le problème est de trouver une méthode qui nous évite de retomber dans les mêmes pièges, ou d'autres similaires.

Comme Darwin le reconnaissait dans *De la descendance de l'homme,* les dimorphismes sexuels sont de deux types – ceux qui ont trait à la reproduction sexuée et sont modifiés par voie de sélection sexuelle, et ceux qui ont trait aux différences de succès reproductif et sont produits par la sélection naturelle. Ce qui intéressait particulièrement Darwin ici était la formation chez les mâles de structures et de comportements orientés vers la compétition entre congénères. Trivers (1972) a été l'un des premiers à dépasser les aspects manifestes de la sélection sexuelle pour en explorer les implications plus profondes. Il soutient que la nature des relations sociosexuelles est déterminée au point de croisement de l'adaptation écologique et de l'investissement parental différentiel dans la pro-géniture, la variable clé étant l'investissement parental relatif de chaque sexe dans sa progéniture. L'investissement parental est défini comme : « ... Tout investisse-ment du parent sur une progéniture qui accroît les chances de survie de celle-ci (et donc le succès reproductif) au détriment des capacités d'investissement du parent à l'égard d'autres progénitures. » (1972, p. 139). Cela couvre donc toute action parentale au bénéfice de sa progéniture, mais non pas l'effort fourni pour trouver un membre du sexe opposé ou pour vaincre un rival, et créer ainsi les conditions d'un accouplement.

Étant donné que le nombre total de descendants produit par un sexe dans les espèces à reproduction sexuée doit être égal au nombre total de descendants pro-duit par l'autre sexe, le sexe qui fait l'investissement parental le plus élevé devient pour l'autre une ressource limitative ou restreinte. Les individus du sexe dont l'investissement est moindre vont rivaliser pour féconder les individus du sexe qui investit le plus, car les premiers ne peuvent accroître leur compétence repro-ductive qu'en investissant successivement dans la progéniture d'un certain nom-bre d'individus du sexe limitatif. La compétition pour un partenaire est générale-ment caractéristique des mâles parce que ceux-ci investissent comparativement moins dans leur progéniture. Dans les cas où l'investissement des mâles et des femelles est pratiquement égal, leurs compétences reproductives respectives varieront vraisemblablement de façon similaire; mâles et femelles manifesteront alors le même comportement discriminatoire dans le choix du partenaire. Si l'investissement parental des mâles surpasse celui des femelles, celles-ci devront alors rivaliser pour accéder aux mâles. Chez les mammifères, le coût biologique total de la reproduction est généralement bien plus élevé pour la femelle que pour le mâle. Les gamètes femelles prennent la forme d'ovules riches en substances nutritives, les femelles sont parasitées par l'embryon jusqu'à la parturition et doivent encore faire face à leurs propres besoins énergétiques plus ceux du nouveauné jusqu'à ce qu'il soit sevré. Il serait donc normal que les femelles aient vis-à-vis de la fécondation une approche plus qualitative que les mâles – en d'autres termes, qu'elles recherchent un appariement optimal du point de vue qualitatif, tandis que les mâles chercheraient à optimiser la quantité de leurs fécondations. En paraphrasant Williams (1975, p. 130), cela signifie que la stratégie la plus avisée n'est pas nécessairement de sélectionner les mâles les plus aptes génétiquement. Le choix de la femelle – surtout à l'époque où le mâle lui fait la cour – devrait plutôt être subordonné à l'estimation des ressources qui seront offertes à sa progéniture. On peut donc s'attendre à ce que la façon dont le mâle fait sa cour comporte des informations concernant les ressources qu'il contrôle ou dont il dispose (emplacements de nid, territoires, rang social). Williams suggère aussi, de façon intéressante, que de telles conditions doivent prévaloir chez les espèces monogames ou vivant en couples. Le couple formé pourrait bien constituer la forme définitive après un certain nombre de faux départs. Même si les deux parents contribuent à parts égales à l'entretien de la progéniture, la désertion du mâle sera vraisemblablement plus coûteuse dans la mesure où le mâle se remet plus facilement que la femelle (*ibid,* p. 131) des pertes d'énergie que représente une fécondation ratée.

A différents moments du cycle reproductif, il peut être avantageux pour un sexe de tromper l'autre et parfois très désavantageux que l'autre en fasse autant. Pour Trivers (1972), la cour et ses conduites associées chez les oiseaux ont essentiellement pour but de manigancer les options – préserver ses propres options tout en restreignant celles du partenaire. Et, avec l'évolution de la fécondation interne de l'ovule, les risques qu'encourt le mâle d'être « trompé » augmentent considérablement comme d'ailleurs la sévérité des mesures propres à décourager toute tentative d'approche des autres mâles. Ainsi, la concurrence ne prend-elle pas fin avec l'émission du sperme. Dans certains cas, elle peut se jouer entre plusieurs mâles sur l'efficacité de leur sperme; dans d'autres cas, les mâles adultes peuvent tuer la progéniture, fruit de l'accouplement avec un autre mâle (chez les langurias, par exemple), et un avortement spontané peut avoir lieu chez certaines femelles (les souris, par exemple) lorsqu'elles sont en présence d'un mâle étranger, puisque dans de nombreuses espèces une membrane vaginale se forme après un coït avec émission de sperme.

En outre, la distribution des femelles réceptives dans l'espace et le temps peut avoir une influence sur l'ampleur et l'intensité de la concurrence entre les mâles. Si les femelles sont regroupées dans l'espace, cela aura sans doute pour effet d'accroître la concurrence entre mâles, alors qu'un regroupement dans le temps devrait avoir l'effet inverse, les mâles ne pouvant féconder qu'une femelle à la fois. Le regroupement des femelles dans l'espace et dans le temps devrait accroître la concurrence ainsi que leur dispersion dans le temps, car les concurrents victorieux peuvent tenter de monopoliser la reproduction.

Le corollaire de cet argument serait donc qu'il existe une relation entre la taille du mâle, sa capacité de concurrence et son succès reproductif. Comme Trivers le souligne, chez les oiseaux aussi bien que chez les mammifères, les mâles sont généralement plus grands que les femelles et beaucoup plus enclins aux manifestations agressives. Lorsque les femelles sont plus agressives, elles sont également plus grandes. En un sens :

« ... on peut en fait considérer les sexes comme deux espèces différentes, le sexe opposé constituant une ressource appropriée à la production maximale de progéniture survivante. En ce sens, l'« espèce » femelle diffère généralement de l'« espèce » mâle en ce que les femelles entrent en rivalité pour des ressources comme la nourriture, mais non pas pour des individus de l'autre sexe, tandis qu'en dernière instance, les mâles ne sont jamais rivaux que par rapport aux femelles, toute autre forme de concurrence n'ayant d'importance que dans son incidence sur cette dernière. » (1972, p. 153.)

L'investissement parental peut évidemment changer en fonction du temps, et dans certains cas chacun des deux sexes peut mettre un terme à son investissement.

« ... Dans l'espèce humaine, par exemple, une copulation qui ne coûte pratiquement rien au mâle, peut entraîner pour la femelle un investissement de 9 mois, ce qui n'est pas négligeable, suivi, si elle le désire, d'un investissement de 15 ans, ce qui est considérable. S'il arrive souvent que le mâle participe aux soins parentaux au cours de cette période, cela n'a rien d'obligatoire. A l'issue d'une grossesse de 9 mois, une femelle est plus ou moins libre, à tout moment, de ne plus investir sur l'enfant; mais, ce faisant, elle perd ce qu'elle a investi jusque-là. Étant donné l'inégalité initiale des investissements, le mâle peut optimiser ses chances de laisser une nombreuse descendance en copulant avec de nombreuses femelles qu'il abandonne ensuite et dont certaines, seules ou aidées par d'autres, élèveront sa progéniture. Dans les espèces où, par le jeu de la sélection, les mâles doivent assumer une part des soins aux petits, la stratégie optimale pour eux sera vraisemblablement dans un compromis où ils aideront une seule femelle à élever leur progéniture, sans pour autant laisser passer les occasions de féconder d'autres femelles qu'ils n'aideront pas. » (*Ibid,* p. 145.)

L'argument de Trivers vient colmater les brèches dans la théorie de Gray et Buffery et élargit son champ d'application. Au lieu d'attribuer des fonctions aux hiérarchies mâles, on peut les faire dériver de conditions plus fondamentales. Les différences d'investissement parental constituent l'un des sexes en une ressource limitative pour l'autre, ce qui crée une concurrence au sein de ce dernier. Dans les espèces qui vivent en société ou en groupe, cette concurrence peut déterminer des hiérarchies susceptibles de revêtir une variété de fonctions, mais qui sont essentiellement épidéictiques. Les différences comportementales entre les sexes devraient donc être accordées aux différents degrés d'investissement que l'un et l'autre parent a sur sa progéniture.

A partir de ce modèle, on devrait pouvoir prédire pour n'importe quelle espèce un ensemble de variations comportementales d'un sexe à l'autre suivant l'importance et la nature de l'investissement parental relatif propre à cette espèce. Ainsi, pour l'*homo sapiens,* d'après Tiger (1969) et Hutt (1972, 1972, *a*), on devrait s'attendre à trouver plus marqués chez les hommes les comportements apparentés à la compétition manifeste – tels que l'agression physique, la domination et la soumission, et les manifestations épidéictiques associées au jeu. Par contraste, on devrait trouver plus marqués chez les femmes des comportements accordés à leur investissement parental plus important. C'est-à-dire des comportements ayant peu de rapport avec une concurrence agonistique ouverte et plus de rapport avec l'expérience nourricière, la sensibilité aux subtiles nuances émotionnelles, l'expérience de la coopération et des soins aux enfants. En résumé, les hommes devraient être plus ouvertement compétitifs que les femmes. Dans la mesure où la politique et le jeu politique impliquent le pouvoir et la parade, on devrait normalement constater une surreprésentation masculine sur la scène politique.

Étant donné que je parle des mâles et des femelles en tant que membres d'une espèce et non en tant qu'individus, il est évident que les caractérisations proposées ci-dessus malmènent la part de variation individuelle qui existe normalement dans l'un et l'autre sexe. En supposant une distribution normale (ou presque normale) des traits, on peut s'attendre à trouver des déviations par rapport à la norme et des chevauchements significatifs entre les deux sexes. On peut également s'attendre à ce que ces traits se différencient plus sur le plan quantitatif que qualitatif, sans pour autant rejeter a priori l'existence possible de différences qualitatives.

Les données rassemblées sur les différences entre les sexes chez les humains et les animaux corroborent les prédictions du modèle. Dans la mesure où il existe nombre d'excellentes sommes sur la question, je m'abstiendrai d'en faire l'inventaire systématique (voir, par exemple, Garai et Scheinfeld, 1968; Diamond, 1965; Bardwick, 1972; Hutt, 1972, 1972 *a;* Arganian, 1973; Bermant et Davidson, 1974; Reinisch, 1974). Je ne ferai référence qu'à quelques travaux pertinents, afin d'indiquer la portée et la nature des données utilisées.

L'investigation des différences d'origine sexuelle chez les mammifères prouve l'existence de différences comportementales et physiologiques liées ou non à la reproduction. Les différences concernant l'agression physique et le comportement social sont particulièrement manifestes. Ainsi, Goy (1968, 1970), Phœnix *et al.* (1968), Young *et al.* (1964), Harlow *et al.* (1971) ont pu montrer chez les jeunes singes rhésus un dimorphisme sexuel significatif dans le comportement de menace, le jeu de la bousculade et de la poursuite et ont établi que ces différences étaient dues aux effets différenciateurs d'une hormone androgène, la testostérone. Des femelles masculinisées par administration de testostérone, quelle que soit par la suite l'incidence de la socialisation, s'éloignaient des normes comportementales femelles et se rapprochaient beaucoup des comportements mâles. Chamove *et al.* (1967) ont trouvé que lorsque des jeunes singes étaient placés dans un endroit clos en présence d'un petit, les femelles étaient plus attentives, mais aussi plus hostiles au petit que les mâles. Ceux-ci étaient soit hostiles, soit indifférents, tandis que les femelles avaient des réponses associatives à l'égard du petit. Les mêmes constatations ont été faites chez divers autres mammifères (voir Diamond, 1965 ; Levine, 1966 ; Reinisch, 1974). Les hormones androgènes ont pour but de différencier en mâle et femelle le système nerveux central, et en particulier l'hypothalamus.

Des études effectuées sur les humains ont donné des résultats semblables. Money et Ehrhardt (1972 ; voir également Money, 1973) ont effectué une analyse systématique des données relatives aux hormones et à la différenciation neurale chez les humains, et ont fourni les résultats de leurs propres recherches sur le syndrome surrénogénital féminin, le syndrome masculin d'insensibilité aux androgènes et sur l'hermaphrodisme. La thèse de la neutralité psychosexuelle à la naissance paraît bien peu fondée. Les hormones – spécifiquement les androgènes prénataux – opèrent une différenciation masculine et féminine de certaines portions du système nerveux central. Elles semblent agir en sensibilisant les tissus pour une réponse différentielle. Les femmes ayant subi une androgénisation fœtale semblent résister à une socialisation féminine et montrent des intérêts et des niveaux d'activité typiquement masculins. Les hommes souffrant d'une insensibilité congénitale aux androgènes prénataux ont des caractéristiques comportementales très nettement féminines et résistent à une socialisation masculine.

Ehrhardt et Baker concluent ainsi une étude phylogénétique :

« ... Nous ne suggérons pas que le dimorphisme comportemental relatif au jeu, au jouet et aux pairs est exclusivement déterminé par des niveaux hormonaux pré- et/ou postnatals. Nous suggérons que l'androgène prénatale est l'un des facteurs qui contribuent au développement de différences de tempérament entre les sexes et dans un même sexe. Sans aucun doute, la qualité du comportement spécifique dépendra pour une large part de l'interaction entre les niveaux d'hormones prénatales et l'environnement particulier de l'enfant. » (1974, p. 49.)

Un tel continuum des humains à d'autres mammifères se retrouve dans les effets de la prolactine. On a récemment découvert (Frantz, 1973) que non seulement la prolactine existait sous la forme d'une hormone isolée chez les humains, mais qu'elle paraissait avoir un effet homologue à celui observé chez d'autres mammifères. Il y a au cours de la grossesse une élévation continue des niveaux de prolactine, suivie d'un rapide déclin chez les femmes qui n'allaitent pas. L'allaitement, ou une stimulation des seins comparable, semble activer considérablement la production de prolactine chez les femmes qui viennent d'accoucher. Le même effet est obtenu au moyen d'une pompe à lait. Il apparaîtrait donc que c'est ici la stimulation mécanique et non psychique qui est déterminante. La prolactine a une gamme d'effets très étendue : effet mammotropique, lactogène, lutotropique, stimulation du comportement parental et de la croissance. Cela, associé chez les humains à une adaptation continue à la demande alimentaire du nourrisson impliquant un contact presque constant de la mère et de l'enfant, laisse raisonnablement prévoir des différences de sexe dans le comportement nourricier.

Ces résultats valident les différences entre les sexes observées au cours des premiers mois de la vie de l'enfant. On a maintes fois remarqué que les bébés filles sourient davantage (Kroner, 1969), réagissent plus facilement à une stimulation tactile (Bell et Costello, 1964; Hamburg et Lunde, 1966) et vocalisent davantage leurs réponses à des modèles de visages (Kagan, 1969). En outre, elles sont plus attentives aux séquences orales/auditives, tandis que les bébés garçons prêtent plus d'attention aux schémas visuels (Kagan et Lewis, 1965). Toutes ces différences coïncident avec la thèse des familles de comportements différenciés selon le sexe et dont le point d'ancrage est biologique.

Il y a, de plus, d'innombrables preuves pour étayer la thèse selon laquelle les mâles sont plus agressifs physiquement que les femelles (Jegard et Walters, 1960; Bandura, Ross et Ross, 1961; Digman, 1963). Évidemment, remarque Hutt, ces faits peuvent être lus comme les manifestations d'un comportement lié au rôle admis pour chaque sexe. Mais si on considère le fait que chez d'autres mammifères les androgènes activent l'agression physique, tandis que les œstrogènes l'inhibent (Connor et Levine, 1969; Suchowsky *et al.*, 1969), on peut raisonnablement s'attendre à ce qu'elles remplissent des fonctions analogues chez les humains. Les données relatives au taux métabolique supérieur des mâles valident la thèse de leur prédisposition à l'agression physique. Les mâles ont une force de préhension plus grande (à peu près dès l'âge de 2 ans), une masse musculaire plus importante, un taux supérieur du métabolisme basal, un cœur et des poumons proportionnellement plus larges, et une plus grande capacité de neutralisation des métabolites comme l'acide lactique. Toutes ces caractéristiques prises ensemble indiquent que les mâles sont mieux adaptés à une activité vigoureuse et énergique (Tanner, 1970).

Persky *et al.* (1971) ont établi une correspondance entre les mesures de l'agressivité masculine et les niveaux de testostérone, exception faite des hommes âgés qui produisent cette hormone en quantités nettement inférieures. Kreuz et Rose (1972), étudiant vingt et un détenus, ont constaté des niveaux de testostérone supérieurs chez ceux dont le passé de jeunes déliquants comportait des voies de fait, par rapport à ceux dont l'histoire ne mentionnait pas de violences. Kolodny *et al.* (1971) dans une étude sur la relation entre l'homosexualité et le niveau de testostérone, font état de niveaux plus bas chez les homosexuels que chez les hétérosexuels. Les hommes dont l'homosexualité était la plus marquée avaient les niveaux de testostérone les plus bas.

Les liens causals des niveaux de testostérone, ou autres hormones androgènes, à l'homosexualité sont, de l'aveu général, loin d'être élucidés. Toutefois, Dorner et al. (1975) ont suggéré que l'homosexualité pouvait être amorcée par une relative insuffisance androgénique au cours du premier stade de l'organisation hypothalamique (c'est-à-dire la phase intra-utérine de production des cellules de Leydig), insuffisance dont la conséquence serait une différentiation de l'hypothalamus plus féminine que masculine. Au cours des phases de développement ultérieures, les niveaux androgéniques normaux auront, selon cette hypothèse, peu ou pas du tout d'effet sur le cerveau dont la différenciation féminine est déjà effective, si ce n'est un effet d'activation non spécifique. Afin de vérifier leur hypothèse, les auteurs ont cherché à mettre en évidence un feed-back positif aux œstrogènes chez les homosexuels. Ils ont mesuré les niveaux de testostérone et de L.H. (hormone lutéinisante) avant et après administration de 20 mg d'œstrogènes conjugués (Présomène). Les dosages radio-immunologiques ont mis en évidence un feed-back positif aux œstrogènes chez les homosexuels, attesté par un niveau élevé de L.H. Les niveaux de testostérone ne présentaient pas de différences significatives. Ils en ont conclu que l'activation chez les homosexuels d'un feed-back fortement positif aux œstrogènes laissait supposer une différenciation féminine de l'hypothalamus.

Divers tests psychologiques suggèrent, avec une plus grande part de conjecture, des différences fondamentales dans les styles réactifs de chaque sexe. Les femmes, toujours d'après le même modèle, ont tendance à être plus sensibles à des signaux assez subtils. Elles paraissent réagir davantage que les mâles à l'odeur du musc et à un certain nombre de stéroïdes urinaires et, de façon générale, ont une acuité olfactive plus développée (Money, 1965). Elles paraissent avoir également une plus grande acuité visuelle, auditive et gustative (Broverman et al., 1968). Les hommes tendent à choisir des stimuli auditifs moins complexes et savent, mieux que les femmes, circonvenir ou ignorer les stimuli environnants. Les femmes tendent à réagir davantage aux signaux de fond et à percevoir les liaisons entre un plus grand nombre d'éléments (Silverman, 1971; Silverman et King, 1970). Silverman suppose qu'il y a des différences significatives dans les formes d'attention de l'homme et de la femme, qui apparaissent très tôt et sont associées à des différences de réceptivité physiologique et de sensibilité aux stimuli. Ainsi la forme d'attention typiquement féminine se caractériserait par la subtilité des signaux sociaux ou non sociaux perçus, une plus grande capacité de distraction, une attitude perceptive non restructuratrice, une réceptivité particulière aux stimuli émotionnels et intuitifs et une tendance à vouloir réduire l'intensité des stimulations. Par contraste, le style typiquement masculin se caractérise par une médiocre sensibilité aux signaux sociaux et non sociaux les plus subtils, une capacité de distraction moindre, une attitude perceptive restructuratrice, l'inhibition des réponses aux stimuli émotionnels internes et une tendance à vouloir multiplier les expériences de stimulations fortes.

Edelman (1973), étudiant un groupe de jeunes enfants, a cherché à établir un lien entre développement cognitif et organisation sociale. Il est parti de l'hypothèse selon laquelle le comportement des individus dominants constitue un élément important dans le champ perceptif des autres membres du groupe et fournit une base empirique au développement des opérations logiques. Il a trouvé que l'accord se faisait plus nettement au sein du groupe sur la position sociale des plus dominants que sur celle des moins dominants, et qu'une connaissance exacte des relations de dominance au sein du groupe revêtait apparemment une grande importance. Ses observations lui ont permis de dégager des différences entre les sexes dans le niveau de participation à l'organisation hiérarchique ainsi qu'à d'autres dimensions de l'activité sociale. Les garçons semblaient avoir un mode de relation plus participatif aux hiérarchies de dominance et se surestimaient régulièrement par rapport à leurs pairs.

Omark (1973), observant aussi de jeunes enfants, a mis à l'épreuve une série

de propositions inspirées des données sur le comportement de groupe des primates mâles et femelles. Il a trouvé une ségrégation sexuelle précoce des groupes
de jeux, les garçons formant des groupes plus importants et se livrant davantage
au jeu de la bousculade. Les hiérarchies de dominance sont très nettes et montrent des similitudes marquées avec ce que l'on peut observer chez beaucoup de
primates non humains : des mâles au sommet, des femelles aux échelons les plus
bas, et des positions intermédiaires très mélangées. Le consensus sur l'évaluation
hiérarchique des individus s'améliore avec l'âge.

Les données transculturelles examinées auparavant par l'auteur suggèrent que
ces constatations sont sans rapport avec la culture. L'observation transculturelle
des différences entre les sexes montre les garçons en interaction agressive et
surestimant leur position. Les filles observent, discutent des problèmes, s'enga-
gent moins en interaction physique que les garçons et sous-estiment souvent leur
statut personnel. Les garçons traitent la hiérarchie sur le mode de la participation, les filles l'expérimentent par procuration. L'une et l'autre méthode de perception hiérarchique semble également efficace. Peut-être faut-il voir la raison
de ces différents modes d'expérience dans la façon différente dont garçons et filles
évaluent leur statut personnel. Il est clair que la surestimation systématique de
son propre statut crée les conditions d'un conflit, lequel aura vraisemblablement
une dimension physique.

Toutefois, l'apport des données physiologiques suggère que les différences observées ne procèdent peut-être pas seulement de l'apprentissage social. Ainsi,
Broverman (1968) rattache-t-il les différences de styles cognitifs aux relations
entre les systèmes nerveux adrénergique et cholinergique, tous deux extrêmement
sensibles aux stéroïdes gonadiques. D'après son hypothèse, la tendance féminine
à exceller dans les tâches routinières, répétitives, est facilitée par le système adrénergique – système activateur –, tandis que la résolution de problèmes, qui suppose la suspension de toute réponse dans l'immédiat, est facilitée chez les hommes par le système cholinergique – système inhibiteur. Broverman propose
l'explication suivante : la monoamine oxydase (enzyme qui entre en jeu dans le
métabolisme et l'inhibition d'hormones cérébrales, comme la noradrénaline) est
inhibée par l'œstrogène. Des niveaux élevés d'œstrogène produiront donc des
niveaux élevés de noradrénaline et un niveau élevé d'activité du système nerveux
adrénergique qui est l'un des champs d'action de la noradrénaline. Simultanément, l'œstrogène paraît avoir une action inhibitrice sur les transmetteurs cholinergiques, l'acétylase hypothalamique, par exemple, réduisant ainsi l'activité des
mécanismes inhibiteurs du système cholinergique. La testostérone, en revanche,
n'a pas un effet aussi puissant sur la monoamine oxydase et n'a pas d'action
inhibitrice marquée sur les transmetteurs cholinergiques. Broverman en conclut
que les stéroïdes – testostérone et œstrogène – affectent les processus neuraux
et induisent des différences observables dans le comportement. D'autres chercheurs, comme Klaiber *et al.* (1971), et Vogel *et al.* (1971), sont arrivés à des
conclusions identiques.

En résumé, certains facteurs physiologiques différencient les tissus nerveux
dans le sens masculin ou féminin. Leur action suggère une distribution disconti-

nue, un enchevêtrement des comportements plutôt qu'une distribution continue, strictement bipolaire (Diamond, 1968). Il y aurait ainsi des comportements homotypés et d'autres hétérotypés. De la même façon, certaines hormones seront homotypées dans leurs effets et leurs cibles, tandis que d'autres seront beaucoup plus hétérotypées. Bardwick donne la conclusion suivante à son étude des corrélations entre les hormones et les différences comportementales entre les sexes :

« Les données endocriniennes tirées des études animales, de l'observation de nourrissons, des études longitudinales des êtres humains, et les implications des interactions hormonales chez les femmes adultes, tous ces éléments accréditent l'idée que certaines différences entre les sexes ont, au nombre de leurs origines, des différences dans les systèmes endocriniens et d'éventuelles différences dans le système nerveux central. L'existence de telles différences implique des modes réactifs différents pour chaque sexe, et sûrement d'autres différences dont nous n'avons pas encore idée. » (1971, p. 216.)

Les hommes font autorité dans les questions morales et juridiques et recueillent davantage de pouvoir et de prestige. D'Andrade remarque que :

« ... la division du travail selon le sexe résulte d'une généralisation assimilant les activités qui découlent directement des différences physiques entre les sexes, à celles qui n'ont qu'un lien indirect avec ces différences; c'est-à-dire une généralisation des comportements dont le développement différentiel est renforcé par l'effet des différences physiques à des comportements qui les anticipent ou leur ressemblent. » (1966, p. 178.)

Cela nous ramène à la question de l'élaboration sociale des différences biologiques. La norme transculturelle semble vouloir que les mâles soient généralement assignés aux tâches qui sont les plus astreignantes et dangereuses physiquement, qui exigent des déplacements prolongés et des niveaux élevés de coopération (Murdock, 1949).

Barry, Bacon et Child (1957) ont constaté dans une étude transculturelle que les femmes sont plus nourricières, plus dociles et plus sensibles, tandis que les hommes sont plus agressifs, plus indépendants et plus tendus vers la réussite. Whiting *et al.* (1973) et Whiting et Edwards soutiennent la thèse de l'universalité des différences comportementales chez les enfants âgés de 3 à 11 ans, particulièrement en ce qui concerne le jeu de la bousculade et les attouchements. En général, « ... les différences observées dans de nombreux types de comportement semblent être davantage de style que d'intention, par exemple : rechercher l'aide (« féminin ») plutôt que l'attention (« masculin »), justifier la domination en invoquant des règles (« féminin ») au lieu d'imposer une domination brutale et vaniteuse (« masculin ») » (1973, p. 171). En outre, le système politique des sociétés s'organise autour des hommes beaucoup plus que des femmes et la conséquence de cet arrangement est le rattachement des droits, des devoirs et du statut de l'homme et de la femme à leurs rôles respectifs. Autrement dit, les hommes semblent avoir universellement le rôle « exécutif » dans l'arène politique. En conséquence, les femmes participent moins aux affaires publiques et ont un statut inférieur.

Aucune de ces études n'est articulée sur des prémisses biocomportementales;

la causalité invoquée lie généralement les différences aux pressions de la sociali-sation – sous la forme de tâches assignées, lesquelles sont à leur tour attribuées à des impératifs culturels universels portant sur les rôles. Cependant, ces impéra-tifs culturels universels n'étant pas explicités, l'insuffisance de l'explication pose d'emblée le principe des relations entre culture et biologie.

Formulé différemment, les hommes tendent à occuper les rôles qui sont définis socialement comme les plus prestigieux, même s'ils ne sont pas les plus estima-bles. Les hommes tendent à avoir les rôles les plus agressifs physiquement et les plus actifs sur le plan politique. Il y a des exceptions; certaines femmes ont en effet endossé le rôle « exécutif », mais sans en modifier la définition masculine. Comme toute exception, elles sont remarquables par leur insignifiance statistique et leur idiosyncrasie. Les cultures et la testostérone semblent être remarquable-ment d'accord sur les rôles qui reviennent aux hommes dans les groupes sociaux.

Sans nier la complexité et les multiples facettes des causes socioculturelles, je pense que la véritable clé des différences de statut entre les sexes se trouve dans l'interaction de variables socioculturelles et biologiques. J'ai soutenu qu'un certain nombre de différences biologiques se répercutent sur les comportements de façon systématique. Ces différences biocomportementales paraissent étroite-ment liées à un investissement parental différentiel, d'où découlent les différences entre les formes de compétition masculine et féminine; celles-ci sont à leur tour associées aux prototypes de comportements masculins et féminins – les compor-tements masculins typiques comportant la manifestation compétitive et l'agres-sion typique, et les comportements féminins ressortissant à des responsabilités plus grandes vis-à-vis des enfants. J'insiste une fois de plus sur le fait qu'il ne s'agit pas d'une dichotomie de comportements, mais plutôt d'une différence de la fréquence et de l'intensité caractéristiques du comportement, différence sur laquelle vont jouer les variables environnantes. Cela va dans le droit fil des conclusions tirées par Maccoby et Jacklin de l'inventaire des recherches sur les différences entre les sexes. Il ne s'agit pas de dire que la masculinité ou la fémi-nité individuelle est immuablement fixée dans une programmation génétique, mais de dire que les hommes et les femmes peuvent avoir des seuils d'acquisition différents dans différents domaines. Ces différences de seuils se refléteront alors dans les stéréotypes populaires concernant la masculinité et la féminité. Maccoby et Jacklin ont la formule suivante : « On peut donc raisonnablement parler du processus d'acquisition – d'apprentissage – des comportements catégorisés selon le sexe comme d'un processus développé à partir d'une base biologique qui est dans une certaine mesure différenciée selon le sexe. » (1975, p. 364.)

Il s'ensuit que, s'il y a des différences dans les tendances comportementales masculines et féminines et si ces tendances comportementales peuvent être modifiées par l'environnement, différents environnements devraient inciter ou in-hiber différents comportements. D'où le rapport causal suivant, en termes du sta-tut social relatif des hommes et des femmes : la variabilité du statut relatif entre hommes et femmes devrait être reliée à l'ampleur et à l'intensité de la compétition masculine. Les environnements qui amplifient la compétition ouverte entre mâles devraient également gratifier les comportements prototypiquement masculins et par conséquent pénaliser les femelles. Les environnements qui réduisent la compétition ouverte et/ou amplifient la coopération devraient gratifier les comportements prototypiquement féminins et par conséquent accroître la probabilité d'une égalité des statuts. Dans les sociétés caractérisées par des relations égalitaires et non compétitives entre les hommes, comme certaines sociétés de chasseurs-cueilleurs, on peut s'attendre à ce qu'existe un degré élevé d'égalité entre les sexes. Inversement, dans les sociétés caractérisées par une intense compétition hiérarchique entre les hommes on devrait trouver un degré élevé d'inégalité entre les sexes. Ces hypothèses sont étayées par certaines données transculturelles sur les processus de socialisation. Analysant les données relatives aux « Six Cultures » (1973), Whiting *et al.* ont trouvé, outre des différences entre les sexes, des variations internes dans chaque sexe, qui correspondaient à divers niveaux de complexité sociale. Ainsi, par exemple, hommes et femmes manifestent un comportement moins agressif, moins vaniteux et plus nourricier dans les trois sociétés les plus simples que dans les sociétés plus complexes. On peut citer aussi les recherches d'Ember (1973) et de Whiting et Edwards suggérant qu'une division des tâches moins strictement binaire a pour effet de réduire les différences entre les sexes. Ember a pu constater chez les Oyugsis du Kenya que les garçons chargés de certaines tâches féminines avaient un profil comportemental beaucoup plus féminin que ceux qui dans la même société ne s'acquittaient pas du même travail. Whiting et Edwards résument ainsi le rapport : « Dans les sociétés où les garçons s'occupent des enfants, font la cuisine et d'autres corvées domestiques, il y a moins de différences entre les garçons et les filles, ce qui découle principalement d'un affaiblissement du comportement « masculin » chez les garçons... » (1973, p. 186.)

Aucune vérification transculturelle systématique de ces hypothèses n'a encore été entreprise. Cependant, le degré de cohérence que j'ai pu constater d'une série de données à l'autre donne à penser que cette vérification est en bonne voie. Les hypothèses que j'ai proposées ne sont certainement pas antithétiques avec celles de Sanday et appellent le même type de vérification.

RÉFÉRENCES BIBLIOGRAPHIQUES

ARCHER (J.) : « Sex difference in emotional behavior : a reply to Gray and Buffery », *Acta Psychologica, 35,* 1971, p. 415-429.

ARGANIAN (M.) : Sex differences in early development », in *Individual Differences in Children,* Westman (J.C.). Ed., New York, John Wiley and Son, 1973.

BANDURA (A.), ROSS (D.) et ROSS (S.A.) : Transmission of aggression through imitation of aggressive models », *Journal of Abnormal and Social Psychology, 63,* 1961, p. 575-582.

BARDWICK (J.M.) : *Psychology of Women : a Study of Biocultural Conflicts,* New York, Harper and Row, 1971.

BELL (R.Q.) et COSTELLO (N.S.) : « Three tests for sex differences in tactile sensitivity in the newborn », *Biological Neonatorum, 7,* 1964, p. 335-347.

BERMANT (G.) et DAVIDSON (J.) : *Biological Bases of Sexual Behavior,* New York, Harper and Row, 1975.

BLURTON-JONES (N.G.) : « Comparative aspects of mother-child contact », in *Ethological Studies of Child Behaviour,* Ed. N. Blurton-Jones, Cambridge University Press, 1972.

BROVERMAN (D.M.), KLAIBER (E.L.), KOBAYASHI (Y.) et VOGEL (W.) : « Roles of activation and inhibition in sex differences in cognitive abilities », *Psychological Review, 75,* 1968, p. 23-50.

BROWN (J.K.) : « A note on the division of labor by sex », *American Anthropologist, 72,* 1970, p. 1073-1078.

CALLAN (H.) : *Ethology and Society,* Oxford, Clarendon Press, 1970.

CHAMOVE (A.). HARLOW (H.T.) et MITCHELL (G.) : « Sex differences in the infant directed behavior of pre-adolescent rhesus monkeys », *Child Development, 38,* 1967. p. 329-335.

CONNOR (R.L.) et LEVINE (S.) : « Hormonal influences on aggressive behavior », in *Aggressive Behavior,* Ed. S. Garattini and B. Sigg, Amsterdam, Excerpta Medica Foundation, 1969.

D'ANDRADE, ROY (G.) : « Sex differences and cultural institutions », in *The Development of Sex Differences,* Ed. E. E. Maccoby, Stanford, Stanford University Press, 1966.

DIAMOND (M.) : « A critical evaluation of the ontogeny of human sexual behavior », *Quart. Review Biol., 40,* 1965, p. 147-175.

DIGMAN (J.M.) : « Principal dimensions of child personality as inferred from teachers judgements », *Child Development, 34,* 1963, p. 43-60.

DRAPER (P.) : « Cultural pressure on sex differences », *American Ethnologist,* 1975, p. 602-616.

EDELMAN (M.S.) : « Peer group formation in young children : perception », Ph. D. dissertation, University of Chicago, 1973.

EISENBERG (J.F.), MUCKENHIRM (M.A.) et RUDRAN (R.) : « The Relation Between Ecology and Social Structure in Primates », *Science, 176,* 1972, p. 863-874.

EMBER (C.R.) : « The Effect of Feminine Task Assignment on the Social Behavior of Boys », *Ethos.,* Vol. I, 1973, p. 424-439.

ERHARDT (A.) et BAKER (S.) : « Fetal Androgens, Human Central Nervous System Differentiation, and Behavior Sex Differences », in *Sex Differences in Behavior,* Ed. R.D. Friedman, R.M. Richart, and R.L. Vande Wiele, New York, John Wiley and Son, 1974.

FRANTZ (A.G.) : « The Regulation of Prolactin Secretion in Humans », in *Frontiers in Neuroendocrinology.* Ed. F. Ganong and L. Martini, New York, Oxford University Press, 1973.

GARAI (J.E.) et SCHENFELD (A.) : « Early Hormonal Influence on the Development of Sexual and Sex-Related Behaviour », in *Neuro-Science : a Study Program,* Ed. G.C. Quarton *et al.,* New York, Rockefeller University Press, 1970.

« Organizing Effects of Androgen on the Behavior of Rhesus Monkeys », in *Endocrinology and Human Behavior,* Ed. R.P. Michaels, London, Oxford University Press, 1968.

GRAY (J.A.) et BUFFERY (A.W.H.) : « Sex Difference in Emotional and Cognitive Behaviour in Mammals Including Man : Adaptive and Neural Bases », *Acta Psychologica, 35,* 1971, p. 89-111.

HAMBURG (D.A.) et LUNDE (D.T.) : « Sex Hormones in the Development of Sex Differences in Human Behavior », in *The Development of Sex Differences,* Ed. E.E. Maccoby, Stanford, Stanford University Press, 1966.

HARLOW (H.F.), McGAUGH (J.L.) et THOMPSON (R.F.) : *Psychology,* San Francisco, Albion, 1971.

HUTT (C.A.) : *Males and Females,* Harmondsworth, Penguin, 1972;

« Neuroendocrinological, Behavioural, and Intellectual Aspects of Sexual Differentiation in Human Development », in *Gender Differences : Their Orthogeny and Significance,* Ounsted, C. and Taylor, D.C. Ed., London, Churchill Livingstone, 1972, *a.*

JEGARD (S.) et WALTERS (R.H.) : « A study of some determinants of aggression in young children », *Child Development, 31,* 1960, p. 739-747.

KAGAN (J.) : « On the meaning of behavior : illustrations from the infant », *Child Development, 40,* 1969, p. 1121-1134.

KAGAN (J.) et LEWIS (M.) : « Studies of attention in the human infant », *Merrill-Palmer Quarterly, 11,* 1965, p. 95-127.

KLAIBER (E.L.), KOBAYASHI (Y.), BROVERMAN (D.M.) et HALL (F.) : « Plasma monoamine oxidase in regularly menstruating women and in amenorrheic women receiving cyclic treatments with estrogens and a progestin », *Journal of Clinical Endocrinology and Metabolism, 33,* p. 1971.

KOLODNY (R.C.), MASTERS (W.H.), HENRY (J.) et TORO (G.) : « Plasma testosterone and semen analysis on male homosexuals », *New England Journal of Medicine, 285,* 1971, p. 1170-1174.

KORNER (A.F.) : « Neonatal startles, smiles, erections, and reflex sucks as related to state, sex and individuality », *Child Development,* 40, 1969, p. 1039-53.

KREUZ (L.E.) et ROSE (R.J.) : « Assessment of aggressive behavior and plasma testosterone in a young criminal population », *Journal of Psychosomatic Medicine, 34,* 1972.

LACK (D.) : *Population Studies of Birds,* London, Oxford, 1966.

LAMPHERE (L.) et ROSALDO (M.Z.) : *Woman, Culture and Society,* Stanford, Stanford University Press, 1974.

LARSEN (R.R.) : « On comparing man and ape : an evaluation of methods and problems », *Man,* Vol. II, n° 2 : 202, 219, 1976.

LEE (R.B.) : « Male-female residence arrangements and political power in human hunter-gatherers », *Archives of Sexual Behavior,* Vol. III, n° 2, 1974, p. 167-173.

LEVINE (S.) : « Sex differences in the brain », *Scientific American,* april 1966, p. 84-90.

MACCOBY (E.E.) : *The Development of Sex Differences,* Stanford, Stanford University Press, 1966.

MACCOBY (E.E.) et JACKLIN (C.N.) : *The Psychology of Sex Differences,* Stanford, Stanford University Press, 1974.

MEAD (M.) : *Sex and Temperament,* New York, Morrow, 1935.

MISCHEL (W.) : « A social learning view of sex differences in behavior », in *The Development of Sex Differences,* E.E. Maccoby Ed. Stanford University Press, 1966.

MONEY (J.) : « Effects of Prenatal Androgenization and Deandrogenization on Behavior in Human beings », in *Frontiers of Neuroendocrinology,* Ed. F. Ganong and L. Martini, New York, Oxford University Press, 1973;
« Psychosexual Differentiation », in *Sex Research : New Developments,* J. Money. Ed., New York, Holt, Rinehart and Winston, 1965.

MONEY (J.) et ERHARDT (A.) : *Man and Woman, Boy and Girl,* Baltimore, Johns Hopkins University Press, 1972.

MONEY (J.), HAMPSON (J.G.) et HAMPSON (J.L.) : « An examination of some basic sexual concepts : the evidence of hermaphroditism », *Bulletin of Johns Hopkins Hospital, 97,* 1955, p. 301-319.

MURDOCK (G.P.) : *Social Structure,* New York, Macmillan, 1949.

NERLOVE (S.B.) : « Women's workload and infant feeding practices : a relationship with demographic implications », *Ethology,* Vol. XIII, n° 2, 1974, p. 207-214.

OMARK (D.R.) : « Peer group formation in young children », Ph. D. Dissertation, University of Chicago, 1973.

PERSKY (H.), SMITH (K.D.) et BASU (G.K.) : « Relation of psychologic measures of aggression and hostility to testosterone production in man », *Journal of Psychosomatic Medicine, 33,* 1971, p. 265-277.

PHOENIX (G.H.), GOY (R.W.) et RESKO (J.A.) : « Psychosexual differentiation as a function of androgenic stimulation », in *Perspectives in Reproduction and Sexual Behavior,* M. Diamond, Ed., Bloomington, University of Indiana Press, 1970.

REINISCH (J.M.) : « Fetal hormones, the brain, and human sex differences : a heuristic, integrative review of the recent literature », *Archives of Sexual Behavior,* Vol. III, n° 1, 1974. p. 51-90.

SANDAY (P.R.) : « Toward a Theory of the Status of Women », *American Anthropologist, 75,* 1973, p. 1683-1700; « Female Status in the Public Domain », *American Anthropologist,* 1973, p. 189-206.

SILVERMAN (J.) : « Attentional styles and the study of sex differences », in *Attention : Contemporary Theory and Analysis,* D. Mostofsky, Ed., New York, Appleton-Century, Crofts, 1970.

SILVERMAN (J.) et KING (C.) : « Pseudo Perceptual differentiation », *Journal of Consulting and Clinical Psychology, 34,* 1970, p. 119-123.

SUCHOWSKY (G.K.), PEGRASSI (L.) et BONSIGNORI (A.) : « The effect of steroids on aggressive behavior in isolated male mice », in *Aggressive Behavior,* S. Garattini and E. B. Sigg Ed., Amsterdam, Excerpta Medica Foundation, 1969.

TANNER (J.M.) : « Physical growth », in *Carmichael's Manuel of Child Psychology,* P.H. Mussen Ed., New York, John Wiley and Sons, 1970 (third edition).

TIGER (L.) : « The Possible Biological Origins of Sexual Discrimination », *Impact of Science on Society,* Vol. XX, n° 1, 1970, p. 29-44; *Men in Groups,* New York, Random House, 1969.

TRIVERS (R.) : « Parental investment and sexual selection », in *Sexual Selection and the Descent of Man,* B. Campbell Ed., Chicago, Aldine, 1972.

VAN DEN BERGUE (P.) : Age and sex in human societies : a biosocial perspective, Belmont, California, Wadsworth, 1973.

VOGEL (W.), BROVERMAN (D.M.) et KLAIBER (E.L.) : « E.E.G. responses in regularly menstruating women and in amenorrheic women treated with ovarian hormones », *Science, 23,* 1971, p. 388-91.

WHITING (J.W.M.), WHITING (B.B.) : *Children of Six Cultures, A Psychocultural Analysis,* Cambridge, Harvard Univ. Press.

WHITING (B.B.) et EDWARDS (C.P.) : « A cross-cultural analysis of sex differences in the behavior of children aged three through eleven », *The Journal of Social Psychology, 91,* 1973, 171-188.

WILLIAMS (S.) Neely « The argument against the physiological determination of female roles : a reply to Pierre L. Van den Berghe's rejoinder to Williams extension of Brown's article », *American Anthropologist, 75,* 1973, p. 1725-1728; « The limitations of the male/female activity distinction among primates : an extension of Judith K. Brown's, a note on the division of labor by sex », *American Anthropologist, 73,* 1971, p. 805-806.

WILLIAMS (G.C.) : *Group Selection,* Chicago, Aldine, 1971; *Sex and Evolution,* Princeton Press, Princeton, 1975.

WYNNE EDWARDS (V.C.) : *Animal Dispersion in Relation to Social Behaviour,* New York, Hafner, 1962.

YOUNG (W.C.), GOY (R.W.) et PHOENIX (C.H.) : « Hormones and sexual behavior », *Science, 143,* 1964, p. 212-218.

2.
La sélection sexuelle et le rôle du choix féminin dans l'évolution du comportement humain

par Robin Fox

Toute discussion du rôle de la femelle dans l'évolution doit obligatoirement partir de son rôle d'agent reproducteur. Nous devons admettre que, compte tenu de son aptitude reproductive, la stratégie de la femelle sera d'avoir le plus grand nombre possible de ses gènes ou de leurs répliques dans la génération suivante. La manière dont elle y parviendra dépend de l'espèce envisagée et nous nous intéressons à *homo sapiens,* qui pour la plupart des aspects de la reproduction, est typiquement une espèce de mammifères, et plus typiquement encore de primates. Comme les autres primates supérieurs, les femelles de notre espèce conçoivent relativement peu de petits à des intervalles relativement longs; à nouveau elles passent un temps relativement long à allaiter ces petits et à les amener à la maturité où ils pourront à leur tour donner naissance à une progéniture viable. Cela implique ce qu'il est désormais convenu d'appeler un « investissement parental » considérable, de la part de la femelle humaine, surpassant ce que l'on peut trouver même chez les plus évolués des primates supérieurs.

L'investissement du mâle est hautement variable. Dans certaines populations humaines, le compagnon de la femelle investit fortement dans le bien-être de sa progéniture, dans d'autres, il n'investit pas du tout et dans l'ensemble des sociétés humaines, son investissement parental est fort variable. Comme Trivers l'a montré, les stratégies reproductives différentielles du mâle et de la femelle sont difficilement complémentaires, si l'on veut uniquement considérer comment ces stratégies affectent leurs aptitudes reproductives. La stratégie des femelles, fondamentalement, est d'amener un ou plusieurs mâles à faire un investissement considérable dans le bien-être de sa progéniture. Étant donné que la seule façon pour elle de perpétuer ses propres gènes est d'élever avec le plus grand soin le petit nombre de descendants qu'elle est capable d'avoir, cette stratégie devient une nécessité dans tous les cas où il lui est impossible d'élever sa progéniture sans l'aide d'un mâle. Il nous faut supposer que de telles circonstances ont caractérisé la plus grande partie de l'évolution de notre espèce. Le mâle aussi peut dans certaines circonstances estimer que c'est là la meilleure stratégie, plus précisément lorsqu'il n'a accès qu'à une seule ou à un nombre très limité de femelles. En revanche, lorsqu'il a accès à un grand nombre de femelles, sa stratégie devrait être d'en féconder le plus possible. S'il peut faire cela, tout en évitant les responsabilités d'un fort investissement parental vis-à-vis de la progéniture qui en résulte, il dispose évidemment d'un avantage reproductif énorme sur n'importe quel rival. Il est aussi dans son intérêt d'empêcher que d'autres mâles fécondent les femelles qu'il contrôle, sinon il se trouverait investir dans la progéniture d'autres mâles au détriment de la sienne. Idéalement donc, et toujours strictement en termes de succès reproductif, le mâle devrait chercher à féconder le plus de femelles possible, empêcher la fécondation par d'autres mâles des femelles qui se trouvent sous son contrôle direct et investir fortement dans les seuls cas où il est certain de sa paternité.

Nous avons brossé là un tableau plutôt austère du comportement reproductif. Mais, tandis que la plupart des mammifères s'inscrivent facilement dans un tel tableau, il y a tout lieu de penser que, s'agissant de notre propre espèce, le système de base va rencontrer nombre d'interférences résultant de l'imposition de codes moraux et de normes culturelles contraires aux intérêts individuels de ceux qui constituent ces populations reproductives. Cependant, cela restant vrai, il est probable qu'on ne trouverait pas une situation tellement différente de la situation idéale décrite plus haut, si l'on examinait le comportement réel – par opposition aux codes qui sont censés le contrôler. L'intervention humaine qui a fait les incursions les plus radicales dans ce comportement a été l'adoption généralisée de pratiques contraceptives sûres. Étant donné que l'ensemble du système décrit, qui opère dans le reste de la nature, dépend du fait que le résultat du rapport sexuel sera la fécondation, l'utilisation de telles techniques n'a forcément pu qu'avoir un effet drastique. Toutefois, cela ne sape pas les motivations et comportements fondamentaux qui ont évolué au cours des siècles en concomitance avec le système que nous avons décrit.

Cependant, nous l'avons vu, chaque espèce peut différer dans la façon dont les degrés d'investissement parental sont institutionnalisés. Notre tâche sera donc de considérer particulièrement l'homme et de nous demander quelles forces sélectives majeures ont modelé l'évolution de ces comportements chez les hominiens. Une série d'auteurs de vénérable lignage soutient que l'évolution s'est faite dans le sens de la formation de « familles nucléaires ». Parmi ceux qui rejettent bien loin l'idée que le comportement humain puisse puiser à des sources naturelles et biologiques, beaucoup n'en soutiendront pas moins que la famille est une unité « naturelle ». D'autres, comme Claude Lévi-Strauss, prennent pour point de départ le tabou de l'inceste fraternel qui force la sœur à trouver un autre partenaire, établissant ainsi la relation beau-frère comme l'équation la plus primitive de toutes les relations humaines, et qui, en ajoutant un fils au couple marié, produit l'unité de parenté la plus primitive, ou élémentaire, comportant la relation du frère de la mère au fils de la sœur, et du beau-frère au beau-frère. D'autres encore, dont je suis, ont toujours soutenu que l'unité de base est, et ne peut être que celle que forme la mère avec sa progéniture dépendante. La famille nucléaire n'est rien d'autre qu'une façon de s'adjoindre un mâle pour investir dans cette progéniture; l'unité élémentaire ou « atome de parenté » de Lévi-Strauss en est encore une autre et peut, comme nous le verrons, n'avoir que très peu de rapport avec l'imposition de la culture sur la nature par un tabou placé sur l'inceste.

Le fil conducteur du raisonnement et les preuves qui nous permettront de reconstituer un tableau complet nous sont fournis par trois séries de données. En premier lieu, nous devons examiner ce que l'on pourrait appeler la « ligne primate zéro ». Nous devons nous demander quelles adaptations comportementales se trouvent à la base de l'ordre des primates, et encore, dans quelle mesure celles-ci sont continuées par notre propre espèce et dans quelle mesure elles ont été radicalement changées. Étant donné que nos ancêtres ultimes étaient eux-mêmes des primates, voisins du singe anthropomorphe, l'une des meilleures pistes à la recherche du protocomportement des hominiens se trouve dans une étude comparative minutieuse du comportement des primates contemporains. Dans la mesure où les différences anatomiques entre les primates non humains d'aujourd'hui et leurs ancêtres sont bien moindres que les différences entre l'homme et ses lointains ancêtres hominiens, nous pouvons présumer avec quelque vraisemblance que le comportement aussi est chez eux mieux préservé et moins changé. C'est indubitablement l'homme qui a accompli les plus grands changements. Le deuxième corps de preuves est donc constitué par l'enregistrement fossile de ces changements et ce qu'il peut nous dire de la nature spécifique des changements en question. La rapidité des changements apparaît ici d'une particulière importance, car le processus de la sélection a dû être d'autant plus intense que le changement a été rapide. Le troisième corps de preuves se trouve, bien entendu, dans le comportement de l'homme contemporain, et par contemporain j'entends l'homme tel qu'il nous est montré par l'Histoire et l'ethnographie.

Il m'est impossible, dans les limites de cet exposé, de traiter toutes les données et la théorie sur cette question. J'espère seulement ébaucher la méthode qui permettra d'articuler ces trois domaines et le type de théorie susceptible d'en rendre compte.

La question de l'utilisation des données sur les primates pour reconstituer le passé hominien a suscité maintes controverses diversement motivées. A mon avis, ce procès dans l'ensemble a été fait à mauvais escient. Notre principal souci n'est pas ici de trouver quelque primate, comme le chimpanzé par exemple, qui nous fournirait le modèle de ce dont étaient capables nos ancêtres protohominiens. C'est probablement une entreprise futile. D'une façon ou d'une autre, il a bien fallu que nos ancêtres protohominiens soient occupés à quelque chose de très différent de ce que font les primates contemporains, sinon ils n'auraient pas évolué jusqu'à l'homme. La question que nous pouvons poser est d'une tout autre nature; je la formulerai ainsi : « Que trouve-t-on dans le répertoire comportemental des primates? » Cela, dans un sens, nous dira ce qui est « dans la nature », pour reprendre la terminologie rousseauiste de Lévi-Strauss, et de cette façon nous pouvons espérer dégager ce que la culture a dû ajouter, le cas échéant. Mais nous devons aussi pouvoir envisager l'idée, peut-être hérétique, que la culture n'a rien ajouté. Après tout, le changement radical entre les hommes et les autres primates a pu avoir pour origine un changement biologique radical, lui-même résultant de l'évolution particulière de l'homme. Ainsi, l'opposition ne serait pas entre nature et culture, mais entre deux natures différentes – toutes deux participant néanmoins de la « nature ». Mais notre première tâche est de trouver ce que propose le répertoire des primates en matière de « système reproductif. L'examen de toutes les données qu'il m'a été possible de passer en revue à ce sujet suggère une répartition des systèmes reproductifs des primates selon deux schémas possibles. Le premier est le *système multimâle*. Il consiste en un groupe de mâles et de femelles associés sur une base annuelle. Quoique le rapport des sexes puisse bien être de l'ordre d'un mâle pour quatre femelles, il y aura néanmoins un ensemble de mâles associés à une population de femelles reproductrices et aucun mâle particulier attaché de façon permanente à une femelle particulière. Lorsque les femelles entreront en chaleur, elles seront couvertes, et à la fin du cycle œstral l'intérêt des mâles à leur égard déclinera. En ce qui concerne le système reproductif, il semble bien établi qu'au point culminant de l'œstrus, c'est-à-dire au moment de l'ovulation, la femelle s'accouplera plus généralement avec un mâle occupant une position élevée dans la hiérarchie. Nous touchons là un point critique du système : il y a, pourrait-on dire, un « pool » de femelles et en face une série de mâles rangés selon leur statut. Cela n'implique pas nécessairement un simple ordre linéaire, mais les détails de l'organisation hiérarchique n'importent pas. Ce qui importe c'est que le rang existe et qu'il implique un accès différentiel aux femelles au moment de l'ovulation. Cela sera plus ou moins marqué dans différentes populations à différents endroits, mais des études récentes ont permis de confirmer ce que des observateurs antérieurs avaient déjà supposé, à savoir que les mâles les mieux situés dans la hiérarchie vont accaparer les femelles en chaleur, former avec elles des liens « conjugaux », essayer de les monopoliser durant l'ovulation et d'être les seuls à les féconder. Les mâles de rang inférieur, très probablement, essaieront de copuler avec des femelles qui ne sont pas en train d'ovuler ou qui ont déjà conçu. Bien sûr, cela ne sera jamais le cas à cent pour cent; néanmoins, nous sommes bien en face d'un cas de sélection sexuelle comme instrument du changement évolutif. Modifiant les fréquences géniques par la fixation relativement rapide des mutations, cette méthode comporte des avantages évidents.

Une chose manquait à de tels schémas : que l'on ait considéré la possibilité d'un rôle actif de la femelle dans le processus sélectif. Le tableau était jusqu'alors celui d'un pool de femelles remarquablement passives, accaparées par les mâles relativement plus dominants au moment de l'ovulation. Depuis, les travaux des observateurs japonais en particulier, et de ceux qui ont étudié les macaques japonais de l'île Cayo Santiago, ont révélé un phénomène tout à fait nouveau et passionnant : l'existence de ce qu'ils préfèrent appeler des « généalogies », mais que nous pourrions audacieusement qualifier de « *matrilignages* ». Ces unités sont typiquement constituées d'une femelle relativement vieille, de sa progéniture femelle et de leur progéniture dépendante, s'étendant parfois sur quatre générations ou plus. Les jeunes membres mâles de ces lignées par filiation maternelle auront tendance à les quitter en grandissant, mais certains resteront au sein de la famille plus longtemps que d'autres. Le matrilignage est bien sûr l'extension dc l'unité mère-enfant que nous avons mentionnée plus haut comme étant la forme de base chez les mammifères. Dans le cas du groupe multimâle, les mâles sont rattachés à ces unités de deux manières. D'une part, comme nous l'avons vu, ils s'attacheront aux femelles à des fins reproductives, et les mâles du groupe protégeront les femelles du groupe dans leur ensemble. D'autre part, s'ils sont attachés à elles par les liens de parenté, cela aura une influence déterminante sur leur comportement. On dispose désormais d'une quantité de preuves indiquant que le statut d'un jeune mâle est probablement déterminé, tout du moins au départ, par le statut non seulement de sa mère, mais de toute sa parentèle par la ligne maternelle. Autrement dit, ces lignées sont elles aussi hiérarchiquement organisées. Qui plus est, cette organisation semble être plus stable que celle des hiérarchies mâles, dans certains cas et en particulier dans ceux où les mâles quittent leur groupe, comme bien souvent chez les macaques. Ainsi, c'est un tout autre tableau qui se dessine maintenant. Au moins indirectement, une femelle peut avoir une influence considérable dans le processus de la sélection sexuelle par l'avantage que son rang élevé confère à son fils. On avait jusqu'ici pensé que le statut d'une femelle s'élevait et déclinait en suivant le cycle œstral. On sait désormais que cela n'a qu'une vérité temporaire et qu'en réalité son rang dans le système possède un degré élevé de permanence (dans tous ces exemples, bien sûr, qu'il s'agisse de mâles ou de femelles, l'élévation et la perte de rang sont également possibles). Des preuves encore plus récentes montrent néanmoins que les mâles de rang élevé ont plutôt tendance à s'accoupler avec des femelles de rang élevé. C'est là la pièce essentielle qui depuis des années faisait défaut et il se peut qu'on lui trouve par la suite encore quelques variations. Du moins, avons-nous une meilleure appréhension du rôle de la femelle dans le processus sélectif du système reproductif de type groupe multimâle chez les primates.

Ce qui nous intéresse toutefois dans un tel système c'est qu'il ne comporte pas d'association permanente mâle-femelle en couple ou sous toute autre forme de groupe reproducteur. A la fin du cycle œstral, lorsqu'une femelle a été fécondée, elle réintègre, si l'on peut dire, le pool des femelles et n'est attachée à aucun mâle particulier à d'autres fins. Les mâles du groupe tous ensemble sont responsables de l'ordre et de la protection des femelles et des petits.

L'autre forme de base de l'unité reproductive chez les primates présente avec la première un contraste intéressant. Il s'agit du *groupe à un mâle*. Là, le tableau est à certains égards radicalement différent. Un mâle rassemblera autour de lui une ou plusieurs femelles et les retiendra à des fins exclusivement reproductives. On peut considérer les familles nucléaires rencontrées chez quelques rares primates comme le prolongement extrême du groupe à un mâle. Le plus typique, cependant, est le groupe polygame où un seul mâle tient sous son contrôle exclusif quatre femelles ou plus. Ces groupes peuvent être très isolés, comme les singes pattas, ou encore se regrouper en de vastes bandes, comme pour les babouins hamadryas, mais même dans ce dernier cas les unités reproductives sont séparées. Les femelles suivent le mâle et celui-ci les mord dans le cou si elles s'écar-

tent un peu trop. Elles paraissent apprendre très vite à « suivre » et l'accouplement semble s'accomplir presqu'exclusivement avec le mâle qui dirige le harem.
Les nouveaux harems se constituent essentiellement de deux façons. Ou bien, le
mâle plus âgé prend à ses côtés un « apprenti » qui est toléré et qui à la mort
du vieux mâle prend le contrôle du groupe, ou bien un jeune mâle va kidnapper
une jeune femelle de l'un des groupes et lui servir littéralement de mère jusqu'à
ce qu'elle soit assez vieille pour devenir le premier membre de son harem.

Ce qui est douteux dans l'un ou l'autre de ces deux systèmes, c'est l'existence
de lignages durables comme nous en trouvons dans les groupes multimâles.
Donc, pour sauter à une conclusion concernant la scène humaine contemporaine,
nous pouvons dire que les humains ont à la fois des systèmes de parenté *et* de
mariage, tandis que chez les primates, l'existence de l'un des systèmes exclut
l'autre : ou parenté, ou mariage. La question se pose donc de savoir pourquoi
au cours de l'évolution, les hominiens ont trouvé nécessaire de réunir les deux
systèmes pour en faire cet atome élémentaire fondamental de la parenté que
décrit Lévi-Strauss? Une chose paraît certaine : les deux termes de cette équation
existent dans la nature. L'homme n'a rien inventé de nouveau. Il n'a fait que
recombiner des éléments qui existaient déjà et cela, comme je l'ai suggéré, a très
bien pu être un développement parfaitement naturel, ne requérant aucune intervention culturelle.

Avant de se demander ce qui est arrivé au cours de l'évolution hominienne,
examinons non pas les différences mais les similarités entre les deux types de
systèmes reproductifs chez les primates. Dans l'un comme dans l'autre, trois
« blocs » se trouvent à la base du système social, et le type d'ajustement requis
entre ces trois blocs est fondamentalement semblable. Il y a tout d'abord le bloc
des mâles adultes, puis celui des femelles et des petits dépendants, et enfin le bloc
des jeunes mâles périphériques. Ces derniers ont quitté le bloc des femelles et
des petits mais n'ont pas encore acquis de statut dans la hiérarchie des mâles.
Ils peuvent y parvenir par une combinaison d'influence de leur parenté, de force
et d'aptitude à se battre, d'aptitude à coopérer avec d'autres mâles, plus une
considérable part d'intelligence et d'astuce. C'est Michael Chance, l'éthologiste
anglais, qui le premier a montré que le jeune primate à la conquête d'une position
dans la hiérarchie se trouvait confronté à une diversité de choix presque intolérable et que s'il ne savait pas faire les bons choix il pouvait tout simplement ne
jamais parvenir à se faire une place dans la hiérarchie. Dans tous les cas où
nous avons des chiffres, nous constatons que le taux d'usure des jeunes mâles
est très élevé, ce qui semble bien confirmé par le rapport numérique des sexes.
Dans le système du groupe à un mâle, il faut au jeune mâle une adresse considérable pour faire son apprentissage ou réussir son kidnapping, sinon il ne formera
jamais un harem. Dans le système multimâle, il doit littéralement se frayer un
chemin de la périphérie du groupe jusqu'à une position d'acceptation parmi les
mâles dominants, sinon il restera hors du système reproductif. C'est Chance qui
a suggéré que le cerveau antérieur du primate avec ses degrés déjà considérables
de contrôle cortical et l'évolution consécutive, plus rapide encore, du néo-cortex
hominien ont pu être liés au processus de sélection sexuelle qui gratifiait ce qu'il

a appelé l'« équilibration ». C'est le processus dans lequel le jeune animal doit retenir ses réponses jusqu'au moment opportun pour lui de tenter sa chance dans la hiérarchie. S'il échoue, ses gènes ne seront pas représentés dans la génération suivante et il y aura en conséquence un déplacement progressif vers les gènes qui favorisent la capacité d'équilibration. Dans la mesure où ces gènes doivent être associés aux progrès du néo-cortex et du noyau amygdalien, leur sélection rapide signifierait des progrès rapides dans ces mêmes organes.

Éloignons-nous un moment de la ligne primate zéro et considérons l'évolution hominienne. En ce qui concerne l'évolution du cerveau, la seule vraie mesure que nous ayons est celle de la capacité cubique, et même si la taille toute seule n'a pas nécessairement de rapport avec la capacité intellectuelle au sein d'une même espèce (le cerveau d'Anatole France ne faisait que 900 cm³, par rapport à une moyenne de 1 350 cm³), entre les espèces et surtout entre les espèces successives, elle indique certainement un gain d'aptitude. Les faits semblent prouver là encore que, même en faisant la part d'une évolution staturale concomitante, il y a eu au cours de l'évolution un agrandissement absolu et relativement rapide du néo-cortex humain. Si nous prenons l'*australopithecus africanus* comme l'un des maillons de l'évolution hominienne en laissant de côté la question de l'ascendance immédiate, nous trouvons une capacité crânienne moyenne de seulement 500 cm³. L'*homo erectus,* quelque 500 000 années plus tard, nous propose une capacité crânienne moyenne de plus de 1 000 cm³ et se trouve donc dans l'ordre de grandeur de l'homme moderne. Même en ajoutant la découverte, que l'on doit à Richard Leakey, d'un crâne indubitablement hominien âgé de 2,7 millions d'années et mesurant 775 cm³, le tableau d'ensemble reste celui d'un progrès relativement rapide. Le progrès est simplement moins rapide que nous ne l'avions supposé avant cette dernière découverte, dont le statut reste d'ailleurs à déterminer de façon absolue. Mais, de toute façon, le taux de développement auparavant admis aurait été un peu trop rapide pour être plausible, dans la logique de ma propre théorie en tout cas. Au lieu d'avoir doublé en un million d'années environ, nous avons maintenant une capacité crânienne qui s'accroît approximativement de 1,7 fois sur trois millions d'années. Il est cependant hors de doute que l'accroissement de la capacité crânienne s'est accompagné d'une réorganisation et d'un développement considérables du cerveau, puisque nous avons tout lieu de croire que la taille est un bon indicateur de réorganisation. La question est donc la suivante : si nous prenons comme « ligne hominienne zéro » l'hypothèse que les possibilités inhérentes à la ligne primate zéro étaient à la disposition des premiers hominiens, qu'en ont-ils fait et pourquoi?

Cela nous conduit à examiner les pressions sélectives qui ont joué au cours de ces trois millions d'années. Pour résumer une très longue histoire, le point crucial ici est sûrement dans les premiers temps l'adaptation à la chasse comme mode de vie permanent et la conversion d'un primate omnivore mais essentiellement végétarien en un hominien omnivore, mais essentiellement carnivore. Il n'est pas nécessaire de développer longuement les indices que sont les outils, le développement de l'anatomie humaine et la multiplication des données fauniques à mesure que les sites se rapprochent du présent; tout cela est trop connu. Mais, là aussi, on a fortement accentué la sélection qui a forcé l'adaptation des mâles à leur rôle dans la chasse. Certes, il ne faut pas la minimiser; il me semble pourtant hors de doute que, quelles qu'aient pu être les pressions sélectives sur les mâles protohominiens avant la chasse, elles n'ont rien été par rapport aux pressions exercées lorsque le mode de vie centré sur la chasse a pris son essor sur une trajectoire irréversible. Nous devons nous représenter clairement que si les primates se livrent quelquefois à la chasse, ce n'est pas une activité organisée à une grande échelle et ils ne dépendent pas des protéines animales qu'ils se procurent ainsi. En outre, sauf circonstances assez particulières, ils ne partagent pas le produit de la chasse, et certainement pas de façon systématique, avec les femelles et les petits. Les carnassiers le font, mais il ne faut pas oublier qu'ils ont – inscrites en eux – des années et des années d'évolution centrée sur la chasse, ce que n'avaient pas nos ancêtres primates. Le changement a donc été dramatique et l'on peut certainement expliquer pour une large part le changement survenu dans la forme physique et la capacité crânienne humaines en invoquant les pressions de la sélection naturelle découlant de cette nouvelle adaptation à la chasse. La question demeure cependant de la forme de système reproductif par laquelle ces mutations favorables ont été transmises. Dans le meilleur des cas, nous l'avons vu, la sélection naturelle opère très lentement. Dans le cas présent, elle semble avoir opéré de façon relativement rapide. Cela suggère donc que d'autres pressions intensives sont entrées en jeu pour modifier les fréquences géniques des populations concernées. Je vais faire preuve d'audace et suggérer que ces pressions étaient de deux sortes : deux ensembles de mécanismes, l'un interne, et l'autre externe. Le premier ensemble de mécanismes concernait la sélection au sein même de la petite bande des chasseurs. Supposons héritée des ancêtres primates la tendance à la hiérarchie mâle, au succès reproductif différentiel et au classement des femelles. Et tout cela transposé dans la période de chasse. On voit très bien alors comment le meilleur chasseur se substitue au mâle dominant le plus apte, pour devenir le meilleur reproducteur du groupe. Au début, cela aurait simplement tenu au pouvoir qu'il avait de partager la viande. Cependant, dans la mesure où la chasse n'était probablement jamais une entreprise solitaire, mais une entreprise communautaire et qui exigeait une considérable division des compétences, le mâle dominant était probablement celui qui savait le mieux utiliser son pouvoir pour attribuer des femelles à ceux dont les compétences lui étaient utiles. On peut facilement imaginer par exemple, à ce stade de l'évolution hominienne, une consolidation des lignages ci-dessus mentionnés et une appropriation ou monopolisation des femelles par les lignages les plus puissants. Mais on peut également imaginer, et suivre en cela Lévi-Strauss, l'utilisation des femelles comme monnaie de marchandage et d'échange avec les mâles d'autres lignages si des alliances étaient nécessaires, ce qui devait évidemment être le cas.

Cela n'est pas pure spéculation. L'étude approfondie des sociétés organisées autour de la chasse et de la cueillette a montré que la contribution des femmes – l'apport des produits végétaux – a une importance énorme pour l'équilibre alimentaire du chasseur. Que s'est-il donc passé au sein de la bande de chasseurs avec la réorganisation radicale des relations entre les trois blocs? Il n'est plus simplement question de sexe et de protection, mais de l'échange des protéines animales et végétales entre les mâles et les femelles, avec une organisation domestique assurée par les femelles pour les mâles et comme résultat (et c'est le fait le plus important) une tendance chez les mâles jouissant d'un statut plus élevé à s'approprier les femelles sur une base plus durable que simplement le temps de l'œstrus. En fait, cela peut s'expliquer par la disparition chez les femelles des manifestations extrêmes du cycle œstral, où il faut sans doute voir un produit dérivé de la croissance du néo-cortex et du contrôle par cet organe du comportement hormonal. Mais, là encore, vu l'importance croissante du rôle des femelles dans l'organisation domestique, l'élevage de la progéniture du mâle et l'apport des protéines végétales, leur rôle dans le processus sélectif a forcément suivi la même courbe. Chez les primates, nous avons vu que les mâles de rang supérieur s'accouplaient aux femelles de rang supérieur et nous avons donc toute raison de supposer qu'au stade de la chasse ils ont commencé à s'approprier aussi les femelles de rang supérieur, c'est-à-dire les femelles les plus aptes.

Nous voyons ainsi se dessiner le tableau d'un monopole gérontocratique où les mâles les plus vieux, les doyens qui par leur survie même ont prouvé leurs aptitudes, se seraient constitué un monopole de femelles constamment attachées à eux et portant leur progéniture, du moins en priorité. Les mâles auraient investi assez fortement dans la progéniture de ces femelles. D'autres mâles auraient moins bien réussi et eu moins de femelles et une progéniture moins nombreuse. On peut imaginer, au moins dans un premier stade, un processus relativement impitoyable pour que le déplacement relativement rapide des gènes ait lieu. Mais n'oublions pas que cela s'est joué en trois millions d'années et que par conséquent le processus n'a pas été nécessairement aussi impitoyable que Freud le concevait dans *Totem et Tabou*. La nécessité de la coopération entre les mâles a dû avoir un effet modérateur. La base d'une telle coopération se trouvait déjà dans le groupe des mâles, dans leurs bandes errantes qu'on observe par exemple chez les chimpanzés et dans l'existence de hiérarchies mâles bien organisées. De même, la base d'une coopération femelle existait déjà dans les groupes matrilinéaires décrits plus haut. Ce qui est nouveau dans le groupe hominien, c'est le développement progressif d'une monopolisation permanente des femelles. Cela ne s'est pas fait sur la même base que dans l'ancien système du « groupe à un mâle » des primates, mais plutôt sur la base d'un échange mutuel entre mâles et femelles, celles-ci s'acquittant des services sexuels et domestiques et apportant les protéines végétales en échange des protéines animales, de la protection et d'un statut pour leurs petits.

Cela soulève bien sûr la question suivante : pourquoi ces processus d'échange ont-ils dû s'établir et pourquoi sous cette forme-là? Une chose est d'ores et déjà claire, c'est que les mâles avaient besoin d'alliés; or, les femelles, ayant de la valeur comme partenaires reproductives et économiques, leur rareté étant assurée par le système de la polygamie, devinrent un moyen important de s'assurer des alliés. Cependant, nous trouvons sans doute un élément plus pertinent qui éclaire d'un jour plus intéressant l'évolution particulière de ce système d'échange dans le fait que l'ensemble du processus décrit sous le terme d'équilibration a subi une transformation dans l'évolution des primates aux hominiens.

Dans le groupe de primates, les anciens pouvaient facilement repousser les plus jeunes et, si nécessaire, les tuer ou les chasser. Ils pouvaient tout au moins intervenir avec succès dans leurs tentatives d'accouplement. Cela a dû devenir de plus en plus difficile à mesure que le cerveau hominien évoluait et que les jeunes acquéraient les mêmes armes que leurs aînés. Il est tout à fait possible que Freud ne se soit guère trompé en voyant à la base de la société humaine la nécessité pour les anciens de contrôler le danger constitué par les jeunes hommes au sortir de l'adolescence. Deux processus ont été développés à cette fin : l'un étant l'initiation – sur laquelle nous n'insisterons pas, mais qui ne présente certainement pas un caractère de nouveauté pour ceux qui s'intéressent au *Fait féminin* –, l'initiation donc jusque dans ses formes les plus extrêmes d'opérations génitales et de brimades élaborées, associée à l'inculcation d'une masse de connaissances inutiles. Des esprits cyniques pourraient prétendre que les systèmes actuels d'éducation n'en sont que la perpétuation. L'autre processus, cependant, est probablement l'une des fonctions cachées de l'exogamie. Pour Freud, les restrictions exogamiques étaient des restrictions imposées par les anciens à la *sexualité* des plus jeunes. Mais les restrictions en cause n'ont pas tellement trait à la sexualité des jeunes qu'à leur aptitude à se marier. Il s'agit donc de restreindre leur aptitude à devenir des adultes à part entière et à s'inscrire pleinement dans le système reproductif. Dans les systèmes où nous avons pu examiner le monopole gérontocratique dans toute la force de son fonctionnement, les difficultés du jeune homme à obtenir des femmes peuvent être tout à fait exténuantes et dramatiques – forcé de se contenter au début des femelles âgées, éventuellement au-delà de la ménopause, qui lui sont concédées et n'acquérant que peu à peu, par octroi des anciens, les jeunes femmes dont il aura besoin pour placer ses gènes dans le « pool ». Tout cela constitue en fait un moyen puissant de contrôler les ambitions des jeunes qui, à leur tour, n'auront de succès reproductif que s'ils jouent le jeu et établissent leur propre monopole gérontocratique, ce qui implique une considérable maîtrise de la gratification différée, du sens de l'opportunité et de tous ces facteurs que le processus d'équilibration a si laborieusement inscrits en eux au cours de cette évolution de plusieurs millions d'années.

Si le temps ne m'était pas compté, j'entreprendrais de montrer comment la plupart des systèmes élémentaires de la parenté si brillamment analysés par Lévi-Strauss ont pu s'élaborer en réponse à ce que j'ai appelé les deux axes de l'*alliance* et de la *contrainte*. Ma querelle avec le maître français tient à ce qu'il néglige le rôle de la contrainte que l'on trouve pourtant à l'état embryonnaire dans sa théorie de la polygamie et de la rareté et dans sa description du rôle des chefs nambikwara. L'alliance est capitale, mais le pouvoir ne l'est pas moins, et il est important de bien voir que ce pouvoir était exercé par les vieux mâles sur les jeunes *à travers le contrôle des femelles,* si nous voulons comprendre quelque chose au rôle relatif des sexes dans l'évolution du comportement sexuel de l'espèce que nous voyons aujourd'hui.

La fréquence d'une polygamie assortie de processus d'initiation; la fréquence de systèmes de parenté élaborés qui ont pour effet de subordonner le choix des mâles de la jeune génération aux actions des générations précédentes; la fréquence d'une réelle interférence des membres plus anciens de la communauté dans les choix sexuels des jeunes; tous ces éléments soulignent cet aspect du comportement humain élaboré qui se trouve à la fois dans le prolongement de la ligne primate zéro et dans une frappante opposition. Si la parenté peut exister chez les primates, elle ne sert pas à définir la mariabilité.

Il me faut maintenant revenir brièvement à l'autre processus. Il me semble qu'au cours de leur évolution, les petits groupes d'hominiens ont dû expérimenter de nombreux types et styles de monopolisation des femelles. Cela a pu aller d'une quasi-monogamie aux monopoles gérontocratiques les plus implacables. Tout ce que nous pouvons supposer c'est qu'il y avait un succès reproductif différentiel aussi bien de la part des mâles que des femelles, et que dans les deux cas les facteurs sélectionnés avaient trait aux fonctions de contrôle et d'inhibition du néo-cortex ainsi que ses fonctions d'association et de mémorisation. Les femelles ne pouvaient certainement pas être des agents passifs dans ce processus puisqu'elles avaient pour principale préoccupation de s'attacher aux mâles les plus aptes, qui pouvaient assurer les protéines animales, d'une part, et la protection et le statut nécessaires aux petits, d'autre part. Même dans le cadre des règles élaborées qui gouvernent les systèmes élémentaires de parenté, il reste une grande marge de manœuvre en ce qui concerne le choix du partenaire, bien que ce soit très rarement la jeune femelle qui exerce ce choix. Par contre, il est très possible que les femelles plus âgées de sa parentèle aient leur mot à dire. Ce processus aurait eu pour résultat un déplacement des fréquences géniques à des taux divers au sein des bandes de chasseurs ou des petites populations formées de plusieurs bandes, déplacement en faveur des fonctions corticales qui se développaient. Toutefois, cette sélection sexuelle à elle seule ne suffit sans doute pas à expliquer la rapidité de l'évolution du cerveau que nous avons considérée. Il semble bien qu'il ait fallu quelque chose d'autre, relevant davantage d'un « effet Sewall-Wright ». D'après ce modèle, les conditions idéales pour la rapidité maximale d'évolution d'un trait comprennent l'évolution différentielle des traits au sein de très petites populations, suivie de croisements occasionnels entre les populations, ce qui produit une poussée évolutive rapide et est certainement nécessaire pour empêcher que la stagnation consanguine n'atteigne des niveaux trop élevés. Je suggérerai que cela a dû se produire à certaines fréquences au cours du pléistocène supérieur, partiellement à la suite de migrations, de perturbations géographiques, etc., mais aussi pour des raisons plus sinistres. Comme vous le savez, la chronique archéologique et historique a établi sans conteste une sophistication croissante des armes et de leur utilisation contre des proies, bien sûr, mais aussi contre d'autres hommes. Le brusque décollage à l'extrémité de la courbe de croissance du cerveau a très bien pu être la conséquence d'une sophistication croissante des activités guerrières, car comme nous savons, une autre façon de contrôler les jeunes mâles est bien de les envoyer mourir au combat contre les jeunes mâles d'autres groupes. Au sein du groupe, le contrôle s'effectue par le jeu des règles de la parenté et du mariage conformément auxquelles les différentes unités de parenté s'accordent pour différer le mariage de leurs mâles. La même chose était possible entre différents groupes. Le problème est que cela pouvait facilement tourner au génocide et que le mécanisme de loin le plus expéditif de progrès évolutif aurait été l'élimination systématique des mâles des groupes voisins et la prise de possession de leurs femelles. Cela aurait fourni au groupe victorieux un supplément de femelles reproductrices, tout en éliminant les gènes des adversaires. Ainsi, les gènes du groupe victorieux auraient rapidement pris la relève et essaimé dans toute la population. Pour autant que les enfants n'étaient pas tués, les bénéfices dérivant éventuellement de l'évolution du groupe vaincu étaient absorbés et préservés dans le fonds génétique commun. A ce stade, la sélection sexuelle franchit un nouveau palier. C'est maintenant la sombre histoire humaine qui prend son plein essor; la suite, nous la connaissons tous.

En quoi tout cela nous aide-t-il à mieux cerner le rôle des femmes aujourd'hui? Notre ébauche a fait, par force, une place privilégiée aux mâles, puisque les manifestations les plus dramatiques de la sélection sexuelle se trouvent dans les aberrations du comportement mâle : compétition, parade, domination, combat, contrôle, camaraderie, coalitions et pogroms. Les pressions de la sélection (tant sexuelle que naturelle) semblent s'exercer principalement sur le mâle, du moins dans un premier stade. Théoriquement, on devrait s'y attendre, mais sous l'angle de la théorie de la « stratégie », on pourrait également s'attendre à ce que cela se soit considérablement modifié à mesure que les mâles ont pu connaître avec certitude leur progéniture et investir fortement en elle. De plus, comme nous l'avons vu, même chez les primates, il est prouvé que pour conserver leur rang, les mâles doivent être acceptables aux femelles de rang supérieur. Mais le *contrôle* visible est aux mains des mâles.

Cependant, l'un des problèmes de la sélection sexuelle des espèces dimorphiques vient de ce que, le poids de la compétition retombant sur les mâles, l'élément du « choix femelle » est plus voilé et sa pertinence plus difficile à repérer. Pourtant, paradoxalement, il peut se révéler plus important dans la durée. Les mâles, après tout, s'épuisent les uns les autres, et leurs rangs se démunissent sévèrement au cours du processus, lequel est essentiellement une entreprise « publicitaire » à l'attention des femelles : prenez le gagnant – quelle que soit la partie jouée pour déterminer ce gagnant, car cela peut changer dans le temps. Néanmoins, l'un des éléments qui font le « gagnant » est d'être acceptable aux femelles, et par là elles contrôlent le processus de façon presque tautologique. Par exemple, l'agression brutale semble être préjudiciable, chez les primates mâles, à une position de domination sociale incontestée : des caractéristiques plus subtiles sont requises – celles-là mêmes qui sont plus agréables aux femelles.

Dans la société de chasseurs, nous l'avons vu, il y a eu un tournant remarquable par lequel les femelles se sont trouvées en possession d'un « pouvoir de marchandage » vis-à-vis des mâles du fait de l'importance de leur tâche – facteur auparavant totalement absent. A certains égards, leur rôle n'avait pas changé : elles cherchaient toujours les « meilleurs » partenaires. Mais elles cherchaient des

choses différentes et avaient davantage à offrir. D'un strict point de vue génétique, elles avaient la même « valeur », mais, pour emprunter les termes d'une autre
science, elles avaient acquis une « valeur d'usage » et une « valeur d'échange ».
Leurs pouvoirs de discrimination ont donc dû avoir un rôle important dans l'évolution du cerveau déjà décrite, en « orientant » la sélection dans des directions
qui leur étaient favorables. En d'autres termes, ce qui constituait un mâle « plus
apte » (*successful*) était largement déterminé par le choix des femelles – des
femelles les plus aptes.

Mais les femelles n'ont pu agir par la contrainte ou la domination. Les premières femelles hominiennes n'ont pas pu dominer leurs mâles davantage que ne
l'ont pu leurs ancêtres primates. Comme ces dernières, elles ont utilisé l'« influence », non pas le « pouvoir ». Elles ont laissé aux mâles les jeux – des jeux
très importants – du pouvoir et de la politique. Ainsi, ce sont les mâles eux-mêmes qui ont fait un tri dans leurs rangs pour être sélectionnés, et quelle qu'ait
pu être l'importance du pouvoir à court terme, à long terme c'est la sélection
qui comptait.

Il était donc inévitable que ce soit la vie du mâle qui présente les changements
les plus évidents et les plus dramatiques : le passage de l'« équilibration » à l'« initiation » évoqué plus haut et, pour les mâles plus âgés, l'évolution de ces systèmes
imaginaires que nous appelons « autorité » pour remplacer le pouvoir pur et simple. La « périphérisation » des jeunes mâles est devenue une force positive pour
le groupe en revêtant la forme d'un *rite de passage*[2] de l'enfant à l'homme – qui
exigeait habituellement des risques élevés et comportait le danger et le meurtre.
La jeune femelle, elle, restait toujours proche de sa mère, ou des femelles plus
âgées, jusqu'à sa puberté où elle devenait une femme non dans l'accomplissement
de dangereux exploits mais dans le vénérable processus de la conception. Mais
ses moyens en tant que partenaire étaient élaborés au-delà de tout ce qu'avaient
connu les primates, du fait de sa valeur d'échange. Le « choix féminin » ici a dû
être largement exercé par les femelles plus âgées de son groupe qui voulaient
pour elle ce qu'elles-mêmes avaient tenté d'obtenir : un mâle suffisamment apte
pour accroître les ressources et les partager.

A cette fin, les femelles ont dû développer leurs propres compétences, qui
auraient été sélectionnées. Elles ont dû organiser leurs propres coalitions et coo-
pérations, élaborer leurs modes propres de détermination de rang entre elles, et
développer des talents de marchandage à la fois pour traiter entre elles et avec
les mâles en tant que parents et partenaires. En même temps, elles ont dû
s'acquitter de leurs rôles relatifs à la subsistance économique qui étaient l'assise
de leur nouvelle influence. Mieux la femelle réussissait – dans tout cela –, plus
elle avait de chances d'attirer le mâle le plus apte (*successful*) pour elle et ses
filles, et par là même un statut élevé pour ses fils et petits-fils.

Si à leur tour ces derniers s'accouplaient à d'autres femelles de statut élevé,
une concentration de gènes « à succès » se réalisait de façon relativement rapide

---

2. En français dans le texte.

(en termes d'évolution) et les femelles auraient donc joué un rôle médiateur crucial dans ce processus de sélection sexuelle. Le succès littéralement engendre le succès dans ce monde de compétition génétique. Et les compétences d'« intendance » que nous avons décrites comme l'une des conditions du succès des femelles, quoique souvent à une échelle moindre que celle des hommes, n'en étaient pas moins subtiles et très développées et non pas tout entières consacrées à de simples questions « ménagères ».

Dans un passé très, très récent, les sociétés industrielles ont quelque peu relâché cette emprise, et le « libre choix » (quel qu'en soit le sens) est, dit-on, beaucoup plus répandu parmi la jeunesse actuelle. Mais ce fait est si récent que nous ne pouvons pas encore en apprécier les potentialités et il se combine à tant d'autres changements démographiques et technologiques déroutants (y compris la technologie de la pilule) que nous ne pouvons l'envisager isolément. La pilule est censée avoir « libéré » les femmes, mais mon sentiment personnel est que quelque part dans leur for intérieur, même dans celui d'une adolescente « libérée » qui prend la pilule, un vieux message se fait toujours entendre. Tandis que la période de sa séduction postadolescente se dissipe, elle peut encore s'estimer satisfaite de cet état de célibataire sans enfant, « libérée ». Mais à l'approche de l'âge magique des 30 ans, à en croire du moins mon expérience limitée, l'ancien message se fait plus fort que le nouveau message inspiré par la contraception. C'est à n'en pas douter le même message qu'entendait son ancêtre. Mais, hélas! les faits démographiques étant ce qu'ils sont, elle risque d'avoir de moins en moins de chances d'exercer le privilège du « choix féminin » qui a été si précieusement entretenu par les millions de générations de ses patientes devancières.

RÉFÉRENCES BIBLIOGRAPHIQUES

TIGER (L.) et Fox (R.) : *The Imperial Animal,* New York, 1971 *(L'Animal impérial,* Paris, Éd. Laffont, 1973).

Fox (R.) *Encounter with Anthropology,* New York, Harcourt, 1973; Londres, Penguin, 1975.

Fox (R.) : « Alliance and constraint : sexual selection and the evolution of human kinship systems », *in* B. Campbell Ed., *Sexual Selection and the Descent of Man,* Chicago, Aldine, 1972.

Fox (R.) : « Primate kin and human kinship », in R. Fox Ed., *Biosocial Anthropology,* London, Malaby Press; New York, Halsted Press, 1975.

3.
A propos de l'anthropologie évolutionniste

par Norbert Bischof, Robin Fox,
Claudine Escoffier-Lambiotte, Evelyne Sullerot,
Leon Eisenberg, Odette Thibault, Philippe Ariès,
Massimo Livi-Bacci, Étienne Baulieu

N. Bischof : L'investissement parental est un excellent candidat à l'évolution disruptive. Si l'on a deux individus, investissant tous les deux comme parents dans un enfant donné, le résultat peut être plus ou moins efficace que l'investissement d'un seul parent. Ainsi par exemple, si, pour fournir une nourriture suffisante à l'enfant, deux parents sont nécessaires, l'enfant qui n'aura qu'un seul parent risque de mourir de faim. En revanche s'il s'agit simplement d'approvisionner aisément un enfant, un seul parent suffit, et il ne vaut pas la peine que l'autre tourne autour. Il est possible que la sélection naturelle favorise le modèle à deux parents ou le modèle à un seul. Dans ce dernier cas, il y aura développement différentiel de l'investissement parental. Maintenant, le développement distinctif des organes de conception de la femelle et les organes de fertilisation du mâle ayant évolué distinctement, il est naturel que l'investissement parental le plus fort se concentre dans le sexe femelle. Le point important devient alors la différence d'investissement parental entre les sexes, comme cela a été bien mis en évidence par Rogers. Quand l'investissement parental s'est incarné dans le corps comme c'est le cas chez les femelles de mammifères, chez lesquelles les organe de gestation et de lactation sont en place, l'excédent d'investissement parental de la part des femelles ne pourra aisément être renversé. Nous rencontrons des systèmes de base à investissement parental mâle supérieur, mais uniquement chez les oiseaux, jamais, à ma connaissance, chez les mammifères. Quelles sont maintenant les conséquences de la supériorité d'investissement parental de la femelle? Deux évidentes : la progéniture de la femelle sera, en nombre, inférieure à celle du mâle; d'autre part, le sex-ratio étant de 1/1 (1 mâle pour 1 femelle), en accord avec certains principes génétiques, le mâle ne pourra pas utiliser tout son potentiel reproducteur, ou bien la totalité des mâles ne le pourra pas. Il y a alors deux possibilités : ou bien chaque mâle connaît les mêmes difficultés avec chaque femelle, ce qui est improbable, ou bien la femelle préfère celui

qui convient le mieux – et là entre en jeu la sélection par la femelle. La conséquence en serait que les femelles sélectionneraient leurs partenaires de manière
plus critique que les mâles ne le feraient, ce qui semble assez bien établi par la
biologie comparée. Une autre possibilité est l'existence d'un facteur complémentaire à la sélection par les femmes : une plus grande rivalité entre les mâles. Il
y a un équilibre entre ces deux possibilités : on trouve des espèces où la rivalité
entre les mâles est telle qu'il n'est nul besoin de sélection par les femelles de surcroît. Mais dans la plupart des espèces, la réalité se trouve à mi-chemin entre
les deux. La rivalité entre les mâles entraîne encore quelques conséquences prévisibles : une plus grande agressivité, un métabolisme plus élevé, une plus grande
taille et une mortalité supérieure chez les mâles. On peut s'attendre à trouver
ces conséquences dans trois des quatre systèmes d'accouplement qu'on rencontre
chez les mammifères : à savoir la promiscuité, la polygynie et ce qu'on appelle
le groupe de mariage. Dans la promiscuité, elles sont évidentes; dans la polygynie plus encore; et on observe dans le groupe de mariage que les mâles de haut
rang sont préférés par les femelles, au moins durant l'œstrus. Dans ces trois cas
donc, il arrive qu'on trouve des groupes de mâles qui ne se reproduisent pas,
mais il n'arrive jamais qu'on trouve des groupes de femelles ne se reproduisant
pas. Ces groupes de mâles seuls sont appelés « cohortes » par les éthologistes.
Dans le quatrième système d'accouplement connu chez les mammifères, la
monogamie, les cohortes de mâles seuls sont remarquablement absentes. Dans
le système monogame, nous trouvons un investissement parental presque équivalent de la part des deux parents. Il y a encore une différence de mortalité et une
plus grande activité sexuelle extra-maritale de la part du mâle, mais moins marquée que dans les autres cas. Ainsi les caractéristiques que nous rencontrons
dans les espèces monogames sont : pas de cohortes de mâles seuls, un dimorphisme sexuel moindre et une forte sélectivité des mâles. On trouve la monogamie dans le règne animal dans différents groupes indépendants : en partant du
haut, citons le grand singe monogame : le gibbon, quelques petits singes, un
bovidé, un rongeur, presque 90 % des oiseaux et quelques poissons. Aucun animal, naturellement, n'est biologiquement monogame : viennent à l'encontre de
ce jugement des faits comme tout d'abord le dimorphisme sexuel marqué, ensuite
la tendance à former des cohortes de mâles, enfin la fréquence de la polygynie
– ce qui voudrait dire que la monogamie est une structure culturelle surimposée
et récente dans l'évolution. D'autre part, pour ce que j'en sais, il semble que la
monogamie humaine ait résulté d'une sélection biologique, peut-être dans
l'intérêt de l'extraordinaire importance du processus d'éducation des petits. Cela
semble, du point de vue phylogénétique, assez récent et donc encore incomplet,
par conséquent on peut encore rencontrer des cas de haute sélectivité par les femmes et des cas de haute compétitivité entre mâles. Mais à ce point, la discussion
est ouverte : jusqu'à quel point la culture peut-elle modeler tout cela sans violen-
ter la nature humaine, cela demande encore à être évalué.

R. Fox : Les contributions de N. Bischof [1], R. Larsen et la mienne offrent une

1. Voir 1ᵉʳᵉ Partie, p. 34.

telle parenté, bien qu'ayant été écrites dans trois pays différents [4] et sans consultation aucune entre leurs auteurs que je soupçonne la main de Dieu d'avoir quelque chose à voir là-dedans : tant de coïncidences sont « trop plus qu'humaines » ! Partant du même point duquel Bischof et Larsen ont si bien développé les conséquences logiques et physiologiques de certains types d'accouplement et d'investissement parental, j'ai essayé pour ma part de me demander ce qui a dû forcément arriver dans l'évolution humaine pour produire le résultat final que nous connaissons. Plutôt que de déduire du produit final les caractéristiques de départ, je tente de les replacer dans le temps et de développer le scénario de ce qui a dû arriver : bien sûr, ça a un petit goût de science fiction, car nous n'avons pas de reportages filmés du paléolithique supérieur. Les os sont muets. Mais quand on me dit : « Cela n'est pas de la science, c'est une plaidoirie ! », je veux seulement répondre qu'il y a de bonnes et de mauvaises plaidoiries. Il y a des plaidoiries construites sur des preuves solides et de bons témoignages, et puis il y a les autres. Avec de bonnes données scientifiques comme preuves et témoignages permettant d'étayer ces scénarios, on ne peut pas prouver absolument qu'on a raison, mais on peut limiter les possibilités de se tromper.

Étant donné les répertoires de conduites que nous observons chez les primates, chez les hommes de ce temps, étant donné les archives que sont les fossiles et les pressions de sélection qui ont opéré sur nos ancêtres, nous pouvons tirer certaines conclusions touchant à la topologie de la société humaine. J'en suis venu à la conclusion qu'à la base de cette topologie fut ce que je nomme « contrainte ». Ainsi le problème, l'éternel problème qu'ont les vieux mâles d'une communauté pour contrôler les jeunes, et l'utilisation de certains mécanismes pour y parvenir, dont les procédures d'initiation – depuis les mutilations génitales jusqu'au système des diplômes et des thèses ! L'autre méthode consiste à exercer un contrôle, non tant, comme le suggérait Freud, sur l'activité sexuelle des jeunes mâles, mais sur leur entrée dans le système de reproduction. Les systèmes de parenté sont remplis d'ingénieux stratagèmes pour exercer un contrôle sur les choix de mariage des jeunes mâles [5], de manière à ce que ces choix dépendent de l'activité des générations antérieures.

Mais les faits féminins dans l'histoire des espèces chuchotent et se dérobent – à quelques remarquables exceptions près – et échappent d'ordinaire à l'observation. (Quand on dit pareille chose en Amérique, on est sur-le-champ traité de « *male chauvinist pig* », « cochon de mâle chauvin », ce qui est abuser de M. Chauvin et de sa doctrine [6].) Mais il est vrai que beaucoup de ce que fait

---

4. Respectivement l'Allemagne, le Canada et les États-Unis (N.D.R.).

5. On ne peut s'empêcher de penser qu'il serait intéressant de mentionner au moins les mécanismes et stratagèmes employés pour contrôler encore davantage les mariages des filles; et les mutilations génitales symétriques sur les petites filles, aux significations complexes, etc. (N.D.R.).

6. Pauvre Nicolas Chauvin, il n'a jamais eu de doctrine à l'endroit des femmes ! C'était, dans une pièce populaire du début XIXe siècle, un personnage comique de soldat de la Révolution et de l'Empire qui, des Pyramides d'Égypte à Austerlitz, ne parlait jamais que de son village, sa patrie, qu'il défendait avec exaltation. Le peuple français, curieusement, est le seul à avoir créé des termes péjoratifs (« chauvin et chauvinisme »)

la femelle a échappé à la recherche parce que ce qu'elle fait n'est pas frappant. J'ai donc cherché tant chez les primates que chez les humains des données permettant de comprendre le rôle des femelles dans le processus général. Les premières recherches laissaient penser qu'elles n'avaient pas fait grand-chose : elles y étaient décrites à peu près comme une bande de couveuses – les mâles opérant toute la sélection active, les femelles se contentant d'être des récepteurs bons à produire la descendance. J'ai voulu montrer, à partir des travaux sur les primates, que ceux-ci prouvent au contraire que les femelles jouent un rôle actif dans la sélection. Mais ce rôle n'apparaît pas de manière aussi frappante que les postures, les vanités et les cruautés des mâles. Le produit final est notre espèce dont la topologie est très semblable à celle des primates. On y trouve ce que j'appelle « le bloc des mâles », le « bloc des femelles et des enfants », et le « bloc des jeunes mâles » qui essaie de passer de l'un dans l'autre. Les blocs constitutifs des sociétés primates et des sociétés humaines semblent les mêmes, des adaptations intervenant du fait de l'Histoire et de l'écologie. Que le statut des femelles soit haut ou bas semble avoir peu à voir avec cette topologie de base, alors que cela à beaucoup à faire avec d'autres phénomènes mentionnés par Larsen.

L'autre point important que je veux souligner est que le système de reproduction est le trait principal de toute espèce vivante, dont la nôtre. Toute analyse des rôles sexuels doit partir de là et finir là. C'est pourquoi l'anthropologie a eu raison de concentrer sa recherche sur les structures de parenté. Chaque génération *doit* produire une autre génération : quand on saisit bien cette perspective, beaucoup de ce qu'analysent mes collègues anthropologues, historiens et sociologues apparaît un peu comme les plumes du paon, comme des béquilles qui d'une façon ou de l'autre aident le système de reproduction à marcher ou interfèrent de manière bizarre dans son processus. Je sais que c'est une manière un peu rude de considérer une société : songer que la Grande Muraille de Chine ou la *Neuvième* de Beethoven sont des contributions au système de reproduction d'une espèce... Et pourtant ou une espèce produit une autre génération, ou elle s'éteint. La Nature ne s'intéresse pas aux erreurs. 95 % des espèces qui ont existé sont aujourd'hui éteintes.

Mais pour m'arracher au royaume de l'accouplement abstrait, un mot de la contraception. Chaque fois que nous commençons à parler du système de reproduction et des contraintes qu'il exerce sur les conduites, de ses origines dans les stratégies évolutionnistes, quelqu'un dit : « Oui, mais la contraception? » Toute cette théorie fonctionne si on doit produire des descendants, mais si on n'y est plus forcé? Aussi je pense que des interventions comme la contraception peuvent avoir des effets massifs sur la topologie de base. Dire que la topologie de base exerce une contrainte sur les conduites ne veut pas dire qu'elle les détermine.

pour « patriote » et « patriotisme ». Aucune autre langue n'a osé... On a préféré, en anglais, emprunter le terme de dérision français en étendant son sens. « Chauvin » a gardé en français son sens de « patriote borné ». Les *male chauvinist pigs* étaient en France, au début de la Révolution, appelés des « maris aristocrates » – pour fustiger leur attitude de classe vis-à-vis de leurs femmes (N.D.R.).

Mais s'il est inutile de s'en lamenter, on peut tenter de contourner cette contrainte – et un de ces moyens est la contraception, justement. Cela ne nous « libère » pas des entraves de la Nature : c'est une des adaptations qu'on peut en faire. Cela n'intervient pas dans les motivations de base et les stratégies de base. Mais cela peut avoir des effets massifs. Par exemple dans le pays où je vis, les États-Unis, qu'ont été les effets de l'intervention massive de la contraception et particulièrement de la pilule sûre et efficace, et particulièrement sur la classe moyenne? Les vieux mâles de cette société ont été ainsi privés de tout contrôle sur la sexualité des jeunes. On a assisté en une décennie à l'effondrement de ce contrôle. Il y a quinze ou vingt ans, on discutait encore longuement pour savoir si on exclurait de l'université des garçons découverts dans la chambre d'une fille après dix heures du soir. Et comme me disait, pour me clouer le bec, un professeur de théologie : « Plus l'heure est tardive, plus grande est la tentation... » Ce type de contrôle sur la sexualité des jeunes a cessé presque complètement. En même temps ont disparu des processus d'initiation comme par exemple de consacrer une bonne partie de l'éducation à l'apprentissage de langues mortes – pendant ce temps-là les jeunes cerveaux étaient occupés et ne faisaient pas de bêtises. Et j'oserai y joindre, à titre exploratoire, l'idée suivante : n'est-il pas curieux que ce soit au même moment que pour la première fois une génération de vieux mâles n'est pas parvenue à persuader totalement une génération de jeunes mâles d'aller à la guerre? Envoyer les jeunes à la guerre, exercer un contrôle sur leur accès aux femelles, les soumettre à de longs processus d'initiation, tout cela s'effondre en même temps, en dix ans à peu près (j'avance tout cela avec une audace délibérée). Mais, comme l'a dit Bischof, il faut se demander ce qui se passe quand on intervient de manière très importante dans les stratégies qui ont permis à une espèce de survivre. Qu'arrive-t-il aussi quand vous créez des sociétés comptant des proportions très importantes de vieilles femmes et de vieux hommes? Ce sont des situations nouvelles dans le monde mammifère.

C. Escoffier-Lambiotte : Il me semble que l'introduction du Dr Fox peut difficilement être reliée à sa conclusion. Je veux parler de la contraception, et plus particulièrement de la contraception chimique : selon lui elle aurait provoqué l'effondrement des trois piliers qui fondaient les rapports entre les jeunes mâles et les vieux mâles. Mais après un voyage récent en Chine, je puis vous affirmer que la domination des mâles anciens y paraît extrêmement puissante sur les jeunes mâles. Songez que les jeunes Chinois ne peuvent se marier avant l'âge de 28 ans pour les garçons et 25 ans pour les filles. Or la contraception est très largement pratiquée dans toute la Chine, probablement comme aucun autre pays ne la pratique. Mais elle est interdite aux personnes non mariées. La jeune fille n'a pas accès à la contraception. Les cérémonies d'initiation, pour employer le terme de R. Fox, sont également toutes-puissantes : non seulement l'enseignement est obligatoire de la naissance à 18 ans, mais il est imposé selon des normes très particulières et contraignantes par la société. Il s'accompagne d'une formation qu'on appelle politique et que j'appelle religieuse, très spécifique, et de laquelle dépend toute l'orientation professionnelle, puisque deux ans de cette formation baptisée « jugement par les masses » conditionnent cette orienta-tion. Étant donné le très haut degré d'intégration scientifique de la contraception, de l'avortement, de la surveillance de la reproduction en Chine, il me semble qu'il est erroné de relier trop systématiquement l'avènement de la contraception chimi-que et la dislocation du phénomène social. Ou n'est-ce applicable qu'à l'Occident industriel?

R. Fox : Bien sûr, le résultat dépend de la situation sociale dans laquelle la contraception est introduite. Je n'implique pas qu'il y ait là une simple chaîne causale. Je n'aurais jamais avancé que ce qui est arrivé aux États-Unis dût néces-sairement se produire en Chine, où les vieux mâles semblent tenir fermement les choses en main. Ce que le Dr Escoffier-Lambiotte vient de dire est fort intéres-sant, parce qu'on pourrait imaginer des effets extrêmement différents, considérant la société chinoise. Je ne voulais pas dire du tout qu'en introduisant la contracep-tion on obtient des résultats uniformes : il faut bien sûr tenir compte des sociétés concernées, et on ne peut imaginer deux sociétés plus dissemblables que les États-Unis et la Chine communiste. En Chine, les vieux semblent avoir pris l'initiative et le contrôle du procédé qu'est la contraception, ce qui fait toute la différence.

E. Sullerot : Il y a une autre différence : dans certains pays, la contraception a été introduite, soutenue, voulue, arrachée par les femmes, comme aux États-Unis avec Margaret Sanger, comme en Angleterre avec Mary Stopes et comme en France avec Marie-Andrée Weill-Hallé : j'en sais quelque chose, ayant été la première secrétaire générale du premier mouvement en faveur de la contraception qu'elle présidait, et qui, à l'origine, ne comptait que des femmes; d'autre part, il y a des sociétés comme la société chinoise où la contraception a été introduite et est demeurée sous le contrôle d'une hiérarchie politique masculine. Ici, elle a été conquise par les femmes qui se la sont appropriée; là, elle a été octroyée aux femmes. Du fait de l'accent qui a été mis sur les rôles et stratégies des mâles – que je ne prétends pas minimiser –, nous n'avons quand même pas beaucoup creusé les aspects féminins, par exemple de l'investissement parental. La contra-ception n'a pas été une telle rupture : les sociétés industrielles avaient commencé bien avant à limiter les naissances, dès le XVIIIe siècle pour la France. Or, au fur et à mesure qu'elles avaient moins d'enfants, les femmes ont augmenté leur « investissement parental » dans l'éducation. La société l'a-t-elle imposé aux fem-mes? Les femmes semblent bien avoir été consentantes sinon volontaires : tou-jours est-il qu'au « moins d'enfants » a correspondu une « éducation plus longue » de l'enfant par la mère, l'immobilisant un temps égal pour élever deux enfants que jadis pour en faire six et les nourrir. Or nous arrivons peut-être à une ligne de fracture : les femmes veulent aujourd'hui peu d'enfants, et elles ont la pilule et peuvent en avoir peu, mais elles ne veulent plus investir autant dans l'éduca-tion – et elles demandent autre chose. Cette constatation m'amène à une remar-que : a-t-on constaté chez les primates, ou dans d'autres espèces de mammifères, cette tendance qui s'est manifestée dans l'espèce humaine dans tant et tant de sociétés différentes et tout au long de l'Histoire : à savoir que dans le « bloc femmes-enfants » dont parlait Fox, il y a souvent des hiérarchies parmi les femmes? Or la femme puissante, la femme de haut rang, la femme riche, la femme même très moyennement riche cherche très souvent à se débarrasser de son rôle maternel sur une femme inférieure. Elle fait nourrir son enfant par une autre ou le fait garder et surveiller par d'autres. Cela a été et demeure un fait tellement patent et courant que je m'étonne qu'on ne nous ait pas même appris si les femelles primates de haut rang, elles aussi, se débarrassaient de leur « investissement parental » sur une femelle inférieure.

L. EISENBERG : Avec les contributions et interventions de Larsen, Bischof et Fox, nous avons assisté à l'introduction du raisonnement téléologique. Comme mode d'analyse préliminaire des données de l'évolution, il peut convenir si on recherche la spécification des mécanismes selon lesquels tout cela s'est produit. Mais, là, la téléologie a été utilisée pour déduire des motivations. Les motivations peuvent être de quelque utilité dans le contexte humain, mais c'est une dangereuse et plutôt difficile transition que de se servir de la motivation pour décrire le comportement d'un parent mâle ou femelle dans un organisme inférieur. Ce que nous avons entendu, c'est qu'il est arrivé ce qui devait arriver, qu'il n'y avait pas de choix, et donc qu'il était raisonnable de suivre une sorte de logique qui en découlait, mais je ne pense pas qu'il y ait de garantie qu'il en ait été ainsi. Par exemple nous ne possédons pas de bonnes données sur la fréquence des conduites sexuelles des jeunes, ni naguère ni maintenant. On a l'impression que les conduites sexuelles des jeunes sont plus ouvertes et visibles aujourd'hui et qu'on en parle davantage. Mais on ne sait même pas si elles sont plus précoces. L'idée que la possibilité de contraception affecte ces conduites suppose que le comportement humain n'est rien de plus que le comportement primate en gros, alors qu'en fait le contrôle exercé par les vieux hommes sur les plus jeunes pour la reproduction a souvent bien plus affaire à la richesse, aux biens, qu'aux considérations génétiques : on veut conserver une fortune, trouver l'épouse qu'il faut pour cela au fils, etc. La sélectivité par les mâles et les femelles dans le choix des partenaires est fonction de l'apparence de ce qu'on appelle l'amour. Mais ce degré de choix-là est déjà restreint : les gens se marient de manière remarquable à l'intérieur de leur classe sociale [7]. Je suis d'accord qu'il est utile de jeter un coup d'œil pour commencer sur les comportements mâle et femelle du point de vue de leurs conséquences génétiques, mais en faire une motivation est une erreur. On voit le comportement. La question intéressante est alors : « Comment ce comportement naît-il? Quel mécanisme le contrôle? » Des résultats semblables n'impliquent pas des mécanismes semblables. La conduite agressive dans une espèce peut être sous le contrôle de principes très différents. Parcourir l'échelle phylogénétique et faire des hypothèses sur ce qui est commun sans avoir mis en ordre ce qui est homologue et ce qui est analogue, c'est très dangereux.

---

7. Cf. Alain GIRARD : *Le Choix du conjoint*, Presses universitaires de France, 1974 (N.D.R.).

R. Fox : Le raisonnement dont j'ai usé n'est pas téléologique – aucun dessein, aucun but n'est imputé aux faits –, mais téléonomique; simple distinction méthodologique familière aux scientifiques. De nombreuses « motivations » se combinent pour produire une stratégie, et nous sommes largement concernés par les stratégies. Elles sont les propriétés d'une espèce, non des individus. Les individus seront « motivés » par tels ou tels mécanismes qui ont été sélectionnés dans la production des stratégies, mais ils ne sont pas « motivés » par les stratégies elles-mêmes. Il est difficile de voir comment ils pourraient l'être. Ces stratégies ne sont pas simplement, chez les hommes, « le comportement primate en gros ». J'ai pour ma part détaillé les éléments spécifiquement humains qui résultent de notre évolution particulière depuis la lignée primate, tandis que Larsen a examiné le produit final qui nous est au moins partiellement spécifique en termes de physiologie et de comportement : les marques visibles que l'évolution a laissées de son processus.

O. THIBAULT : Si l'on recherche l'origine phylogénétique des conflits actuels devant lesquels nous nous trouvons, il faut songer à ceci : quelle que soit la relativité de la notion de sexe à travers les espèces – tantôt c'est un mécanisme simplement hormonal, tantôt un gène détermine le sexe, etc. –, quelle que soit cette relativité, dans notre espèce le niveau de complexité est maximal. En particulier le fait que le sexe soit porté par des individus différents a conduit à compliquer les choses et a conduit au problème relationnel de la sexualité. Deuxième complication : la diversité génétique des individus, qui a compliqué le problème de la sélection du partenaire. Troisième complication, toujours dans la phylogenèse, c'est le développement du cortex cérébral dans l'espèce humaine, égal chez l'homme et chez la femme au reste, qui a amené l'évolution culturelle, le développement culturel des deux individus sexués nécessaires, l'homme et la femme. On parvient là à la base phylogénétique, donc biologique, du conflit masculin-féminin de notre culture, qui nous interdit à jamais de l'annuler.

Ph. ARIÈS : Historien, je pensais pouvoir réagir surtout à ce que dirait M. Livi-Bacci de la démographie, de l'ancien régime démographique, ou E. Sullerot de la répartition des tâches entre hommes et femmes. Je me préparais à dire qu'il faut distinguer la répartition des tâches – le travail – entre hommes et femmes, et la répartition des « loisirs », bien que le mot « loisirs » soit un mot anachronique s'agissant des sociétés anciennes. Disons que j'entends par là une répartition des comportements, dans la vie quotidienne, qui n'ont pas trait au travail économique. Or il apparaît que c'est maintenant que mes remarques peuvent servir d'illustration. Dans les sociétés traditionnelles, antérieures à la révolution industrielle, on peut observer deux phénomènes un peu contradictoires en apparence : toute l'organisation de la société rurale ou d'une petite communauté d'habitants, d'un quartier d'une ville, d'une rue d'une ville, était fondée sur..., j'allais dire la séparation des sexes, mais ce n'est pas tout à fait vrai, sur la séparation en trois groupes : le groupe des hommes mariés, le groupe des femmes mariées avec les petits, et le groupe des jeunes, composé essentiellement de garçons. Ces groupes sont séparés; les jeunes filles vont tantôt avec les femmes mariées, tantôt avec les garçons. On peut admettre qu'il existe des lieux privilégiés pour chaque groupe : le cabaret pour les hommes, le lavoir pour les femmes par exemple. De toute façon, ce n'est pas la maison, car dans la société traditionnelle la maison joue un très petit rôle, à l'exception des grandes maisons bourgeoises où se faisaient du reste les veillées. La femme est la maîtresse de la maison, certes, mais la maison ne joue pas un grand rôle et la femme est presque autant dehors que l'homme. Chacun de ces trois groupes, d'autre part, a un rôle particulier dans la vie quotidienne et la vie sociale. Les jeunes gens, les garçons, ont un rôle de police des mœurs, ils doivent surveiller les ménages. Ils sont assez indulgents envers l'adultère des hommes, mais pas du tout envers l'adultère des femmes. De plus, le groupe des jeunes gens intervient quand une femme mariée ne joue pas son rôle ou excède son rôle, par exemple quand elle « porte culotte » et commande son mari. Alors le mari qui laisse s'instaurer cette situation sera ridiculisé par ce qu'on appelle le « charivari ». Ce groupe des jeunes a de nombreuses fonctions, et, outre la police sexuelle, l'organisation des fêtes. Le groupe des hommes mariés est le seul à posséder de l'argent, monopole à l'époque très précieux. Le groupe des femmes a une quantité de fonctions, mais entre autres une qui est d'autant plus intéressante qu'elle est peu connue, c'est le rôle pacificateur. Lorsqu'il y a rixe, conflit entre les hommes, les femmes interviennent au moment où ça commence à devenir grave. Cette division en trois groupes n'est pas en contradiction avec la monogamie, qui sépare les groupes et réunit l'homme et la femme mariés dans la maison. Mais les groupes se réunissaient tous ensemble à différentes occasions. Par exemple au cabaret, que nous n'imaginons que masculin, à cause du XIXe siècle. Mais c'était au cabaret que se réalisaient certains contrats qui exigeaient la présence des femmes, comme les fiançailles, et l'iconographie hollandaise nous donne de nombreuses illustrations de ces occasions particulières au cabaret, avec femmes et enfants. Le véritable lieu où s'opérait la réunion des sexes et la réunion des trois groupes était devant l'église, ou souvent au cimetière près de l'église, à la sortie de la messe le dimanche. C'est là que se prenaient les décisions intéressant la communauté. Selon les pays et les régions considérés, on trouve un peu plus de mélange ou un peu plus de ségrégation, mais toujours un certain type de stratégie entre ces trois groupes.

M. Livi-Bacci : Si, comme démographe, je traduis les remarques des anthropologues, il m'apparaît que la monogamie dans l'espèce humaine est due à trois facteurs fondamentaux : la faible fécondité des femmes en comparaison des femelles des autres espèces; la longue durée de la faiblesse des enfants, qui exige une surveillance pendant une période très longue, donc un investissement de la mère et du père qui est peut-être la forme la plus efficace de conservation des enfants (on pourrait interpréter la monogamie en fonction de l'efficacité avec laquelle elle assure un maximum de fécondité et surtout un maximum de survie des enfants). Enfin, il semble que du point de vue de la sélection dans l'espèce humaine le mariage a une importance capitale : songeons que plus de 90 % des humains finissent par se marier et avoir des enfants! C'est donc un bon système.

Mais, de ce fait, un facteur très important à considérer pour les populations humaines est la mortalité *avant* l'âge de reproduction, mortalité infantile, mortalité juvénile.

E. Baulieu : Biologiste, je n'ai pu manquer d'être frappé par ces classifications en trois groupes, qui sont des classifications « hormono-sociales ». Ce que nous savons maintenant de l'évolution différentielle des hormones mâles et femelles dans le genre humain est à prendre en considération. Et nos possibilités de modifier cela : nous pouvons, à volonté, changer l'équilibre hormonal de la femme après la ménopause, modifier les données hormonales...

« *Les os sont muets, disait Robin Fox, et nous n'avons pas de reportages du paléolithique.* » *Mais nous avons une riche, très riche moisson de recherches en anthropologie culturelle effectuée dans les sociétés les plus diverses vivant aujourd'hui à la surface de la terre. Il était important, pour élargir notre cadre de références culturelles, d'écouter ce que rapportent les ethnologues du* Fait féminin *tel qu'il se présente dans les sociétés qu'ils étudient. Le champ est si vaste que nous avons fait un choix : celui de deux ethnologues femmes. En effet, pendant assez longtemps, à l'exception de personnalités hors du commun comme Margaret Mead, l'ethnologie a été un champ de recherche principalement couvert par les hommes. Or le monde des femmes demeurait en partie fermé au meilleur des observateurs masculins, surtout dans les sociétés où tout, les interprétations cosmiques, les destins, les tâches, le langage, les conduites, les qualités, les défauts, les chants, les danses, tout est divisé et organisé et interprété selon deux modes, le mode masculin et le mode féminin.*

Françoise Héritier donne d'abord une description du fonctionnement de la pensée samo – peuple de la Haute-Volta parmi lequel elle a vécu – et une description minutieuse de la manière dont le corps et les fonctions de reproduction de la femme y sont vécus et expliqués.

Après cette monographie très singulière, Françoise Héritier, dans un entretien qu'elle nous a accordé, tente de généraliser davantage et de chercher la signification des dichotomies hommes/femmes et des hiérarchies hommes/femmes que l'on retrouve dans tant de sociétés non scripturales. Le système de reproduction et sa conséquence : le système de parenté, y jouent un rôle essentiel.

E. S.

4.

Fécondité et stérilité :
la traduction de ces notions
dans le champ idéologique
au stade préscientifique

par Françoise HERITIER

Au même titre que les autres, les populations dites primitives tiennent pour acquise l'existence de différences fondamentales entre les sexes, tant morphologiques, biologiques que psychologiques. Il serait intéressant, d'ailleurs, d'établir pour des populations particulières la liste de ces différences tenues pour irrémédiables et notamment de celles qui se situent au plan du comportement, des performances, « qualités » ou « défauts » considérés comme typiquement marqués sexuellement. Il y a de fortes chances pour que les séries particulières recensées offrent majoritairement de grandes similitudes quels que soient les types de sociétés humaines interrogés, jusques et y compris dans leurs plus remarquables contradictions (la femme brûlante – la femme frigide – pure – polluante, etc.).

De plus, ces séries qualitatives sont partout marquées positivement ou négativement, en catégories opposables, et même si la théorie locale présente les sexes comme complémentaires (comme c'est le cas dans la pensée chinoise ou islamique, par exemple), il y a partout et toujours un sexe majeur et un sexe mineur, un sexe fort et un sexe faible. Il s'agit là du langage de l'idéologie.

On sait qu'il n'existe pas de société historique ou actuelle où le pouvoir ne soit pas entre les mains des hommes. On peut s'interroger sur les causes de cette suprématie, de cette inégalité sociale qui est la première de toutes et vraisemblablement le fondement de toute société; mais il y a peu de doutes que la supériorité physique masculine et surtout l'alourdissement, l'immobilisation forcée et la fragilisation des femmes pendant la plus grande partie de leur vie, dans leur rôle de reproductrices, en aient été les causes essentielles aux origines de l'humanité. Ce fondement en réalité, cet enracinement dans la vérité du corps et de la différence sexuelle est un des secrets de l'efficacité idéologique.

Le classement dichotomique valorisé des aptitudes, comportements, qualités selon les sexes que l'on trouve dans toute société renvoie à un langage en catégories dualistes plus amples dont l'expérience ethnologique démontre l'existence :

des correspondances s'établissent, qui peuvent d'ailleurs varier selon les sociétés sans que cela nuise à la cohérence interne générale d'un langage particulier, entre les rapports mâle/femelle, droite/gauche, haut/bas, chaud/froid, etc., pour ne citer que quelques-uns d'entre eux. Ce langage dualiste est un des constituants élémentaires de tout *système de représentations,* de toute idéologie, envisagée comme traduction de rapports de forces.

Par ailleurs, le corps idéologique de toute société (c'est-à-dire l'ensemble des représentations) doit nécessairement être en mesure de fonctionner comme *système explicatif cohérent* pour tous les phénomènes et accidents inhérents à la vie individuelle (le malheur, la maladie, la mort), à la vie en groupe et même pour les phénomènes qui relèvent de l'ordre naturel[8], les aléas climatiques notamment. Cette exigence de sens est l'exigence fondamentale de tout système idéologique. Il doit donc rendre compte, comme du reste, des faits élémentaires d'ordre purement physiologique.

On peut dire que le langage de toute idéologie – fonctionnant comme système totalisant, explicatif et cohérent en utilisant une armature fondamentale d'oppositions duelles qui expriment toujours la suprématie du masculin, c'est-à-dire du pouvoir – se retrouve à tous les niveaux, dans tous les aspects particuliers du corps des connaissances. La même logique rend compte du rapport des sexes comme du fonctionnement des institutions. Pour illustrer ce propos, je m'attacherai à analyser les notions de fécondité et de stérilité dans une population africaine (les Samo de Haute-Volta) et plus particulièrement à démontrer comment s'explique l'interdit portant sur les rapports sexuels après la naissance pendant toute la durée de l'allaitement. On admet généralement que cet interdit a pour légitimation la volonté de ne pas nuire à l'enfant au sein en faisant courir à la mère le risque d'une conception précoce qui entraînerait l'arrêt de la lactation. Or il semble, d'après des gynécologues consultés sur cette question[9], que pendant la lactation il n'y ait plus de sécrétion de gonadostimulines par l'hypophyse, donc pas de stimulation ovarienne, pas d'ovulation et en conséquence pas de risques de nouvelle grossesse, bien que parfois l'hypophyse reprenne son autonomie, ce qui empêche de garantir à cent pour cent l'impossibilité de concevoir pendant la lactation. S'il s'agit bien là d'une vérité biologique communément admise et scientifiquement démontrée, l'interdit des rapports sexuels après la naissance ne peut s'expliquer par l'expérience séculaire du haut risque de mort encouru par l'enfant au sein, surtout dans sa première année, et il faut chercher ailleurs l'explication de ce comportement très répandu.

---

8. Nous ne parlons pas ici du langage de la science occidentale, évidemment.
9. Cf. France Haour et Étienne Baulieu : « La lactation entretient une stimulation spécifique de la glande mammaire, par l'intermédiaire d'un réflexe succion-système nerveux-prolactine. Elle produit également, même si on n'en connaît pas le mécanisme dans le détail, une inhibition de la fonction ovarienne avec interruption des cycles menstruels et pas d'ovulation ».

Sans entrer dans les détails [10], il est nécessaire pour la compréhension de ce qui suit de donner quelques indications générales sur la pensée et le fonctionnement de la société samo.

Une catégorie dualiste est fondamentale dans la pensée samo : c'est celle qui oppose le *chaud* et le *froid* (*furu; nyɛntɔrɔ*). Elle joue comme mécanisme explicatif des institutions et des événements. Tous les éléments naturels ou artificiels relèvent de l'un ou l'autre de ses deux pôles. Au froid est associé l'humide; au chaud est associé le sec. L'équilibre du monde tient dans la balance harmonieuse entre ces éléments. Chaud sur chaud entraîne une excessive sécheresse; froid sur froid entraîne une excessive humidité. Cependant, à la notion de *furu* (chaud) est immédiatement associée celle de danger. *Furu* signifie d'ailleurs, selon les contextes, chaud, rapide, dangereux et en danger. Un homme qui est *lɛ furu*, bouche chaude, bouche prompte, est celui qui crée des histoires, car il ne contrôle pas sa parole. Les enfants jusqu'à la puberté sont dits *furu*, en danger de mort; on verra tout à l'heure pourquoi. Ils sont en sursis d'existence tant que leur destin individuel (une de leurs composantes vitales) n'est pas « sorti » : il « sort », ce qui veut dire qu'ils l'assument directement, à la puberté et très précisément lors de leur sacrifice de puberté. Auparavant, leur destin est fonction de celui que leur mère a décrété pour eux, du diktat (du désir) inconscient de vie ou de mort qu'elle porte en elle [11].

La notion de froid (*nyɛntɔrɔ*) est associée au concept de prospérité, de bien, de paix. Quand on s'adresse aux ancêtres, on les prie d'apporter le froid : « Voici votre eau fraîche, pères Drabo, levez la tête haut, ne la baissez pas, protégez nos enfants, protégez nos femmes, faites tomber la bienfaisante pluie... Les étrangers ne viennent pas au village pour rien, une femme ne vient pas pour rien. Si le village est bon, la femme vient. La joie fait venir les étrangers. Refroidissez votre cœur, levez vos têtes, ne les baissez pas, regardez-nous. Que les arbres fruitiers donnent des fruits pour que nous puissions vivre. Ayez le cœur froid, renvoyez les mauvaises paroles vers la mer, qu'un froid pénétrant entre dans le village. » (Prières des maisons des morts lors de la fête de Tiédadara.)

Deux personnages, dans l'organisation dualiste des villages samo, incarnent et manipulent le chaud et le froid. Il s'agit du maître de la Terre (*tudana*) et du maître de la Pluie (*lamutyiri*). La Terre est chaude et masculine; les autels de la Terre, manipulés comme autels justiciers, sont les plus dangereux et les plus rapides dans leurs effets, particulièrement le Sãnyisé dont n'approchent que les gens du lignage des maîtres de la Terre. Toute brèche dans ses murs déclenche les grands vents secs porteurs d'épidémies. La pluie est froide; elle est le bien maximal vers l'obtention duquel tend la majeure partie des rituels. Mais les per-

---

10. Cf. « La paix et la pluie. Rapports d'autorité et rapport au sacré chez les Samo » *L'Homme*, XIII (3), juil.-sept. 1973, p. 121-138; « Comment la mort vint aux hommes », in *Recueil de textes en hommage à Germaine Dieterlen*, Hermann, 1978.
11. Cf. « Univers féminin et destin individuel chez les Samo », p. 243-254, in *La Notion de personne en Afrique noire*, Paris, C.N.R.S., 1973.

sonnages eux-mêmes sont marqués du sceau de la catégorie diamétralement opposée à celle qu'ils manipulent : c'est un personnage chaud, le *lamutyiri*, qui est le garant du froid et de l'humide (la bonne pluie de l'hivernage). Il est « chargé », comme on le dirait d'une pile. Tous les interdits qui le frappent (il ne peut heurter le sol, ni courir, ni même marcher vite; il ne serre pas la main, ne désigne personne du doigt, ne peut laisser traîner son regard; il mange seul, boit seul, nul ne peut s'asseoir à ses côtés; il ne peut porter de vêtements rouges, c'est-à-dire bruns ou jaunes, etc., pour ne citer que quelques-uns d'entre eux) manifestent l'extrême chaleur qu'il dégage et le danger qu'il porte avec lui. C'est la tête du *lamutyiri* qui attire la pluie, tête où la pousse des cheveux est le signe de l'accumulation de chaleur qui déclenche la pluie. On dira de lui qu'il a une bonne ou une mauvaise tête. Ses cheveux ne sont coupés qu'une fois l'an, conservés soigneusement pour être enterrés avec lui et ne peuvent toucher directement le sol. Si cela se produit, court-circuit de chaud sur chaud, la pluie s'arrête, les mauvaises herbes envahissent les champs, étouffent les graines, la nature reprend place dans les champs cultivés. Associé au froid et à l'humide, il est lui-même un personnage chaud, tandis que le *tudana,* associé au chaud (la Terre) et au sec (le feu, personnifié dans l'autel Tiétra), est dans sa personne un personnage froid; il est le *kepilɛ,* le « capuchon protecteur » des hommes; sa parole est lente, froide, basse, mesurée. Si le *lamutyiri* doit marcher sur la Terre sans en avoir l'air, le *tudana* ne peut ébranler l'air du bruit de ses paroles : il doit « parler sans en avoir l'air ».

Un certain nombre d'obligations, toutes marquées du sceau de la paix et de la coopération, pèsent sur les villageois pour assister le maître de la Pluie dans sa tâche. Si elles ne sont pas accomplies (le manque d'entente est chaud), il est dit explicitement que le vent chaud sortira en hivernage au lieu de la pluie, courbera le mil et l'empêchera de grainer, les bêtes sauvages entreront dans le village, les enfants auront la variole. Mais aussi un certain nombre de « crimes » ou d'événements exceptionnels marqués du signe du chaud ont pour effet d'empêcher la pluie de tomber : les rapports sexuels en brousse ou au village sur la terre nue, sans natte (chaud sur chaud, l'accumulation ainsi engendrée de la chaleur est intolérable; l'excès de chaleur consume l'humidité, brûle et dessèche la végétation, attire le vent). De même, l'enterrement du corps des *zama,* parias réputés nécrophiles, dont le délit sexuel est excès de chaleur. De même, la sortie de l'objet Sãnyisé de son autel, lorsqu'il est utilisé comme instrument justicier. Tant qu'il n'a pas réintégré son autel, qui appartient au domaine de la Terre, la pluie ne tombe pas dans le village où il a été déposé...

Ainsi le chaud (la personne du *lamutyiri*) attire le froid et l'humide mais l'excès de chaleur consume l'humidité et développe le sec. Le froid (la personne du *tudana*) manipule le chaud (les autels de la Terre et autels justiciers) et l'excès de froid, pour lequel une seule illustration m'est connue (l'interdiction de faire en saison des pluies, c'est-à-dire en saison froide et humide, le sacrifice de puberté qui a pour objet de refroidir les adolescents. Cela entraîne des hémorragies, la perte de la substance vitale et la mort rapide des intéressés) déclenche un excès d'humidité. La maîtrise de l'équilibre entre le chaud et le froid, par l'intermédiaire des individus qui les incarnent, est donc nécessaire pour assurer le retour harmonieux des saisons, la paix et la cohésion villageoises. Les aléas climatiques, comme le fonctionnement des institutions villageoises, sont l'affaire des hommes en fonction de leur capacité ou incapacité à maintenir la balance égale entre les forces élémentaires incarnées socialement du chaud et du froid, du sec et de l'humide.

Toute femme féconde possède une matrice (« sac ») où se développe et « cuit » l'enfant. Au cœur de la matrice, une petite boule de sang, appelée « petit caillou » roule perpétuellement sur elle-même. Elle porte un orifice, cesse de tournoyer au moment des rapports sexuels et si le hasard fait que l'orifice de la boule girante est alors dirigé vers le vagin, la conception a lieu.

La présence de la matrice et du caillot tourbillonnant est une condition nécessaire mais non suffisante pour concevoir. Il faut aussi la présence conjuguée lors des rapports sexuels de deux « eaux de sexe » (*dǝ mu*) paternelle et maternelle, le bon vouloir ou l'appui d'une force extra-humaine, surtout le bon vouloir (le désir inconscient) du « destin individuel » de la femme. Le destin individuel, dont il a été question plus haut (*lɛpɛrɛ*) est une des neuf composantes de la personne. Il est fondamentalement le désir de vie/désir de mort : c'est le destin individuel de l'individu qui décide de sa mort.

De l'« eau de sexe » de la mère et du caillot utérin initial procèdent le corps, le squelette, les organes de l'enfant. Le père fournit le sang. L'« eau de sexe » de l'homme est le support du sang : *le sperme se transforme normalement en sang* dans le corps de la femme, par une alchimie mystérieuse. Les femmes qui ont des règles trop abondantes accusent le sperme de leur mari. Les jeunes filles pubères, mais n'ayant pas encore de rapports sexuels, ont des règles beaucoup plus légères. Quand une femme est enceinte le signe de la grossesse étant normalement l'arrêt des règles, le sang du mari, que la femme ne perd plus, pénètre dans l'enfant et c'est de la fréquence des rapports après la conception que dépend la bonne formation de celui-ci, du moins jusqu'au sixième mois. L'enfant possède à ce moment tout le sang nécessaire à la vie.

L'« eau de sexe » (*dǝ mu*), que l'on appelle également « eau filante », « gluante », provient de différents endroits du corps et particulièrement des articulations : genoux, chevilles, coudes, poignets, tête des épaules, crêtes iliaques, reins et colonne vertébrale. Partout se trouve cette même eau filante et quand la semence masculine s'écoule, elle provient de tous ces endroits à la fois. Les femmes en ont naturellement dans les mêmes articulations et la perdent également lors des rapports sexuels. Elle se renouvelle spontanément par la marche et l'activité. Les hommes se doutent qu'un rapport a été suivi de fécondation par une fatigue particulière qu'ils ressentent, la fatigue masculine de la conception, accompagnée de somnolence et de douleurs aux genoux et aux coudes analogues aux douleurs rhumatismales. Cela s'explique par une aspiration particulièrement forte de la semence masculine due à la position favorable de la boule girante dans l'utérus récepteur.

L'homme stérile est celui dont le « pénis est mort ». On entend par là l'homme atteint de véritable impuissance mécanique ou qui ne produit pas de sperme. La stérilité du fait de l'homme, indépendante de l'impuissance, n'est pas reconnue. De la sorte, *tous les cas d'infécondité sont imputés aux femmes* et particulièrement à la mauvaise volonté de leur « destin individuel ». Cependant on sait fort bien que des femmes qui n'ont pas conçu pendant leur union avec un époux peuvent concevoir d'un autre. L'absence de conception est mise alors au compte d'incompatibilités d'ordre non biologique, mais magico-religieux entre les conjoints. Ces incompatibilités peuvent d'ailleurs être décelées par la divination et elles fournissent alors une des rares raisons rendant valide la séparation des conjoints unis sous le régime du mariage légitime *(furi)*. Pourtant, il y a des cas d'hommes qui n'ont jamais eu d'autres enfants que ceux que leurs épouses légitimes ont amenés avec elles (le premier-né des épouses légitimes doit toujours être conçu hors mariage, d'un autre partenaire que le mari). Mais du fait même qu'un homme peut toujours se trouver crédité d'une descendance qui lui vient de ses épouses légitimes, la stérilité masculine n'a pas en soi d'importance et il n'est donc pas du tout nécessaire de l'identifier ou de la reconnaître comme telle. L'homme stérile aura, comme les autres, des enfants qui feront pour lui les sacrifices après sa mort et perpétueront son souvenir. De plus, à supposer que les premiers-nés de ses épouses légitimes n'aient pas vécu ou qu'il s'agisse uniquement de filles, il aura toujours des neveux, fils de frères, qui sont terminologiquement ses fils (le système de parenté est du type *(omaha)* et qui lui rendront comme à leur père les prestations sacrificielles après sa mort.

Tout autre est le cas de la femme stérile *(kúnà)* que ce soit celle qui n'a jamais eu de règles, celle qui n'a pas de matrice, celle dont les caillots tournent toujours en sang, celle qui a lésé un être de brousse dont la vindicte ne se laisse pas fléchir, celle de qui le propre destin individuel refuse de concevoir. Une seule grossesse, même avortée, suffit à lui retirer cette étiquette infamante et à lui éviter le destin *post mortem* qui l'accompagne.

Comme on reconnaît de multiples causes à l'infécondité féminine, une femme qui ne conçoit pas de son mari alors que ses coépouses ont des enfants peut toujours espérer n'être victime que d'un mauvais destin provisoire défini par une incompatibilité étroitement liée à la personne de son conjoint. Ainsi, à de rares exceptions près, les femmes stériles sont aussi celles qui ont la vie conjugale la plus mouvementée, qui passent d'homme en homme, à la poursuite d'une chimère jamais atteinte : une grossesse. Pourquoi cette recherche desespérée?

Tout d'abord, ce qui donne à la jeune fille le statut de femme, ce n'est pas la perte de la virginité ni le mariage ni même la maternité : c'est la conception. Il suffit d'une grossesse dont il importe peu qu'elle soit suivie d'une fausse couche ou d'une naissance. La femme stérile n'est pas considérée comme une vraie femme, *lo;* elle mourra *suru,* c'est-à-dire jeune fille immature, et sera inhumée dans le cimetière des enfants, sans que les griots, les grands tambours qu'on n'utilise que pour honorer les femmes fécondes, tapent pour elle lors de ses funérailles. Il n'y aura pas derrière elle, dans son lignage d'accueil, de fille ni de petite-fille par le fils ou la fille pour entendre les réclamations de son double en peine. Elle sera en ce monde comme si elle n'avait pas vécu. Enfin, ce corps qui n'aura pas servi, qui n'aura jamais connu la douleur d'enfanter, la déchirure, les reins rompus par les souffrances de l'accouchement, ce corps connaîtra ces souffrances après sa mort. En différents endroits du pays samo, on procède sur la femme stérile, avant de l'enterrer couchée sur le dos et non sur le côté gauche, à une opération qui vise à lui « briser les reins ». On lui transperce le dos à hauteur des reins avec un bâton épointé, fait d'un bois qui ne donne pas de fruits, le sɛndiɛrɛ. A dire vrai, cette opération n'est pas faite sur toutes les femmes stériles, mais seulement sur celles qui n'ont jamais eu de règles de leur vie, ou qui sont censées n'avoir pas de matrice (nɛ tiɛrɛ), ce que l'on sait par la divination.

Avoir ses premières règles, la puberté féminine, se dit *tyi yu,* les « reins brisés » (*tyíri,* reins : *yu,* casser, rompre, briser). La femme sans règles, qui n'a pas eu les reins rompus naturellement de son vivant, les aura après sa mort. Pourquoi cela est-il nécessaire? C'est au moment où une fille a ses premières règles que le père accomplit pour elle le sacrifice de puberté qui lui donne accès à la vie sexuelle. De même pour les garçons : c'est au moment où ils ont le *dɔ mu bɔ* (la sortie de l'eau de sexe) que leur père fait pour eux le même sacrifice. On appelle ce sacrifice *lɛpɛrɛ bɔ,* la sortie, l'émergence du destin individuel. La puberté et le sacrifice correspondant consacrent le moment où l'enfant prend en charge, assume son propre destin, jusqu'à présent fonction de celui de sa mère. La femme sans règles est donc celle qui n'est jamais sortie de l'état d'enfance, qui n'a pas de destin autonome et subit une loi qui lui vient de sa mère. Les enfants dont le destin n'est pas « sorti » sont ceux qui meurent avant la puberté. La femme sans règles et, par extension, la femme stérile sans matrice présentent ce paradoxe et cette contradiction d'avoir vécu peut-être longtemps et donc d'avoir eu un destin de longue vie sans l'avoir jamais assumé normalement, en restant toute leur vie dans la *situation chaude de l'enfance.*

Le sang est du domaine du *chaud.* La femme qui, enceinte, ne perd plus son sang propre ni celui qui lui vient de son mari par l'intermédiaire du sperme, emmagasine et accumule la chaleur qui fait l'enfant. Venu au monde, l'enfant a cet excès de chaleur en lui : c'est la raison pour laquelle l'enfant est un être fragile et en danger, dont l'état de vie en suspens cesse au moment précis où le sang le quitte pour la première fois, soit sous la forme du sang des règles féminines, sois sous celle de l'eau de sexe masculin. La femme stérile sans règles, exemple extrême de tous les cas de stérilité féminine, se contente d'accumuler la chaleur, celle de son propre sang et celle du sang de son conjoint, sans jamais la perdre. L'opération qui lui brise les reins est donc en quelque sorte une double remise en ordre : elle retire artificiellement du corps avant qu'il refroidisse l'excès de chaleur qu'il aurait dû perdre et n'a jamais perdu; ces règles symboliques indiquent que son destin est « sorti » et s'est accompli, et annulent de la sorte le paradoxe dont nous avons parlé plus haut.

En plus d'une remise en ordre de sa vie, c'est aussi d'une remise en ordre du monde qu'il s'agit. Lui briser les reins pour permettre l'écoulement de l'excès de chaleur, c'est aussi lui permettre de refroidir normalement au sein de la Terre, elle aussi chaude, et éviter de la sorte à l'entourage humain les effets néfastes

de la mise de chaud sur chaud (cf. ci-dessus). Dans l'immédiat, la femme sans
règles inhumée sans l'accomplissement de cette opération, est une sorte de vam-
pire, gonflé de sang, qui ne refroidit que lentement, que la vie continue d'habiter,
car le sang est le support de la vie. Il s'agit de l'empêcher de « revenir », pendant
toute la période où une des principales composantes de l'individu reste dans les
parages villageois avant de rejoindre définitivement le village des morts, animée
de mauvaises intentions à l'encontre des femmes fécondes et particulièrement des
femmes enceintes qu'elle veut, jalouse, entraîner avec elle dans la mort.

La femme sans règles est le cas extrême de cette malédiction qu'est
l'infécondité féminine. L'infécondité absolue est toujours la résultante d'un *mauvais vouloir* ou d'une hostilité soit du destin individuel de la *femme,* soit de puis-
sances surnaturelles, mais alors qu'il est toujours possible d'espérer infléchir, par
des techniques appropriées, ces mauvais vouloirs lorsque la physiologie féminine
le permet, on sait dans son cas qu'aucun recours n'est possible. Par la rétention
constante de chaleur qu'elle opère, la femme sans règles est *chaude,* et par là
même dangereuse, après sa mort mais aussi de son vivant.

C'est bien là qu'est le scandale : la femme sans règles est *chaude.* Or, dans
le système d'oppositions que nous avons vu plus haut, *l'homme relève de la catégorie du chaud, la femme de la catégorie du froid.* Pour injurier un homme, on
lui dira : « Tu es frais, tu es froid comme une femme. » « *Nyɛntɔrɔ tõ lɔ kano »,*
« Frais comme femme tu es »). L'homme est chaud, parce qu'il produit sans cesse
de la chaleur, en produisant du sang, source et véhicule de la chaleur dans le
corps, véhicule de la vie (*nyìni*). Sperme = sang = chaleur. Le propre de l'alchimie
masculine est de transformer sans arrêt l'eau filante de ses articulations (l'équivalent en quelque sorte dans la pensée samo de la moelle osseuse génératrice de
globules rouges) en sang pour lui-même, qu'il ne perd pas, et en sperme, généra-
teur de sang dans le corps de la femme réceptrice, sang qu'elle perd lors des
règles en sus de son propre sang, ou au contraire introduit dans le corps de l'embryon pour lui constituer sa dotation propre. L'homme, en conséquence, ne quitte
jamais vraiment l'état de chaleur de l'enfance : il ne perd pas son propre sang;
au contraire, il en produit.

La femme, à l'inverse, passe tout au long de sa vie par des états transitoires
et alternés de froid et de chaud. La puberté la fait passer de la chaleur de
l'enfance au froid de l'adolescence féminine, en lui ouvrant en même temps
l'accès à la vie sexuelle (le froid attire le chaud et réciproquement; les rapports
avec une fillette impubère, chaud sur chaud, mettent les partenaires en danger
de tarissement de leurs flux vitaux). Tant que ces rapports sont improductifs et
qu'elle perd, mois après mois, son sang et le sang étranger introduit en elle, elle
est froide. Froide, avide de chaleur, incapable de la retenir, bien que régulièrement réchauffée par les rapports sexuels. L'eau filante des articulations de la
femme ne tourne pas en sang. Nous verrons plus loin quelle est l'alchimie propre
au corps féminin. Si la femme relève de la catégorie du froid, c'est qu'elle perd
régulièrement son propre sang, celui de sa dotation naturelle, lors de cette catas-
trophe cyclique que sont les règles. La femme qui a ses règles *perd de sa chaleur
qui retourne à la Terre.* On dira d'elle en cette période : « Elle est assise à terre. »

(« *Diéna turu ya ma.* ») En effet, l'usage des femmes mariées dont les règles sont très abondantes du fait de la non-assimilation du sang/sperme du mari qui s'ajoute à leurs pertes propres, est de rester assises sur le sol pendant toute la journée sans bouger. Elles ne se lèvent qu'au soir pour se laver. On notera ainsi le point intéressant du retour de la chaleur à la Terre.

La grossesse replace la femme en état de chaleur, et même de chaleur extrême, puisqu'elle conserve non seulement son propre sang mais celui de son conjoint. L'accouchement, pour lequel la femme est accroupie au-dessus d'un trou pratiqué dans la Terre, est une énorme et brutale déperdition de chaleur. Après la naissance, on s'efforce artificiellement d'en rendre quelque peu à la mère en la maintenant en permanence auprès d'un feu allumé dans sa chambre, cela pendant dix jours, et en lui faisant prendre plusieurs fois par jour, pendant cette même période, des bains très chauds. Il s'agit par là de favoriser l'alchimie féminine propre : *la transformation en lait de l'eau filante des articulations*. La femme a besoin de chaleur pour mener à bien cette opération : après la brève période très froide de l'accouchement, la période de lactation sera aussi une période froide où, ne perdant plus son sang, la femme investit sa chaleur dans la transformation de ses eaux en lait.

En fait, les femmes sont beaucoup plus longtemps en position de rétentrices de chaleur qu'en position froide : prépuberté, grossesse, ménopause prennent la majeure partie de leur vie. Mais le principe même de la perte de sang menstruel, associé à la lune (elle aussi corps froid), et de la non-fabrication spontanée de chaleur est suffisant pour qu'elle relève de la catégorie du froid.

Toutes les femmes aménorrhéiques sont donc en position scandaleuse (ne serait-ce pas en raison de ce même scandale que la pilule entraînant la suppression des règles rencontre un si mauvais accueil?), puisqu'elles se comportent apparemment comme des hommes, à ceci près qu'elles ne produisent pas elles-mêmes de chaleur, mais se contentent de l'accumuler. C'est la raison pour laquelle elles sont dangereuses ou en danger. La femme sans règles représente l'anormalité maximale. Nous avons vu les précautions que l'on prend à l'égard de son cadavre. La femme ménopausée est celle sur qui risque le plus de peser l'accusation de sorcellerie (comme sur la femme stérile d'ailleurs), surtout si elle est soupçonnée de continuer à avoir fréquemment des rapports sexuels lui permettant d'accumuler une chaleur explosive. La femme enceinte est la femme normalement froide (elle a déjà perdu son sang) qui n'accumule temporairement la chaleur que pour « cuire » son enfant. Mais pendant cette période, elle ne peut, par exemple, approcher de l'endroit écarté en brousse où les hommes préparent en silence le poison de flèche (éminemment chaud) : l'accumulation de chaleur qui se produirait en elle la ferait avorter immédiatement. Inversement, les femmes en règles ne doivent pas non plus approcher du même endroit : en processus de refroidissement, leur corps attirerait la chaleur et nuirait à l'efficacité du poison. Au sens propre, elles le feraient tourner. Bien d'autres faits pourraient être cités qui vont dans le même sens. En tout cas, la femme qui meurt enceinte ou en couches, c'est-à-dire en période de rétention de chaleur, est, comme la femme sans règles, dangereuse pour son entourage féminin en âge de procréer. Elle est enterrée dans un cimetière spécial; si l'enfant qu'elle porte n'est pas sorti, lui qui est l'élément extrêmement chaud en elle, des fossoyeurs spécialisés le retireront du corps de la mère avant de les inhumer. Des précautions sont prises pendant dix jours par les femmes enceintes (elles ne sortent qu'un couteau à la main) et par toutes femmes pubères (elles se décoiffent ou se déguisent pour n'être pas reconnues), car, comme les femmes sans règles, elles sont gonflées d'un sang surabondant qui n'est pas sorti d'elles, qui refroidit lentement et permet à leur double d'opérer des actions vengeresses contre leurs semblables plus heureuses qu'elles.

La femme nourrice non plus ne peut passer près du lieu où mijote le poison : cela tarirait son lait, par excès de chaleur. Nous voyons bien maintenant la raison purement idéologique de la cessation des rapports sexuels après la naissance, pendant la lactation : l'alchimie féminine est de transformer périodiquement l'eau filante en lait, corps chaud, comme l'alchimie masculine est de transformer cette même eau, en permanence, en sang. L'intromission du sperme/sang, corps chaud, dans l'utérus de la femme allaitante, outre que le rapport sexuel détournerait une partie de l'eau filante féminine de sa destination propre, équivaudrait à accumuler chaud sur chaud. Chaud + chaud = sec : le résultat serait le tarissement du lait de la mère ou/et, à l'inverse, le tarissement provisoire ou définitif des émissions du mari. Lait et sang/sperme sont deux éléments fondamentalement antinomiques qu'il n'est pas convenable, pis, qu'il est dangereux de mettre en présence. En définitive, il s'agit bien de la protection de l'enfant au sein, mais au terme d'un raisonnement qui a peu à voir avec le risque de conception, et qui relève d'un ensemble idéologique solidement charpenté.

Il n'est pas évident qu'il soit impossible de retrouver ailleurs et même dans notre propre culture des traces de cette dichotomie fondamentale entre le chaud et le froid, au-dessus de la distinction masculin/féminin. Il suffit d'interroger le langage, les expressions métaphoriques du langage populaire pour comprendre que le substrat inconscient est là : la femme est frigide, l'homme est un chaud gaillard, la femme stérile est un fruit sec... Il l'est aussi sous la plume des écrivains. Qu'on écoute ce que chantent les Jungmannen de Kaltenborn sous la plume de Michel Tournier, dans *Le Roi des aulnes* :

« Nous sommes le feu et le bûcher. Nous sommes la flamme et l'étincelle. Nous sommes la lumière et la chaleur qui font reculer l'obscur, le froid et l'humide. »

Et c'est cet ensemble valorisé de conceptions très profondes qui continuent de légitimer non la différence, mais l'inégalité sexuelle.

La femme dans les systèmes de représentation
Entretien de Françoise Héritier *

par Evelyne SULLEROT

F. HÈRITIER : Le texte qui précède a les défauts d'une monographie : il a un côté trop anecdotique, mais il fallait fonder ma pensée sur des faits observés. Les faits en anthropologie sont aussi importants que la symptomatologie en médecine. Mon propos était de montrer le substrat idéologique de la différence reconnue des sexes. En résumant, on pourrait dire que la différence entre les sexes est, toujours et dans toutes les sociétés, idéologiquement traduite dans un langage binaire et hiérarchisé. Toujours hiérarchisé alors même qu'on devrait logiquement s'attendre à ce que les deux pôles soient équidistants d'un moyen terme qui serait positif. Mais le moyen terme n'est pas positif, et il manque souvent : le tiède devrait exister entre le chaud et le froid, et la combinaison des deux pourrait être positive; or le tiède manque. Au lieu de cela, on trouve deux pôles, un pôle négatif, un pôle positif, mais souvent la société valorise plutôt le pôle négatif. Par exemple, toutes les sociétés disent préférer la paix à la guerre, mais néanmoins il est mieux d'être un guerrier. La valorisation du pôle négatif rend compte d'un rapport de forces. Ce qui est moralement le meilleur est cependant socialement décrié ou de peu de statut. La femme a la fécondité, ce qui est positif. Mais l'homme a une plus grande force musculaire, et les tâches de reproduction immobilisent et fragilisent la femme. Dans un article : *On Mexican Folk Medicine* **, Ingham fait une étude sur le froid et le chaud dans le corps, puis ensuite de la caractérologie. Comme, chez les Samo, chaud va avec sec, froid avec humide, les hommes sont du côté du chaud, les femmes du côté du froid, et un certain nombre de qualités sont ainsi marquées. Par exemple, être *macho* ou être avare, c'est chaud. Être bon, généreux, naïf, c'est froid. Le juste milieu, l'homme qui serait engagé dans des relations avec autrui sans être ni trop *macho* ni trop naïf, devrait être un idéal. Mais cet homme-là n'existe pratiquement pas. Il n'existe en gros que le *macho* et le généreux et naïf, qui est l'imbécile, le *tonto*. Il est toujours borné. C'est bien d'être *macho,* mais pas d'être *tonto*. En principe, la

---

* Transcription condensée d'un entretien.
** « On Mexican Folk Medecine », *American Anthropologist 12,* 1970, p. 76-87.

générosité est préférable à la dureté, la pluie à la sécheresse, la paix à la guerre. Mais, traduit dans la réalité, il vaut mieux être *macho,* guerrier, chasseur, etc.

E. Sullerot : En vous écoutant, je pense à tous ces contes de fées écrits par les femmes au xviiᵉ siècle. Ils sont peuplés de bêtes féroces ou de dragons effrayants : en réalité ce sont des princes prisonniers de cette enveloppe épouvantable. La princesse, qui n'est que beauté et douceur, parvient à leur rendre leur forme première. Mais dans un cas, dans *Le Mouton* de la comtesse d'Aulnoye, le prince avait été changé en mouton, doux et bénin. Celui-là ne retrouve pas sa condition de prince, et périt écrasé sous les roues du carrosse de la princesse. Mais la femme participe-t-elle toujours du pôle infériorisé? On peut d'abord se demander si ces systèmes, ces langages binaires, ces cosmogonies dont vous parlez ont été inventés par des hommes?

F. Héritier : Comme Germaine Tillion [12] je pense que nul ne le sait, mais sans doute les cosmogonies sont-elles une création collective. Il n'est en tout cas pas exclu que les femmes y aient participé. Une revendication féministe consiste à dire qu'autrefois les femmes avaient le pouvoir, qu'elles l'ont perdu et doivent le reprendre. C'est un des « a priori » féministes tout à fait faux du point de vue de l'anthropologie, comme aussi celui qui consiste à dire qu'il y a une culture masculine et une culture féminine : dans toutes les cultures il y a des oppresseurs et des opprimés, un sexe fort et un sexe faible, mais les deux sexes participent de la même idéologie. Je veux dire que la représentation que les femmes ont du monde est la même que celle que les hommes en ont.

E. Sullerot : C'est une affirmation qui me paraît très contestable, mais qui nous entraînerait extrêmement loin. En revanche, comment n'être pas comme vous frappée de l'étrange résurgence du mythe du matriarcat primitif? De nos jours, des fractions importantes de l'opinion féminine cultivée, écrivains, journalistes, étudiantes, etc., y croient dur comme fer et c'est être parjure, traître que d'en douter, ou de seulement suggérer qu'il s'agit sans doute de légendes construites a posteriori, comme pour justifier le patriarcat du reste : « Il y a très, très, très longtemps, les femmes avaient le pouvoir; maintenant ce sont les hommes, chacun son tour! » Pour ce que je sais des origines de nos civilisations européennes, un tel passé matriarcal n'a jamais existé, même si des sociétés matrilinéaires ont vécu en Europe et laissé des traces.

F. Héritier : L'opinion généralement admise maintenant est que le matriarcat est un mythe. Les sociétés matriarcales n'ont jamais existé. La plupart du temps les auteurs qui en parlent font une confusion entre « matriarcal » et « matrilinéaire ». Le fait est qu'il existe encore des sociétés dites primitives où les filiations sont matrilinéaires, c'est-à-dire que l'appartenance à un groupe, la transmission

---

12. Voir le texte qui suit (N.D.R.).

du nom passent par les femmes. Mais cela ne signifie nullement que le pouvoir soit aux mains des femmes, ce que signifie matriarcat. La possession de la terre, la transmission des biens, les pouvoirs politiques (pouvoirs villageois ou pouvoirs politiques plus larges) appartiennent aux hommes. Au lieu que ce soit, comme dans une société patrilinéaire, les pères qui transmettent les biens et les pouvoirs aux fils, ce sont les frères de la mère, les oncles maternels, qui les transmettent aux neveux.

Quant aux pouvoirs des Amazones, des femmes guerrières du passé, ils ont été démesurément gonflés. Il y a eu effectivement, çà et là, des femmes guerrières. Il est vrai que dans certaines sociétés amérindiennes des femmes accompagnaient les hommes à la chasse et à la guerre. Elles ne les dirigeaient pas. Elles accompagnaient les hommes. Comme du reste en Gaule les jeunes filles, les jeunes concubines; une femme mariée avait des enfants et restait au foyer; mais, parmi les jeunes filles pubères non encore mariées, certaines vivaient en concubinage avec des chefs, par exemple, et avaient le droit de participer aux chasses et aux opérations guerrières, tant qu'elles n'étaient pas entrées dans le statut normal de la femme mariée. Cela ne signifie pas pour autant que la civilisation gauloise ait été un matriarcat!

De même que n'étaient pas matriarcales les sociétés mycéniennes parce qu'elles révéraient des déesses mères. Pourtant le dieu principal était toujours une déesse, la Terre. Des cultes étaient rendus à la fécondité, à la fertilité, par le truchement de cette déesse mère. Zeus est arrivé par la suite seulement; mais tout ceci demeure au niveau de la légende.

Dans les sociétés africaines « non historiques » – je veux dire par là qui n'ont pas de traditions écrites de leurs origines –, presque tous les rites sont des rites de fécondité ou qui ont quelque chose à voir avec la fécondité, du moins si on n'entend pas « fécondité » dans le seul sens de reproduction humaine. Faire venir la pluie est un rite de fécondité. Mais je n'irai pas jusqu'à dire qu'il y a des divinités féminines. Dans toutes les sociétés africaines que je connais, le culte des ancêtres est un culte des ancêtres féminines dans les sociétés matrilinéaires, et des ancêtres masculins dans les sociétés patrilinéaires, encore que dans les unes comme dans les autres les ancêtres de l'autre sexe aient aussi un statut ancestral. Mais je ne connais pas de divinités féminines.

Dans les peuples que je connais, les légendes sur l'origine évoquent une époque où les sexes étaient séparés complètement, il n'y avait donc ni patriarcat ni matriarcat. Le problème du rapport des sexes est bien le grand problème de l'humanité, dont tout part. Une représentation archaïsante et mystique des origines parle un langage idéologique, bien sûr, et non réaliste. Or elle parle de la séparation des sexes à l'origine. On rencontre ce mythe dans une grande partie de l'Afrique de l'Ouest, pas seulement le Sahel, mais aussi la côte. A l'origine, donc, pas de communisme primitif, mais la séparation géographique des sexes. Un dieu supérieur leur interdisait de se voir. Il avait répandu sur le sol, entre les hommes et les femmes, un grand tapis de feuilles sèches, en sorte qu'il leur était impossible de se rejoindre sans faire du bruit et signaler au dieu les infractions à la règle. Mais les hommes avaient si envie d'aller voir les femmes qu'ils ont rampé sur le sol (attitude considérée comme extrêmement méprisable) en versant de l'eau devant eux pour humecter les feuilles et les empêcher de faire du bruit. Un jour, bien sûr, ils se sont fait surprendre par un dieu qui a décidé que, si c'était comme ça et qu'on ne parvenait pas à maintenir les sexes séparés, eh bien, ils allaient vivre ensemble avec tous les inconvénients que cela supposait. Ce qui est regrettable, c'est qu'il y ait deux sexes : le monde aurait été bien plus facile à organiser avec un seul sexe! On retrouve cela dans les systèmes d'appellation et même les systèmes matrimoniaux. Dans les appellations de parenté des Dogon, par exemple, existent à nos yeux des anomalies qui n'en sont pas pour eux : s'il existe un terme pour dire « mari », certaines femmes vont être appelées « maris », ce qui peut paraître aberrant mais s'explique par toute une chaîne de dénominations des différents parents et collatéraux. C'est qu'il a fallu organiser la société, et la première règle sociale porte sur la parenté et le mariage. Parce qu'il y a deux sexes, parenté et mariage ne peuvent aboutir qu'à des relations d'inversion entre les sexes et non de symétrie. Si vous devez épouser votre cousine matrilatérale, cela veut dire pour un homme épouser la fille du frère de sa mère. Mais pour une femme, qu'est-ce que cela veut dire? Non pas qu'elle épouse son cousin croisé matrilatéral, mais son cousin croisé patrilatéral, le fils de la sœur de son père. Il y a donc toujours inversion fondamentale entre les sexes. La femme agit toujours à l'envers de l'homme. C'est le scandale primaire, dans aucune société on ne parvient à faire en sorte qu'hommes et femmes soient symétriques, ils sont toujours inverses (sauf s'ils épousent les enfants de germains du même sexe, et encore!). L'important, c'est de bien reconnaître qu'au début est la binarité, que tout sera distribué en deux et affecté à un sexe ou à l'autre selon deux pôles qui seront aménagés en opposés.

La physiologie féminine va entrer dans ce système. Chez les Samo, la femme qui a ses règles est dangereuse, car elle perd sa chaleur, elle est en processus de refroidissement en perdant son sang. Si une femme qui a ses règles passe près du lieu où cuit le poison, elle le fera rater car elle va attirer à elle la chaleur. Dans nos campagnes françaises, nous avons connu à la fois, l'inverse et la même chose : la femme qui a ses règles est chaude, elle a l'haleine forte, elle est considérée aussi comme dangereuse pour les émulsions et les liaisons qui ont besoin de fraîcheur pour se faire, on dit qu'elle fait tourner la mayonnaise, la saumure, rancir le beurre et le lard.

E. Sullerot : Dans cette distribution en deux pôles, je voudrais souligner deux ou trois choses qui introduisent du désordre dans cet ordre apparent. Par exemple : il y a pouvoir offensif et défensif chez l'homme du fait de sa force musculaire; il y a pouvoir de reproduction, de fécondité pour la femme. Mais l'utilisation de ses muscles, de sa force, de son agressivité même paraît, je dis bien « paraît » seulement par prudence, être soumise à la volonté de l'homme; tandis que son pouvoir biologique de fécondité, la femme n'a pas pu, elle ne peut toujours pas, dans les sociétés que vous étudiez, l'utiliser selon sa volonté. Songez aussi à la puberté : garçons et filles traversent tous deux des périodes de maturation pubertaire plus ou moins longues durant lesquelles ils acquièrent des caractères sexuels secondaires, une certaine révélation du plaisir. Mais, en sus, la fille connaîtra l'arrivée des règles, qui semble ne rien avoir à faire avec le plaisir et apparaît comme imposée. Sa vie, d'autre part, sera comme découpée en périodes distinctes par ses avatars physiologiques : pubère, puis féconde, puis ménopausée. Cette discontinuité lui ouvre des statuts différents, qui rompent le système.

F. HÉRITIER : C'est exact. Chez les Samo, la femme ménopausée change de nature, elle a alors un autre rôle. Elle est chaude parce qu'elle ne perd plus son sang. Elle ne doit donc plus avoir de rapports sexuels car son mari lui déverserait de la chaleur qu'elle ne perdrait plus avec ses règles, elle accumulerait alors chaud sur chaud et deviendrait une sorcière. Aussi est-ce prohibé. Mais la femme ménopausée qui n'a plus de rapports avec son mari – celui-ci a de jeunes épouses –, elle devient une espèce de sage, de conseillère. Elle peut participer au conseil des anciens, elle devient en somme un homme, comme la femme stérile. Cette discontinuité de statut rejoint l'observation qui a été faite par les biologistes : l'homme peut fabriquer des spermatozoïdes toute sa vie, tandis que la femme connaît une période de ponte de ses ovules, qui ensuite cessera, avant le terme de sa vie.

Il n'y a pas parallélisme, c'est certain. Et, en effet, surtout du fait de la nature du pouvoir féminin, sa fécondité, qui est aussi sa faiblesse. Pouvoir que les hommes aimeraient bien avoir et toutes les conduites de couvades, etc., le montrent bien, mais qui signe aussi la faiblesse parce qu'il immobilise, qu'il est subi. Par exemple, chez les Muer, peuplade importante d'Afrique orientale, un certain nombre de femmes sont considérées comme des hommes : ce sont des femmes stériles. Le système des Muer est très patriarcal. La famille chez eux, c'est seulement les hommes, les filles ne comptent même pas comme membres de la famille puisqu'elles iront se marier ailleurs et que leurs enfants n'appartiendront pas à la famille. Mais si une fille se marie et n'a pas d'enfants, au bout de quelques années, elle revient dans sa famille d'origine, avec un statut d'homme. Elle sera appelée « oncle » par ses neveux et nièces. Elle recevra une part du bétail, aura peu à peu un troupeau et paiera alors la dot nécessaire pour se procurer une épouse. Ses femmes l'appelleront « mon mari ». Elle engage un géniteur qui sera à la fois domestique et géniteur : un étranger ou un esclave. Ses femmes auront des enfants qui l'appelleront, elle, « père ». L'homme géniteur demeurera toujours son domestique et celui de « ses » enfants, elle le paie, un peu, le nourrit. Quand les enfants qu'il a engendrés se marieront, elle donnera à ce géniteur une vache, le prix de l'engendrement.

Ce genre d'exemple illustre que tout tourne non tellement autour du sexe qu'autour de la fonction de fécondité. Lorsque la femme n'a pas le pouvoir de fécondité, elle franchit la ligne, est versée de l'autre côté et elle peut posséder des vaches et avoir un pouvoir politique, comme l'homme.

E. SULLEROT : Dans tous ces exemples que vous donnez il apparaît bien que la « nature » de la femme, et le statut que lui ouvre cette « nature », sont moins stables que la « nature » masculine. Cela dépend en fait de la période de sa vie, de sa fécondité ou de sa stérilité. Ses « définitions » semblent quand même être à ce point contingentes qu'elles semblent bien avoir été non pas forgées par elle-même, mais par l'homme; en tout cas, il apparaît comme le modèle à partir duquel les rôles, statuts, attributs et qualificatifs féminins vont êre définis, appartenant à l'autre pôle, ou bien revenant vers le pôle masculin ou s'en approchant. Mais en vous écoutant, on ressent deux impressions contradictoires : la première est que tout cela est culture, systèmes de symboles, etc., la seconde est que c'est fortement ancré dans le corps, enraciné dans le biologique. Peut-être cette contradiction n'en est-elle pas une si l'on considère l'homme comme un être « naturellement culturel ». Mais revenons à l'aspect culturel de tous ces systèmes binaires d'explication du monde par les sexes, et des sexes par le monde. Je crois comme vous que c'est « de là que tout part », comme vous l'avez dit, en tout cas la culture. Mais quel étrange chemin va suivre cette culture structurée sur deux pôles inversés, opposés, pour aboutir à l'idéologie moderne de la semblance de l'homme et de la femme! Il semble aujourd'hui très osé de tenter de faire le point sur des différences entre hommes et femmes, car l'idéologie nouvelle est qu'il n'y a pas de différences entre hommes et femmes, sauf celles qu'a introduites la culture, pour des raisons mauvaises, pour permettre la domination d'un sexe sur l'autre. J'ai toujours pensé également que la femme était une « autre semblable », beaucoup plus « semblable » qu'« autre ». Encore qu'il me semble ridicule de nier ses spécificités. Mais lors du colloque sur *Le Fait féminin,* comme ce volume en témoigne, nous avons mesuré à quel point, pour certains de nos participants l'idéologie de la non-différence essentielle était importante : collecter des faits introduisant des différences leur semblait illégitime et même « mal », collecter des faits ruinant les différences et exaltant les ressemblances semblait « bien ». En conséquence, il semble bien que c'est par la culture, par une exaltation de la culture, que nous soyons passés des systèmes très « binaires » à idéologie très « sexiste » à la conception actuelle de la similitude de l'homme et de la femme. Alors pourquoi en vouloir tellement à la culture, qui nous aurait déviés, déroutés, empoisonnés de sexisme, alors qu'au contraire il m'apparaît que c'est la culture seule qui nous permet de nous désincarner, de quitter les corps? De quitter le pays fourchu de la binarité permanente pour le pays d'une fraternité qui s'efforce de gommer les différences...

F. HÉRITIER : Vous dites que pour certains tout ce qui souligne une différence est mauvais, tout ce qui rapproche est bon; certainement, mais c'est un jugement de valeur; or, en l'occurrence, il ne s'agit pas de porter de jugement de valeur. Il faut faire œuvre de scientifique, et observer. Je suis moi aussi féministe et prête à militer pour certaines choses qui me tiennent à cœur, mais je veux essayer de voir comment les choses se passent, ce corps de représentations qui nous vient de si loin, et qui est profondément ancré dans les corps.

E. SULLEROT : Que pensez-vous qu'il adviendra des systèmes d'explication des sexes, de la fécondité, etc., que vous nous avez décrits quand les peuples qui les ont élaborés apprendront par la science que plusieurs de leurs représentations sont fausses?

F. Héritier : Un système de représentation idéologique n'a pas besoin d'être fondé sur des connaissances exactes. C'est affaire de croyance et de représentation; chacune des populations qui élaborent pareil système rend compte de tout, pas seulement de la nature et du rapport des sexes, mais aussi des phénomènes de pouvoir, de l'ensemble de la société. Pour eux, c'est une représentation non pas scientifique (il n'y aurait pas de mot, en samo, pour dire scientifique), mais concrète, réelle. Un système fondé sur une observation dont il a été fait une interprétation. Bien sûr, il y a passage du réel au symbolique, mais, pour eux, par rapport aux faits masculins et féminins qu'ils élaborent, ils ont la même attitude d'observateurs impartiaux et objectifs que des scientifiques lors de ce colloque. C'est leur réalité, aussi réelle que la nôtre.

E. Sullerot : Non, car ce que nous appelons réalité scientifique n'est pas « notre » réalité, n'ayant de sens qu'à l'intérieur de notre culture, mais réalité universelle et vérifiable. La réalité scientifique n'est pas l'interprétation. Par exemple, si un Samo fait des études de médecine, il découvrira que l'ovule féminin existe, qu'il n'y a pas de petite boule de sang qui tourbillonne dans la matrice, que le liquide séminal n'est pas dans les articulations, etc. Il pourra observer dix, cent, mille femmes de toutes populations, il retrouvera toujours l'ovule. La science n'est, quoi qu'on en dise, pas de même nature que la croyance, même si elle donne naissance à d'innombrables hypothèses d'interprétation qui peuvent être tenues pour des croyances ou des représentations. Tant que celles-ci ne sont pas vérifiées, revérifiées, et encore revérifiées, elles ont la fragilité des représentations, voire des idéologies. Que nous vivions tous plus ou moins sur des représentations culturelles ascientifiques, c'est l'évidence même : c'est une constatation que vous faites en scientifique rompue à observer des faits, ces faits culturels dont vous disiez si bien qu'ils sont « la symptomatologie de l'anthropologie ». Et vous ajoutiez que nous n'avons pas à porter sur ces faits de jugement de valeur idéologique qui risquerait de nous en faire négliger ou privilégier, afin de faire prévaloir notre idéologie. C'est ainsi que vous vous étonniez que, étant donné la connaissance que nous avons maintenant de tant de sociétés, on pût exhumer avec tant de succès la théorie du matriarcat primitif, simplement parce que cela plaît à certaines féministes et sert leur idéologie. Votre connaissance scientifique, et votre éthique de la connaissance, étaient choquées qu'on pût si aisément négliger tant d'observations et élaborer des théories sur des bases aussi controuvées.

F. Héritier : Certes, et en outre je ne comprends même pas en quoi cette assertion selon laquelle les femmes avaient le pouvoir et en ont été dépossédées peut servir la cause des femmes. En tout bon sens, qu'est-ce que cela veut dire? Qu'elles ont eu le pouvoir, et qu'ayant le pouvoir elles ont été assez faibles ou assez bêtes pour le perdre? Ce qui n'a rien de glorieux, pourquoi s'en vanterait-on? C'est d'un illogisme complet.

Où qu'elle fût, Germaine Tillion a toujours eu, outre la générosité du contact, le coup d'œil et la grande rigueur scientifique qui font les grands sociologues, même quand, déportée politique, elle fut plongée dans l'horreur apparemment incompréhensible des camps nazis : immédiatement, elle observa, analysa et expliqua à ses compagnes de Ravensbrück cette société paroxystique, son système, sa finalité – et ainsi les aida, en comprenant mieux, à résister et à survivre.

Grande spécialiste du Maghreb (Le Harem et les cousins), Germaine Tillion pour Le Fait féminin *essaie une vaste hypothèse de classification des sociétés selon l'utilisation qui est faite des femmes dans ces sociétés. Elle aussi tient les structures de parenté pour le système signifiant par excellence.*

Comme en passant, elle fait un constat assez terrible et lourd de conséquence qui pourrait, et devrait, à lui seul, servir de sujet à une vaste réflexion pluridisciplinaire : la civilisation, avec toutes sortes de variantes, mais ce que nous appelons couramment la civilisation *avec écriture, techniques, philosophies, puis développement de la pensée scientifique, est née et s'est développée uniquement dans des sociétés patriarcales : pourtour méditerranéen, Moyen-Orient, Inde, Chine, Japon. Cette « flaque jointive » de patriarcat a été tout entourée de sociétés différentes et très souvent matrilinéaires. G. Tillion décrit et oppose ces deux systèmes et leurs conséquences.*

E. S.

5.

L'enfermement des femmes dans notre civilisation

par Germaine TILLION

La condition actuelle des femmes dans tous les pays (civilisés) – j'entends par là les pays possédant des villes – me semble en relation avec la révolution économique qui, au cours du néolithique, donna le départ à l'énorme expansion moderne. Non pas directement, mais par l'intermédiaire des grandes vagues démographiques que déclencha la nouvelle économie : ce serait celles-là qui auraient balayé la « philosophie » antérieure, les « politiques » antérieures (une certaine façon d'utiliser les femmes) pour les remplacer par nos philosophies et politiques actuelles (qui reposent sur une utilisation différente du capital féminin).

Il s'agit là d'une hypothèse, mais cette hypothèse permet d'expliquer deux vastes séries de faits apparemment inexplicables.

Première série

Des peuples différents (par la langue, le patrimoine culturel et la religion) mais géographiquement jointifs ont les mêmes « structures de parenté ». Par commodité, nous les appellerons « méditerranéennes », car c'est bien autour d'un centre de dispersion qui correspond approximativement au Levant méditerranéen qu'elles étirent leurs auréoles concentriques. Elles les étirent jusqu'aux marges, je veux dire d'un océan à l'autre, de l'Atlantique au Pacifique, de Gibraltar au Japon, ceinturant largement la taille du vieux continent eurasiatique.

Dans la partie la plus centrale, proprement méditerranéenne, de cette immense flaque, tous les caractères que nous allons analyser sont portés à leur paroxysme, mais au-delà ils s'étalent en s'atténuant, comme une tache d'encre sur un buvard. Il m'a semblé que ce n'était pas un hasard si cette carte « structurale » correspondait à peu près à celle de la charrue à l'aube des temps modernes, à peu près à celle des plus grands branle-bas de l'Histoire, à peu près à celle des plus anciennes civilisations...

Tous les peuples qui se partagent le « système méditerranéen » se considèrent comme très « différents » les uns des autres, et apparemment ils le sont. Majoritairement chrétiens au nord, majoritairement musulmans au sud; du côté chrétien parlant plutôt des langues indo-européennes, du côté musulman possédant des parlers plutôt sémitiques ou sémito-chamitiques, etc. Or, dans la façon de considérer et de traiter les femmes, le mariage, la famille, bref tout ce qu'on appelle les « structures de parenté » (avec ce qui s'y rattache étroitement : une sacralisation de l'expansion, du travail, du profit, de la natalité, de la guerre...), les plus intimes ressemblances peuvent être relevées entre les deux rivages et leurs occupants.

Seconde série

Un peuplement non moins jointif sur le plan géographique, mais cette fois homogène par la langue, le patrimoine culturel, et même la religion [13] – le peuplement berbère – conserve, du point de vue de ses structures socio-familiales, une division en deux rameaux.

En effet, l'ensemble berbère, dans toute sa partie nord, que les Arabes ont nommée *Maghreb* (Couchant), se rattache au système familial *méditerranéen* – notre système et celui de tous les peuples dits civilisés –, tandis que dans sa partie sud (les provinces touarègues), on retrouve ces structures que les ethnologues attribuent, depuis L. Morgan, aux sociétés très archaïques – et dont un large public connaît l'existence grâce à l'œuvre de Claude Lévi-Strauss.

Or, la comparaison des vocabulaires de parenté [14] de ces deux rameaux permet de penser que l'un des deux (le maghrébin) est directement dérivé de l'autre (le saharien touareg).

Curieuse dérivation, car, lorsqu'il y eut changement, le plus ancien système ne s'est pas « rajeuni », « modernisé » : il s'est retourné comme une peau de lapin.

Si la confrontation attentive de deux systèmes socio-familiaux, à la fois *inverses, apparentés et coexistants à l'intérieur du même peuplement,* permet de prouver que celui des Méditerranéens est directement dérivé d'un système antérieur assez proche de celui des Sahariens, elle permet aussi de penser que la fission eut lieu *après* la mise en place de la grande nappe linguistique berbérophone.

---

13. L'emprise des religions sur les peuples ne correspond pas uniquement à des hasards historiques, il suffit pour s'en convaincre d'examiner les répartitions du protestantisme en Europe.

14. Dans le Maghreb, une série de termes de parenté a visiblement manqué aux Berbères lorsqu'ils changèrent de système, ce qui explique que *tous* les parlers berbères du Maghreb les aient ensuite empruntés à la langue arabe lorsqu'ils furent en contact avec elle.

Sont empruntés à l'arabe les termes qui signifient « oncle paternel » et « oncle maternel ». D'autres appellations, en particulier celles qui sont utilisées pour nommer le *père*, les *grand-pères*, les *grand-mères* – termes souvent frappés d'interdit chez les Touaregs –, permutent avec ceux qu'on utilise pour le frère aîné, la sœur aînée. Quant aux rares termes de parenté qui, dans la zone maghrébine berbérophone, sont étymologiquement berbères, ils évoquent alors un système matrilinéaire : mon frère *u-ma* (littéralement : « fils de ma mère »), ma sœur *ult-ma* (littéralement : « fille de ma mère »), ma mère *iemma,* mon neveu utérin *ayyau* (en touareg, on retrouve ce dernier mot, mais avec le sens de « ma descendance »).

A l'intérieur de cette nappe, *quelque chose* se serait produit qui aurait affecté fortement sa partie nord (méditerranéenne, maghrébine), et moins directement, sa partie sud (saharienne, touarègue).

Ce quelque chose n'est pas la conquête arabe, car la zone nord (décrite au début de notre ère par les historiens grecs et latins) avait déjà, mille ans avant l'arrivée de Sidi Okba, des « structures de parenté » presque identiques à celles qu'elle conserve encore. Quant aux influences que le Maghreb subit de la part des peuples qui l'envahirent – Latins, Grecs, Carthaginois –, qu'il me soit permis de signaler ici que cent années de domination française en Afrique du Nord n'ont *rien* changé aux structures de parenté de cette immense région. Ni au nord, ni au sud.

Tout se passe comme si les structures de parenté s'accrochaient, comme une tête de ténia, au centre le plus inexpugnable des « philosophies collectives », et résistaient là à toutes les influences externes.

En revanche, on constate (et cela chez toutes les populations du monde) une facilité et une rapidité incroyables pour assimiler une bonne occasion qui se présente d'améliorer matériellement la vie de chaque jour. Les changements qui résultent de ces innovations déplacent ensuite les perspectives économiques et, de l'intérieur, font éclater les invisibles philosophies – avec leurs épaisseurs sédimentaires, je veux dire leurs institutions.

A partir de ce fait d'observation, c'est du côté des changements économiques *internes,* et non des influences politiques *extérieures,* qu'il convient de chercher la paroi défoncée.

Qui répond alors le mieux à notre interrogation du passé, à la fois par sa date (les deux ou trois millénaires qui précèdent l'Histoire), par ses localisations (le Levant méditerranéen et toute l'Asie occidentale), par son ampleur? La « révolution néolithique » ou, plus précisément encore, les grandes vagues démographiques qu'elle déclencha.

Il faut peut-être en effet imaginer l'opération du « retournement des structures » en plusieurs temps : un premier temps où la multiplication de la nourriture est une simple donnée euphorisante dont les recettes se répandent vite; il s'accompagne immédiatement d'une croissance numérique sans précédent. Dans un second temps, se mettent en place les organisations que le nombre impose – l'Etat, la cité; l'intérêt obsédant porté à la protection de la nature, à la limitation des besoins, fait place à un intérêt non moins avide pour le travail, le rendement, le nombre des travailleurs. Les « philosophies » antérieures basculent, toutes les disciplines du premier système se relâchent, selon des rythmes qui nous sont inconnus – relâchement qu'accompagnent (ou suivent? ou précèdent?) les mises en place d'autres disciplines. Rudes également, mais inverses.

Depuis quelques années une partie de la jeunesse occidentale opère des poussées vigoureuses sur nos vénérables traditions néolithiques. Il n'est pas indigne de réflexion de montrer que ce n'est pas le premier grand chahut de notre espèce, et que les innovations en cours coïncident « philosophiquement » avec les pratiques que nos ancêtres ont délaissées il y a (par hypothèse) cinq mille à huit mille ans.

Pas seulement délaissées, mais aussi discréditées. Lorsque tout autour de la Méditerranée, naquirent et se développèrent les plus anciennes nations historiques du monde, elles furent amenées assez vite à s'observer entre elles longtemps avant d'observer les autres, ce qui explique l'intérêt qu'elles accordent encore à leurs petites originalités respectives et, inversement, la distraction dont elles font preuve dans l'enregistrement de leurs ressemblances. En fait, l'usage d'attribuer à la « nature humaine » nos particularismes locaux était encore général chez les hommes de science du XIXe siècle; de nos jours il n'a pas totalement disparu. Ce sont toutefois des particularismes – malgré leur énorme extension géographique –, une simple province de cette *terra incognita* qu'on appelle « la nature humaine ».

En simplifiant énormément (mais comment faire autrement dans un résumé si bref), on peut classer les plus caractéristiques de nos ressemblances « civilisées » (plus ou moins méditerranéennes) sous cinq rubriques. Ce qui facilite leur confrontation avec leurs homologues du système ancien.

PALÉO–SYSTÈME
(Structures socio-familiales du type ancien,
observées chez les berbérophones touaregs)

Il n'est pas question de passer en revue tous les aspects d'une société complexe, mais seulement d'isoler quelques traits fondamentaux qui l'opposent à son homologue du Nord.

La terminologie berbère de la parenté est complètement matrilinéaire dans tout
le domaine touareg

Dans certaines provinces touarègues (Gourma), le système de filiation, le système d'héritage et la nomenclature sont les unes et les autres matrilinéaires; dans d'autres régions (Ahaggar), le système de filiation et la nomenclature restent matrilinéaires, tandis que le système d'héritage est devenu celui du Coran. Un troisième groupe de tribus ne conserve que la nomenclature matrilinéaire; il a adopté la filiation et l'héritage en ligne paternelle, mais cela à la suite d'une transformation relativement récente et parfaitement « historique » : trois siècles chez les *Iullemmeden,* beaucoup moins chez les *Imakalkalen* et les *Kel Antessar.*

Dans toutes les provinces touarègues, l'*oncle maternel* (si effacé dans le système méditerranéen, qu'à Alger on cite volontiers le proverbe suivant : *« Mon oncle maternel, quelle parenté as-tu avec moi? – Si ta mère meurt, tu ne m'es plus parent, et je ne te suis plus parent... »*) prend au sud du Sahara, chez les patrilinéaires comme chez les matrilinéaires, une importance considérable. En zone complètement matrilinéaire, c'est de lui qu'on hérite la condition sociale, le pouvoir, le bétail; mais même en zone patrilinéaire il doit faire à son neveu utérin des cadeaux très importants (par exemple, une chamelle à l'occasion de sa naissance et un sabre quand il prend le voile qui correspond, pour l'homme, à la puberté); son fils est astreint aux mêmes considérables cadeaux. En revanche, ce *tégézé (*fils de sœur) leur est très sévèrement assujetti à l'un et à l'autre, et cet assujettissement se transmet aux *descendants*. En zone touarègue patrilinéaire, il en résulte une prépondérance héréditaire du lignage des mères sur celui des pères; elle a pour conséquence (ou pour cause) une non-réciprocité des mariages : les Touaregs disent alors qu'on est *plus* (davantage) par sa mère que par son père. On rencontre ainsi des *tiusatin* (tribus) où hommes et femmes se présentent en bloc comme *tégézé* (neveux utérins) d'une autre tribu, laquelle leur donne des femmes et des ordres, mais n'accepte d'eux ni les unes ni les uns. Les garçons nés de ces mariages peuvent parfois convoler dans le niveau immédiatement supérieur à celui de leur mère – surtout si c'est celui de leur grand-mère maternelle. Tout cela crée une mobilité sociale extrêmement distrayante pour les intéressés : les hommes manœuvrent de longue main pour se marier un cran au-dessus de leur condition, et les femmes se pavanent dans leurs supériorités. (Certains auteurs appellent ce type de snobisme « hypogamie ». Notons en passant qu'il s'oppose, trait pour trait, à l'hypergamie féminine méditerranéenne.)

Autre système d'opposition : dans le Maghreb, on « exporte » les femmes avec une extrême répugnance, mais on « importe » sans difficultés excessives les brus étrangères. Au sud du Sahara, c'est le contraire : on s'efforce de garder des garçons au foyer, mais on marie très volontiers les filles dans des tribus étrangères. Il est vrai qu'il faut bien en passer par là si l'on veut se procurer des neveux utérins qui, chez les matrilinéaires, assurent la survie, et chez les patrilinéaires, seront inconditionnellement clients, serviteurs et soldats. Judicieusement répartis (ce qui est le cas, en général), on peut les appeler « *tégézé* stratégiques ».

La parenté est classificatoire

Tous les hommes de la lignée et de la génération du père sont appelés « pères »; toutes les femmes de la lignée et de la génération de la mère sont des « mères »; tous les enfants des « pères » et des « mères » (autrement dit les « cousins parallèles », du vocabulaire ethnologique) sont des « frères » ou des « sœurs », que l'ordre des naissances différencie rigoureusement.

Sont exclus de cette vaste fraternité les cousins non parallèles, les fameux « cousins croisés [15] » si bien connus des ethnologues et tellement ignorés du public non spécialisé : ils sont enfants des oncles maternels ou des tantes paternelles et ils ont droit à une même appellation, qui se prononce chez les Kel Ahaggar *abubaz* (pluriel : *ibubah*), chez les Iullemmeden Kel Dinnik *abubaz* (pluriel : *ibubazen*), chez les Iullemmeden Kel Antessar *ababăs* (pluriel : *ibubashin*). Leurs

---

15. Les Touaregs distinguent trois grandes catégories de parents : « parents du dos » (les hommes du côté paternel); « parents du ventre » (les femmes du côté maternel) et la « hanche » : l'homme du lignage maternel, l'« homme-mère », l'oncle utérin, etc.

voisins, les Maures Termoz, Kunta, Berabich (seuls arabophones à utiliser ce terme) disent *ibubaš*.

Le mariage le plus souhaitable

Dans beaucoup de provinces touarègues, au dire des gens, on aime marier entre eux des *cousins croisés*. Pour le garçon, on préfère le lignage maternel, donc « *la fille aînée du frère de la mère* » (les Touaregs l'appellent « fille d'homme » pour la distinguer de son homologue la « cousine croisée fille de la sœur du père », appelée « fille de femme »); pour la fille, évidemment, ce sera le contraire, et le fils de la tante paternelle représentera le conjoint idéal [16].

Le mariage avec une *cousine parallèle matrilinéaire* (qu'on appelle « sœur ») gagne toutefois du terrain : c'est en effet celui qui, dans les familles où le statut se transmet par les femmes, permet à l'*aménokal* (chef, roi) de procurer à sa descendance masculine une chance d'accéder au pouvoir.

Un seul mariage reste presque partout mal vu des berbérophones sahariens, et c'est justement celui que chérissent les berbérophones maghrébins, ainsi que la plus grande part des riverains de la Méditerranée : le mariage avec la « fille de l'oncle paternel ». Les Touaregs l'appellent « sœur » (tout comme la fille de la tante maternelle), mais elle est un peu plus « sœur » que celle-ci, car les cousins parallèles patrilinéaires sont normalement élevés ensemble dans le même campement.

Le mariage est en effet toujours virilocal, et cela quel que soit le système de filiation. Si le système est matrilinéaire, les fils vivent chez leur père jusqu'à la mort de celui-ci. Ils doivent alors tout laisser à leur « *cousin croisé-fils de tante paternelle* » (le cousin « fils de femme »), n'emportant que quelques cadeaux, enregistrés comme tels de longue date, et sévèrement contrôlés. Celui qui perd tout, et celui qui prend tout, étant entre eux « cousins croisés » se voient toutefois *obligés* de plaisanter leurs déconvenues respectives. C'est heureux.

Dans un proche passé, le caractère de conjoints préférentiels au cousinage croisé (encore très apprécié) semble avoir été plus marqué encore, et le vocabulaire concourt avec les traditions orales pour le signaler. Par exemple, le verbe qui se traduit littéralement par « faire le cousin » (*zebbubeh*) a également le sens de « faire la cour », « flirter », « taquiner ».

La première raison donnée de cette prédilection est presque toujours le caractère de « parenté à plaisanterie » du cousinage croisé : avec un époux cousin croisé on pourra éventuellement divorcer mais on ne pourra pas se fâcher (en dehors des *cousins croisés,* les seuls autres parents à plaisanterie sont les *beaux-*

---

16. Tous les Touaregs sont unanimes pour dire que les femmes n'ont pas de *tégézé;* c'est la raison pour laquelle les tantes paternelles appellent « mon fils » les enfants de leurs frères. Toutefois ces enfants et ceux des tantes paternelles sont entre eux « cousins croisés ». Tout cela s'éclaire si l'on sous-entend le terme « héritier » dans celui de *tégézé :* pour une femme qui a des enfants, quel que soit le système, ses héritiers sont toujours ses enfants.

frères. Beaux-frères et cousins croisés se confondent d'ailleurs plus ou moins – ce qui se comprend).

Seconde raison : en système matrilinéaire l'épouse est fille de l'oncle dont le mari hérite, tandis qu'en système patrilinéaire elle est fille de l'oncle dont le mari *devrait* hériter (et dont il n'hérite pas); dans les deux cas, le mariage constitue une sorte de compensation, tantôt pour la fille déshéritée, tantôt pour le *tégézé* spolié.

Troisième avantage (explicitement évoqué par les Touaregs) : par le moyen de ce type de mariage, on renouvelle régulièrement une alliance avec la tribu *préférentiellement ennemie*. Comme me le disait le très vieux chef des *Taitok*, parlant de ses ennemis préférés, les *Kel Ghela* : « *Nous nous battons tout le temps et ils m'ont tué deux fils, et nous nous marions tout le temps...* » En tribu matrilinéaire, ce sont les « fils » qui deviendront *otages-négociateurs* et qui, en cas de conflit, serviront d'intermédiaires entre leur tribu (celle de leur oncle maternel) et la tribu de leur père où ils sont élevés. En tribu patrilinéaire, les *tégézé* (neveux utérins) rempliront cet office et feront la navette entre les belligérants pour rétablir la paix. Les hommes ayant des attaches directes dans deux tribus en guerre – en qualité de *fils* ou de *neveu utérin* – sont appelés les uns et les autres *apaiseurs*.

En zone touarègue, comme presque partout dans le monde, le pouvoir est exercé par les hommes, mais il est chez eux toujours plus ou moins transmis par les femmes, même lorsque le secteur considéré se présente comme patrilinéaire [17]. C'est en effet dans ces secteurs-là (particulièrement chez les familles qui briguent le pouvoir) que nous constatons la multiplication des mariages avec une « cousine matrilinéaire parallèle » (sœur classificatoire). L'enfant issu de ces mariages se trouve ainsi appartenir, par son père et par sa mère, à la tribu souveraine (c'est-à-dire aînée), et de ce futur candidat au pouvoir les Touaregs disent qu'il est « *pur* » (*pur,* comme la coutume l'exigeait, très probablement, des pharaons).

Inversement, lorsque le père du candidat a épousé une cousine croisée (en principe, originaire d'une autre *taousit*), on dit alors du candidat qu'il est « *fort* » – *fort* parce qu'il dispose de soutiens dans d'autres tribus. L'idéal est évidemment d'être à la fois pur (ascendants endogames) et fort (ascendants exogames). Difficile problème! Mais l'art de vivre consiste à doser les contraires, et plus encore à ne pas le faire à contretemps. Dans les époques pacifiques, l'endogamie sera payante et gagnera du terrain; s'il survient une période de bagarres, les *tégézé* et les beaux-frères, soldats inconditionnels, permettront – mieux que le droit – d'accéder au pouvoir. Plagiant les Touaregs, nous traduirons : « On aime mieux les purs, mais on choisit les forts. »

---

17. Beaucoup de tribus sont divisées en deux branches : une branche explicitement aînée, dite « noire »; une branche cadette, dite « rouge ». La priorité est aux « noirs », et le pouvoir souvent aux « rouges », du moins en zone patrilinéaire. Cela s'explique peut-être par l'obligation, pour les plus élevés dans la hiérarchie, de n'épouser que des parentes très proches de leur lignage maternelle (ce qui les prive de *tégézé*, donc de force politique).

Les femmes ne sont pas voilées et circulent librement (détail pittoresque : ce sont les hommes seulement qui se voilent)

Hommes et femmes assistent ensemble aux distractions collectives – joutes poétiques, musique, tournois, jeux de balle, réceptions d'étrangers...

Lorsqu'un mari, revenant à l'improviste, trouve un visiteur masculin dans la tente de sa femme, il s'éloigne en attendant que l'entretien soit terminé [18]. S'il retrouve chez sa femme le même visiteur, il peut, par un tiers, faire avertir celui-ci de son mécontentement. Après la troisième fois, s'il le désire (mais rien ne l'y oblige) il le provoquera au sabre – combat avec bouclier, où l'on est surtout exposé à des coupures. Il peut en outre divorcer si cela lui convient, mais on trouvera naturel qu'il ne le fasse pas.

En fait l'initiative du divorce revient presque toujours à la femme. Quand elle en a assez du mariage, ou du mari, tout simplement elle s'en va, emportant ce qui lui appartient, c'est-à-dire la tente de cuir et son mobilier : lit démontable en bois, nattes de paille, coussins et vélums de peau, piquets sculptés, caissettes ornées, deux types de sacs de cuir et surtout un magnifique paravent (*asabar*) brodé qui se troque contre une génisse. Comme le disait, en janvier 1970, une sympathique vieille dame touarègue du Gourma : « *Par mesure de pitié, on laisse au mari une natte de paille pour dormir, et un coussin.* »

La femme qui s'en va ainsi n'aura pas à emmener son bétail personnel, souvent important, car il est resté dans le campement de son frère aîné – y compris celui du *douaire* (*taggal*) que le mari a dû remettre au moment du mariage (c'est-à-dire une chamelle ou une génisse au moins, sept chamelles ou sept génisses au plus). Le douaire, qui varie avec le rang des époux, est très rarement rendu après le divorce, car la société considère qu'un homme « distingué » ne le réclame pas. En revanche, quand elle part, l'épouse déçue emmène tout le bétail que lui a prêté son frère lorsqu'elle est allée rejoindre le campement marital. Or ce bétail doit être au moins équivalent, et de préférence supérieur, à la *taggalt* donnée par le mari : chaque homme soigne ainsi des vaches provenant du troupeau de son beau-frère, et boit son lait...

Cet échange de vaches m'a été très explicitement présenté dans la série des avantages qui résultent du mariage entre cousins croisés.

Croissance zéro

L'élevage extensif que pratiquent les Touaregs est un mode de production qui les rapproche des « chasseurs-cueilleurs » du paléolithique. Pour les uns comme pour les autres, la survie dépend de la nature, dont on doit apprendre à ne pas

---

18. Signalons à ce sujet qu'une enquête sérologique reposant sur la généalogie exhaustive de trois tribus intermariées, conduite sur trois siècles de profondeur, a prouvé que la *parenté paternelle légale* y coïncidait totalement avec la *parenté* paternelle physique : il n'y a pas d'enfant adultérin chez les Touaregs.

A. CHAVENTRE : *Étude généalogique d'une tribu saharo-sahélienne (les Kel Kimmer et leurs apparentés)* thèse d'État, Paris, oct. 1973.

tarir les renouvellements normaux. Cette science écologiste ne s'acquiert pas sans de longues et cruelles expériences; mais user sans abuser, c'est ce qu'avaient toujours fait les Touaregs, du moins jusqu'aux perturbations politiques de ces dernières années [19].

Sur le plan démographique, ils ont une natalité moyenne faible et une croissance nulle. Et, certes, la dure vie nomade, avec ses catastrophes naturelles, explique une mortalité infantile élevée, mais la population est croissante dans la caste des « serviteurs *iklan* », qui partagent en plus rude la vie des Touaregs proprement dits (*imajeghen*-guerriers et *imghad*-tributaires). Cette différence, depuis longtemps remarquée, a fait dire (en 1910) à E.-F. Gautier [20] : « *Chose étrange : ce peuple a reculé au-delà du vraisemblable les limites du dénuement; ils vivent à même la nature, à peu près nus sur la terre nue, pas beaucoup mieux outillés qu'un chacal, et parmi leurs très rares ustensiles domestiques on en signale un d'hygiène intime, en os et en cuir, grossière fabrication indigène, mais très utilisable. Une marmite, un violon et un irrigateur, voilà le mobilier d'une tente.* »

En l'occurrence, il est probable qu'il s'agit d'une confusion, et l'irrigateur en question pourrait bien être un entonnoir de cuir qui, dans les campements aristocratiques, sert à engraisser (en lui faisant avaler de force des quantités de lait) la petite fille qui un jour transmettra le pouvoir. En fait, je ne crois pas que les Touaregs pratiquent délibérément et systématiquement une forme de contrôle des naissances, car avoir des fils et des filles nombreux rend service à une famille, en appuyant ses ambitions futures, et lorsqu'on interroge des individus sur ce qu'ils souhaitent, ils n'expriment pas le vœu de limiter le nombre de leurs enfants [21].

Toutefois, dans ce domaine précis, leur société n'exerce pas sur eux – et de loin – les énormes pressions qu'on observe dans la zone méditerranéenne. C'est ainsi qu'il est rare et un peu ridicule pour un Touareg masculin de se marier pour la première fois avant trente-deux ou trente-cinq ans; pour les filles, surtout de rang élevé, le premier mariage suivra immédiatement la puberté, et elles auront dès leur naissance un nombre élevé de prétendants – mais un seul les épousera et les prétendants éconduits resteront célibataires ou guetteront pendant encore de nombreuses années une autre bonne occasion; plus ils seront nobles, moins ils auront de chances de trouver facilement plus noble qu'eux. Inversement, à l'autre bout de la piste (je veux dire dans les campements les moins « distingués »), les filles ne trouveront pas preneur. Bref, la société s'équilibre avec un très grand nombre de célibataires dans les deux sexes... Ajoutons à cela une

---

19. Parmi les causes qui ont aggravé les désastres dus aux sécheresses périodiques du Sahel, il faut citer le statut juridique des points d'eau : n'étant attribués à personne, ils sont à tout le monde et le seul responsable est alors l'Etat. Il faut donc qu'il place un gendarme derrière chaque brin d'herbe... Il aurait fallu confier la gestion de l'eau à ceux qui avaient l'usage de l'herbe et qui assumaient, dans le respect de la nature, cette responsabilité.

20. E. F. Gautier : *La Conquête du Sahara,* Paris, 1910, p. 178.

21. Dans l'austère Maghreb, des cas de naissances hors mariage figurent dans le passé tragique de nombreuses tribus : la jeune mère est alors mise à mort par sa propre famille (enterrée vivante, empoisonnée, égorgée ou lapidée par le village). Rien de tel chez les Touaregs, où l'absence de bâtards et d'enfants adultérins permet de penser que « l'enfant non désiré » ne vient pas au monde ou ne survit pas.

majorité de femmes qui divorcent après leur premier mariage, qui ne se remarient plus ou qui ne se remarient que longtemps après, qui redivorcent, et passent ainsi une part notable de leur période féconde en dehors de l'état de mariage [22]. J'ai connu de vieilles femmes très proches de la chefferie, qui, après quelques jours de vie conjugale, étaient revenues définitivement chez leur frère; leur tente personnelle était à la droite de celle de l'*aménokal*, elles y tenaient salon et recevaient de nombreuses visites. Quelquefois, elles partaient elles-mêmes en villégiature, pour plusieurs jours ou plusieurs semaines, dans des campements alliés.

LE SYSTEME NEO
(Nos structures socio-familiales méditerranéennes, observées chez les Berbères du Maghreb)

Si nous quittons les Touaregs et traversons le Sahara vers le nord, nous allons retrouver dans le Maghreb un environnement qui ne nous dépayse qu'en apparence : la famille maghrébine c'est celle de l'Europe, c'est la nôtre, à quelques nuances près.

Le système de filiation est exclusivement patrilinéaire

Les civilisations méditerranéennes n'ont pas le monopole de ce système de filiation mais c'est dans leur domaine qu'il a pris un caractère assez obsédant pour faire considérer comme une donnée psychologique universelle toutes les implications qui en découlent (voir Freud); le même point de départ fit dire à des observateurs patrilinéaires de sociétés matrilinéaires (voir Malinowski) que ces populations ignoraient le rôle du père dans la procréation.

La négation du rôle de la mère dans la « fabrication de l'enfant » peut sembler encore plus pittoresque, et c'est pourtant le cas des civilisations anciennes dont la nôtre est issue (finalement il n'y a pas si longtemps que nous pensons que les deux lignages s'équivalent biologiquement). A Rome, afin de reconnaître (tout de même) un lien de parenté entre le fils et sa mère, on les considérait, par fiction, comme frère et sœur; à Athènes, le père est l'unique géniteur, la mère est une nourrice – et lorsque Euripide nous fait assister à une explication familiale entre Oreste, qui vient de tuer sa mère, et le père de celle-ci, grand-père maternel du jeune meurtrier, Oreste réplique ainsi aux reproches de son grand-père : « *Mon père m'a engendré; ta fille m'a mis au monde, sillon qui reçoit d'ailleurs la*

---

22. En dehors de l'état de mariage, les pratiques usuelles (signalées par le père de Foucauld) peuvent être classées dans la catégorie que Van Gennep appelle (à propos de la société paysanne européenne) l'« onanisme à deux »; elles peuvent naturellement comporter des erreurs de parcours, dont les femmes corrigeront les conséquences (peut-être par un avortement, plus probablement par un infanticide).

semence. Sans un père, jamais n'existerait d'enfant. J'ai donc conclu que l'auteur de ma vie avait plus de droit à mon aide que celle qui m'a donné nourriture. »

Il n'est pas question d'énumérer ici toutes les conséquences évidentes de cette priorité de la filiation masculine, mais il n'est pas inintéressant de signaler que, grâce à la compréhension des notaires et des agents du fisc, et malgré la Révolution française, les filles continuent encore, dans la France paysanne d'aujourd'hui, à être discrètement déshéritées.

Tout comme – malgré le Coran – chez les paysans maghrébins.

Nomenclature égocentrique de la parenté

Tout autour de la Méditerranée, les parents sont toujours nommés par rapport au sujet parlant. Celui-ci a un père, et un seul, une mère unique, deux grands-pères, deux grands-mères, des frères, des sœurs... Petite variante entre le rivage chrétien et le rivage arabe, mais au niveau des oncles et des cousins : côté nord, on différencie les générations (les « oncles-tantes » distingués des « cousins-cousines »), et côté sud les lignées (*âammi*, parent paternel »; *khali*, « parent maternel »). Autre petite variante entre les deux rives : sur le rivage sud, un oncle paternel peut reléguer le vrai père au rang d'un frère aîné.

Si la parenté de type égocentrique mérite qu'on attire l'attention sur elle, ce n'est pas uniquement parce que de nombreux auteurs la considèrent comme caractéristique du modernisme social, mais parce qu'elle fait partie du système d'oppositions que nous examinons.

Mariage préférentiel entre cousins paternels

Du point de vue féminin, ce type de mariage peut apparaître souvent comme un palliatif. Grâce à lui, en effet, la fille (qui n'a pas droit à l'héritage de son père) « mange » dessus, et ses fils deviennent héritiers; en outre elle peut espérer être mieux traitée par des oncles et tantes qui l'ont vue naître que par des étrangers. Ce mariage, qui reste aujourd'hui très répandu sur le rivage musulman et n'a pas disparu sur le rivage chrétien, semble particulièrement commode dans les régions et dans les périodes où le natalisme est un vœu social explicite et cohérent.

Corollaire : lorsque, par exception, on marie une fille à un non-parent, on exige, on doit exiger, qu'il soit de condition supérieure à elle. Appelons cela une « endogamie tempérée par l'hypergamie »... Dans les villes musulmanes, cette « endogamie tempérée » explique les hausses du *sdak* (douaire), terme que beaucoup d'Européens appellent « achat » parce que, dans nos traditions, par l'usage de la dot (grande institution du XIXe siècle), c'est l'achat du gendre qui se trouvait privilégié.

Enfermement des femmes, surestimation de leur vertu, dramatisation de la virginité et de l'adultère

Ces traits de civilisation furent longtemps répandus de façon à peu près équivalente sur les deux rivages méditerranéens. Quant à leurs implications dans la vie quotidienne de nos concitoyens du Sud européen, et dans celle de leurs vis-à-vis musulmans, elles ont rempli, et remplissent encore, les bibliothèques, les tribunaux et les cimetières, mais elles sont si profondément insérées dans nos droits (droit romain, droit canon), nos philosophies et même nos religions, que nous n'y prenons plus garde. Signalons toutefois que la mère de Jésus est vénérée comme *vierge* par tous les Méditerranéens (musulmans, catholiques, orthodoxes), et comme *mère* par les chrétiens du Nord, dits « protestants »...

Culte de l'expansion – démographique, économique, territoriale...

Ce culte de l'expansion est perceptible dans toutes les institutions, encore actuelles, des peuples qui – en auréoles autour de la ceinture méditerranéenne – constituent la grande flaque endogame. Et c'est au point qu'on peut l'imaginer jouant le rôle du détonateur au moment où basculèrent – cul par-dessus tête – toutes les institutions antérieures.

Il est bien probable en effet que l'attitude adoptée par l'humanité vis-à-vis de sa croissance joue le rôle de clé de voûte dans cet édifice qu'on peut appeler la « morale », la « philosophie » – bref, un ensemble d'options, d'attitudes mentales essentielles et cohérentes. Le reste, les institutions, les coutumes, les usages, c'est-à-dire les nomenclatures de parenté (classificatoires ou égocentriques), les modes de filiation (patri, matri ou bilinéaires), les types d'alliance (exo ou endogames), ce serait les arbres qui cachent la forêt.

Une démographie, dite galopante, ruine actuellement les espérances économiques des nombreux pays de la ceinture endogame du vieux continent – ceux, précisément, qui eurent priorité pour profiter des premiers avantages de la civilisation. Or, dans cette région, au niveau des institutions vécues, l'analyse des pressions subies par chaque foyer n'a pas changé : elles vont, comme dans le lointain passé, dans le sens de la croissance aveugle. A quoi sert alors la pilule tant que personne n'en veut ?

L'UTILISATION DES FEMMES

Notre espèce a inventé d'innombrables façons [23] de moduler ses deux grands

---

23. Plus nombreuses dans le paléosystème que dans le nôtre *comme si* la faculté d'invention humaine dans le domaine technique ayant été plus ou moins brimée, pénalisée dans les sociétés de chasseurs (mais pas dans

groupes « structuraux » et il faut simplifier beaucoup pour isoler les caractéristiques les plus constantes du paléosystème et du système néo. Elles existent toutefois.

Dans le premier groupe on respecte l'écologie, on modère la croissance (en tout cas on ne la sacralise pas), on a toujours des relations riches en complications avec l'oncle maternel et l'on pratique l'exogamie (deux faits liés l'un à l'autre), on conserve souvent une nomenclature de parenté classificatoire et on dispose de moyens usuels pour la liquidation des conflits. Filiation matrilinéaire et exogamie paraissent bien s'accommoder et la nomenclature classificatoire semble particulièrement pratique dans une société à « croissance zéro »...

Dans le second groupe de systèmes (le nôtre), on ignore l'écologie, on sacralise le travail, la croissance, la prolifération des hommes et des biens, on mène des guerres sans merci, et l'on conçoit les généalogies en forme de pyramides – avec un glorieux ancêtre masculin tout en haut. Quant aux filles de la famille (ou du village), on les garde pour les garçons de la famille (ou du village), ce qui explique l'extrême effacement de l'oncle maternel en tant que tel dans nos sociétés – et par suite les définitions qu'elles élaborent de la « famille ».

Si l'on examine l'extrême dispersion mondiale des paléosociétés, on a le choix pour expliquer leurs similitudes, entre l'explication « structuraliste » et l'explication « fonctionnaliste », mais le second groupe, « le groupe civilisé », se présente très différemment : en tache, en flaque. Il a coulé sur l'autre. Et il a commencé à couler d'un certain endroit du monde, a un certain moment de la durée : on pense à quelque chose comme un événement ou, mieux encore, à ce qu'on nomme usuellement un « concours de circonstances » – car à un autre moment, en un autre endroit, des conditions analogues n'ont pas fait naître les mêmes systèmes socio-familiaux (par exemple, la civilisation maya qui, elle aussi, inventa villes, État et agriculture intensive). Autrement dit, si le paléosystème est « habillé sur mesure » par les structuralistes, le système néo, tout préhistorique qu'il soit, appartient à l'ordre de l'Histoire.

Dans l'optique que nous avons adoptée pour survoler le domaine berbère, il peut sembler amusant d'examiner aussi l'Europe occidentale, indo-européenne.

Elle aussi présente des oppositions. Moins flagrantes, mais oppositions tout de même, et du même ordre, et bien connues des juristes : entre la famille romaine, qui fait de la femme une mineure à vie, et la famille de type germanique.

On la retrouve, cette même opposition, et sur le seul territoire français, et presque jusqu'à nos jours. Rien qu'en confrontant (grâce aux registres des paroisses) les dates comparatives du mariage et de la première naissance dans la société paysanne française du XIXᵉ siècle, on pourrait même très probablement redessiner une très vieille frontière.

Au nord de celle-ci, survit tout ce qui scandalise les Méditerranéens : le « maraîchinage » vendéen, ses équivalents poitevins, le *kiltgang* des Alpes franco-ita-

---

les sociétés de pêcheurs), cette faculté avait trouvé alors son épanouissement dans le social. Inversement, elle bégaie dans le social et s'épanouit dans le technique.

liennes, les groupements de jeunes filles ayant des droits égaux aux groupements de jeunes gens (Artois, Flandre, Picardie et Normandie maritimes [24]), enfin et surtout l'habitude de marier les filles quand elles sont enceintes. Sans drame.

Au sud de cette frontière, la virginité est un capital sacré, on respecte la prostitution et l'enfant naturel représente la honte suprême, l'abomination absolue.

Que dans nos sociétés les plus modernes apparaissent depuis peu des revendications, des tentatives, qui évoquent les plus vieux acquis de la paléosociété, les plus vieilles « philosophies » humaines cela signifie peut-être que nos « structures » sociales tournent comme un manège de chevaux de bois autour d'un pivot. Quel pivot? Probablement la manière d'utiliser les femmes. Dans l'ancienne société on privilégiait leur utilité comme « objet d'échange », dans la société suivante c'est leur utilité comme « instrument de reproduction » qui retient l'attention. Évidemment, il n'est pas exclu qu'on puisse innover.

---

24. Sur ce sujet, on peut consulter la bibliographie donnée par Arnold VAN GENNEP : *Manuel de folklore français*, Paris, Éd. Auguste Picard, 1943, t. 1er, p. 255.

L'histoire évolutionniste nous a contraints de penser à la femme comme à une créature qui a commencé d'exister comme primate il y a quelque soixante-dix millions d'années, comme femme il y a quelque trois millions d'années.

En comparaison de ces successions impressionnantes de générations qui ont pu connaître des mutations génétiques, des adaptations écologiques, que sont les quelques petits siècles de l'histoire de nos peuples européens d'Occident? Pas grand-chose dans le temps biologique, mais beaucoup pour nous, ne serait-ce que parce que nous portons encore dans nos mentalités une part de l'héritage culturel, de ces peuples, de ces sociétés de nos ancêtres, et que nous en répudions vigoureusement aussi une bonne part, tournés que nous sommes vers l'avenir. Il importait beaucoup de donner aussi au Fait féminin *des références historiques, toujours dans le but d'élargir notre cadre de références.*

Mais on connaît finalement assez mal la place et les rôles des femmes de ce passé, particulièrement des plus humbles et des plus nombreuses. On connaît encore moins de faits assurés permettant d'élucider les rapports qu'elles pouvaient avoir à leur corps, la manière dont les données biologiques et physiologiques les concernant ont pu évoluer ou ont pu déterminer leurs statuts et leurs rôles. On trouvera ici trois textes différents qui cherchent à jeter quelque lumière sur l'histoire des femmes en rapport avec leur « nature ». Ils cherchent les uns et les autres à cerner ce difficile sujet, tantôt en apportant des faits démographiques permettant de retracer le cycle de vie des femmes de l'Ancien Régime en Europe occidentale, tantôt en précisant des faits économiques qui permettent de se représenter leurs tâches et leurs rôles, tantôt en rappelant les idées, les dogmes, les préceptes, les mentalités et les modes qui ont prévalu en ces temps, donnant de la femme des explications ontologiques qui lui faisaient des devoirs et un destin différents de ceux des hommes. L'émergence de la science, d'une part, de l'industrialisation, d'autre part, allait bouleverser ce tableau et accélérer prodigieusement les changements.

G. Duby, dont on sait l'extraordinaire érudition médiéviste, nous donne d'abord une brève, belle et sombre esquisse de ce que l'on sait de la femme noble du XIIe siècle. Ensuite, une conversation à quatre nous conduit du XVIe siècle à la fin du XIXe; E. Le Roy-Ladurie, M. Perrot, J.-P. Aron et moi-même avons tenté d'apporter quelques données assez bien assurées et quelques faits peu souvent mentionnés, ainsi que quelques éléments de l'histoire des idées relatives à la « nature » féminine, empruntés surtout à la France. Puis une importante contribution de P. Laslett, après avoir situé les limites des rapports que l'Histoire peut entretenir avec la biologie, retrace les rôles des femmes de la paysannerie occidentale – surtout anglaise – dans la famille de l'Ancien Régime et nous permet de mieux comprendre les changements drastiques qu'ont introduits dans la vie des femmes la science médicale et l'industrialisation.

Evelyne SULLEROT.

6.
Notes brèves sur le fait féminin au XIIe siècle

par Georges DUBY

1. Je parle du XIIᵉ siècle, non seulement parce que cette époque m'est plus familière, mais parce que, dans notre culture, elle est celle d'une inflexion majeure dans l'histoire des rapports entre les sexes. D'une part, au XIIᵉ siècle s'achève la lente évolution qui conduisit l'Église romaine à présenter le mariage comme l'un des sept sacrements, et, victorieux d'une longue résistance, le modèle de morale matrimoniale proposé par les prêtres finit alors par être partiellement accepté. D'autre part, et comme en compensation, un modèle antagoniste, celui de l'« amour courtois », se forme au XIIᵉ siècle et s'impose à l'aristocratie.

2. Remarquons bien :

a) Que nous n'apercevons jamais la femme de cette époque que par les yeux de témoins masculins.

b) Que presque tous nos informateurs sont des gens d'Église, astreints en principe au célibat, et qui sont censés vivre dans la chasteté. Ils servent une religion dont le dieu est un père *et* un fils engendré par une vierge – une religion de pénitence dont l'idéal est alors un refus du monde, c'est-à-dire du charnel. Ces hommes ont en outre la main forcée par des pressions extérieures, celles des sectes hérétiques, d'un spiritualisme plus radical et qu'il fallait combattre sur leur propre terrain, celles des laïcs aussi qui semblent bien avoir été déterminantes dans le succès de la campagne menée, au siècle précédent, pour imposer le célibat aux clercs.

c) Que le regard se porte presque exclusivement sur l'aristocratie, par force : c'est le seul milieu social dont les comportements soient quelque peu documentés. Or cette catégorie sociale est fondamentalement militaire. La féodalité est un système d'exploitation des travailleurs par un petit groupe de guerriers oisifs. Ce qui signifie que :

– Les femmes de ce groupe n'ont aucun rôle économique;

– Dans le système de valeurs, celles de virilité agressive sont principalement exaltées;

– La prééminence sociale des mâles est fonction d'un capital de gloire et de puissance, transmis de père en fils, et qu'il importe de ne pas laisser se détériorer. A cette fin, une modification des structures de parenté dans le sens d'un raffermissement de l'armature lignagère s'est opérée depuis le ixe siècle; elle s'achève à l'époque dont je parle. Elle fait du mariage l'affaire des anciens du groupe, des *seniores;* pour éviter la déchéance de la « maison », ils s'efforcent de marier toutes les filles, car celles-ci sont dotées en valeurs mobilières et perdent leur droit à la succession; pour que l'héritage ne se morcelle pas, ils veillent, en revanche, à ne marier qu'un seul garçon, l'aîné.

3. Certains textes – j'utilise spécialement l'histoire d'une de ces maisons seigneuriales, celle des comtes de Guines, dans le nord-ouest de la France, écrite à l'extrême fin du xiie siècle par un prêtre qui, lui, était marié et largement pourvu d'enfants – permettent d'entrevoir la structure de la demeure aristocratique, dont l'espace interne s'était alors récemment démultiplié. Cette demeure, normalement, abrite un seul couple procréateur. Le lit conjugal, où se forge l'avenir du lignage, en occupe le centre, comme il est au centre du cérémonial des noces, où l'on voit les prêtres l'entourer de bénédictions, d'exorcismes et d'appels à la fécondité. Dans une pièce attenante, les enfants sont élevés ensemble, garçons et filles, jusqu'à l'âge de sept ans. Ensuite, des quartiers séparés sont affectés à chacun des sexes, en même temps que l'éducation se différencie.

4. Dès lors, les garçons ne sont plus dans la maison que de passage. Leur vraie place est ailleurs. Certains d'entre eux, voués à l'état ecclésiastique, s'agrègent à des escouades de jeunes mâles, à des équipes de formation professionnelle dont les unes sont closes, s'il s'agit de former des moines, d'autres ouvertes et, apparemment, en dépit des interdits, sexuellement actives, s'il s'agit de former des clercs. L'éducation des autres garçons est militaire et se poursuit le plus souvent dans une autre demeure, celle du seigneur de leur père. Vers vingt ans, ils sont solennellement armés chevaliers et reçus parmi les adultes. De l'un d'entre eux, d'ordinaire depuis très longtemps fiancé, on célèbre alors les noces; il fonde sa propre maison, il devient un *senior,* alors que ses frères restent des « jeunes », des « bacheliers ». Ceux-ci mènent en bandes une vie errante, aux lisières des « maisons »; les temps forts de cette existence sont des parades militaires, les tournois, où l'on gagne du butin, de la gloire et du plaisir. Leur sexualité est, elle aussi, divagante, prédative : ils violent les roturières, payent les putains, fort nombreuses, avec le prix de leurs exploits, consolent les veuves, ou bien utilisent les servantes que tout seigneur soucieux de sa réputation met à la disposition des hôtes de passage. Mais tous les « jeunes » rêvent de mariage. D'où l'importance dans la « courtoisie » des rites de parade amoureuse et l'exaltation, au cœur de l'idéologie chevaleresque, de cette forme sophistiquée du rapt qu'est la séduction : saisir une héritière contre les intentions de sa parenté. Un jeu qui parfois réussit, mais tard. La plupart des chevaliers meurent célibataires.

5. Dans cette société, les filles n'ont pas de fonction. Ce qu'exprime très clairement l'évêque Gilbert de Limerick : il s'emploie à classer les hommes, en trois groupes fonctionnels, prêtres, guerriers, paysans; il classe de la même façon les femmes; mais « je ne dis pas que la fonction de la femme soit de prier, labourer

ou combattre : elles sont mariées avec ceux qui prient, combattent, et *elles les servent* ». Donc, dans leur éducation, deux branches : ce que nous appellerions les arts d'agrément, broder, chanter, c'est-à-dire, poser, distraire les guerriers; et puis l'apprentissage de la dévotion. En effet, elles sont toutes vouées à « servir » un mari, et leur lignage appâte les époux éventuels par les plus belles dots possibles. Sur ce marché, les filles qui n'ont pas de frères, et qui héritent ont les meilleures chances. Beaucoup, en revanche, ne trouvent pas preneur. Elles vont rejoindre leurs tantes malchanceuses et les veuves du lignage dans le petit couvent interne institué pour cela dans la maison. A leur usage, l'Église a construit un modèle de perfection féminine à trois degrés successifs : en contrebas le mariage, au milieu le veuvage, au sommet la virginité. Mais les laïcs, eux, tiennent le mariage des filles pour l'idéal : lorsque Tristan et Yseut décident de se séparer et de remplir leurs rôles respectifs, ils s'en vont, lui, éduquer les jeunes guerriers, elle, marier les demoiselles pauvres – c'est-à-dire leur donner l'argent de la dot, qui leur permettra de se faire légalement engrosser.

6. Le destin normal de la fille est en effet, passé quatorze ans, d'être solennellement déflorée par le mâle auquel ses parents mâles l'ont de longue date promise, d'entrer dans une autre maison, celle de son « maître » (*dominus*) comme on dit, et d'y vivre soumise. La tendance des lignages serait à l'endogamie, plus propice à la protection du patrimoine, mais l'Église la combat, au nom d'une conception démesurée et inapplicable de l'inceste (interdiction d'épouser un parent jusqu'au septième degré). La tendance des mâles nobles serait à la polygamie, par les facilités de la répudiation – l'homme renvoyant naturellement son épouse (en rendant la dot et en cédant le domaine) si elle tarde à lui donner des garçons, ou si un meilleur parti se profile à l'horizon; mais l'Église combat aussi cette tendance, au nom d'un principe strictement monogamique. Toutefois, laïcs et ecclésiastiques s'accordent quant aux valeurs de la fidélité conjugale. Les convenances cantonnent le dévergondage sexuel des mâles dans les périodes de « jeunesse » ou de veuvage (le comte de Guines connaît par leur nom trente-trois de ses bâtards et les a fait très bien élever; mais il dit les avoir tous conçus avant son mariage ou après la mort de sa femme). Les convenances obligent aussi d'aimer son épouse – mais pas trop. Les gens d'Église et les troubadours s'accordent également sur ce point. Les premiers, parce qu'ils tiennent le mari trop ardent pour un fornicateur; les seconds, parce que la « fine amour » vit de liberté et s'étiole dans le carcan matrimonial. En tout cas, la condamnation majeure frappe l'infidélité de la femme. L'adultère, en effet, risque d'introduire parmi les héritiers des prétendants issus d'un autre sang que les ancêtres.

7. Les attitudes masculines à l'égard de la femme paraissent dominées moins par le désir que par la peur. La femme est réputée perverse par nature. On la sent porteuse d'hérésie, maniant des armes sournoises, le maléfice, le philtre, le poison, dévorée par l'impétuosité sexuelle, et pour cela dévorante. Les chevaliers du XIIe siècle vivent entourés d'Èves, à la fois débiles, corrompues et corruptrices, qui sont à leurs côtés permanente occasion de chute. Un remède : le mariage, qui évacue la concupiscence et désarme momentanément la femme en la faisant mère.

8. Comme la mère du Christ, la femme noble est exaltée en tant que « dame ». La dame, c'est d'abord l'épouse, donc la mère. Des nourrices vivent dans la chambre aux jeunes enfants, et l'épouse du maître peut donc lui donner un héritier tous les ans; elle a une chance sur deux de mourir en couches, épuisée – ce qui favorise aussi la polygamie pratique. En revanche, cette fonction procréatrice, la seule positive, lui confère de la puissance : elle domine au moins ses enfants, et on la voit parfois, quand elle survit aux maternités, veuve et douairière, gouverner la seigneurie. Et comme la restriction au mariage des garçons a pour conséquence directe l'inégalité des conditions dans le mariage (sur le marché matrimonial, la demande de femmes est nettement moins forte que l'offre, et les lignages donnent régulièrement au garçon qu'ils marient une épouse plus huppée), la fortune, la gloire, la « noblesse » sont, la plupart du temps, du côté de l'ascendance maternelle. Ce qui renforce la position de l'épousée dans la maison de son mari, mais aussi celle de ses frères, et leur emprise sur sa progéniture.

9. Mais la dame, c'est aussi la pièce centrale du jeu courtois – comme du jeu d'échecs, dont la vogue date aussi de cette époque. Expression parmi d'autres de l'idéologie chevaleresque dans sa résistance à l'acculturation ecclésiastique, l'amour courtois est en effet un jeu, où les rapports normaux s'inversent. Il échappe nécessairement aux contraintes lignagères, au cadre matrimonial : un « jeune » choisit une « dame », la femme d'un autre, pour la servir dans l'espoir d'une récompense. La dame n'est jamais prise ni donnée; elle se donne, progressivement, et cette faveur est d'autant plus précieuse qu'elle brave l'interdit majeur et tous les châtiments promis aux adultères. Ne nous méprenons pas cependant : ce jeu est un jeu d'hommes. Le seigneur en est, en réalité, le meneur et, par la compétition dont sa femme est l'enjeu, tient en bride les jeunes de sa maison. L'aiguillon est bien le désir, mais ce désir est masculin. La courtoisie, plus encore que le mariage, fait de la femme noble un objet.

10. Dans cette société, la femme apparaît de toute manière dominée. La subordination du féminin au masculin est conçue comme un fait de nature, conforme donc à l'ordre du monde. Toutefois, il est un plan où l'égalité s'établit, c'est l'amour. Ici, l'idéologie religieuse et l'idéologie profane se rencontrent à nouveau. L'Église, parce qu'elle refuse le charnel, privilégie dans le couple l'union des volontés, le consentement mutuel, et proclame l'homme et la femme égaux devant les devoirs; Abélard, par exemple, professe que la femme fut créée physiquement égale à l'homme, que le péché l'a placée sous la domination masculine, mais que cette domination cesse dans l'acte conjugal, où l'homme et la femme détiennent un pouvoir égal sur le corps de l'autre. Tandis que les poètes, peu à peu – le terme est atteint à la fin du XIIe siècle dans la seconde partie du *Roman de la Rose* – progressent vers l'idée que l'union des corps n'est parfaite que si Vénus et Amour, le désir féminin, le désir masculin, vont à la rencontre l'un de l'autre, et que la vraie liberté, c'est l'égalité dans le plaisir.

A propos du destin de la femme, du XVIe au XXe siècle *

par Emmanuel Le Roy-Ladurie, Evelyne Sullerot,

Michèle Perrot, Jean-Paul Aron

E. Le Roy-Ladurie : Le destin de la femme – jeune fille, épouse, mère – est démographiquement bien connu maintenant pour les XVIIe et XVIIIe siècles, ainsi que les naissances, mariages, morts, à tout le moins pour la période allant de 1650 au XIXe siècle. Grâce aux registres paroissiaux, nous disposons de dizaines de milliers de cas, statistiquement représentatifs. Vers 1700, la femme, comme l'homme, se marie assez tard, vers 25-26 ans. Bien qu'auparavant il y ait flirts et conduites amoureuses, dans la grande majorité des cas, 80 à 85 % des cas, elle arrive vierge au mariage. C'est là un point bien établi. Au Moyen Age, il semble que la liberté sexuelle ait été plus grande et qu'il existait des unions momentanées et des couples non mariés. Mais il apparaît que, sous l'influence de l'Église catholique et, en Angleterre, à un moindre degré sous l'influence du puritanisme et de l'Église anglicane, les valeurs vertueuses l'ont tout de même emporté, bien qu'une certaine place reste faite au flirt et à l'amour, assez ritualisés avant le mariage. On connaît ensuite fort bien la carrière maternelle de la femme une fois mariée. Elle diffère de celle de la femme préhistorique dont on dit qu'elle connaissait une naissance tous les 4 ou 5 ans. Au XVIIe siècle, les naissances interviennent en moyenne tous les deux ans. L'intervalle entre les naissances, ou intervalle génésique, varie selon les régions entre 25 et 30 mois. Il faut mettre à part le cas des femmes riches, ou même pas toujours riches, qui emploient des nourrices. Pour les autres, l'allaitement dure un an ou deux, mais la protection assurée par l'allaitement contre une nouvelle grossesse ne semble durer que 6 mois ou un an. Cependant il existait sans doute des tabous sexuels excluant les rapports pendant l'allaitement, ce qui explique que l'intervalle entre les naissances soit non de 10 ou 12 mois, mais de deux ans. De plus, il semble que les tabous sexuels pendant les grossesses aient été plus ou moins respectés.

Il faut distinguer entre les mères qui allaitent et les nourrices qui allaitent les enfants des autres. Pour ces dernières, allaiter était une source de revenus, aussi

* Transcription condensée d'entretiens.

avaient-elles intérêt à s'abstenir d'avoir des rapports sexuels afin de ne pas faire tort à l'enfant qu'elles nourrissaient et conserver leur situation, ou bien alors recourir au *coitus interruptus*. Cette motivation a compté à partir du XVIIIe siècle dans l'expansion du *coitus interruptus* comme pratique.

Cela dit, la femme du peuple, dans les villages, ne mettait pas au monde 15 ou 20 enfants, mais 8 ou 9. Il y a bien sûr des différences observées selon les villages étudiés. Mais 8 ou 9 naissances est une moyenne. Seulement, beaucoup de couples étaient brisés par la mort, et, de ce fait, on finit par ne compter, en moyenne, que 4 enfants par mariage. La femme qui accomplissait toute sa carrière de fécondité, de l'âge du mariage à la ménopause, avait 8 ou 9 enfants. Mais très souvent elle meurt avant d'avoir atteint la ménopause, ou son mari meurt. Donc, en moyenne 4 enfants par couple, et, sur ces 4 enfants, 2 seulement vont atteindre l'âge adulte. En effet 25 % meurent avant d'avoir atteint l'âge d'un an (mortalité infantile) et 25 % avant d'avoir atteint 14 ans (mortalité juvénile). Ce qui fait qu'on se retrouve au point de départ : deux parents donnent naissance en moyenne à deux enfants qui leur survivront : c'est l'équilibre démographique, dans un système assez cruel, mais autorégulé en somme. Voilà pour les femmes du peuple. Quant aux bourgeoises, elles présentent un cas différent, du fait du recours aux nourrices. Le recours à la nourrice n'est pas un cas spécifiquement français, comme on l'a dit, mais les Français y avaient sans doute recours davantage que les autres peuples. Cette pratique créait des problèmes difficiles aux femmes de la bourgeoisie et de la petite bourgeoisie, particulièrement aux femmes d'artisans qui voulaient pouvoir continuer à travailler auprès de leur mari. En effet la structure que nous connaissons encore aujourd'hui : la boulangère auprès du boulanger, la bouchère auprès du boucher, est fort ancienne. Elle était alors beaucoup plus répandue qu'aujourd'hui. Nombre de femmes avaient besoin de travailler et, de ce fait, pensaient ne pas pouvoir nourrir leurs enfants. Elles les donnaient alors à des nourrices et c'était une forme d'infanticide différé car beaucoup de ces enfants mouraient. De plus, les femmes d'artisans n'avaient plus la protection de l'allaitement et étaient donc plus souvent enceintes. Ainsi, on sait que les femmes des bouchers de Lyon avaient 19 enfants : un enfant par an. Environ 15 d'entre eux mouraient. Peut-être les analyses d'Ariès, qui croit à l'indifférence à l'enfant, sont-elles exagérées, mais il est vrai que quand on vit des situations comme celle que je viens de décrire, il doit se créer des réactions de détachement, d'autant que la mère était séparée de son bébé presque à la naissance. Du reste, la naissance d'un enfant n'était ni un choix ni un projet : dans le peuple, on se mariait, c'était pour avoir des enfants comme un pommier a des pommes. Dans l'aristocratie, il en va différemment et, dès la fin du XVIIe siècle, on limite les naissances.

E. SULLEROT : Différents ouvrages de médecine de l'époque ainsi que des traditions folkloriques recueillies [25] montrent bien que le tabou sexuel pendant l'allai-

25. *Essai sur le lait ou Histoire de ce qui a rapport à ce fluide chez les femmes, les enfants et les adultes,* etc, par PETIT-RADEL, Paris, 1786; ou : *De la conservation des enfants,* par RAULIN 1768.
    Arnold VAN GENNEP : *Manuel de folklore français,* Paris, Picard 1972, t. Ier, p. 118 (note 5 pour la bibliographie) et p. 119 (note 5, *id.*).

tement existait bel et bien en Europe : ainsi on affirmait que « les liquides naturels se contrariaient » et que le sperme entrant dans le corps de la femme ne pouvait que nuire au lait qu'elle donnait à l'enfant. La nourrice d'un des enfants de Louis XIV a ainsi été renvoyée pour avoir été vue parlant à son mari, à qui elle avait donné rendez-vous clandestinement; durant toute la durée de son service comme nourrice, elle devait en principe s'abstenir de le voir. Plusieurs personnes étudient actuellement la mise en nourrice et les nourrices : on retrouve jusqu'à la fin du XIXe siècle, cette stricte séparation des époux pour certaines nourrices placées. Lorsqu'on aura élucidé les aspects économiques de cette pratique et ses justifications diverses, on pourra mieux répondre à la question relative à l'indifférence ou l'attachement à l'enfant et écrire un chapitre de l'histoire très mal connue de l'amour maternel. De toute façon, il faut souligner que c'est dans le monde féminin que se résolvait, fort mal au demeurant, la question de la nourriture et donc de la survie des petits enfants. Certaines femmes nourrissaient elles-mêmes leurs enfants; d'autres, en sus, nourrissaient les enfants des autres et monnayaient ce service; d'autres enfin ne nourrissaient pas et se trouvaient de ce fait davantage susceptibles d'être enceintes. C'est surtout elles qui tentaient ces pratiques contraceptives dont Hélène Bergues [26] a fait un relevé très documenté. La vie féminine dépendait très largement de sa fertilité et du rôle de nourrice qu'elle assumait ou n'assumait pas après la naissance des enfants. Les découvertes pasteuriennes et les améliorations techniques qui peu à peu ont permis l'allaitement artificiel vont davantage changer la vie des femmes que toutes les idéologies féministes. Il est remarquable du reste que les féministes du XIXe siècle, par exemple les saint-simoniennes et fouriéristes, n'abordent pas cette question, se bornant à réclamer l'institution de « nourrices nationales », c'est-à-dire fonctionnaires [27]. Toutefois cette période féconde de la femme ne durait pas toujours, et, après la ménopause, la femme avait un statut différent. Il semble que l'âge de la ménopause était plus précoce qu'aujourd'hui.

E. LE ROY-LADURIE : Il semble effectivement qu'en tout cas dans les sociétés méditerranéennes, la jeune fille et la femme aient eu peu de pouvoir, mais que, plus âgée, après sa ménopause, la mère ait davantage de pouvoir, par exemple sur ses fils. C'est la *mamma,* stéréotype valable. J'ai trouvé des indications en ce sens en étudiant le village de Montaillou en Languedoc au Moyen Age [28]. Aux XVIIe et XVIIIe siècles, non seulement l'intervalle entre les naissances devient peu à peu plus important, mais encore le dernier enfant arrive moins tard dans la vie de la femme. D'abord vers 42-43 ans, puis, peu à peu, vers 37-38 ans, et

---

26. H. BERGUES et al. : *La Prévention des naissances dans la famille, ses origines dans les Temps modernes,* cahier n° 35, I.N.E.D., Paris, P.U.F., 1960.
27. Dans *La Voix des femmes,* quotidien, 1848; cf. E. SULLEROT : « Journaux féminins et lutte ouvrière », in *La Presse ouvrière,* 1848-1850, Société d'Étude de la révolution de 1848, Paris, 1965, pp. 88-123.
28. E. LE ROY-LADURIE : *Montaillou, village occitan,* Paris, Gallimard, 1975.

même 32 ans en Suisse [29], dans la bourgeoisie protestante genevoise, par exemple. C'est là une des preuves des débuts de la limitation des naissances. Auparavant, si on date la ménopause à partir de la cessation de la fécondité, elle semble intervenir vers 43-44 ans, ce qui semble un peu tôt. D'autre part, la formation de la jeune fille était plus tardive qu'aujourd'hui. Mais un des faits les plus importants était le grand nombre de veuves. Beaucoup d'hommes se trouvaient veufs, mais ils se remariaient très facilement et très vite, la plupart du temps un mois après le décès de leur femme, ce qui ne laisse guère d'illusion quant au sentiment de deuil... A moins d'être très pauvres ou très vieux, les veufs trouvaient aisément femme. La seconde femme est la marâtre des enfants du premier lit, situation très commune dont le folklore est un bon révélateur. En fait les enfants passaient de famille en famille, du fait des morts : c'est « la famille en miettes » du XVIIe siècle [30], phénomène fondamental, bien aussi important que l'incidence du divorce de nos jours. Mais en revanche bon nombre de veuves ne trouvaient pas à se remarier et formaient une partie pauvre de la population des villages et des villes.

E. SULLEROT : Qu'il s'agisse de l'abstinence durant la période de grossesse et d'allaitement, ou de la manière de traiter sa femme, la référence aux animaux est fréquente et intéressante. Tantôt elle a été utilisée pour interdire : « Voyez les animaux »; tantôt pour permettre : « Nous ne sommes pas des animaux. »

E. LE ROY-LADURIE : Lemaître, théologien libéral de la Sorbonne à la fin du XVe siècle, remarque bien que les animaux s'abstiennent durant la période d'allaitement de la femelle, mais c'est pour mieux valoriser l'amour et le plaisir et autoriser les rapports sexuels pendant la grossesse et l'allaitement en arguant « à d'autres animaux, d'autres appétits ».

E. SULLEROT : En somme, la référence aux animaux est très péjorative dans les périodes où les hommes ont une grande opinion d'eux-mêmes, mais elle devient au contraire presque louangeuse dans les périodes où la société se met elle-même en accusation et que la nature est alors magnifiée, comme à l'époque rousseauiste, ou même à l'époque actuelle qui voit fleurir un certain néorousseauisme. Pour donner une preuve de la méchanceté acquise, « sociale » de l'homme, Zella Luria faisait remarquer que seuls les hommes battaient leurs femmes. Robin Fox a corrigé, en rappelant que par exemple les chimpanzés également battent leurs femelles, en toute innocence.

E. LE ROY-LADURIE : On possède une petite statistique pour Madrid au XVIIIe siècle sur les hommes qui battent leurs femmes et les femmes qui battent leurs

---

29. L. HENRY : *Anciennes Familles genevoises, étude démographique* XVI-XXe *siècle,* cahier I.N.E.D., P.U.F., Paris, 1956, 232 p.
30. M. BAULANT : « La famille en miettes; sur un aspect de la démographie du XVIIe siècle », in *Annales E.S.C.,* juill.-oct. 1972, numéro spécial « Famille et Société », p. 959-969.

maris. Elle ne porte pas sur un très grand nombre de cas, mais il y apparaît que dix fois plus de maris battaient leurs femmes que de femmes leurs maris. Néanmoins, le mari battu par sa femme est un personnage important des stéréotypes, car il est cause des charivaris, au cours desquels le mari battu était porté sur un âne, ou bien son plus proche voisin. La femme battant son mari est l'exception au système, et révèle le système dominant. On pourrait ainsi trouver dans notre passé bien des « exceptions révélatrices » au système patriarcal. Par exemple les Basques : chez eux c'est la fille matrilinéaire qui transmettait la maison, la maison étant elle-même porteuse du nom de famille. Les Basques, cas très particulier [31], ne sont pas des Indo-Européens, mais des néolithiques qui ont conservé de très anciennes coutumes, et les Béarnais des Basques romanisés sur le tard. Chez eux, en tout cas, s'il n'y avait pas de fils, la maison et le nom passaient par la femme. En revanche, dans les autres provinces françaises, le système permettait de « faire un gendre » : c'est-à-dire qu'en l'absence d'un fils le mari de la fille prend sa place, mais cela n'implique pas qu'il prenne le nom de sa femme. En Normandie, le système n'était pas patriarcal mais très phallocratique; c'était un héritage des Vikings : les biens passaient uniquement par les frères, de manière très égalitaire, très démocratique, mais uniquement entre hommes. Les filles sont exclues, il faut leur trouver un mari, c'est tout. Le droit normand était sur ce point identique au droit scandinave ancien. Il s'agit d'un modèle culturel dans lequel le père ne compte pas; seuls comptent les frères, quant aux femmes il n'en est pas question.

Dans d'autres provinces françaises, les droits d'héritage étaient beaucoup plus féministes. Pas dans le Midi, patriarcal, très masculiniste, où le fils seul hérite, – parfois la fille, mais à titre d'exception. Mais en Anjou, ou en Région parisienne, où les filles ont part à l'héritage. Dans le modèle culturel occitan, encore très latin, le père seul compte, le *paterfamilias,* et même après sa mort sa volonté demeure toute puissante. Dans le modèle parisien, nettement plus « sympathique », c'est le couple qui compte, l'homme et la femme qui ne font qu'une seule chair, ainsi que saint-Paul l'avait affirmé. La femme a un demi-rôle, mais c'est quand même un demi-rôle face à un demi-rôle du mari. Ce modèle, on le trouve dans les premiers textes des coutumes, depuis le XIIIe siècle [32].

Pour ce qui concerne l'éducation, l'instruction, dans les villages régnait une certaine égalité puisqu'il n'y avait pas d'écoles, ni pour les garçons, ni pour les filles... Puis, selon les régions, apparaissent des écoles depuis les XIVe, XVe, XVIe siècles : elles sont généralement réservées aux garçons mais on y trouve aussi des filles. En tout cas, peu à peu, l'Église catholique, en insistant sur la nécessaire ségrégation des sexes à l'école, a certainement donné une promotion particulière à l'éducation des filles.

Tout de même, beaucoup de femmes de l'élite s'arrangeaient pour apprendre à lire, dans les livres saints au moins. J'avais fait un jour une constatation mono-

---

31. J. RUFFIÉ : *De la biologie à la culture,* Flammarion, 1977.
32. E. LE ROY-LADURIE : « Structures familiales et coutumes d'héritage en France au XVIe siècle : système de la coutume », in *Annales E.S.C.,* Paris, juil.-oct. 1972, n° 4-5, 27e année, p. 825-847.

graphique qui n'est sans doute pas généralisable, mais intéressante, en étudiant le livre de raison d'une bourgeoise vaguement noble de Paris vers 1560. Cette femme, veuve, avait des fils et des filles. Ses fils reçoivent une instruction soignée dans les meilleurs collèges parisiens de l'époque, instruction qui coûte cher : mettons 1 500 livres par mois. Or, les dots qu'elle donne aux filles sont exactement équivalentes à la somme qu'a coûtée l'éducation de chaque fils. Vraiment on a l'impression d'une sorte d'échange : « On donne fils éduqué, coût 1 500 livres contre fille non éduquée, dot 1 500 livres... » Je ne sais dans quelle mesure cette pratique était courante dans la noblesse du XVIᵉ siècle. Mais les filles de ces familles apprenaient à lire la Bible et les livres saints, et faisaient beaucoup de musique. Cela d'une manière générale, et on peut se demander si ce type d'éducation n'est pas une supériorité sur l'homme : les garçons vont faire du latin, les filles de la harpe...

E. SULLEROT : Dans la culture de l'époque, le latin conférait un certain pouvoir, ou plutôt était quasi indispensable pour accéder à certains pouvoirs, mais la harpe... L'observation est cependant intéressante car tout au long de l'Histoire on retrouve cette prédilection pour l'éducation musicale des filles, alors que, même si c'était là leur goût, une telle éducation était souvent chichement mesurée aux garçons, qui devaient apprendre le métier des armes, ou le latin, ou mille autres choses. Et cependant, en dépit de ce très long et très général « conditionnement » des filles à la musique par l'éducation, en dépit des réticences ou des barrages violents opposés par les parents à une vocation musicale de certains garçons – les compositeurs de musique ont toujours été, en écrasante majorité, des hommes. On pourrait arguer du fait qu'une femme pouvait gratter du luth ou jouer de l'épinette fort joliment, mais que la société n'était pas prête à la voir créer de la musique, inventer des musiques, et que, de ce fait, elles s'abstenaient. Mais cependant on s'aperçoit que les femmes qui ont composé – comme Louise Labbé, pour rester au XVIᵉ siècle, qui ne se contentait pas de faire des poèmes mais inventait aussi des musiques – ont été très bien accueillies, admirées de leur temps. Ce fut le cas de Louise Labbé, mais aussi de bien d'autres. Je ne prétends pas prouver ni conclure. Simplement souligner que la question est d'importance et qu'aucune réponse n'a pu jusqu'ici lui être apportée : l'éducation musicale a été très largement dispensée aux filles, bien plus largement qu'aux garçons, dans toutes les sociétés et à toutes les époques. Cependant la créativité musicale est presque exclusivement masculine, du moins s'agissant des grandes œuvres. Un argument généralement avancé est que les femmes n'avaient pas le temps de se consacrer à la composition musicale. Ou encore que, créant des œuvres musicales, elles n'eussent pas été accueillies, reconnues par la société dans laquelle elles vivaient. Hélas! ni l'un ni l'autre de ces arguments ne résiste à un examen sérieux. Les femmes qui, du XVIᵉ siècle à nos jours, ont reçu une éducation musicale ont pris beaucoup de leur temps pour exécuter la musique des autres, des hommes. D'autre part, elles ont été fêtées fort souvent, complimentées, aidées quand elles étaient douées : qui se rappelle Caroline Wuiet, jeune musicienne prise en charge, prisée, aidée à la cour d'Autriche et à la cour de France à l'instar ou davantage que Mozart? Elle n'a laissé que des œuvrettes, mais elle était célèbre. De même du reste que, dans le monde des lettres au xixe siècle Amable Tastu ou Anaïs Segalas étaient plus célèbres que Musset ou Nerval. On pense de même que s'il n'y a pas eu jusqu'à nos jours de grands peintres femmes, c'est parce qu'il était inconcevable qu'une femme fît carrière dans la peinture. Pourtant, Sofonisba Anguissola (1528-1624), peintre, comme ses cinq sœurs du reste, était admirée de Vasari et de Michel-Ange et fut invitée à la cour d'Espagne comme peintre par Philippe II. De même que Lavinia Fontana (1552-1614) qui se fit acheter ses œuvres par ce même roi et fut invitée à Rome par le pape (son mari avait renoncé à sa carrière pour l'aider et faisait ses cadres...). Levina Teerling, invitée par Henri VIII d'Angleterre et achetée plus cher qu'Holbein. Artemisia Gentileschi, élue à 23 ans à l'Académie de peinture de Florence en 1613. Maria Sibylla Merian, qui connut une très grande renommée à Amsterdam fin xviie. Rosalba Carriera élue à l'Académie à Rome en 1705 et à l'Académie française de peinture en 1720, appelée par Louis XV, par le roi de Pologne, etc. Angelika Kauffmann, élue à quatorze ans à l'académie Saint-Luc à Rome, fondatrice de la Royal Academy avec Joshua Reynolds en 1768, qui fut appelée par toutes les cours d'Europe. Anne Vallayer-Coster, élue aux Académies de peinture de Paris, et de Rome, appelée par Catherine II à sa cour. Et bien sûr Vigée-Lebrun, Rosa Bonheur, Berthe Morisot dont nous avons conservé le souvenir. Mais qui connaissait, à part Rosalba Carriera, ces noms que je viens d'énumérer [33]? Ces femmes furent pourtant fort célèbres, à l'égal et plus que des peintres de génie de leur temps. Elles ne furent point « barrées » dans leur carrière de créateur. De même, parmi les innombrables femmes qui écrivirent et publièrent des livres surtout au xixe siècle, plusieurs, dont les noms sont aujourd'hui totalement inconnus, en Angleterre comme en France, connurent une grande notoriété, bien supérieure à leur talent. Et Louise Belloc ou Alexandrine Aragon eurent moins de difficulté à éditer que Balzac. Je ne prétends pas résoudre ici l'énigme de la place réduite des femmes dans la création, mais seulement indiquer que c'est avec trop de hâte qu'on y voit seulement un barrage social, une prétendue impossibilité de reconnaître à une femme du talent et de la consacrer : il suffit de chercher un peu et on s'aperçoit que nombre d'entre elles ont été appréciées, louangées, célèbres en leur temps – mais qu'elles ont laissé bien peu de traces dans la postérité. Des œuvres des femmes peintres dont je viens de parler sont dans les musées, les livres des femmes auteurs sont dans les bibliothèques – on peut en juger... Il faut faire cette étude minutieuse avant d'affirmer avec assurance que la création a été rendue beaucoup plus facile aux hommes qu'aux femmes, et qu'elles n'ont pas eu jusqu'ici la moindre chance d'exercer leur talent. Tout particulièrement en musique, elles ont plutôt été favorisées par une éducation musicale plus systématique que pour les garçons, depuis fort longtemps. L'énigme reste entière. Nombre d'entre elles ont dû voir leur talent étouffé. Nombre d'hommes aussi.

---

33. Ces femmes peintres, et d'autres, avec plus de détails, furent citées par Françoise Cachin, conservateur, au colloque « Femme et Création », juin 1976, organisé par le secrétaire d'État à la Condition féminine. Voir également Karen PETERSON et J. T. WILSON : *Women Artists*, Harper & Kollophon, 1976.

Et d'autres hommes ont fait œuvre géniale dans les pires difficultés, ou à l'ombre de leur femme. Lorsque Robert Schumann apparaissait derrière son illustre épouse Clara, on lui demandait avec une politesse distraite et condescendante : « Et vous, monsieur, vous êtes aussi musicien, comme madame? »

Le XIXe siècle *

M. Perrot : Dès la fin XVIIIe siècle et le début du XIXe, le discours médical apporte le poids de sa caution « scientifique » à l'idée de « nature féminine ».

E. Sullerot : D'emblée, pour parler du XIXe siècle et de la femme, vous évoquez, et comme vous avez raison! le « discours » de la partie « savante » de la société et les « idées » sur les femmes, la nature des femmes. Quand nous parlons du XIXe siècle, dont nous avons souvent l'impression de n'être pas encore bien dégagés, nous ne pouvons pas ne pas évoquer les idées qui avaient cours, les morales véhiculées, les contraintes nées de cette pesanteur idéologique. C'est d'autant plus légitime que les « idées » qui nous intéressent aujourd'hui ou nous font agir sont bien souvent en réaction contre celles du XIXe siècle : s'il semble quelque peu sacrilège en cette fin du XXe siècle de demander aux « savants » de la biologie une mise au point sur ce qu'ils savent de la femme, c'est que nous avons l'impression de ne nous être pas encore bien lavés de tout ce qu'avaient pu faire croire à nos arrière-grands-mères sur leur nature et leurs devoirs les médecins, les curés et les pasteurs. Aussi est-il extrêmement important que nous suivions à la piste la naissance de ce discours du XIXe siècle. Mais, auparavant, je voudrais faire deux remarques :

– E. Le Roy-Ladurie nous a retracé la « carrière » démographique des femmes aux XVIIe et XVIIIe siècles et il a fait apparaître ce phénomène, tellement intéressant pour les démographes, du début de la limitation des naissances dès le XVIIIe siècle en France, ce qui se traduit par une moins grande aliénation à leur « nature » puisqu'elles ont moins d'enfants, que leur dernier enfant intervient plus tôt dans leur vie, etc. Encore que ces phénomènes ne se produisent pas partout ni pour toutes les femmes de tous les milieux, je voudrais rappeler qu'au cours du XIXe siècle cette baisse de la fécondité des femmes va *s'accentuer* en France. Le mouvement amorcé vers 1790 va se poursuivre; la fécondité légitime va baisser de 1831 à 1851 dans l'ensemble du pays, comme le montrent les études d'E. Van de Walle [34] sur près de quatre-vingts départements français. De 1851 à 1871, cette baisse est plutôt remplacée par un palier; mais après 1871 la baisse va reprendre et s'accentuer, fort inégalement d'un département à l'autre, mais dans l'ensemble les femmes ont de moins en moins d'enfants. D'autre part, c'est au cours du XIXe siècle que vont commencer de se réduire la mortalité en couches et la mortalité infantile. En somme, cette période dont nous allons faire un sombre tableau en relatant les *idées* sur les femmes et la condition féminine telle que nous avons eu à en reconnaître a tout de même été aussi en même temps une

---

34. E. Van de Walle : *The Female Population of France in the XIXth Century*, Princeton, 1974, 483 p.
* E. Le Roy-Ladurie n'a pu assister à cet entretien.

période de désaliénation des femmes par rapport à la nature, lente, inégale, mais décisive. Il est bon de rappeler que les discours d'une société ne se traduisent pas toujours et en tout par des conduites parallèles.

– Ma seconde remarque a trait aux idées qui s'affrontent fin xviiiᵉ siècle concernant la femme, sa physiologie, sa nature, et les conclusions qu'on en tire. Il est surprenant de constater que les idées les plus antiféministes fondées sur la « nature » de la femme vont être exprimées par Rousseau, pour qui elle doit être au service de l'homme et de l'enfant : or l'engouement des femmes pour Rousseau dans toute l'Europe éclairée va être extraordinaire. Il est tout de même étonnant de constater combien les femmes soutiennent les penseurs antiféministes : Rousseau donc, et plus tard Freud et son complexe de castration... Mais, à la fin du xviiiᵉ siècle et particulièrement au début de la Révolution, d'autres idées se sont fait jour et se sont exprimées. Ainsi, Condorcet a réclamé pour les femmes le droit de participer aux affaires publiques comme les hommes, et il balaie toutes les objections relatives à leur « nature », allant jusqu'à dire que si l'on prétend interdire aux femmes des activités et charges sous prétexte qu'elles souffrent de « malaises périodiques », il convient alors d'en écarter également les hommes qui ont des rhumes fréquents. Il n'était pas isolé. Autour des Girondins, autour d'un journal comme *La Bouche de fer* s'étaient constituées des sociétés, dont la « Société des Amis des Femmes » qui combattait même les idées de Rousseau. Ce seront les plus révolutionnaires parmi les révolutionnaires qui tiendront le discours de l'incapacité de la femme en l'ancrant dans sa physiologie : Robespierre et ses amis, qui interdiront aux femmes toute fonction politique et même d'assister aux assemblées politiques. Amar, qui écrit le préambule de ces dispositions les justifie par « l'organisation qui est propre aux femmes », c'est-à-dire leur nature physique et son fonctionnement. Mais très peu auparavant, un ou deux ans avant, existait encore un mouvement d'idées très favorable aux femmes auxquelles il reconnaissait des supériorités morales et un droit équivalent à l'intelligence, à l'instruction, à l'activité privée ou publique.

M. PERROT : Ce mouvement va être complètement laminé et, bien au contraire, triomphe dès le début du siècle l'idée de l'infériorité naturelle de la femme sur le plan de la force musculaire, de l'intelligence, et bien entendu l'idée-force est celle de la fonction des femmes, fonction maternelle prouvée par la nature puisque la femme a des seins, un bassin comme cela, etc. Y. Knibielher le montre admirablement dans la recherche qu'elle a effectuée dans les dictionnaires scientifiques et les grands auteurs médicaux du début xixᵉ siècle [35]. L'*Encyclopédie* et Roussel, auteur d'un fameux *Système physique et moral de la femme* maintes et maintes fois réédité, insistent sur la comparaison désavantageuse entre la femme et l'homme : elle a les os plus petits et moins durs, la cage thoracique

---

35. Y. KNIBIELHER : « Les médecins et la « nature féminine » au temps du Code civil », in *Annales*, E. S.C., Paris, 31ᵉ année, n° 4, juillet-août 1976, p. 824-845.

plus étroite, un inclinaison des fémurs, à cause de son bassin plus large, qui gêne sa marche, une démarche vacillante, des tissus spongieux qui s'enflamment aisément, des muscles mous, un cerveau plus petit. Moreau, auteur d'une *Histoire naturelle de la femme,* et Virey qui multiplie les articles de dictionnaires, les cours et les livres, la considèrent même comme moins bien servie que les femelles des autres mammifères car sa station droite « lui inflige un surcroît de risques », risques d'avortement, de descente de matrice, etc. Le *« Tota mulier in utero »* est répété par tous ces auteurs. Y. Knibielher cite l'article « Femme » du *Dictionnaire des sciences médicales* où un certain Murat écrit : « Ce viscère *(la matrice)* agit sur tout le système féminin d'une manière bien évidente et semble soumettre à son empire la somme presque entière des actions et des affections de la femme. » On trouve aussi l'idée que la femme est davantage soumise à son sexe que l'homme parce que ce sexe est à l'intérieur, intégré à son être, alors que le sexe masculin est extérieur et comme marginal.

E. Sullerot : Bel exemple de raisonnement analogique magique, pour faire passer une idéologie! Freud, du reste, un siècle plus tard, opérera des réductions symboliques tout aussi péremptoires et stupéfiantes. Mais j'aimerais bien que nous essayions de ne pas confondre, d'une part, le discours idéologique, d'autre part, les commencements du discours scientifique, afin de ne pas laisser croire que ce sont les découvertes médicales et l'attention apportée à la science qui ont provoqué l'attitude envers la femme et la féminité du xixe siècle. Ce n'est pas la connaissance scientifique qui génère l'idéologie. Mais c'est l'idéologie qui déforme jusqu'au regard de celui qui observe et de ce fait retarde du reste le cheminement vers la connaissance. Le phénomène des règles a ainsi été tellement perçu comme souillure et impureté que, pendant des siècles, ont été élaborées à son sujet les théories les plus stupéfiantes. Fin xviiie, moins religieux et plus confiants en la nature, les médecins pensaient qu'il s'agissait plutôt d'une sorte de « saignée » naturelle qui soulageait la femme, et ils n'étaient pas loin de dire alors – ils l'ont dit – que l'homme se serait bien trouvé d'avoir le même régulateur hygiénique que sa « charmante compagne ». Courant xixe siècle, la religion revient. Plus de doux naturalisme et d'explications utilitaires et astucieuses des menstrues. Vigny retrouve les accents moyenâgeux et qualifie la femme d'enfant malade « et douze fois impure ». On commence, courant xixe siècle, à soupçonner le rôle des menstrues et leur rapport avec la fécondité : on l'analyse en ces termes idéologiques religieux et faussement apitoyés, c'est une « servitude » à laquelle la « pauvre » femme est « soumise » pour la « gloire » de sa « vocation maternelle ». C'est une sorte de maladie un peu honteuse qui signe la manière dont la femme est, inextricablement, liée à la maternité et on apprend aux petites filles à n'en jamais parler. Et puis les connaissances se précisent, car les recherches ont continué, et la connaissance exacte du phénomène entier du cycle dont les règles sont une manifestation va apporter dans la première moitié du xxe siècle cette révélation stupéfiante et combien libératrice : la nature – ou la Providence – n'a pas du tout « programmée » la femme toujours fertile. Toute femme est successivement fertile puis stérile tout au long de sa vie de femme : donc le plaisir, chez elle, est indépendant de la maternité, n'a rien à voir avec la fertilité! La voilà désentortillée de ses vocations et malédictions, sa vie sexuelle apparaît, autonome, séparée de la fécondité. Du moment où des domaines sont séparés, on apprend à agir librement dessus bien plus aisément, et la contraception, dont la possibilité était apparue avant qu'elle fût techniquement au point, se voit dotée de méthodes de plus en plus perfectionnées... et « justifiée ». On ne « trompe plus la nature », on la copie pour la contenir dans des bornes volontaires.

C'est de l'observation de ce phénomène cyclique si souvent décrit comme souillure, asservissement, qui va naître cette dichotomie des domaines et cette libération. Et ce sont des médecins, des savants, des hommes qui y ont contribué. Un discours profondément féministe n'y serait jamais parvenu, ni un pouvoir féminin, sans le passage par la connaissance et la science.

Ce n'est pas la science qui a inspiré par exemple l'extraordinaire discours phallocratique de P. J. Proudhon tel qu'il l'exprime dans la deuxième partie du XIXᵉ siècle dans *La Pornocratie ou les Femmes* [36] : bien au contraire il s'élève vivement contre les idées qui commençaient de naître des travaux scientifiques et affirme le seul rôle de l'homme dans la fécondité, la femme n'étant pour lui qu'un réceptacle, niant la découverte de l'ovule; il en tient aussi bien passionnément pour la « génération spontanée ». C'est le type même du discours anthropologique antiscientifique par idéologie « mâle », et il prend fait et cause *contre* la science et ses prétendues découvertes. Il en arrive à prouver que la femme ne vaut que les 8/27 de l'homme...

M. Perrot : Il faut bien se rappeler que Proudhon est tout de même à un certain moment le « socialiste » qui exprime l'idéologie dominante des classes populaires, et c'est le plus phallocratique de tous les penseurs au XIXᵉ siècle. Il y a bien eu, durant le XIXᵉ siècle, quelques petits éclats qui sont comme les traces et les suites du mouvement type Condorcet que vous signaliez. Par exemple le fouriérisme, très favorable aux femmes, encore plus que le saint-simonisme. Du reste de nombreuses femmes, féministes militantes, sont passées au fouriérisme après avoir suivi les saint-simoniens. Mais tout ce que Fourier a écrit de la sexualité est enterré très vite. Cela n'est même pas toléré des disciples de Fourier. Son *Nouveau Monde amoureux,* aujourd'hui publié par les soins de Simone Debout [37], n'a pas été publié de son temps car ses disciples trouvaient le texte impudique. Dès que l'on touche à ces problèmes au XIXᵉ siècle, même dans les milieux progressistes, on sent une sorte de garde morale. Tandis que Proudhon, qui ancrait tout son discours sur la femme sur sa fonction maternelle et son nécessaire asservissement, a été à l'époque un penseur considérable.

J.- P. Aron : Il représente l'idéologie dominante des classes populaires, mais on sait bien que l'idéologie des classes populaires est indexée sur la morale de

36. P. J. Proudhon : *La Pornocratie ou les Femmes dans les Temps modernes,* Paris, 1875 (Œuvres posthumes).
37. Charles Fourier : *Le Nouveau Monde amoureux,* Paris, Anthropos, 1966.

la classe dominante, du moins pour tout ce qui touche à la morale. On peut donc dire que Proudhon représente d'une façon très générale l'idéologie du xixᵉ siècle.

E. Sullerot : Cet ancrage dans la fonction maternelle, cette magnification de la fonction maternelle va avoir des conséquences ambivalentes : d'une part, la femme sera réduite à la sphère enfants-foyer-famille et ses essais de s'insérer dans la vie publique se heurteront à une terrible résistance; d'autre part, elle va s'emparer de l'éducation des enfants, de leur instruction morale, de leur formation. Les femmes deviennent les penseurs de l'éducation : le nombre de livres écrits par des femmes au xixᵉ siècle sur l'éducation des filles, des garçons, des demoiselles, est absolument prodigieux [38]. Les femmes se précipitent vers l'éducation comme vers une sorte de pouvoir qu'elles peuvent exercer. Il en va de même en Angleterre et en Allemagne à la même époque, on en juge aisément en lisant les journaux féminins. La fameuse morale du xixᵉ siècle, et particulièrement celle ayant trait à l'enfance, à la pudeur, aux devoirs de réserve des filles et des jeunes filles a été aussi l'œuvre des femmes. Il faut relire tous ces traités d'éducation qui ont connu des vingt, trente, quarante rééditions, il faut relire le *Journal des demoiselles,* les journaux pour enfants et les innombrables livres pour enfants écrits par les femmes pour se rendre compte que la comtesse de Ségur n'est pas une exception : il y a là comme l'exercice d'un nouveau pouvoir par les femmes.

M. Perrot : C'est un champ qu'on leur laisse et elles s'en emparent. Le baron Charles Dupin, polytechnicien et économiste, a écrit en 1827 un livre intitulé *Les Forces productives et commerciales de la France,* où il consacre un long chapitre au travail des femmes et aux tâches de la condition féminine. Il examine tout ce qu'on peut laisser aux femmes et qui serait en accord avec leur « nature » et l'état de la société, et sur ce plan il est fort net : il faut laisser aux femmes l'éducation des jeunes enfants, garçons et filles, jusqu'à 8 ans. Effectivement on s'aperçoit que dans les institutions d'éducation les femmes n'ont jamais les garçons passé 10 ans, cela est exclu. La femme éduque les jeunes enfants, mais si elle garde ensuite les filles, les garçons iront au lycée, au collège et lui échapperont. Il existe une différenciation des champs considérable au xixᵉ siècle, on n'aurait pas idée qu'une femme puisse intervenir dans l'éducation d'un jeune mâle. Les livres des femmes seront donc ce qui leur est laissé, les livres de cuisine et les livres d'éducation des petits.

E. Sullerot : Michelet plaidera vivement pour qu'elle puisse éduquer les garçons jusqu'à la majorité, jusqu'à ce que « la patrie prenne le relais ». Mais il est certain que la division de l'éducation : les petits pour les femmes, les plus grands pour les hommes, s'est poursuivie fort avant. Le philosophe Alain dit encore la même chose entre les deux guerres mondiales au xxᵉ siècle. Et on compte

---

38. Voir O. Lorenz : *Catalogue général de la librairie française, 1840-1875,* rubrique « Éducation », p. 343 et suivantes.

aujourd'hui encore de nombreux pays d'Europe où les institutrices et professeurs femmes sont nombreuses dans l'enseignement préscolaire et primaire mais minoritaires dans l'enseignement secondaire (où en France elles sont très nettement majoritaires). Mais s'il est certain que c'était un champ qu'on leur laissait, on peut noter aussi qu'on ne leur avait pas laissé ce même champ dans le passé, c'est une nouveauté, et l'éducation des enfants jusqu'à 10 ans est un champ où peut s'exercer une volonté de puissance, par elle on peut modeler une génération. C'est aussi une forme de pouvoir.

J.-P. ARON : Quel est l'espace social dans lequel cela se joue? C'est cette nouvelle société dominante, la société bourgeoise, arrivée au pouvoir fin XVIIIᵉ siècle, et, au XIXᵉ siècle au pouvoir complet, matériel, juridique, et, partiellement, au pouvoir symbolique. La société du XIXᵉ siècle cherche à s'assumer dans toute sa légitimité. Ces observations que vous faites, ces demandes sur l'éducation n'auraient pas eu le même sens avant la prise du pouvoir par la bourgeoisie. L'aristocratie est alors devenue vestigiale, elle existe nominalement mais n'a plus le pouvoir; une énorme classe ouvrière aliénée ne participe même pas à la vie de la cité : les femmes y végètent, y survivent. Dans la bourgeoisie les femmes cherchent les moyens d'assumer un pouvoir dans un espace sociopolitique totalement nouveau. C'est de leur part une quête du quelque chose qui leur donne une existence d'autant qu'on leur refuse le reste. C'est un monde de pouvoir, où tout le monde souhaite le pouvoir, où leurs maris sont parvenus au pouvoir. Cela est le champ nouveau de la femme bourgeoise et donne tout son cœfficient dramatique à sa quête de pouvoir.

E. SULLEROT : Certes, mais la bourgeoisie est arrivée au pouvoir en Angleterre bien avant que cela se produise en France : dès le XVIIIᵉ siècle. Or les femmes anglaises comme les femmes françaises ont subi rudement le XIXᵉ siècle, par rapport au XVIIIᵉ. La définition restrictive de la femme s'y affirme pareillement, non pas avec l'arrivée de la bourgeoisie au pouvoir, mais après, surtout pendant la première moitié du XIXᵉ siècle. On retrouve comme en France un champ ouvert où les femmes se précipitent et exercent un pouvoir très moralisateur : l'éducation, et, autour, une restriction, une réduction de leur champ d'action pour les centrer sur la maternité.

M. PERROT : L'exclusion des femmes de la sphère politique au cours du XIXᵉ siècle est certaine : en Angleterre, dans les mouvements radicaux de la fin XVIIIᵉ et du début XIXᵉ siècle, les femmes accompagnent les hommes, on les voit dans les mêmes cabarets, buvant avec les hommes, intervenant dans les mêmes réunions. Puis, vers le début du mouvement chartiste et au long de la première moitié du XIXᵉ siècle, les femmes prennent de moins en moins souvent la parole dans les assemblées; quand elles la prennent c'est une manière d'événement, on le signale, la foule a une attitude particulière. Bientôt elles ne vont plus dans les tavernes avec les hommes, mais dans des lieux à part. Il n'est plus possible, vers 1850, qu'une femme de chartiste aille avec son mari à la taverne. C'est une exclusion de la vie politique et de la forme de sociabilité par laquelle elle s'exprime. Il y a des clubs masculins et des clubs féminins.

E. Sullerot : Il en va bien de même en France, où jusqu'en 1830 la femme sera totalement exclue du champ de la vie politique. Dans un journal féminin en 1822, le *Conseiller des dames,* on raille par exemple la femme qui demande à son mari ce qui s'est passé à la Chambre et on approuve le mari de la rabrouer et de lui demander de se borner à s'intéresser à ses enfants. Mais si on compare tous les mouvements, toutes les explosions qui se sont produits dans les failles historiques de la fin XVIIIᵉ et du courant XIXᵉ siècle, on s'aperçoit qu'un même schéma se reproduit : au début il y a présence des femmes et participation féminine. Puis, peu à peu, le mouvement prend de l'ampleur et un visage historique plus net : et, dans cette seconde phase, les femmes sont beaucoup moins nombreuses, comme oubliées. Il en fut ainsi lors de la grande Révolution : elles furent présentes dans les salons des encyclopédistes, et dans les débuts de la Révolution. Elles éditèrent des journaux [39], elles firent des assemblées, des marches, des événements, des pétitions. Puis, après 1793, plus rien. Règne exclusif des hommes. La conspiration des Égaux de Babeuf était elle-même encore extrêmement anti-féministe! Même chose lors des mouvements utopistes des années 1830 : les femmes sont nombreuses dans le mouvement saint-simonien à ses débuts, puis, peu à peu, elles y ont de moins en moins la parole, alors même que ce mouvement est à la recherche de la Mère, de la femme mythique. Même schéma au moment de la révolution de 1848 : les femmes font des clubs, ont des journaux, et même un quotidien; puis peu à peu elles se trouvent isolées, ridiculisées par les uns, abandonnées par les autres. C'est Jeanne Deroin qui avait initié la fédération des associations de travailleurs : quand elle sera arrêtée avec les responsables d'associations, l'avocat de ces socialistes viendra la voir en prison, lui demandant de leur part de bien vouloir cacher le fait que c'était elle, une femme, qui avait eu l'idée de cette fédération; c'était l'ultime exclusion, et elle venait de codétenus.

Une bonne mesure de ce phénomène est la presse féminine. Il s'édite, tout au long de la fin du XVIIIᵉ et au XIXᵉ siècle, des magazines de modes pour un public féminin, journaux qu'on pourrait appeler la presse du : « *Vous, les femmes...* », car elle est éditée par des hommes, même si la majorité des rédacteurs est composée de femmes, et consiste à expliquer aux femmes ce qu'elles doivent porter, ce qu'elles doivent dire, ce qu'elles doivent voir, ce qu'elles doivent penser, ce qu'elles doivent faire. Puis, dans les brèches fertiles des moments révolutionnaires, surgit une presse du « *Nous, les femmes...* », presse pauvre, mal faite, à périodicité inégale qui est l'œuvre de femmes s'adressant aux autres femmes et parlant de la condition féminine, intiant une révolte, une réflexion féministes. Ces petits journaux disparaissent *au cours* de la période de changement.

---

39. E. Sullerot : *La Presse féminine des origines à 1848,* C.N.R.S., Colin, 1965.

M. PERROT : Mona Ozouf [40] montre exactement la même chose dans son travail sur les fêtes révolutionnaires. Au début de la Révolution, les femmes dans toutes les fêtes sont présentes, nombreuses, participantes. Puis arrivent des moments de plus grande fragilité politique, et dès 1793, durant l'hiver, il n'y a plus de femmes dans les fêtes, tandis qu'un pouvoir masculin s'installe.

Il semble que quand s'ouvre une brèche dans les systèmes de pouvoir, les femmes cherchent à s'y engouffrer, à « prendre la parole ». En début de période, elles parviennent à se faire entendre, puis la situation s'intensifie, se solidifie, les femmes refluent et les pouvoirs masculins se renforcent. Elles disparaissent avant que la crise ne soit achevée. Il se produisit la même chose au début de la IIIᵉ République : vers 1878-1880, il y a également des journaux féministes, Hubertine Auclert crée des événements, un discours nouveau, et le mouvement ouvrier semble prêt à soutenir les revendications féminines. Puis le mouvement ouvrier s'institutionnalise, la République s'installe, et de ce moment il apparaît impossible de donner le droit de vote aux femmes alors qu'on en parlait en début de période.

E. SULLEROT : Nous parlons de prise de parole, de journaux féministes, de mouvements qui s'émiettent : dans toutes les revendications qui se font alors jour, rien, ou presque, n'a trait au destin biologique féminin, à la sexualité, à la maternité, sauf la recherche en paternité, revendication têtue des femmes, sans discontinuer, depuis le XVIIIᵉ siècle. Mais elles n'imaginent pas, même dans leurs utopies les plus radicales, que les hommes puissent partager l'éducation des tout-petits. La maternité leur semble leur lot, elles n'en parlent pour ainsi dire pas. Toutefois certaines, allant beaucoup plus loin que leurs compagnes, ont entrevu que la fertilité pouvait être utilisée comme un don et un pouvoir, à condition d'être librement assumée : Pauline Rolland a eu volontairement trois enfants dont elle n'a jamais voulu nommer les pères pour bien montrer qu'elle était libre. Celle-là était militante ouvrière, mais dans la bourgeoisie et le monde des lettres, quelques rares femmes ont risqué la même chose, comme Hortense Allart par exemple, qui n'en a pas moins continué d'être reçue dans les salons littéraires; toutes ces féministes étaient passionnément mères, particulièrement dans les mouvements ouvriers et socialistes. Jeanne Deroin, candidate aux élections de 1848 alors que les femmes n'y étaient pas acceptées, a bien écrit en 1850 : « La maternité n'est pas un devoir puisque la femme n'est pas libre de ne pas être mère », mais dès la ligne suivante elle exalte la maternité, dont elle fut elle-même un brûlant exemple. Les « funestes secrets » qui permettaient de limiter ou espacer les naissances existaient bien toujours, et se répandaient toujours plus régulièrement. Mais les femmes les plus révoltées par leur condition n'en parlent pas.

M. PERROT : Fin XIXᵉ siècle un mouvement néo-malthusien se dessine qui dit des choses nouvelles sur le rapport des femmes à leur corps et à la maternité. On peut remarquer que ce ne sont pas des femmes qui en parlent les premières,

---

40. Mona OZOUF : *La Fête révolutionnaire*, Paris, Gallimard, 1976.

mais des hommes, par exemple des libertaires comme Paul Robin et Eugène
Imbert, qui, à partir de 1880, s'appuyant d'une part sur le mouvement malthusien
anglais, d'autre part sur des textes de médecins, tiennent le discours suivant : la
classe bourgeoise sait depuis longtemps dominer la procréation, mais il y a deux
catégories de gens qui ne savent pas le faire : ce sont les prolétaires et les femmes.
Les prolétaires doivent pourtant apprendre à limiter leurs naissances pour limiter
la force de travail qu'ils donnent à la bourgeoise : « Prolétaires, faites peu
d'enfants! » va devenir un slogan repris par les syndicats. Aux femmes, ils disent :
« Vous devez apprendre à limiter *vous-mêmes* les naissances. » En effet, dans les
classes moyennes, c'était l'homme qui limitait les naissances par le *coitus interruptus,* la femme n'avait pas de moyens à elle. Ces militants allèrent donc d'usine
en usine employant des femmes, ils distribuaient des tracts, donnaient des adres-
ses où se procurer des pessaires, des éponges absorbantes, etc. Il s'est ainsi créé
une fédération des ouvriers néo-malthusiens qui se proposait de diffuser ces
moyens de contraception. Ils s'adressaient aux femmes, leur disant : « C'est à
vous de limiter vos grossesses. » Ce fut une campagne très, très difficile. Les femmes n'osaient venir, quant ils faisaient des réunions. Les seules qui venaient en
fait accompagnaient leur mari. Tout cela a duré de 1890 à 1906-1907. En 1911,
on leur a intenté procès et ils ont fait de la prison. Mais ils n'avaient pas soulevé
les femmes... La réponse a été bien maigre. Elle n'est pas venue des ouvrières,
mais seulement de quelques femmes exceptionnelles comme Gabrielle Petit, ou
Madeleine Pelletier, médecin, qui a écrit sur l'avortement avant la guerre de
1914. Femmes très minoritaires dans le féminisme lui-même, le féminisme de
l'époque trouvant ce discours excessif.

E. Sullerot : Pourtant, à la même époque, avant 1914, j'ai trouvé, dans un
journal féminin *catholique* qui se vendait à un million d'exemplaires, tirage tout
de même énorme, le *Petit Écho de la mode,* des publicités pour toutes sortes de
pessaires, d'injecteurs, et même des publicités d'avorteuses fort claires, du genre :
« *Arrêt de vos règles? Venez nous voir. Discrétion assurée.* » Il y en avait plusieurs par semaine de ce type. Quelque chose avait donc tout de même changé
dans le rapport des femmes à leur corps. Pour citer encore Yvonne Knibielher,
dans un autre travail qu'elle a publié sous le titre *Le Discours médical sur la
femme : constances et ruptures,* elle écrit : « L'objectif est de suivre à travers le
discours médical du xixe siècle les avatars du stéréotype qui prétend fixer en
traits immuables une « nature féminine » entièrement déterminée par le sexe, et
caractérisée au « physique » par la « faiblesse », au « moral » par la « sensibilité ».
Ce stéréotype, ébauché par Roussel au temps des Lumières, se trouve renforcé
au lendemain de la Révolution, toutes les découvertes médicales étant interpré-
tées de manière à la confirmer; il se maintient sans grandes modifications jusque
vers la fin du second Empire; il résiste aux progrès de l'anthropologie comme
aux doctrines de l'évolution. Il ne s'estompe, au seuil du xxe siècle, que pour laisser place au discours sur la dépopulation [41] ». « C'est alors, entre 1900 et 1914

41. Y. Knibielher : « Mythes et représentations de la femme », in *Romantisme,* nos 13-14, 1976, p. 41.

que se produit dans le discours médical une conversion remarquable : il se met soudain à valoriser, à monter en épingle des faits sociaux jusqu'ici négligés ou traités discrètement : l'avortement, les fraudes conjugales, la mortalité des nourrissons... Dès lors, le discours médical ne s'occupe plus de la « nature » féminine, ni même des femmes en tant que sexe; il s'occupe des mères pour l'amour de la patrie. La maternité et la dépendance ne sont plus inscrites de toute éternité dans le corps de la femme, elles ne sont plus un destin, mais elles deviennent un devoir [42]. » Ce qui tend à prouver que le discours médical et anthropologique n'est pas si contraignant qu'on pourrait le penser, puisque les mœurs réelles changeaient en dépit de ses credos, et qu'il lui faut s'adapter aux mœurs, comme une parade. Une autre histoire est à déchiffrer, indépendamment de ces idéologies masculines scientistes, dont une lecture attentive des faits démographiques donnerait les contours.

M. PERROT : C'est que la stratégie des classes dominantes change à cette époque car elles avaient été très malthusiennes durant la seconde partie du XIXe siècle, y compris pour la classe ouvrière. Il était courant d'entendre dire : « Si les ouvriers veulent être heureux, ils n'ont qu'à faire moins d'enfants. » Mais quand la restriction des naissances a commencé d'être réalité, à partir du second Empire, comme vous le signaliez tout à l'heure, la natalité a baissé. Pour la première fois, le nombre des décès se trouve dépasser le nombre des naissances. Un nouveau discours est alors tenu par des médecins et des démographes – catégorie qui commence à exister –, et les deux plus célèbres représentants vont être les Bertillon, père et fils, qui publient des ouvrages sur la « dépopulation » et attirent l'attention sur le danger pour les forces vitales de la nation, l'armée, etc. Les femmes ne prennent guère part à ces débats. Il semble qu'ils heurtent chez elles des tabous, des interdits, ce qu'on n'énonce pas... Pour la masse des ouvrières que s'est-il passé? C'est un problème très discuté à l'heure actuelle : y a-t-il eu une libération sexuelle en France durant la première moitié du XIXe siècle? C'est la thèse de l'historien américain Edward Shorter dans son livre *The Making of the Modern Family* [43]. Partant du constat de l'inflation des naissances illégitimes, il pense qu'il y a eu libération sexuelle, que les cadres ont craqué.

E. SULLEROT : Les études démographiques de villages au XVIIIe siècle montrent cependant que ces « cadres » étaient moins rigides et surtout moins uniformes qu'on ne l'imagine généralement : il n'est que de consulter le tableau récapitulatif que Jean-Louis Flandrin publie [44] des taux de conception prénuptiale dans 53 villages de régions différentes : entre 7,4 % et 40 % des filles se mariaient déjà enceintes. Les variations sont si grandes qu'il est difficile d'en tirer des leçons péremptoires. Il est vrai que les graphiques des taux de naissance illégitime dans les villages entre 1600 et 1900 font apparaître une baisse au cours du XVIIe, suivie

42. Y. KNIBIELHER : « Mythes et représentations de la femme », in *Romantisme*, nos 13-14, 1976, p. 54-55.
43. Edward SHORTER : *The Making of the Modern Family*, Basic Books, New York, 1975.
44. J.-L. FLANDRIN : *Les amours paysannes*, XVIe-XIXe siècle, coll. Archives, Gallimard, 1975, tableau p. 178-179.

d'une remontée, fort nette au début XIXᵉ où on les voit doubler, tripler en quelques années [45].

M. PERROT : Tout de même, la vieille famille paysanne a craqué, son modèle n'est plus le même, le mariage, qui longtemps fut tardif, devient précoce : dans les familles ouvrières des mariages se font tôt, le taux d'illégitimité est considérable, bien plus élevé que de nos jours, on a davantage d'enfants, etc. Mais, même en considérant toutes ces données, j'hésite à appeler cela libération sexuelle, et surtout il me semble que si libération sexuelle il y a eu, elle n'a pas été vécue de la même façon par les deux sexes. Pour l'homme migrant, quittant son village pour aller à la ville, il a pu y avoir libération par rapport à la vieille société du village qui le surveillait davantage, mais pour la femme qui se retrouvait avec des enfants, en l'absence de contrôle des naissances...

J.-P. ARON : De toute façon, il convient d'être vigilant, car si on admet cette libération sexuelle, elle concernait au plus le début, le premier quart du XIXᵉ siècle, car ensuite, avec l'avènement de la monarchie bourgeoise, se constitue cet univers rigide et fermé qui s'est poursuivi presque jusqu'à nous. Bien sûr, comme toutes les sociétés figées, le XIXᵉ siècle a eu ses transgresseurs : les dandies, etc.

E. SULLEROT : Pas seulement les dandies, mais aussi les « lionnes »! Mais aussi toutes ces femmes de l'époque romantique dont on s'aperçoit, en recherchant minutieusement leurs biographies, par exemple les poétesses, les femmes écrivains, qu'elles étaient presque toutes adultères ou filles mères. Le romantisme a été une curieuse période, aussi. En un sens une formidable libération du sentiment, du droit de pleurer, de se pâmer, de mettre à l'air tout ce qu'on refréne aujourd'hui : la sensiblerie, la sentimentalité. Et qu'on ne dise pas que ce fut l'affaire d'une minorité seulement : pensons à toutes les chansons, les petits journaux populaires, les livres de quatre sous, ceux auxquels Flaubert fait allusion quand, avec un parfait réalisme, il décrit les lectures de l'adolescente qui deviendra Emma Bovary, toute petite bourgeoise de campagne, sortant d'une ferme. Pendant bien vingt-cinq ou trente ans, le mot « femme » et l'adjectif « féminin » vont évoquer ce qui est bon, doux, sensible, – l'âme, en un mot. Les femmes se sont précipitées dans cette idéologie là avec aussi une sorte de délectation, pour s'y retrouver complètement prisonnières.

J.-P. ARON : C'est qu'en fait le XIXᵉ siècle avait horreur du romantisme. Il veut que l'homme soit bien enfermé dans sa virilité : le négociant bourgeois ne peut pas ressembler à une femmelette, ni le garde national. C'est une société virile, ou à prétention virile, qui favorise la mythologie de la virilité. Le discours culturel, celui que véhicule la littérature grande ou petite est essentiel; mais autant

---

45. J.-L. FLANDRIN, *op. cit.*, p. 238.

que les références à la sensibilité, on y recense à toutes les pages le mot « énergie », mot clé. Tout le monde s'entend sur le mot « énergie », les négociants, les industriels, ceux qui travaillent, les acteurs de cette nouvelle société bourgeoise, mais aussi les transgresseurs, les écrivains, tout marginaux qu'ils soient. Dans Balzac ou Stendhal, on relève le mot « énergie » à toutes les pages. La force productive, l'énergie vont dominer le siècle, la représentation que le siècle se donne de lui-même. Et la femme, malheureusement, avalise, crédite, cautionne, sauf un certain nombre d'exceptions, cette situation déplorable. La place de la femme dans ce système est fort intéressante, car elle est au maximum reléguée. En tant que femme, c'est vrai, elle ne fait pas partie de la grande famille des pervers; dans cette grande famille : les homosexuels, les « antiphysiques », les masturbateurs, grande obsession du xixᵉ siècle. La prostituée participe de la grande famille des pervers, mais d'une manière spéciale, « parce qu'il en faut », comme Parent du Châtelet l'avait lui-même dit. La femme avait été marquée du sceau de la perversité au Moyen Age : la sorcière que Michelet a génialement décrite.

M. PERROT : Mais, au xixᵉ siècle, la femme c'est la « bonne » : la bonne Eugénie, la bonne Marie, etc. Le bien, le beau, le cœur, le pur... Ou la « pauvre » femme, la « pauvre » Marie, etc.

E. SULLEROT : Et l'expression pathologique du siècle va devenir l'hystérie...

J.-P. ARON : Il semble qu'au xixᵉ siècle, en France seulement, on ait publié environ quatre cents livres sur l'hystérie, sans compter les pages consacrées à l'hystérie dans d'autres gros ouvrages. Charcot, Bernheim, Freud vont s'y intéresser, mais jusque-là l'hystérie considérée comme névrose propre aux femmes était marquée d'un sceau d'infamie. La femme est bonne tant qu'elle reste dans sa sphère. Mais l'hystérie est interprétée de manière très somatique : c'est la malignité dans le corps de la femme. A l'époque même de Claude Bernard, ce xixᵉ siècle si positiviste fait entrer la malice, les démons, les mythes dans le corps, un corps sexué. Autre rôle du corps féminin dangereux, c'est la femme vecteur de la vérole. La femme est bonne tant qu'elle n'a pas affaire avec le sexe.

E. SULLEROT : Voilà la trilogie des maladies féminines du siècle : l'hystérie, la syphilis qu'elle propage, et... la frigidité. Jamais une allusion à la frigidité féminine avant le xixᵉ siècle : au contraire, à en croire les écrits tant masculins que féminins antérieurs, on se plaignait plutôt de ses « pruriants appétits », elle était, comme dit Restif de La Bretonne, « tempéramentueuse » (il emploie souvent l'adjectif) ou « trop chaude ». On lui reprochait plutôt ses excès de tempérament. Au xixᵉ siècle, on commence à parler, à mots couverts, puis plus franchement, des frigides. Est-ce à dire qu'on leur en sait gré? Est-ce à dire qu'on le leur reproche? Les hommes leur en font tour à tour une vertu, une sécurité pour eux, et un amer reproche voilé : en fait, ils leur avaient soigneusement barré le désir. La femme qui a affaire au désir et le partage n'est plus « bonne ». Rupture complète avec le XVIIIe. Permissivité de sentiment, interdit du plaisir, et devoir de maternité, je dis bien maternité, avec sentiment, et non seulement procréation.

M. PERROT : Dans *Mémoires de deux jeunes mariées,* Balzac oppose bien deux types de femmes : celle qui est encore liée au modèle aristocratique de l'amour-passion, et celle qui est bonne mère de famille. En déplorant que la bourgeoisie fasse des femmes des frigides, des emmerdeuses. Il ne leur en attribue pas la responsabilité du tout méchamment. Dans la *Physiologie du mariage,* il décrit la femme qui, au moment d'aller au lit, a sa migraine... Parce que l'horrible individu pour lequel elle n'a aucun désir va la retrouver...

Dans un autre domaine, la biologie mal comprise va contaminer tout le discours, et même l'économie : par exemple la notion du « mou ». Les médecins insistent sur les liquides, les organes mous, les muscles mous, la mollesse du caractère des femmes. Dans le travail, la femme va être associée à ce qui est « mou ». Dans un texte des ouvriers délégués à l'Exposition de 1867, on trouve par exemple : « A l'homme le bois et les métaux, à la femme les tissus et la famille. » La force physique faible de la femme, sa nature molle font qu'elle ne peut travailler que les étoffes, le flou, la dentelle, etc.

E. SULLEROT : Du moins est-ce le « dit », comme vous le souligniez. Car, à cette même période les hommes laissent les femmes travailler dans les mines, mais ne les laissent pas travailler dans l'imprimerie, les laissent travailler dans des usines de clous, par exemple, où elles sont nombreuses, mais eux-mêmes s'infiltrent avec décision dans la confection et la couture, d'où de mémorables bagarres entre hommes et femmes dans cette branche. Encore une fois l'étude du discours, qu'il soit celui des savants, des médecins, des prêtres, des militants ouvriers ou des journalistes, demeure indispensable, mais ne rend pas compte des pratiques et des conduites, du moins de manière fidèle.

Mais l'idée du « mou » et du « dur » est un magnifique exemple de la binarité des représentations sexuelles qui semble une constante de cet animal culturel qu'est l'homme! Toujours cette nécessité intérieure et ce besoin social d'organiser les sexes selon deux pôles opposés et inversés : ce que F. Héritier décrivait avec l'exemple du froid et du chaud chez les Samo [46]. Le chaud et le froid, le dur, et le mou, toujours cette satisfaction à placer les sexes à deux pôles opposés attirant à eux des analogies douteuses (dans votre exemple, ce qui est « mou » ce sont les étoffes... et la famille! ce qui est tout de même une étrange extrapolation...), liant apparemment le biologique et le social – mais en fait la vision biologique et la vision sociale sont l'une comme l'autre fortement idéologiques. Freud, plus tard, va imposer une nouvelle vision binaire avec la prééminence masculine et le creux féminin, l'homme qui « a » et la femme qui « manque de », et il va systématiser cela avec autant de virtuosité que les Pères de l'Église. Le tout toujours inverse et hiérarchisé et sans expression de ce qui est au milieu. En fait,

---

46. Cf. p. 369.

en vous écoutant, il semble bien que le champ historique confirme le champ anthropologique, du moins dans ce constat de la recherche de systèmes sexuels binaires et hiérarchisés. Toutefois la science biologique se constitue cahin-caha dans les limites et les va-et-vient de ces interprétations. Les questions que l'on pose à la biologie et les interprétations successives des faits mis au jour sont ainsi fortement limitées. Mais, tout de même, des découvertes faites vont peu à peu déranger des systématisations trop simplistes et en ruiner tout à fait certaines.

Le rôle des femmes dans l'histoire de la famille occidentale

par Peter LASLETT

Rapports de la biologie et de la psychologie avec les sciences sociales, plus particulièrement l'histoire sociologique et l'histoire de la famille

Depuis la victoire de l'évolutionnisme, la biologie est devenue une science du développement, intégrant la dimension du temps. Mais, plutôt que les historiens et les archéologues, ce sont les géologues et les paléontologues qui ont renseigné les biologistes sur les faits du passé, car l'échelle du temps biologique est sans commune mesure avec celle de l'Histoire, et même de la préhistoire.

Prenons l'exemple de l'âge de la puberté chez les filles : on a supposé jusque tout récemment que l'âge auquel intervient cet épisode de la vie féminine, biologiquement et psychologiquement si important, n'avait cessé de s'abaisser durant les siècles. Cette chute de l'âge des premières règles pouvait avoir commencé bien avant qu'on ne dispose de données chiffrées – c'est-à-dire le début XIXe siècle – et pourrait continuer peut-être après nous. L'explication donnée était diététique : les populations humaines se nourrissaient mieux, ce qui affectait cette fonction du corps. Mais des causes autres que nutritionnelles ne pouvaient être exclues – même après les signes du ralentissement de l'abaissement de l'âge pubertaire dans les pays les mieux alimentés, jusque vers l'âge moyen de 12,75 aux États-Unis en 1973. Il se peut aussi qu'un élément génétique ait joué dans cette évolution, que des gènes favorables à une puberté plus précoce se soient répandus dans ces populations, continuent et continueront à s'y répandre. Maintenant, pour suivre de tels faits à la trace dans le temps, si c'est seulement possible, il faudrait disposer de chiffres sur l'âge des filles à leurs premières règles depuis des générations, dix au moins, et dans de nombreux pays en dehors de l'Europe occidentale et de l'Amérique du Nord.

Mais les historiens, désormais engagés dans ce type d'études, ne peuvent fournir aux biologistes des chiffres bien utiles, même pour les siècles relativement récents. Ils peuvent démontrer qu'il ne semble pas que l'abaissement de l'âge de la puberté des filles ait commencé il y a si longtemps – les biologistes jouant pour leur propre compte aux historiens avaient été capables de le démontrer tout seuls. Ils peuvent aussi avancer que l'éventail des âges auxquels la puberté peut se produire est plus ouvert pour les pauvres que pour les riches. Que l'âge moyen semble avoir oscillé entre un minimum de 14 ans et un maximum de 16 ans entre les années 1730 et 1870-1880 dans divers endroits, puis a commencé cette chute brutale des générations récentes. L'évaluation la plus ancienne et raisonnablement fiable donne un chiffre de 14-15 ans pour 171 femmes chrétiennes orthodoxes vivant en un lieu plutôt inattendu : Belgrade, en Yougoslavie [47].

Pour toutes les autres populations et époques, les historiens peuvent seulement espérer produire quelques références littéraires isolées, et cela pour la seule période ayant produit des œuvres écrites, bien récente à l'échelle biologique, et les références littéraires n'ont aucune valeur quantitative. Le biologiste doit considérer ces documents comme des commentaires plutôt que comme des preuves; ils ne peuvent l'aider à distinguer entre les changements génétiques et les changements nutritionnels ou culturels, ni à décider si la baisse récente prolonge un processus entamé de longue date ou s'il s'agit d'un phénomène court aujourd'hui pratiquement terminé.

L'âge à la maturité sexuelle peut être considéré comme un sujet biologique particulièrement prometteur pour les historiens, et il est décevant d'admettre que le peu que nous savons ne va pas loin, ne nous permettant certainement pas de trancher à propos de problèmes tels que la détermination biologique du tempérament féminin. Mais l'historien est bien conscient que les preuves réunies par les biologistes à leur propre usage sont parfois fragmentaires et peuvent être douteuses. En biologie les problèmes de causes et d'effets sont rarement simples, des « causes » peuvent ou ne peuvent pas être linéairement reliées à des « effets », les variables elles-mêmes et les produits de leurs interactions peuvent ou non être normalement distribués; un ensemble de « causes » dûment reconnues et quantifiées peut expliquer presque tous les effets observés ou n'en expliquer que fort peu. Et, en l'occurrence, la prédominance des matériaux littéraires avec lesquels travaille l'historien est un désavantage certain.

Un observateur, un commentateur, un écrivain, même un écrivain médical, tenait presque toujours à donner un ou plusieurs exemples. En fait il est bien improbable que la distribution complète des faits ait été jadis connue d'un quelconque écrivain ou commentateur quelle qu'ait pu être sa formation ou son centre d'intérêt (journalistique, scientifique, médical ou autre). Ces gens, et en particulier les observateurs littéraires les plus marquants des temps anciens, étaient souvent attirés par l'insigne et l'extrême, mais ils ne le disent pas et ne s'en rendent peut-être même pas compte. Leur perception est aussi influencée par la mode. Ils voient et rapportent ce qui les intéresse ou les alarme, eux, leur génération, leur groupe social – et cela est vrai également de nombre d'observations non littéraires, faites par exemple par des médecins ou des témoins en justice.

---

47. Voir *Family Life and Illicit Love in Earlier Generations,* par Peter LASLETT, Cambridge, 1977, chap. VI. La technique utilisée ici peut permettre des estimations approximatives semblables pour des populations plus anciennes, mais seulement si on dispose de documents donnant l'âge et le statut matrimonial de femmes s'étant mariées aussi jeunes que ces orthodoxes de Belgrade, c'est-à-dire adolescentes. Il ne semble pas que le mariage ait jamais été aussi précoce en Europe de l'Ouest et du Nord-Ouest (voir *ibid.,* chap. 1er) même au Moyen Age. L'âge de la première menstruation peut aussi être évalué à partir de documents mentionnant les tailles selon l'âge, même si on ne dispose que de données concernant les garçons. Des chiffres ont été calculés pour certaines populations particulières, comme les esclaves américains, pour le XIXe siècle, et les âges obtenus ne diffèrent pas de ceux observés à Belgrade. Aucun travail du même type ne semble avoir été conduit pour déterminer l'âge de la ménopause, si souvent mis en regard de l'âge des premières règles.

L'historien de la société utilisant des matériaux non quantitatifs ne sera donc guère capable de fournir au biologiste rien qui ressemble à un ensemble complet de comportements possibles comme élément de comparaison. Il doit veiller à ne pas se laisser aller à supposer qu'une observation ponctuelle faite à un bout du spectre et une autre, antérieure, faite à l'autre bout signent un changement d'un type significatif pour le biologiste, affectant le récit du développement de la féminité.

Autre exemple, pris dans l'histoire du tempérament féminin ou à tout le moins de la maternité : l'amour entre parents et enfants. L'observation biologique et psychologique contemporaine a convaincu la plupart des chercheurs que l'amour du bébé ou du tout-petit est une nécessité innée pour la survie de l'espèce : aucune mère ne pourrait entreprendre et poursuivre tout ce qu'elle doit faire pour que le bébé survive, sans amour pour lui. Élever un petit, c'est bien trop de souci.

Mais il existe un nombre considérable de preuves de l'indifférence que pouvaient montrer envers leurs rejetons les parents paysans de l'ancienne Europe; il existe des archives macabres sur l'infanticide manifeste, par exemple à Tokugawa au Japon, ou sur les pratiques nourricières équivalant à l'infanticide, comme en France au XVIIIe siècle où un grand nombre d'enfants étaient abandonnés aux Enfants-Trouvés pour être nourris dans de telles circonstances que les parents pouvaient difficilement douter qu'ils en mourraient [48]. Bien plus, les anthropologues ont décrit des sociétés où « il n'y a simplement pas de place pour l'amour, pas même entre parents et enfants »; aucun enfant n'y est nourri au-delà de l'âge de trois ans, car les enfants sont regardés comme des rivaux auxquels il faut cacher la nourriture [49]. Un historien est-il donc justifié à dire aux biologistes qu'au moins durant l'histoire de l'Europe occidentale s'est produit, assez récemment, un changement, et que d'une situation prédominante d'absence d'amour entre les femmes et leurs enfants on est passé à la tendresse universelle?

C'est certainement ce qu'ont prétendu par exemple Edward Shorter de manière nuancée dans *The Making of Modern Family* (1975) et Lloyd de Mause de manière tout à fait dogmatique dans *The History of Childhood* (1974). La prudence impose sûrement de laisser le débat ouvert pour ne répondre que quand on aura davantage de preuves. Je serais pour ma part plutôt enclin à me demander si un tel changement a pu se produire, s'il était même possible dans le temps et les circonstances décrits, et à citer des faits concernant l'observation – observation littéraire – et l'usage qu'en ont fait les historiens, en expliquant pourquoi la question s'est posée. Les comptes rendus des ethnologues seraient de même regardés comme s'inscrivant à une extrémité de la distribution possible des conduites. L'influence de la biologie, de l'éthologie peut-être, transparaît certaine-

---

48. Un enfant sur neuf seulement parvenait à l'âge de vingt ans, comme en témoignent les archives des Enfants-Trouvés parfaitement tenues. Il ne faut pas pour cela en inférer qu'il s'agissait là d'une pratique uniquement française. On a pu en mesurer l'importance, toujours au XVIIIe siècle, dans d'autres grandes villes européennes. Cf. Hélène Bergues, *op. cit.*, p. 181. (N.D.R.)

49. Voir *The Mountain People*, par C. TURNBULL, 1973. Cette tribu était décimée par la famine, mais Margaret Mead a décrit un autre peuple vivant dans l'abondance et « détestant fortement les enfants » : voir *Mothering*, par Rudolph SCHAFFER, 1977, p. 90-91.

ment dans cette dénégation : le savoir acquis que la période d'absolue dépendance du bébé est plus longue dans l'espèce humaine que dans n'importe quelle autre espèce, et la croyance que l'amour est essentiel, non seulement parce que c'est le « devoir maternel » selon la vieille expression, mais aussi pour procurer au petit enfant un élément qui autrement manquerait à sa personnalité.

On pourrait user du même type d'argument contre l'affirmation qu'à la même époque et dans les mêmes circonstances et les mêmes milieux sociaux les femmes n'aimaient pas les hommes d'amour, ni les hommes les femmes, durant le temps de la cour ou de la vie conjugale [50]. Ceux qui soutiennent cette thèse admettent quand même que les femmes ont été souvent et profondément éprises de leurs galants et de leurs amants, d'autant plus peut-être qu'on n'attendait ni ne requérait d'elles de l'amour pour leurs maris.

Le scepticisme devant ces nouvelles assertions – encore une fois à cause de la nature des preuves avancées – ne peut s'ancrer avec la même confiance dans les impératifs biologiques : les hommes n'ont pas besoin d'aimer leurs femmes pour faire des enfants et pour faire subsister un groupe familial assez bien pour y élever des enfants. (Il est encore vrai toutefois que l'affection, une tendre loyauté du genre si caractéristique de la famille d'aujourd'hui, offrirait encore plus de chances de succès au processus tout entier.) La rationalité du mariage arrangé ne nécessitait pas que les parties fussent forcément amoureuses l'une de l'autre au moment du mariage; les conjoints ne se mariaient certainement pas par amour, mais sûrement par consentement mutuel, et il était attendu d'eux qu'ils s'aimassent après le mariage : c'était là leur devoir.

Il demeure possible qu'un historien utilise un principe biologique pour poser une limite à ses conclusions – affirmant, par exemple, qu'il ne peut être vrai au regard de l'histoire des femmes et de la famille qu'il y ait eu un temps et un lieu où aucun amour d'aucune sorte n'existait entre mères et enfants. Et que cela demeure improbable, s'agissant des fiancés et des époux. Mais la réciproque n'est pas possible : on ne peut falsifier un principe biologique, s'il existe, en citant des exemples historiques. La raison en est, faut-il le répéter? l'éventail très restreint des exemples historiques dans le temps et l'espace, et la nature de la preuve historique, son caractère non quantitatif et littéraire.

Adopter cette position prudente ne signifie pas que l'on nie qu'avec le temps des changements soient intervenus dans les relations affectives, amoureuses et familiales au cours de l'histoire de l'Europe occidentale. Des variations dans les deux sens – vers plus d'affection ou vers moins d'affection – peuvent s'être produites en divers temps et lieux, et l'intense sentimentalisation de la cour et des

---

50. Voir les travaux cités et aussi l'ouvrage de Lawrence Stone sur l'histoire de la famille anglaise, 1977. Produire des documents sur l'infanticide ou sur l'abandon d'enfants nouveau-nés, il faut le rappeler, n'apporte pas nécessairement d'éléments concernant l'amour maternel, puisque l'amour liant la mère à l'enfant n'apparaît qu'après la naissance. Le fait, que je tiens d'Akira Hayami de Tokyo, que les mères japonaises érigeaient parfois de petits monuments à leurs nouveau-nés assassinés montre qu'il devait exister un attachement, même dans ce climat de rigoureux réalisme où l'on disposait de la vie d'un enfant non désiré. Stone et d'autres font grand cas de la pratique de l'emmaillotement comme preuve de l'incapacité à donner au bébé les caresses et le contact physique nécessaires à son développement, et donc indication d'un manque d'affection. Les experts contemporains (cf. Schaffer, 1977, p. 55) ne sont plus aussi hostiles à l'emmaillotement qu'ils le furent, et soulignent ses qualités de confort et de sécurité.

relations conjugales ainsi que des relations filiales, caractéristique de la société industrialisée de l'Occident, est en quelque sorte une nouveauté historique. La question est de savoir si les preuves à ce jour permettent d'affirmer, comme on le suggère souvent, le caractère abrupt et complet d'un tel changement.

Un compte rendu plus convaincant de ces vicissitudes pourrait s'appuyer sur les distributions : il soutiendrait qu'à telle date en tel lieu une plus grande proportion des mères aimaient leurs bébés et leurs enfants qu'en tel autre temps et en tel autre lieu, et peut-être aussi qu'elles les aimaient avec une plus grande conviction. Dans les deux cas on admettrait qu'il existait des relations parents-enfants dépourvues de tendresse, et que la plupart des familles montraient quelque chose comme une affection moyenne. On admettrait également que les observateurs de l'époque avaient tendance à s'intéresser aux cas extrêmes; qu'ils témoignaient de la mode par le choix même de ce qui les intéressait et la manière dont ils le décrivaient; qu'ils ne devaient pas savoir grand-chose de ce type de comportement dans les masses ou ne savaient guère le dépeindre convenablement. Il faudrait aussi pour cette démonstration s'entendre sur une définition de l'affection et de l'indifférence, et décider si ce qu'on nomme « instrumentalisme » dans les relations parents-enfants est ou non compatible avec l'affection. Les historiens sociaux n'ont pas jusqu'ici écrit ainsi, car il leur a manqué un sens réaliste de ce qu'on pourrait appeler le « temps social structurel » et des limites à l'intérieur desquelles se situent vraisemblablement ces fluctuations, au moins si la variation biologique peut servir de guide.

Trois autres caractères de la preuve historique doivent être pris en considération si l'on veut lier biologie et histoire pour parler du *Fait féminin*. En premier lieu l'opacité d'une si grande part des matériaux idéologiques qui nous sont parvenus et que l'historien étudie. Dans le monde entier jusque très récemment, et en Europe jusqu'à ce que le christianisme relâche un peu son emprise sur la mentalité de tout un chacun, les dogmes religieux, l'imagerie religieuse, les impératifs religieux recouvraient toute expression de la vie. Ce qui rend à peu près impossible de retrouver les faits de la vie sexuelle et émotionnelle si importants pour la féminité.

Il est déjà assez difficile de trouver des documents historiques sur les relations sexuelles dans le mariage et en dehors du mariage, sur la menstruation, sur la puberté ou la ménopause. Mais retrouver les attitudes des femmes face à des choses comme cela, face à la domination masculine, à la nécessité de grossesses répétées, aux rôles attendus des femmes dans la famille – c'est une tâche encore plus redoutable. Les affirmations qui nous sont parvenues évoquent si souvent la volonté de Dieu; les expériences retracées sont si largement les expériences des figures bibliques, l'atmosphère était si généralement encline à l'approbation ou à la réprobation plutôt qu'au récit ou à la description qu'un compte rendu « objectif » semble excessivement difficile.

Cette opacité de la vie sociale pour ce qui concerne le sexe et les différences sexuelles s'est poursuivie sous la forme de la pruderie qu'en Angleterre, en France et en Amérique on a appelée « la mentalité victorienne », et en un certain sens, elle continue. Les biologistes ou les médecins eux-mêmes, quand ils consultent la littérature passée de leurs spécialités, se trouvent devant une extraordinaire succession de prudes falsifications idéologiques, exemples classiques d'un jeu réciproque entre ce qu'un public jobard souhaitait qu'on lui dît et ce que les experts – experts d'après les normes de l'époque – étaient désireux de lui fournir [51]. Mais, tandis que les biologistes peuvent avec soulagement se détourner de ces matériaux dépassés et plutôt embarrassants pour aller disséquer quelque spécimen, et le sociologue pour retourner à ses sondages d'opinion, l'historien, lui, ne peut se fabriquer à lui-même des preuves. Quand les données chiffrées lui font défaut, les données idéologiques forment une grande part de ses sources. C'est son seul espoir d'accéder aux pensées et de comprendre les comportements des femmes d'un passé disparu. Encore cette analyse indirecte est-elle bornée, au moins dans la partie qui présente le plus grand intérêt pour notre sujet, à l'élite lettrée.

Car ceux qui en ont écrit, ont écrit sur eux-mêmes et leurs semblables. La grande masse de la population féminine des siècles passés ne savait ni lire ni écrire, jusque voici un siècle, et encore seulement dans les pays occidentaux. Les vues et comportements de cette grande majorité des femmes qui devraient être le véritable sujet de l'historien de la féminité, nous ne les connaissons que par d'occasionnelles remarques que leurs supérieurs sociaux font à d'autres de leurs supérieurs sociaux, avec des intentions édifiantes, tout particulièrement à l'endroit des « classes inférieures ». La division en classes sociales biaise l'histoire de la féminité avec une singulière efficacité comme nous l'allons voir.

Enfin vient la question : s'il existait quelque chose qui ressemblât à un authentique déterminisme biologique du comportement féminin et du comportement masculin et des relations entre les deux, l'historien pourrait-il le démêler de la justification idéologique ? Quelquefois peut-être, mais pas toujours, voilà ce qu'on peut répondre.

Il existe des façons d'être tout à fait physiologiquement objectives que les hommes ont et que les femmes ne peuvent avoir, ou vice versa, et en ce sens prétendre que les femmes sont le sexe faible a quelque poids. Mais quelqu'un doute-t-il que l'exclusion des femmes des situations de responsabilité politique, sociale ou religieuse au titre de leur « faiblesse » ne procède presque toujours de motifs idéologiques ? Ou que les hommes ne se dérobent aux tâches de l'éducation des petits que parce qu'ils sont physiologiquement incapables d'avoir des bébés ? On perçoit assez bien ces choses dans le monde contemporain, mais il est beaucoup plus difficile d'en faire la part dans le cas d'une population dont l'ensemble des attitudes et manières de vivre a complètement disparu. L'historien doit tellement se méfier de ce type de jugements qu'il est prêt à rejeter toute référence aux faits biologiques sur la sexualité venant du passé comme probablement fausse. Ces jugements sont fréquents dans les données littéraires sur les attitudes qui composent une bonne partie de ses sources.

Et voilà tout ce qui est en jeu quand on disserte du *Fait féminin* dans un

---

51. On trouvera de remarquables exemples de ce désir dans un recueil publié sous la direction de M. HARTMAN et L. W. BANNER : *Clio's Consciousness Raised*, New York, 1974.

contexte tout à la fois biologique et historique : c'est un début bien peu encourageant – au moins est-il réaliste.

Inventaire des‧rôles féminins dans la famille occidentale traditionnelle

Une liste des rôles familiaux de la femme dans la famille traditionnelle de
l'Occident ne constitue qu'une très petite part de ce que doit être l'ensemble de
notre sujet, mais elle contient la plupart des informations utiles que peuvent
apporter les historiens de la famille pour faire contraste avec les rôles que remplissent les femmes dans la famille contemporaine de la culture occidentale hautement industrialisée. Si l'on se rappelle que l'industrialisation et la modernisation ont été des changements relativement soudains, à la mesure du « temps
social structurel »; si on se rappelle que le régime familial précédent a existé pendant si longtemps que les comportements ont été modelés, les attentes tracées,
les habitudes sociales et individuelles imprégnées en un tissu immémorial difficile
à modifier ou à remplacer, on comprend qu'il faille tenter de décrire l'ensemble
de ces rôles traditionnels. Nous pourrons alors étudier la situation différente et
difficile des femmes de nos jours comme étant, dans une certaine mesure, un problème d'adaptation.

Je reconnais que cette dernière phrase me met mal à l'aise. Elle fleure trop
la sociologie fonctionnelle de la génération précédente, avec une touche de déterminisme historique, peut-être teinté d'un vague attachement à la fatalité de la
domination masculine, comme si la tâche de l'historien était de réconcilier les
femmes avec ce qui ne peut être changé, de leur vivant tout au moins. Il n'est
même pas évident qu'un ensemble de rôles familiaux prenne des siècles pour se
former et devenir coutume, ou des siècles pour se modifier. Et puis le modèle
familial de l'ère paysanne en Europe occidentale – période traditionnelle, ou féodale, ou capitaliste – a-t-il duré assez longtemps, dans notre partie du monde
ou ailleurs, à l'échelle biologique? Les archéologues et les anthropologues semblent être d'accord pour penser que l'ère paysanne est relativement récente et
ne représente qu'un moment relativement bref de l'histoire humaine. Un bien
plus grand nombre de générations humaines a vécu de chasse et de cueillette que
d'agriculture et d'artisanat. La recherche des conditionnements historiques à long
terme de la famille humaine devrait peut-être nous conduire à étudier davantage
la situation économique et technologique des nomades pêcheurs et chasseurs que
la paysannerie sédentaire et les communes médiévales du début de l'Europe
moderne en France, aux Pays-Bas et dans les îles Britanniques [52]. Mais nous ne
savons rien, nous, historiens, de la vie de famille de nos ancêtres d'Europe occidentale qui ont vécu de chasse et de cueillette, quoique nous en sachions suffisam-

---

52. C'est la position que semble avoir prise par exemple Alice ROSSI dans son importante étude : « *A Biological Perspective on Parenting* », in *Daedalus*, 206, 2 Spring 1977, p. 1-31. Elle suggère que le très long conditionnement de la vie familiale à la chasse et à la cueillette pendant une ère entière peut avoir fait de la famille
paysanne une affaire difficile, aussi l'ère industrielle n'aurait pas commencé dans une atmosphère familiale
aussi enracinée qu'on a tendance à le croire.

ment pour nous garder d'accepter qu'on leur applique les descriptions des Bush-men d'Australie qui nous sont contemporains.

Il nous faut continuer en fait avec l'hypothèse que notre connaissance limitée de la famille occidentale préindustrielle s'applique à l'âge paysan tout entier. Mais l'Ouest de l'Europe peut avoir été différent du reste du continent, sans par-ler de l'Asie et du reste du monde [53]. Nous sommes réduits à cette portion congrue si nous voulons rester objectifs.

La société traditionnelle, comme le reconnaissait Jean Bodin dès le XVIe siècle, n'était pas composée d'individus, mais de groupes familiaux associés de façons variées pour des buts variés. Ce groupe familial avait de multiples fonctions : lieu de la procréation, des premiers soins et de l'éducation, c'était aussi le lieu de la production et de la consommation. C'étaient des familles qui cultivaient les champs, élevaient les bêtes, comme c'étaient des familles qui fabriquaient les tissus, les charrues ou les chaussures, comme c'étaient des familles qui assuraient la boulangerie, le transport, la façon des vêtements. Il est vrai que le journalier qui rejoignait dans les champs les gens de la ferme au matin et les quittait au soir pour retourner dans sa chaumière n'avait que des liens très lâches avec la maisonnée du fermier, bien que tous mangeassent ensemble à midi le repas pré-paré par les femmes de la ferme. Mais il n'existait en anglais pas d'autres expres-sions que *family* (famille) ou *household* (ménage – ensemble des personnes vivant dans une maison) pour décrire une équipe de travailleurs, et les activités comme le bâtiment ou les mines qui ne pouvaient être organisées de manière plus ou moins familiale étaient des anomalies dans la structure sociale.

De ce fait, les rôles familiaux des hommes et des femmes étaient beaucoup plus importants que de nos jours. Comme généralement le lieu de travail et le lieu d'habitation n'étaient pas séparés, les hommes passaient le plus clair de leur temps au sein de la famille, comme bébés, fils, serviteurs, et une faible part de leur vie comme soldats ou citoyens frayant avec leurs pairs dans les églises, les tavernes et les lieux publics [54]. Les femmes passaient à peu près toute leur vie au foyer, à la maison presque tout le temps. Elles étaient nées dans la maison, y avaient été élevées, y travaillaient, avec leurs parents ou avec leurs maîtres. Elles accouchaient à la maison, y nourrissaient et élevaient leurs enfants, le tout entre les mêmes quatre murs. Hommes et femmes, quand leurs enfants les avaient quittés, continuaient à vivre dans leur maison et y mouraient.

Dans l'Europe du Nord-Ouest, hommes et femmes adultes étaient censés avoir leur propre foyer, qu'ils fondaient en se mariant et entretenaient le reste de leur vie par leurs mutuels efforts. Ce foyer était indépendant de celui de leurs parents : c'était leur *projet* de vie, comme dirait Sartre. Dans l'ouest, en ceci différent du sud et de l'est de l'Europe, tout mariage signifiait une nouvelle « maison » : on ne pouvait, homme ou femme, demeurer avec ses parents une fois marié, ni même reprendre bien souvent la maison de parents retirés ou mourants. On attendait

---

53. Cf. LASLETT, chap. 1er : *Characteristics of the Western Family considered over Time*, 1977.
54. Cela est vrai surtout pour les îles britanniques et une partie du nord-ouest de l'Europe. Il n'en allait pas de même dans une grande partie de la France, non plus que dans l'Europe méridionale : cf. l'intervention de Ph. Ariès, p. 381. (N.D.R.)

d'être marié, les femmes souvent plus longtemps que les hommes, on économisait pour son futur foyer; on acquérait pour ce foyer, et notamment des compétences monnayables pour le mari pourvoyeur, des compétences ménagères pour la femme gérante du foyer familial. Pour ces raisons, et particulièrement dans les couches inférieures, les hommes épousaient souvent des femmes plus âgées qu'eux, et une bonne proportion de gens ne se mariait jamais. Ils ne parvenaient simplement pas à remplir les exigences sociales.

Cette description du mariage et de la formation de la « maison » dans l'Ouest n'est pas complète pour l'époque considérée : les propriétaires – l'aristocratie, la bourgeoisie, les paysans riches – considéraient aussi le mariage comme une alliance contractée entre deux familles, où l'avenir des deux lignées était en jeu. Dans les grandes et nobles familles surtout, tous les mariages étaient des mariages arrangés, du type que nous avons déjà évoqué. Mais on se tromperait si on généralisait cette pratique à tous les niveaux sociaux. Parmi les humbles, c'est-à-dire la grande masse, le choix personnel d'une femme par un homme ou d'un homme par une femme pour des raisons d'attirance ou de prudence économique a dû être la règle.

Les fonds nécessaires à la création d'un foyer ne venaient jamais entièrement des futurs époux, sauf peut-être dans les couches les plus modestes. Mais les plus pauvres eux-mêmes pouvaient recevoir de leurs voisins, les plus dépourvus cherchant toujours à s'entraider. Les parents contribuaient de diverses manières au nouvel établissement, particulièrement en dotant la mariée. Une fille bien dotée était bien placée sur le marché du mariage où le consentement des parents était nécessaire et bien d'autres personnes impliquées : les frères, les sœurs, et même les oncles et tantes. Néanmoins c'est un peu facile – et on ne s'en est pas privé – d'insister sur ces aspects et de négliger le caractère de projet mutuel du mariage de deux personnes qui souvent s'étaient choisies et auraient à s'aimer toujours.

Pour en revenir aux rôles des femmes dans la famille européenne traditionnelle et commencer par le mariage, gardons en mémoire les nettes différences entre pauvres et riches à cet égard, et rappelons-nous que nos sources ne proviennent guère que des nantis – et l'on ne peut guère concevoir ces derniers comme de bons guides pour savoir ce qui se passait dans les masses populaires.

Le premier rôle de la femme mariée, avant même le premier enfant, son premier rôle et son devoir – car tous les rôles étaient des devoirs dans la famille traditionnelle – était de pourvoir aux besoins sexuels de son mari, ce qui signifiait aussi bien sûr assurer la procréation.

Le second était un rôle de collaboratrice dans les entreprises du ménage et de déléguée quand il était absent ou incapable et qu'elle devait agir.

Son troisième rôle, qu'une universelle convention lie à son sexe, consistait à acquérir et préparer la nourriture. Dans les ménages importants, cela impliquait la direction des servantes : elle était l'autorité immédiate, l'homme l'autorité dernière. Son domaine domestique était si bien à elle dans les maisons quelque peu importantes en France qu'elle jouissait du titre de *maîtresse de maison*[55]. Le

---

55. En français dans le texte.

mari pouvait participer aux autres rôles de la femme, qui consistaient à approvisionner la cuisine en cultivant des légumes ou de petites récoltes sur le lopin de terre autour de la maison, en achetant au marché, en élevant une ou deux vaches, un ou quelques porcs, des poules, des lapins et autres petits animaux, même des oiseaux en cage. Tout cela, qui formait le fonds des menus, en ville comme à la campagne, chez les artisans comme chez les paysans, était surtout l'affaire de la femme, mais pas exclusivement.

Le quatrième rôle en revanche, consistant à faire et raccommoder les vêtements – les siens, ceux de son mari et ceux de ses enfants et des serviteurs – était totalement spécifique de son sexe.

Le cinquième et dernier rôle de l'épouse avant les grossesses pourrait s'appeler « filer de l'argent » (*money spinning*). Mot significatif, car un grand nombre de femmes mariées ou non, filles de la maison ou servantes, passaient tout leur temps disponible à filer la laine à domicile. D'autres tâches encore pouvaient être accomplies à domicile avec les forces d'une femme : les objets en paille, la vannerie, la dentelle – tous travaux ne demandant pas d'outillage lourd et compliqué. Il semble qu'elle avait aussi pour devoir de chercher ce type de travail, donc d'entrer en contact avec une petite entreprise ou son représentant, et de vendre le produit de son travail s'il ne lui était pas arraché des mains par le patron de l'entreprise. Cette activité manufacturière des femmes était si importante que dans deux communautés anglaises de la fin du XVIIIe siècle le taux d'activité des femmes était supérieur à ce qu'il est aujourd'hui, si l'on compte le travail à domicile [56]. Il faut bien insister sur les activités marchandes des femmes; comme aujourd'hui dans bien des régions d'Afrique, la marchande vendant sur la place était une figure importante des villes de l'Europe occidentale.

Ce cinquième rôle de l'épouse travaillant – et toutes les épouses travaillaient sauf dans l'élite lettrée – était étroitement lié à son second rôle de collaboratrice, ou surtout de subordonnée de son mari. Si celui-ci avait une activité exigeant un compagnon, ou mieux assurée à deux, l'épouse remplissait son rôle de « fileuse d'argent » en l'aidant au métier à tisser, au soufflet de forge, aux ailes du moulin, au tour. Aidant son mari, elle augmentait le rendement ou économisait les gages d'un serviteur, ou les deux à la fois.

La grossesse venait gêner provisoirement l'accomplissement de ces différents rôles de l'épouse, mais ne les interrompait pas, elle les rendait seulement plus pénibles. Les obligations qui pesaient sur la femme laborieuse pendant ses grossesses étaient si astreignantes et les frais si importants à l'occasion des naissances qu'on a peine à croire que les enfants étaient considérés comme un avantage économique dans beaucoup de maisons.

Une femme à fécondité élevée pouvait s'attendre à passer douze ans ou plus dans son rôle de reproductrice : ses vingt et quelques années de mariage en

---

56. L'importance de l'activité féminine dépendait des possibilités de trouver du travail. Plus la maison était pauvre, plus les femmes travaillaient. Premiers résultats d'une recherche d'Osamu Saito, de Keio University de Tokyo, entreprise au sein du Cambridge Group.

Sur la variété et l'importance du travail à domicile des femmes du XVIe au XXe siècle, en France, Allemagne, Belgique et le revenu qu'elles en tiraient, voir E. SULLEROT : *Histoire et sociologie du travail féminin*, Paris, 1968 (N.D.R.).

étaient tellement occupées qu'elle en oubliait presque ce que c'était que d'avoir ses règles. Elle ne menait pas toutes ses grossesses à terme. Mais le plus dur, dans l'accomplissement de ce devoir, doit avoir été, pour n'importe quelle épouse, de voir mourir tant de ses nourrissons ou de ses petits enfants et d'avoir à en faire d'autres.

Toutefois une bonne partie de ses descendants survivait jusqu'à l'âge adulte, à tout le moins dans l'Angleterre rurale, et la fécondité n'était pas toujours si élevée : de 1720 à 1769, dans le village classique de Colyton dans le Devonshire, les femmes mariées à l'âge moyen avaient tout juste 4 enfants par tête, même si le mariage couvrait toute la période féconde; durant les cinquante années précédentes, elles n'en avaient guère plus de 3 [57]. En considérant toutes les unions, rompues par la mort d'un des conjoints ou non, pendant toute la période allant de 1580 à 1800 dans 400 paroisses anglaises, le nombre de baptêmes par mariage dépasse légèrement 4.

Faire les enfants, sixième rôle de la femme du ménage paysan traditionnel, était son rôle le plus important, et exclusif pour des raisons biologiques. Nous ne savons pas si la femme pouvait tant soit peu choisir si et quand elle devenait enceinte, bien que nous soyons à peu près sûrs qu'ici et là on prenait la décision de ne plus faire d'enfants. L'expression populaire *« I have fallen again »* (« Je suis encore tombée enceinte ») pour « Mon mari m'a encore fait un enfant » exprime bien le degré convenable d'ambiguïté du fait : car « tomber » est quelque chose qui arrive à quelqu'un, qu'avec un peu de chance on aurait pu éviter, plutôt que quelque chose qu'on a eu à subir d'autrui. Nous ne pouvons exclure la possibilité que, jusqu'à un certain point, la femme exerçait un contrôle sexuel sur son mari.

Les deux sexes avaient des raisons positives d'avoir des enfants : si l'enfant était un garçon, la perspective d'une aide supplémentaire aux champs ou à l'atelier était importante tant pour le père que pour la mère; la perpétuation de la lignée, du nom, devait signifier davantage pour le père à des degrés divers selon le statut de sa « maison ». Si l'enfant était une fille, la perspective d'une aide dans le ménage et les soins des enfants à venir était plus sensible à la mère, sans laisser le père indifférent. S'il s'agissait de prévoir aide et confort pour les vieux jours – ce qu'on ne peut tenir pour absolument certain –, les deux alors avaient intérêt à avoir des enfants [58]. Sans nul doute, dans les débuts de notre culture, la procréation en elle-même était une valeur importante, et l'accomplissement qu'elle représentait pour les femmes est avérée tant par l'admiration et l'envie des hommes que par la honte amère et la culpabilité ressenties par la femme stérile [59].

---

57. Cf. E. A. WRIGLEY : *Family Limitation in Pre-Industrial England*, in *Population in the Industrial Revolution*, 1969. Ces niveaux étaient bas dans l'ère préindustrielle, mais pas exceptionnels. Certains experts commencent à penser que le régime alimentaire était parfois insuffisant pour permettre un taux de fécondité élevé dans la masse populaire.

58. Cf. Peter LASLETT : *The History of Aging and the Aged*, 1977, chap. v. Il est clair que les services personnels, le soutien, la présence quotidienne des grands enfants étaient précieux aux vieux, mais il est difficile de montrer qu'ils représentaient un avantage matériel.

59. Wrigley a calculé que lorsque le taux de fécondité était élevé à Colyton, les seuls ménages sans enfants étaient ceux qui étaient physiologiquement stériles (*op. cit.*, p. 176). Patricia Crawford, de Perth, Australie, a découvert que la seule référence sur la menstruation qu'on peut à ce jour trouver dans les sources anglaises est le journal intime d'une femme qui soupçonne qu'elle est stérile et exprime sa déception mois après mois...

Pour les parents un nouvel enfant avait de la valeur simplement parce qu'il agrandissait la maisonnée, prolongeait son potentiel de vie et donc lui conférait plus d'importance sociale.

Il n'est pas besoin de dire que ce genre de satisfaction n'était guère le fait de la mère pauvre qui avait déjà deux ou trois enfants : pour elle d'autres enfants, c'était la vie plus dure. La classe sociale joue là de façon critique. Jusqu'à ce que la voix lugubre de Robert Malthus retentît dans les dernières années du XVIII siècle, toutes les influences sociales jouaient pour pousser la femme mariée à avoir autant d'enfants qu'elle le pouvait. Dans l'Occident chrétien, nulle échappatoire n'était officiellement possible : ni contraception, ni avortement, ni surtout l'élimination des enfants non désirés. On ne peut démontrer l'infanticide à partir du taux de masculinité au baptême, mais on a découvert certains indices suggérant qu'on éliminait plus souvent les filles que les garçons, et qu'elles ont été négligées en faveur de leurs frères (recherche inédite de Richard Wall).

Ce qui nous amène au septième rôle de la femme dans la famille traditionnelle : élever les petits. A l'exception de l'école, si la famille pouvait se l'offrir et s'il y avait une école dans le village, de l'instruction religieuse donnée par le *paterfamilias,* et de ce qu'il montrait à ses fils – la tâche d'élever les enfants retombait sur les femmes. Nourrir, vêtir, laver et former à toutes les techniques de la vie sociale étaient des chasses gardées féminines. A ce jour, on a plutôt supposé cela qu'on ne l'a prouvé, car on a fait peu de recherches dans ce domaine. On sait seulement qu'on ne trouvait presque jamais d'hommes seuls avec de jeunes enfants parmi les ménages. Sur 616 ménages dans la ville de Lichfield en 1695, on n'en a trouvé qu'un seul spécimen. (Il était composé d'un homme de 38 ans, indigent et probablement veuf, vivant avec ses fils âgés de 9, 8, 6 et 4 ans. 24 ménages ne comprenaient aucune femme de plus de 20 ans, mais 8 d'entre eux comptaient des filles entre 15 et 19 ans, 9 étaient composés d'hommes solitaires, le reste comprenant des hommes avec serviteurs masculins, ou des jeunes gens célibataires partageant un logement. L'étude de cette population laisse l'impression très forte qu'un ménage pour être un ménage doit compter une femme adulte.) Aucune donnée anglaise ne montre de pères partageant les soins aux enfants, un grand nombre laisse entendre que c'était là le travail des mères, et une tâche dégradante pour les hommes. On ne peut être sûr qu'aucun père, frère aîné ou même serviteur n'ait jamais bercé, lavé, habillé ou nourri des bébés. Nous n'avons pas de preuves non plus que la mère fût seule pour remplir ces tâches, sans aide de sa famille, alliés ou voisins. Le premier enfant, semble-t-il, naissait souvent chez la grand-mère maternelle et était ramené triomphalement au foyer du mari une semaine ou deux plus tard. De nombreux indices donnent à penser que les soins aux enfants étaient souvent partagés par les servantes, les filles aînées, les mères ou belles-mères veuves vivant au foyer de leurs enfants, les tantes célibataires. Il se pouvait aussi que les mères qui travaillaient dans un village partageassent entre elles les soins à leurs bébés, mais nous n'en avons pas de preuves.

Quoi qu'il en soit de ces aides, la mère était responsable des soins aux enfants, et, dans une certaine mesure, de leur placement, de leur établissement. Ce devoir était surtout l'affaire du mari, surtout s'agissant des fils, mais une mère devait faire ce qu'elle pouvait pour aider à cet « établissement ». La responsabilité de trouver un mari à leurs filles – allant jusqu'à leur enseigner comment se conduire pour être sûres d'être demandées en mariage – leur incombait dans tous les milieux sociaux, quoique les jeunes filles très humbles paraissent souvent n'avoir eu nul besoin de l'aide de leurs parents pour se marier.

Voilà pour les devoirs de la femme mariée, et de la mère de famille mariée. Mais, de tout temps, pas moins d'un foyer sur huit en Angleterre n'avait pas à sa tête un couple marié, mais une veuve, et la moitié de ces foyers de veuves comptait des enfants. Beaucoup de ces familles, presque toutes, étaient considé- rées comme « pauvres » selon les dures normes de l'époque, et recevaient une assistance. Sur les veuves, les devoirs familiaux pesaient lourd, comme on peut l'imaginer, car quand elles perdaient leur mari elles devaient assumer tous ses devoirs à lui dans le ménage, et poursuivre les leurs propres. Chaque fois que c'était possible, elles devaient poursuivre l'activité professionnelle du mari. La veuve, et tout particulièrement la veuve âgée ayant dépassé la ménopause, deve- nait une sorte de « mâle honoraire ». Elle jouissait de tous les attributs du chef de famille : elle pouvait être membre adjoint, « sœur » dans la guilde de certaines villes comme Norwich, prendre des apprentis, etc. Ce dernier rôle bien particulier fait un accroc à la règle universelle qui veut que les femmes n'aient aucune vie publique, aucune sorte de pouvoir politique [60].

Si le mari défunt était un journalier travaillant pour des employeurs, sa femme ne pouvait rien continuer, si ce n'est son propre artisanat si elle en avait un. Il en allait de même s'il avait été maçon, mineur ou marin. C'étaient là de très pau- vres familles généralement, mais la veuve indigente n'abandonnait pas son foyer pour vivre chez des parents plus aisés. Elle conservait sa famille avec elle et était aidée par les autorités de la loi pour les pauvres *(the Poor Law)*. Si son mari avait eu plus de chance et si elle était une femme capable, elle prenait en main la ferme ou l'atelier, les apprentis, les serviteurs, tout. On trouvera une excellente illustration de cela dans les mentions d'imprimeurs des livres publiés [61]. C'est donc à tort qu'on suppose que le fils succède toujours à un homme à la tête de son entreprise ou de ses biens. Une veuve jeune avec des biens, surtout de la terre, pouvait aisément se remarier; une veuve plus âgée ayant un fils était encline à demeurer seule et à conserver l'entreprise pour qu'il lui succède. Des conflits

---

60. La « règle universelle » peut aussi avoir admis, et dans de très nombreuses sociétés extra-européennes comme européennes du passé, que la femme ménopausée soit considérée comme un « mâle honoraire » : voir F. Héritier, *supra*, p. 398. En France, jusqu'à la suppression des corporations, la veuve d'un « maître » avait le titre de « maîtresse » de la corporation, pouvait engager des compagnons et des ouvriers, mais perdait ce titre si elle se remariait avec un homme étranger à la corporation. (N.D.R.).

61. Le célèbre *Essay on Humane Understanding* de John LOCKE porte sur la première page de sa première édition : « London, imprimé par Elizabeth Holt pour Thomas Basset. »
N.B. (En France, également, le nombre des veuves imprimeurs était considérable : il n'est que de regarder les noms des imprimeurs des trois cent cinquante journaux qui parurent en 1789-1790, beaucoup d'entre eux portent la mention « Imprimé chez la veuve X ». Ce privilège des veuves dans l'imprimerie fut une des causes de la guerre sans merci faite aux femmes par les typographes durant le XIXe siècle. Ils parvinrent, en France et en Belgique, à éliminer les femmes de la profession. Cf. E. SULLEROT : *Histoire et sociologie du travail féminin*, 1968, Denoël.) (N.D.R.).

ont dû se produire entre mères et fils, et nous avons trouvé des ménages de gentilshommes dirigés par des veuves avec un jeune fils, et plus tard dirigés par le fils lui-même, devenu adulte.

Les veuves d'un certain âge chefs de famille dont le fils aîné avait dans les vingt ou trente ans n'ont sans doute été chefs de famille qu'en titre, pouvoir et situation étant déjà entre les mains du fils. Mais nous ne connaissons aucune règle sociale générale régissant de telles situations, et c'est la personnalité et la compétence de la femme concernée qui a dû, chaque fois, compter. En avançant en âge, une femme pouvait perdre toute sa famille : son mari, comme de nos jours, mourait souvent avant elle, et ses enfants la quittaient. Elle finissait ses jours solitaire, habitant toujours la chaumière où elle s'était installée lors de son mariage. Durant la dernière étape de sa vie, le devoir de subvenir à sa propre indépendance, l'indépendance de son foyer, lui restait à remplir.

Abandonnons l'épouse mûre, la veuve, la grand-mère et les vieilles commères pour celles qui commencent leur vie de femme et celles qui ne se marient pas. Leurs devoirs peuvent être aisément résumés : comme des inférieures, aider à la marche de la maison où elles ont été élevées (pas toujours leur maison natale du fait de la mort et du remariage des parents [62]) ou celle où elles sont entrées comme servantes. Pour désigner une femme célibataire, le mot anglais courant est *spinster,* c'est-à-dire « fileuse », fileuse de laine, et il en a été ainsi pendant cinq cents ans. Elle était subordonnée au chef de famille, le père ou la mère veuve, ou le maître, ainsi qu'à ses frères. Dans l'organisation du foyer, elle venait après les personnes de sexe masculin. Il existe des listes de gens recensés par familles, en Angleterre, en France et en Allemagne, où tous les enfants mâles sont énumérés d'abord, quel que soit leur âge, avant les filles, les fils bébés passant avant les filles âgées de 20 ans. Comme faire marcher un ménage consistait à nourrir, nettoyer, jardiner, aller chercher l'eau, vendre au marché, soigner les malades et le reste – le travail des femmes avait une importance économique directe et évidente, et les ressources en argent procurées par le filage et les autres besognes artisanales étaient vitales. La notion de l'inutilité des jeunes filles et des talents de salon qu'elles devaient acquérir n'appartenait qu'à la classe supérieure lettrée. Avoir du temps à perdre, l'occuper en devoirs religieux, travaux d'aiguille ou musique, c'était affaire de maisons riches avec domestiques. Cela conservait quelque chose tout de même des rôles domestiques de la grande masse des femmes, quoique de façon indirecte et quelque peu décevante. La célibataire anglaise de bonne famille, personnage du type que Jane Austen – la plus grande romancière de mœurs en langue anglaise – a rendue familière aux lecteurs anglais, a tenu trop de place dans l'œuvre des historiens sociaux.

Mais les jeunes filles de bonnes familles dans leurs manoirs avaient un point commun avec les femmes des chaumières : toutes se préparaient à fonder un ménage, un ménage qui ne serait pas la continuation de celui auquel elles appartenaient par force, mais celui qu'elles-mêmes créeraient avec leur époux au moment de leur mariage. Les arts d'agréments de la jeune fille bien née visaient

---

62. Cf. P. LASLETT, 1977, chap. IV, à propos des orphelins.

deux buts : attirer un mari, puis embellir la maison dont elles deviendraient la maîtresse. Les compétences pratiques de la fille du cultivateur pareillement, et l'une et l'autre partageaient le même devoir : se marier, devoir qui allait plus loin que se soumettre au choix du conjoint par les parents. Nous pourrions l'appeler le neuvième rôle de la femme du foyer traditionnel, mais dans la manière dont il devait être rempli apparaissaient d'intéressantes et fondamentales différences entre les classes sociales.

La jeune femme riche n'avait pas de responsabilité financière personnelle à l'endroit de la famille qu'elle fonderait : sa contribution était constituée par les richesses que son père avait mises de côté dans ce but. A défaut de ces ressources, elle pouvait s'attendre à mourir célibataire. Comme l'avenir de la lignée familiale, celle de son mari et parfois la sienne propre aussi bien, passerait par son corps en entraînant d'importants droits de propriété, il n'était pas question de badinage tant soit peu « dangereux », comportant le plus petit risque d'une conception hors mariage. Du reste, nous ne trouvons pratiquement pas d'exemples de bâtards nés de femmes nobles ou de bonne famille. Les conceptions prénuptiales devaient également être très rares, bien qu'on n'ait fait que très peu de recherches sur ce sujet [63] (il y eut bien sûr des exceptions, comme celle de la comtesse de Macclesfields dont le fils bâtard, Richard Savage, fut l'auteur en 1728 du célèbre poème *The Bastard,* « Le Bâtard »). Citer ces exceptions donne une impression fausse. Les femmes de l'élite britannique étaient chastes, certainement jusqu'au mariage et dans la plupart des cas après le mariage. Quand on a bien compris cela, on saisit mieux l'attitude des parents envers les avances faites à leurs filles par des amoureux non autorisés, source de tant d'intrigues de romans et de pièces.

La jeune fille pauvre, en revanche, devait économiser ses gains pour son mariage; devait faire voir qu'elle savait tenir une maison; et souvent, peut-être même était-ce la règle générale, elle pouvait répondre aux avances sexuelles des prétendants de son choix bien avant qu'il ne soit question de mariage. Et rien ne nous permet de dire qu'elle ne faisait pas elle-même les avances sexuelles – hormis les exhortations du prêtre et des gens distingués. Son rôle à elle, et son devoir, consistaient à trouver un mari, et peut-être bien, pour ce faire, à avancer ses affaires avec le monsieur en risquant une grossesse. Évidemment, de telles mœurs variaient beaucoup d'un pays à l'autre de l'Europe occidentale. Ce que nous venons de dire pour l'Angleterre ne semble pas du tout s'appliquer par exemple à la France rurale des XVIIᵉ et XVIIIᵉ siècles [64].

En Angleterre, un comportement comme celui de la jeune fille pauvre était absolument impensable venant d'une jeune fille bien née, et, considérant toujours le point de vue de la jeune fille et son intérêt, il n'aurait eu aucun sens entre une fille du peuple et un gentilhomme. On peut penser que le double modèle était

---

63. Cf. Laslett, 1977, chap. III : *Long term trends in bastardy in England.*

64. En France, il semble que la grande majorité des jeunes filles de milieu paysan, qui se mariaient souvent tard, arrivaient vierges au mariage. Les pourcentages de conceptions prénuptiales et d'enfants illégitimes pour les XVIᵉ, XVIIᵉ, XVIIIᵉ et XIXᵉ siècles ont cependant été fort variables d'une région à l'autre et ont fluctué dans le temps. Voir à ce sujet les nombreux travaux de L. Henry *et al.* en démographie historique parus dans *Population* depuis une quinzaine d'années, ainsi que les travaux de J.-L. Flandrin déjà cités, p. 423 (N.D.R.).

une convention de l'élite et qu'il n'a pas pu avoir la même importance dans le peuple, même pour les femmes mariées.

Laissons là cette rapide tentative d'inventaire des rôles féminins dans la famille traditionnelle, et bornons-nous à trois remarques. La première pour souligner l'échec de celles qui ne se mariaient pas : parce qu'elles ne s'unissaient pas à un mari pour un « projet » familial, elles étaient purement et simplement laissées pour compte pour tout autre accomplissement social. La seconde pour insister sur l'importance primordiale, dans les devoirs de la femme, des ressources, des fonds qui permettaient à la famille, au groupe, à l'entreprise d'exister. La famille des temps anciens ne vivait pas totalement des gains de l'homme, mais de la mise en commun des apports de ses membres. Tout ce qui pouvait être mis de côté, y compris les quelques sous que les servantes et les filles de la maison pouvaient épargner, était destiné au temps du mariage. De ces menues accumulations, dans les couches inférieures de la société, dépendait la fondation du futur ménage, et par conséquent la génération future.

Notre troisième remarque doit être une mise en garde contre une simplification exagérée des principes déterminant le rôle des femmes dans la famille occidentale traditionnelle, et contre une tendance à en exagérer la rigidité. Plus nous étudions le comportement féminin, plus il apparaît clair que les femmes de tête et de caractère pouvaient plier à leur volonté les règles, voire les défier. Elles ne le faisaient pas seulement à des fins personnelles par égoïsme, bien que la femme dominatrice n'était nullement absente du tableau, mais pour assurer la sécurité, le bien-être et l'avenir du groupe familial, la sécurité, par-dessus tout, de *son* mari, de *ses* enfants. Il ne faut pas trop tenir compte de l'élément sexuel des activités que nous avons décrites quand l'enjeu est celui-là. C'est la raison qu'aurait elle-même donnée la femme pour expliquer pourquoi elle descendait dans la mine à la place de son mari, ou même au besoin avec lui. C'est la raison qui avait conduit in extremis le jeune veuf de 1695 que nous avons trouvé à Lichfield à nourrir et soigner ses quatre petits garçons.

Changements dans le temps des rôles de la femme dans la famille occidentale, en particulier depuis l'industrialisation

Le pouvoir, la liberté, les droits des femmes de l'élite ont subi bien des vicissitudes pendant les deux douzaines de siècles qui séparent les débuts du monde gréco-romain de l'âge de l'industrialisation, et il ne s'est pas agi d'un développement continu dans une direction ou une autre, vers plus de liberté ou moins de liberté. La plupart de ces vicissitudes ont été politiques, s'agissant des reines ou des duchesses; religieuses, s'agissant des saintes ou de personnages hors du commun comme Jeanne d'Arc; ou bien elles tenaient à la loi, presque toujours les lois ayant trait à la propriété et à sa transmission. Les événements qui se déroulaient dans l'arène publique ou politique ont bien pu n'affecter en rien la position de la femme dans sa sphère propre, c'est-à-dire à l'intérieur de la famille. Ce qu'ont pu dire ou faire, ou écrire, Bodicea, Christine de Suède ou Mme de Sévigné, ou même Mary Wolstonecroft-Shelley, n'a d'intérêt qu'exemplaire ou même symbolique. On ne peut rien en déduire concernant le changement de la condition féminine en général.

Selon les périodes et les régions, des variations des droits de succession des filles, du prix de la mariée ou du régime dotal peuvent bien sûr avoir eu quelque influence sur la situation et les rôles des femmes de couche modeste. Mais nous n'en savons pas assez pour dire comment en ont été affectés l'ensemble de leurs rôles et le modèle de leurs devoirs domestiques. Il en va de même pour l'apparition et la persistance de l'*affrairement* – la création de ce que certains pensent avoir été des ménages collectifs – et des institutions de la famille de souche. On s'est beaucoup intéressé récemment à ces développements, mais même si nous parvenions à évaluer leur prédominance et leur influence sur la vie familiale, il ne m'apparaît pas qu'elles pussent revêtir la même importance que les événements économiques qui ont dû affecter le ménage actif en altérant la valeur du travail de la femme. Ces événements-là ont été les changements introduits dans l'agriculture et le mode de récolte, et dans les industries artisanales, nouveaux produits et nouvelles techniques de production.

Ces derniers changements ont modifié les possibilités d'emploi des femmes, le rendement économique qu'elles pouvaient en tirer, les ressources, l'équilibre du travail dans le projet familial. Mais, une fois encore, tout cela ne s'est pas développé dans une seule direction, vers l'« émancipation ». Dans ses derniers temps, l'industrie artisanale est devenue, pour les épouses et les filles des hommes qui tentaient de rivaliser avec l'usine, un intolérable fardeau. Où et quand se sont imposées les méthodes économiques industrielles, a disparu complètement la famille en tant qu'association de travail, le ménage comme « projet » d'un homme et d'une femme dans l'activité économique, productive ou autre? La famille en tant que groupe, en tant que petite société, a été dépouillée au fur et à mesure des progrès de l'industrialisation, jusqu'à n'avoir plus pour fonction que l'association sexuelle d'un couple et la couvée d'une nichée d'enfants de moins en moins nombreux, nés en un ou deux ans de mariage et envolés bien avant que la vie conjugale des parents ne prenne fin. En même temps, de l'avis de nombreux contemporains, ce petit champ bien clos d'intimité, cette association pour soirées et week-end seulement, est devenu un nid – un nid d'amour si vous voulez, un refuge contre l'aliénation du monde du travail, alors qu'il avait été naguère le lieu privilégié du travail.

Tout cela s'est produit soudain, comme un coup de tonnerre. Ainsi en est-il du moins à l'échelle de l'histoire de l'humanité, celle que nous devrions respecter ici, l'échelle biologique. Cela a commencé, voici deux siècles à peine en Angleterre, a déjà englobé tout le monde occidental, et d'autres mondes aussi bien. En revanche l'ère paysanne se mesure en centaines et en dizaines de centaines d'années, et l'ère des chasseurs-cueilleurs en milliers et en dizaines de milliers d'années. Pourtant on ne doit pas oublier que l'industrialisation n'a pas été un phénomène de masse, affectant la vie du plus grand nombre ou de la presque totalité des femmes, avant le milieu du XIXᵉ siècle en Grande-Bretagne, et la fin du XIXᵉ siècle dans le reste de l'Europe occidentale et l'Amérique du Nord. Et pas avant la période contemporaine dans des pays maintenant hautement indus-

trialisés comme la Russie et le Japon. L'évolution sociale et familiale du
XIXᵉ siècle lui-même, notre arrière-plan chronologique immédiat, ne s'est pas
faite comme un simple prolongement de l'ère paysanne ou traditionnelle, dans
aucun des pays de notre connaissance. Et on est en droit de supposer que cette
période, l'âge victorien, fut en quelque sorte l'âge d'or de la solidarité familiale
dans les classes moyennes et dans les plus aisées des familles des ouvriers et
des employés [65]. Sans s'attarder là-dessus, on ne doit quand même pas négliger
le fait qu'il existe toujours des institutions familiales économiques qui persistent
dans la société hautement industrialisée : les tenanciers de *pubs* en Angleterre
comme les propriétaires de cafés en France ou les entreprises agricoles familiales,
comme un peu partout les « affaires familiales »; jusqu'à un certain point, de
manière restreinte, elles continuent dans leur organisation les ménages de paysans et les ménages d'artisans du monde traditionnel. Comme historiens des femmes et du groupe familial, nous cherchons à comprendre un processus qui n'est
pas encore achevé et dont l'aboutissement final n'est pas encore apparent.

Mais c'est la discontinuité qui frappe le plus quand on observe les rôles familiaux des femmes pendant la transformation industrielle. La situation de la
femme a changé de manière prodigieuse et contradictoire. Ne citons qu'un seul
de ces paradoxes : en un sens, elle a été réduite au statut et à la situation qui
était celle de la dernière des ménagères de l'ère traditionnelle, la femme du journalier. Son mari ne travaille pas chez lui, et elle ne partage pas avec lui un
« projet » aboutissant à une entreprise domestique. Si elle travaille pour gagner
de l'argent, elle doit pour cela laisser sa famille une bonne partie de la journée,
et aucune femme de journalier n'était tenue à cela durant l'ère préindustrielle.
Dans un autre sens, cependant, la voilà élevée à la situation de la femme ou de
la fille de l'élite : elle a du temps à perdre.

Car elle est riche, en pouvoir d'achat comparé, et elle est instruite. Après les
années consacrées aux enfants petits, encore plus quand les enfants ont quitté
la maison, elle a du temps libre et besoin de réalisations personnelles, pas seulement pour elle-même mais aussi pour se qualifier dans le domaine nouvellement
conquis par elle du travail et de la politique. Mais elle n'a pas de statut personnel,
si on la compare à la dame d'un bon rang de ce monde disparu si cher aux
romanciers historiques.

Rien ne va plus, avec le temps, comme nous l'allons montrer. Un système
fondé sur la famille ou le patriarcat n'a aucun sens dans notre monde incroyable-
ment différent, et les insupportables implications éthiques de ces attitudes sont
de désastreuses survivances de l'époque traditionnelle. La supériorité mâle était
un sophisme, même à l'apogée de l'Ancien Régime. Pourtant on ne voit pas clairement quel code de conduite doit régir aujourd'hui les rapports entre les sexes
et les générations, générations au sens de la reproduction et générations au sens
de l'âge [66]. Une des raisons en est que l'industrialisation n'a pas seulement rendu

---

65. Cf. l'exposé intéressant sur les femmes et la famille au XIXᵉ siècle aux États-Unis, dans Daniel Scott-
Smith, Hartmann and Banner, 1974.

66. Sur ces deux concepts et l'éthique intergénérations, cf. LASLETT : « *The Conversation between Generations* », à paraître dans *Philosophy, Politics and Society*, série V, sous la direction de Peter Laslett et James
Fishkin.

le groupe familial périmé pour nombre des fonctions qu'il remplissait naguère, mais encore a redistribué les membres qui le constituaient d'une manière qui nous laisse encore perplexes.

Le « travail », comme activité économique lucrative et comme accomplissement personnel dans le sens marxiste, n'est plus l'affaire de groupes de pères, mères, fils, filles et serviteurs, il est accompli par des bataillons où se trouvent enrôlés d'office cadres et employés. Et, en dépit de cela, le père de famille, qui a perdu la compagnie de ses filles adultes – cas de presque tous les pères de notre génération – n'a pas pour cela perdu la compagnie des femmes sur son lieu de travail. S'il appartient à la classe moyenne, elles se pressent et font cercle autour de son bureau. Quelle place leur assigner, à ces secrétaires et à ces employées de bureau qui forment une part si importante des femmes au travail, quelle place leur assigner selon l'ordre traditionnel que nous venons de décrire? Correspondent-elles symboliquement, psychologiquement, à des filles, ou à des belles-filles? Ou peut-être – on en serait plus aisément persuadé – sont-elles simplement une espèce de réincarnation des servantes? Qui sait? Les rôles et les relations avec lesquels nous sommes aux prises, nous ne parvenons pas à leur trouver de structure dans notre terminologie familiale encore à demi-consciemment acceptée, dans notre vocabulaire hérité du monde paysan, qui survit et persiste.

Voilà une des manières dont la disparition de la famille-unité-économique-de-travail a réaménagé la disposition des personnes dans la société, créant entre elles des relations toutes différentes de coopération, de camaraderie, de sexualité, de procréation, de travail productif ou d'action sociale collective. S'il est aussi difficile à chacun de révéler ou même de définir *Le Fait féminin* du monde occidental des années 70, celui qui étudie l'histoire de la famille peut difficilement s'en déclarer surpris.

Nulle discipline mieux que la démographie n'est à même de démontrer ce changement prodigieux intervenu dans la vie des femmes depuis ce « coup de tonnerre » de l'industrialisation, et de le démontrer avec des chiffres, d'autant plus saisissants qu'ils rendent compte de la vie de l'immense majorité des femmes. M. Livi-Bacci passe en revue les modifications intervenues dans le cycle de vie des femmes en passant de ce qu'il appelle de façon éloquente l'ancien régime démographique au nouveau régime qui est celui de nos contemporaines. Il analyse ensuite les implications sociales de ce changement qui a tellement modifié les durées des différentes périodes de la vie des femmes. Ces faits sont d'autant plus importants et déterminants que la vie des femmes est, physiologiquement et souvent socialement, plus discontinue que la vie des hommes, et tout ce qui affecte l'agencement et la durée des différentes phases de la vie des femmes revêt une importance extrême par ses effets multiples, sur la vie de chaque femme en particulier d'une part, et sur la vie sociale et économique des sociétés d'autre part.

E. S.

7.

Le changement démographique et le cycle de vie des femmes

par Massimo Livi-Bacci

1. Être femme est un fait biologique aux conséquences sociales et culturelles : je n'approfondirai pas cette formulation, la condition humaine de la femme étant l'objet d'une attention intelligente et continue. Je me propose seulement dans les pages qui suivent d'apporter quelques nouveaux faits au débat touchant à ces trois points :

a) La biologie du sexe féminin et ses conséquences sur la démographie de la population féminine;

b) Les changements structurels dans le cycle de vie de la femme survenant avec le passage d'un régime de fécondité élevée à un régime de faible fécondité;

c) Certaines des conséquences sociales et culturelles des changements survenus dans la structure du cycle familial.

Pour étayer la discussion par des faits plus précis, j'utiliserai deux modèles démographiques simples : le premier décrivant une situation hypothétique, typique d'un *ancien régime* démographique; le second décrivant un *nouveau régime*, non moins hypothétique. Le modèle de l'*ancien régime* est caractérisé par une mortalité et une fécondité élevées, ce qui était à des degrés divers le lot des populations européennes jusqu'au milieu du XIXᵉ siècle. Le modèle du *nouveau régime* reflète une situation fréquemment observée dans les populations développées contemporaines.

J'ai porté sur le tableau 1 les principaux paramètres pertinents des deux modèles. Bien que leur signification soit facile à saisir, ils méritent quelques commentaires.

Le modèle *ancien régime* reflète une situation d'équilibre démographique « élevé » : fécondité et mortalité y sont toutes deux élevées, la seconde compensant la première et produisant en général une croissance démographique lente. Une espérance de vie de 30 ans à la naissance était chose tout à fait courante, lorsque les standards alimentaires étaient médiocres et menacés par de fréquentes famines et l'état de la science médicale tel qu'elle était encore sans effet. Qu'une femme survivant à sa période de reproduction ait mis au monde 6 enfants, cela aussi était un fait courant dans des populations où le contrôle des naissances était pratiquement ou totalement inexistant. Le *nouveau régime*, instauré dans les populations occidentales au cours de ces dernières décennies, est un régime d'équilibre démographique « bas »; la croissance est proche d'un état stationnaire; l'espérance de vie s'est accrue bien au-delà de 70 ans. Il est intéressant de noter que, bien que l'espérance de vie à la naissance soit, en années, sous le *nouveau régime,* deux fois et demie celle de l'ancien régime, l'âge modal à la mort – ou l'âge auquel meurt le plus grand nombre des membres d'une génération – n'a augmenté que de 31 %. En d'autres termes, les gains en termes de durée de vie ont été particulièrement importants pour les jeunes, et moindres pour les personnes âgées. L'âge modal à la mort – selon une vieille interprétation – mesurerait la durée biologique de la vie humaine dans certaines conditions données d'environnement. L'âge moyen au mariage sous le *nouveau régime* est de 5 ans plus âgé que sous l'*ancien régime*. Cette généralisation est moins satisfaisante, car l'*ancien régime* recouvre un large éventail de situations selon la période historique ou le milieu géographique ou social. Néanmoins, un très jeune âge au mariage était extrêmement courant avant le xvie siècle, et un peu moins dans les siècles suivants, bien que la coutume du mariage précoce [67] soit restée vivace dans de nombreuses populations rurales. Enfin, le dernier indicateur démographique important – l'âge à la naissance du dernier enfant – reflète deux expériences différentes de la fécondité. Dans le *nouveau régime* démographique, une femme mariée avant 25 ans et désirant deux enfants aura environ 30 ans lorsque sa famille aura la taille souhaitée. Dans l'*ancien régime,* un jeune couple, si la mort ne le séparait pas avant la fin de la période reproductive, arrêtait normalement de procréer alors que la femme était aux alentours de 40 ans, âge où la stérilité, ménopause ou préménopause, et une fécondité naturelle déclinante amenaient dans la majorité de la population féminine la cessation des fonctions reproductrices.

2. Le modèle *nouveau régime* diffère également de l'*ancien* en ce qui concerne l'âge biologique de la reproduction. Ces changements ont été incorporés au modèle.

L'âge à la 1re menstruation s'est abaissé au cours de ce dernier siècle. Les facteurs d'un développement plus précoce de la maturité reproductive – facteurs complexes qui n'ont pas encore été clairement déterminés – sont probablement associés à l'amélioration de l'alimentation et de l'hygiène des adolescentes et ont produit un abaissement de 2 ou 3 ans de l'âge à la puberté. La validité et la précision des données ne sont pas irréprochables, dans la mesure où elles proviennent d'échantillons donnant une image quelque peu déformée de la population féminine; cependant, on admet généralement un abaissement de 2 ans en moyenne [68].

---

67. Sur la variété des âges moyens au mariage, voir *infra,* p. 479.
68. Voir SHORT, p. 192.

J'ai, d'autre part, admis un recul de l'âge de la ménopause qui passe de 46 à 49 ans, avec l'hypothèse, en partie fondée, qu'une meilleure alimentation et une meilleure hygiène ont prolongé l'activité cyclique de la femme. Il faut ajouter que l'âge à la 1re menstruation et l'âge à la ménopause constituent les limites inférieure et supérieure en deçà et au-delà desquelles la reproduction est impossible sauf exceptions. En pratique, la conception semble ne pouvoir se produire qu'un ou deux ans après la 1re menstruation, quand l'ovaire a appris à ovuler de façon régulière. D'autre part, la reproduction devient rare ou même impossible bien avant la ménopause, comme le montre l'âge relativement bas à la naissance du dernier enfant (environ 40 ans) dans les populations qui n'ont pas recours au contrôle des naissances.

Le troisième indicateur de nature biosociale est la durée de l'allaitement maternel pour chaque naissance vivante que nous avons supposée de 18 mois sous *l'ancien régime* et de seulement 2 mois et demi sous le *nouveau*. Dans les sociétés prémodernes, un allaitement maternel prolongé était fonctionnel parce qu'il était économique et assurait la survie et la santé de l'enfant; en outre, il est maintenant démontré que cela contribuait à augmenter de façon substantielle les intervalles entre les naissances et donc à réduire la fécondité. L'allaitement maternel durait facilement de 1 à 2 ans (bien que nous ayons connaissance pour certaines populations, d'un allaitement maternel moins long au XIXe siècle), et sur ce point la documentation historique est abondante.

3. Nos deux modèles déterminent d'énormes différences dans le cycle de vie de la femme. Les implications des paramètres indiqués au tableau 1 apparaissent clairement dans le tableau 2 où j'ai fait figurer certains indicateurs typiques du cycle de vie. Par « cycle de vie », les démographes désignent l'affectation de la durée de vie de l'individu (en ce qui nous concerne, la femme de *l'ancien* et du *nouveau régime*) à différentes fonctions ou états (croissance, reproduction, vieillesse) ou l'avènement dans le cours de la vie d'événements ayant une portée démographique ou biologique (1re menstruation, mariage, naissance, ménopause, terme du mariage, etc.).

Les premières différences intéressantes entre *l'ancien* et le *nouveau régime* résident dans l'énorme accroissement de l'espérance de vie à tous les moments significatifs de la vie. L'espérance de vie au mariage dans le *nouveau régime* (en dépit d'un âge au mariage de 5 ans supérieur) est accrue de 53 %; à la ménopause, l'accroissement est de 50 %; à la 1re menstruation, de 71 %. Si on calcule l'espérance de vie par rapport à la fin de la vie reproductive réelle d'une femme (ou à la naissance du dernier enfant) ou à l'âge auquel une femme a fini d'élever le dernier enfant (ou au moment où le dernier enfant survivant atteint la puberté), celle-ci se trouve alors plus que doublée sous le *nouveau régime*. A la naissance de son dernier enfant il restait à une femme de *l'ancien régime* moins de 23 ans à vivre, soit à peine plus d'un tiers de sa durée « normale » de vie et moins de la moitié de ce qu'une femme du *nouveau régime* a encore à vivre au même stade. Enfin, une femme de *l'ancien régime,* au moment où son dernier enfant survivant atteignait la puberté, avait généralement 55 ans; elle était au seuil de la vieillesse et ne survivait pas jusqu'à 70 ans. Une femme du *nouveau régime* arrivera à la fin de sa période de fécondité à 30 ans; le dernier enfant atteindra la puberté avant sa ménopause et elle aura encore une espérance de vie de 33 ans, soit environ les 2/5ᵉ de sa durée « normale » de vie (pour 1/5ᵉ seulement sous l'*ancien régime*).

4. La vie féconde d'une femme du *nouveau régime* est plus étendue que sous l'*ancien régime*. La durée maximale (les années entre la 1ʳᵉ menstruation et la ménopause) est de 5 ans plus longue, si l'on suppose une mortalité nulle. Mais si la mortalité est prise en compte (ce qui élimine une certaine proportion de femmes avant la fin de la période reproductive), le nombre moyen d'années vécu entre la 1ʳᵉ menstruation et la ménopause par un groupe de femmes survivantes à la 1ʳᵉ menstruation est proche de 25 ans sous l'*ancien régime* et de 35 sous le *nouveau*.

On trouve un indicateur aux implications sociales évidentes dans le nombre moyen d'années vécues entre la naissance du dernier enfant et l'âge de 65 ans. C'est au cours de cette période qu'une femme, ayant conclu sa période de reproduction, peut retrouver une vie active et productive hors de la famille. Sous l'*ancien régime*, elle avait 19 ans à vivre contre 34 sous le *nouveau*. Le même calcul peut être fait en prenant pour indice l'âge auquel le dernier enfant survivant atteint la puberté – autrement dit, l'âge où la femme est délivrée de ses fonctions de mère; le nombre moyen d'années à vivre avant la vieillesse (65 ans) est seulement de 7 ans pour la femme de l'*ancien régime* contre 18 pour celle du *nouveau régime*. En d'autres termes, l'allongement de la vie et la réduction de la fécondité ont énormément rallongé toutes les portions significatives dans le cycle de vie d'une femme. Elle vit un plus grand nombre d'années dans la période reproductive (années qui sont dans une large mesure consacrées à autre chose qu'à la reproduction) et, ce qui nous importe davantage, elle a une vie plus longue à vivre une fois achevées ses tâches reproductrices et maternelles. Finalement, la baisse de la mortalité multiplie par 4 la proportion de mariages non interrompus par la mort avant les 50 ans de la femme : 18,5 % sous l'*ancien régime* et 88,4 % sous le *nouveau régime*.

5. Examinons maintenant un dernier point. Le nombre total d'enfants nés d'une femme survivant à la fin de la période reproductive baisse de 6 à 2, dans un passage hypothétique de l'*ancien* ou *nouveau régime*, et ce en dépit d'un allongement de 5 ans de la période de fécondité de la femme. On peut le mesurer également au moyen d'autres indicateurs : dans le *nouveau régime*, l'intervalle entre le mariage et la naissance du dernier enfant est de 7 ans contre 22 dans l'*ancien régime*, soit moins d'un tiers; la période qui va du mariage à la puberté du dernier enfant est de 22 ans contre 36,5 (moins des deux tiers). Le temps total consacré à l'allaitement passe de 72 mois à 5 mois, et le temps total consacré aux grossesses et à l'allaitement de 13,5 ans à seulement 1,9 an. Si l'on mesure ce temps d'épreuves physiques consacré à la conception, la gestation, l'accouchement et l'allaitement de l'enfant par rapport au temps passé dans l'état fécond et marital, on trouve un rapport très élevé (58,7 %) dans l'*ancien régime* et très bas dans le *nouveau* (7,4 %).

Un dernier indicateur nous donne le nombre total d'années de vie commune mère-enfants jusqu'à la puberté du dernier enfant. Ce chiffre est obtenu en additionnant le nombre d'années vécues par chaque enfant jusqu'à la puberté et est un indicateur de l'effort imposé à la femme par la maternité. Étant donné le niveau élevé de la mortalité, les 6 enfants engendrés dans l'*ancien régime* ne vivaient à eux tous que 53 ans dans les âges prépubertaires (moins de 9 ans chacun, en prenant l'âge pubertaire moyen de 16 ans pour les garçons et les filles), tandis que deux enfants engendrés dans le *nouveau régime* vivent en moyenne 29,4 ans dans les âges prépubertaires (garçons et filles, âge pubertaire : 15 ans).

6. Les données présentées dans les paragraphes précédents sont un résumé sommaire des énormes différences dans le cycle de vie de femmes vivant sous des régimes démographiques différents. Répétons encore que ces deux modèles sont des hypothèses abstraites, construites avec des paramètres qui ne sont pas rares dans l'expérience historique. Ces modèles recouvrent cependant un éventail de situations relativement grand et la simplification pratiquée par mes soins n'est justifiée que par le souci d'apporter des exemples quantifiés au débat sur le cycle de vie de la femme. Quel que soit le degré d'abstraction des modèles, il n'en reste pas moins vrai que la transition opérée au cours de ce dernier siècle d'un *ancien* à un *nouveau régime* démographique a déterminé une énorme diminution du temps consacré à la procréation et aux soins maternels; une vie encore longue à vivre après la procréation; un allongement de l'espérance de vie à tous les moments significatifs de la vie.

L'interprétation sociale de la transition de l'*ancien* au *nouveau régime* doit prendre en compte les nombreux changements qualitatifs qui annulent partiellement les conséquences des changements démographiques : la transition d'une vie rurale à une vie urbaine; la période plus longue passée par les enfants à la charge de leurs parents; le coût plus élevé des études plus longues, etc. Le débat scientifique et politique qui s'est instauré au cours de ces deux ou trois dernières décennies à ce sujet rendrait une nouvelle discussion superflue. J'ajouterai simplement qu'il y a d'autres développements démographiques – récents et moins récents – qui ont eu un impact important sur la démographie du sexe féminin.

Le premier d'entre eux est constitué par la différence croissante des taux de mortalité masculine et féminine – à tout âge et pour la majorité des causes responsables de la mort. Cette tendance est résumée dans le tableau 3, où sont rapportées les différences d'espérances de vie à la naissance entre les hommes et les femmes, correspondant aux niveaux croissants de durée de vie connus par les populations européennes au cours de ce dernier siècle.

La différence de durée de vie entre les hommes et les femmes était petite au début du siècle – environ 1 an – lorsque l'espérance moyenne de vie était inférieure à 45 ans; elle est passée à plus de 6 ans dans les populations contemporaines, où l'espérance de vie dépasse 75 ans.

Ni la biologie, ni l'épidémiologie, ni la démographie n'ont, à ce jour, trouvé d'explication globale et satisfaisante du phénomène, qui est certainement complexe. Mais nous nous intéressons ici aux conséquences sociales et démographiques de l'accroissement de l'espérance de vie des femmes. Le cycle de vie de

la femme – biologiquement plus précoce que celui de l'homme – prend graduelle-
ment du « retard » par rapport à celui de l'autre sexe. Quelques données suffi-
ront : dans le *nouveau régime,* une femme prenant sa retraite à 65 ans aura
16,4 ans à vivre (espérance de vie à la naissance : 77,5 ans) contre 13,8 ans seulement pour les hommes (espérance de vie : 71,2; voir note au tableau 4).

Supposant que les hommes ont 4 ans de plus au moment du mariage, l'espérance de vie à la puberté du dernier enfant est, sous le *nouveau régime,* de 9,8 ans
pour les hommes et de 9,3 ans pour les femmes.

La mortalité masculine plus élevée crée en outre un déséquilibre croissant à
la vieillesse, ainsi que le montre le tableau 4.

Sous le *nouveau régime,* le nombre de femmes âgées dépasse de 30 % celui
des hommes âgés. La proportion, bien sûr, s'accroît en même temps que l'âge.
Le lecteur se souviendra qu'il en est ainsi en dépit du fait que les naissances masculines surpassent les naissances féminines d'environ 6 % et que, en l'absence
d'événements sélectifs autres que la mort (guerres, migrations, etc.), les hommes
continuent de surpasser en nombre les femmes jusqu'à l'âge adulte où la proportion s'inverse peu à peu en faveur des femmes.

Certains auteurs ont avancé l'hypothèse qu'une égalisation des types de vie
masculins et féminins finira par produire un jour une réduction des différentiels
de mortalité selon le sexe. Les tendances actuelles semblent indiquer le contraire.
Quoi qu'il en soit, les différences présentes, à n'en pas douter, sont là pour longtemps et nous devons apprendre à vivre avec les problèmes qu'elles engendrent.

7. Un deuxième développement démographique particulièrement intéressant
concerne les problèmes de la sexualité, de la conception et de la procréation chez
les adolescents.

L'adolescence dure plus longtemps. C'est là un mouvement séculaire partiellement masqué par d'autres facteurs. Il ne fait aucun doute, pour commencer, que
l'âge de la puberté s'est abaissé pour des raisons qui – comme nous l'avons déjà
expliqué – sont complexes, mais non obscures. De nombreux auteurs portent à
2-3 ans le recul de la limite inférieure de la période de vie féconde de la femme.
Nous sommes moins affirmatifs, mais un gain de 1-2 ans est indubitable. Avec
l'âge moyen à la puberté, c'est tout le schéma qui s'est déplacé vers le bas. Ce
processus s'est développé lentement et ses effets se sont progressivement accumu-
lés au cours de ce dernier siècle. Néanmoins, le changement est d'importance
et peut être apprécié à sa juste valeur si l'on dit que les femmes atteignent maintenant la puberté (et la maturité reproductive) après une période de vie de 10 à
20 % moins longue qu'il y a cent ans. D'un strict point de vue physiologique,
il est également vrai que l'adolescence s'achève plus tôt qu'autrefois et par conséquent l'intervalle entre le début et la fin du processus de formation d'une femme
est resté le même. Mais est-ce là toute la vérité? En réalité, il y a eu un autre
processus, recouvrant des facteurs éducatifs aussi bien que sociaux et économiques, qui a repoussé l'âge auquel l'individu (homme ou femme) passe de l'adolescence à l'âge adulte. Cela apparaît dans l'âge de plus en plus avancé auquel les
jeunes achèvent leurs études, arrivent sur le marché du travail, et de façon générale assument des responsabilités directes dans la société. Cet accroissement de

l'âge de la maturité sociale et de l'autonomie économique n'est pas reflété dans un accroissement parallèle de l'âge au mariage, lequel au contraire n'a fait que s'abaisser durant ces dernières décennies, bien que cette tendance ait récemment été arrêtée et inversée dans certaines populations. Mais l'âge moyen au mariage est, dans le cas présent, un indicateur trompeur; en réalité, presque partout la proportion de femmes (et d'hommes) se mariant à un âge jeune (en dessous de 20, ou de 18, ou de 16 ans) a diminué, exception faite des mariages provoqués par une grossesse qui, sans cela, n'auraient pas eu lieu. Autrement dit, dans les sociétés développées, le mariage de très jeunes gens qui ne sont pas encore autonomes est découragé et considéré comme un événement plutôt exceptionnel et anormal. Cette attitude des sociétés développées se reflète dans les modifications apportées à la législation du mariage pour relever l'âge minimal du mariage dans les pays où, sous l'influence du droit canon, celui-ci était très bas. Nous pouvons dire sans plus de précision que les sociétés contemporaines découragent le mariage des couples non autonomes et interdisent le mariage des très jeunes.

Retenons pour l'instant le fait que l'abaissement de l'âge de la maturité sexuelle et reproductive et le relèvement de l'âge adulte « social » (si ce n'est légal) ont produit un allongement de la durée de l'adolescence biologique et sociale.

Autrefois, la procréation durant l'adolescence était acceptée, ou, pour s'exprimer avec plus de prudence, n'était pas rejetée comme c'est le cas aujourd'hui. Le mariage d'une très jeune fille était possible et même encouragé lorsqu'il était conclu avec un mari plus âgé et plus expérimenté. Toute activité sexuelle avant le mariage était bien sûr réprouvée et la société, en général, encourageait la « légitimation » d'un enfant conçu « illégitimement » grâce à un mariage contracté par la suite. Les changements survenus au cours des quelques dernières décennies dans les pays occidentaux sont évidents. L'activité sexuelle ne se trouve plus canalisée dans le mariage et la procréation. L'abaissement de l'âge de la maturité sexuelle, l'autonomie et la liberté accrues des adolescents, le relâchement de l'enseignement moral traditionnel transmis par la religion, l'école et la famille sont à l'origine d'une généralisation des expériences sexuelles prémaritales. La société a commencé par tolérer, puis a accepté la séparation de l'expérience sexuelle et du mariage. D'un autre côté, le mariage précoce a été découragé de diverses façons et à divers degrés de persuasion. Le résultat est évident : une fraction accrue de la population jeune exposée au risque de la conception; une fécondité accrue; une proportion accrue de mariages précoces dus à une grossesse et/ou une fréquence accrue de fécondité illégitime; dans certains pays une propension déclinante à se marier (exception faite des mariages dus à une grossesse).

Ces tendances vont à l'encontre des normes sociales qui de plus en plus prévalent dans les sociétés développées. Il y a un déclin de la propension à procréer – et la fécondité des jeunes augmente. On attend du mariage qu'il soit un acte conscient, décidé par des partenaires mûrs sur le plan psychologique et si possible autonomes sur le plan économique – et une proportion croissante de mariages de jeunes se fait sous la contrainte d'une grossesse illégitime. La conception, plus encore que le mariage, est censée être un événement conscient, planifié et désiré

– et un nombre croissant de jeunes mères attend des enfants ni désirés ni prévus. La réponse à ces tendances indésirables a été simple : davantage de centres de planning familial, davantage d'éducation sexuelle et d'informations sur le mariage et la procréation; diffusion des moyens contraceptifs; libéralisation de l'avortement. Dans certains pays où le planning familial a déjà une longue histoire et où l'avortement a été progressivement libéralisé, on a enregistré une diminution de la fécondité adolescente. En d'autres termes, la multiplication des services de planning familial et d'avortement a été plus que compensée par l'exposition croissante des adolescents au risque de grossesse. La diminution de la fécondité, toutefois, a très rarement été la conséquence d'une baisse du taux de grossesses, mais plus souvent celle d'un recours accru à l'avortement.

8. Les conséquences sociales et les implications politiques du changement démographique pour le statut des femmes font l'objet d'un débat animé. Les « énergies » libérées par la diminution de la fécondité et l'augmentation de la durée de vie sont à la recherche de tâches nouvelles, productives et enrichissantes. Le rôle d'une politique démographique et sociale dans les prochaines décennies devra être d'éliminer les obstacles – de nature biologique et sociale – qui gênent l'accès du sexe féminin à toute la variété des rôles qu'offre la société. Quelques réflexions d'ordre politique me serviront de conclusion.

Tout d'abord, un axiome. Si les « aptitudes » (déterminées génétiquement ou acquises dans l'interaction avec l'environnement social et naturel) sont également réparties dans chaque sexe, une société qui barre à l'un des sexes l'accès à la variété des rôles professionnels, intellectuels et sociaux, se condamne elle-même, à long terme, à être moins efficace qu'une société dans laquelle les deux sexes accèdent avec une même liberté aux différents rôles.

En second lieu, il ne fait aucun doute que la prolongation de la vie et la baisse de la mortalité ont « libéré » des énergies autrefois absorbées par la gestation et comprimées par la mortalité. D'un autre côté, ce que j'ai appelé l'adolescence « sociale » s'est trouvée considérablement allongée dans les sociétés modernes, exigeant de nouvelles sortes d'énergies physiques et psychologiques.

Cette réflexion m'en inspire une troisième. La famille est de plus en plus pénalisée dans les sociétés modernes développées. Une famille avec des enfants a un revenu plus faible par tête [69], moins d'opportunités de promotion sociale et professionnelle et en général, un niveau de vie plus bas que celui d'une famille sans enfant (ou avec moins d'enfants) sans parler de celui d'une personne seule. Les femmes pâtissent évidemment davantage que les hommes de cette pénalisation. Bien que cette affirmation soit facilement démontrable, on a peu fait pour la famille en politique sociale afin de renverser cette situation.

---

69. Les différences sont considérables. La France est le pays du monde qui distribue les plus importantes allocations familiales en vue d'aider les familles comptant deux enfants ou plus. Or ces allocations sont loin d'assurer une égalité du revenu par tête entre les ménages sans enfant et les ménages avec enfants. Considérons comme base 100 le revenu par tête d'un ménage où l'homme et la femme travaillent et gagnent chacun 3 000 F par mois, après le prélèvement fiscal. Si ce ménage a trois enfants, en dépit d'impôts diminués et des allocations familiales, le revenu par tête en son sein tombe à 60. Et il chute à 40 (toujours en comparaison du revenu par tête du ménage sans enfant pris comme base 100) si la femme, à cause de ses trois enfants, s'arrête de travailler. Chiffres de 1977. (N.D.R.).

Un changement de la politique actuelle est également nécessaire si l'on considère l'important accroissement de l'espérance de vie à l'âge mûr et à la retraite.

Enfin, on ressent le besoin d'une réponse adéquate aux problèmes posés par la sexualité et la maternité précoces, et la fécondité adolescente. Le planning familial, le libre accès aux contraceptifs et l'avortement libre sont des réponses gravement insuffisantes (quoique essentielles). Elles accentuent la nature « privée » du problème; elles ont tendance à faire porter aux femmes tout le poids du remède; elles ne rendent pas effectif ce droit fondamental de l'individu à un libre choix entre avoir un enfant ou n'en avoir pas.

TABLEAU 1

Paramètres hypothétiques décrivant les modèles
de l'« ancien » et du « nouveau » régime

Indicateurs	Ancien	Nouveau	Rapport « nouveau » « ancien »
Démographiques			
Age modal à la mort.	65	85	1,31
Espérance de vie à la naissance.	30	75	2,50
Age au mariage.	18	23	1,28
Age à la naissance du dernier enfant [1].	40	30	0,75
Nombre d'enfants.	6	2	0,33
Biologiques			
Age à la 1re menstruation.	15	13	0,87
Age à la ménopause.	46	49	1,07
Durée de l'allaitement [2].	1,5	0,2	0,13
Age de la mère à la puberté du dernier enfant.	54,5	45	0,83

1. Pour les femmes survivantes à la ménopause.
2. En années.

TABLEAU 2

Mesures du cycle de vie sous l'« ancien » et le « nouveau »
régime démographique

Indicateurs	Ancien	Nouveau	Rapport « nouveau » « ancien »
Espérance de vie à :			
1. 1re menstruation.	37,1	63,5	1,71
2. Ménopause.	19,3	29	1,50
3. Mariage.	35,1	53,7	1,53
4. Naissance du dernier enfant.	22,8	46,9	2,06
5. Puberté du dernier enfant [1].	14,3	32,6	2,28
6. 15 ans, femmes survivantes à la puberté du dernier enfant.	53,8	62,6	1,16
Durée de la vie féconde et procréation			
7. Durée maximale de la période féconde.	31	36	1,16
8. Nombre moyen d'années de vie féconde, femmes survivant à la 1re menstruation.	25,2	35,6	1,41
9. *Idem,* femmes se mariant à l'âge moyen du mariage.	23	25,7	1,12
10. Années entre mariage et puberté du dernier enfant [2].	36,5	22	0,60
11. Années entre mariage et naissance du dernier enfant.	22	7	0,32
12. Nombre total d'années d'allaitement maternel.	6	0,4	0,07
13. Nombre d'années entre naissance du dernier enfant et 65 ans.	18,7	33,6	1,80
14. Pourcentage de mariages survivants aux 50 ans de la femme [3].	18,5	88,4	4,18
15. Nombre total années de vie enfant/mère avant la puberté.	52,8	29,4	0,56

Note : L'espérance de vie a été calculée sur la base des tables types de mortalité occidentale : niveau 5, espérance 30; et niveau 23, espérance 75. Voir A.J. COALE et P. DEMENY : *Model Life Tables and Stable Populations,* Princeton, 1966.

1. Pour l'« ancien » régime, l'hypothèse est qu'un enfant sur deux n'atteindra pas la puberté; que la mère a 38,5 ans à la naissance du dernier enfant; et que celui-ci atteindra la puberté à 16 ans (38,5 + 16 = 54,5). Pour le « nouveau » régime, 2 enfants sur 2 sont supposés survivre à la puberté qui se situe à 15 ans (âge moyen masculin et féminin à la puberté); 30 + 15 = 45.

2. Femmes survivant à la puberté du dernier enfant (54,5 et 45).

3. Femme 18, mari 25, ancien régime; femme 23, mari 26, nouveau régime.

TABLEAU 3

Répartition par âge des populations masculines et féminines,
état stationnaire, « ancien » et « nouveau » régime

Age	Ancien régime			Nouveau régime		
	M.	F.	F./M.	M.	F.	F./M.
0-14	29,1	29	0,943	20,5	19,2	0,959
15-39	40,1	39	0,921	33,7	31,8	0,968
40-64	25,2	25,5	0,958	31,1	30,5	1,010
65 et plus	5,6	6,5	1,091	14,7	18,5	1,294
Total	100	100	1,003	100	100	1,027

Note : Populations stationnaires, taux de croissance : 0. Espérance de vie « ancien » régime : 35 (F.) et 34,9 (M.); « nouveau » régime : 77,5 (F.) et 71,2 (M.). Source : Coale et Demény; voir note, tableau 2.

A la seule échelle du temps historique – sans même oser évoquer l'étendue du temps biologique –, le passage de l'ancien régime au nouveau régime démographique s'est effectué avec une extrême rapidité. A peine deux siècles ont suffi pour voir totalement modifié le modèle ancien qui avait prévalu pendant plusieurs millénaires. Il est toutefois extrêmement intéressant de suivre les évolutions qui ont marqué cette période de bouleversement dans les pays d'Europe et d'Amérique du Nord.

Au départ hétérogènes, elles se caractérisent ensuite par la convergence des modèles, et enfin, une certaine homogénéité étant réalisée, par un surprenant synchronisme des tendances.

Hétérogénéité au départ des modèles qui avaient cours dans les différentes sociétés : en Europe méridionale (Italie, Espagne, Yougoslavie, Grèce, etc.), les femmes se mariaient tôt, vers 18 ans, comme le notait M. Livi-Bacci. En Europe orientale (Pologne, Russie, etc.), l'âge moyen au mariage était de 20 ans. En revanche, dans l'Europe de l'Ouest et du Nord, pendant des siècles, le mariage des jeunes filles intervenait beaucoup plus tard, autour de 25-26 ans (chiffre moyen affecté de variations locales et dans le temps allant de 24 à 27 ans, qui rend compte de l'âge au mariage de l'immense majorité des femmes, ces paysannes qu'évoquait P. Laslett, et non des duchesses et des princesses qu'on mariait à peine adolescentes). De ce fait, les changements qui sont intervenus dans la vie des femmes n'ont pas été les mêmes dans tous les pays, et en Europe occidentale et septentrionale le modèle ancien régime et le modèle nouveau régime sont encore plus contrastés que dans l'Europe méridionale. Le nouveau régime avance nombre d'événements qui jadis étaient plus tardifs (mariage et naissances) alors qu'ils ont été plutôt légèrement retardés dans les pays méridionaux. La femme contemporaine de l'Europe de l'Ouest et du Nord est formée plus tôt, se marie plus tôt, a ses enfants plus tôt, et s'arrête plus tôt d'avoir des enfants que durant la longue époque traditionnelle.

Au fur et à mesure des changements introduits par l'industrialisation, les âges moyens au mariage dans les différents pays vont se rapprocher. L'évolution sera lente au XIXe siècle, beaucoup plus rapide au XXe siècle, surtout à partir de 1950. L'âge moyen au mariage devient plus tardif en Europe méridionale, plus précoce en Europe occidentale et septentrionale et en Amérique du Nord : l'âge moyen de 22-23 ans se généralise.

Hétérogénéité encore dans le calendrier des évolutions de la fécondité. La descendance finale [70] *des femmes s'établissait depuis des siècles, bon an, mal an, nous l'avons vu, à 4 ou 5 enfants par femme. A partir de 1750, elle fléchit en France, alors que l'industrialisation n'a pas encore touché le pays. L'Angleterre, où l'industrialisation a débuté avec trois quarts de siècle d'avance sur les autres pays, ne verra baisser son taux de fécondité que vers le milieu du XIXe siècle, l'Allemagne à la fin du XIXe siècle, l'Italie plus tard et les pays de l'Est à la veille de la Seconde Guerre mondiale. (De ce fait, la France ne connaîtra pas, comme l'Angleterre, l'Allemagne, l'Italie, l'Irlande, les Pays-Bas, etc., l'explosion démographique du XIXe et du début du XXe siècle qui, par l'émigration, alimentera l'Amérique du Nord.)*

Un grand mouvement de baisse de la fécondité va affecter en ordre dispersé les pays les plus industrialisés. Le nombre moyen d'enfants par femme chute parfois de moitié. En Angleterre et en France, par exemple, les femmes nées fin XIXe siècle n'auront en moyenne que 2 enfants – comme aujourd'hui. Bien qu'elles demeurent à des valeurs encore variées, les courbes des taux bruts de reproduction plongent toutes vers le bas. La contraception hormonale ou intra-utérine est encore inconnue, et l'avortement interdit.

Puis, après environ trente ans de baisse, on assiste à un phénomène qui demeure inexpliqué : le nombre moyen d'enfants par femme remonte, à partir de 1933-35, dans presque tous les pays industrialisés. La guerre de 1939-1945 va affecter différemment ces pays; mais quelque retentissement qu'elle ait eu sur le nombre des naissances pendant quelques années du fait de la séparation des couples pendant les hostilités, et quelque ampleur qu'ait eue la « récupération » qui a suivi l'Armistice, la courbe n'en est pas affectée dans son allure générale. Les femmes n'ont plus, en France et en Angleterre, 2 enfants par femme, comme les générations nées vers 1900, mais 2,6. Et 2,9 aux États-Unis; 3,4 aux Pays-Bas; 3,5 au Canada, etc. Le baby boom d'après guerre n'est pas suivi d'une retombée brutale : il se poursuit, plus ou moins en plateau, dans la majorité des pays développés occidentaux, jusqu'en 1964.

Déjà, on peut être frappé par le parallélisme des évolutions, mais le synchronisme se précise encore davantage ultérieurement : en 1964 exactement, intervient dans tous ces pays une cassure, une inflexion, et le taux de fécondité chute brusquement. Cette baisse, amorcée en 1964, n'est pas encore interrompue à la fin des années 70. Elle a été dans certains pays (Canada, Pays-Bas) d'une extraordinaire rapidité et a atteint presque partout des valeurs inférieures à 2 enfants

---

70. Nombre moyen d'enfants auquel parvient un ensemble de femmes en fin de vie féconde.

par femme (1,4 en Allemagne fédérale en 1976, taux le plus bas jamais observé en temps de paix). Jusqu'ici, nulle explication vraiment satisfaisante n'a été trouvée à ces parallélismes de tendances, ni surtout à ces rythmes trentenaires, encore moins à la simultanéité extraordinaire du départ d'une nouvelle baisse de fécondité en 1964.

Evelyne SULLEROT.

8.

Les rôles des femmes en Europe
à la fin des années 70

par Evelyne SULLEROT

Le rôle peut être défini comme le statut en termes d'action. Il est courant de nos jours de laisser entendre que l'égalité entre hommes et femmes s'accroît dans la mesure où leurs rôles deviennent plus semblables. On est justifié à le penser en constatant les inégalités creusées par la survivance des rôles « traditionnels » des hommes et des femmes dans les sociétés industrialisées. Pourtant le problème n'est pas simple, et identité de rôles ne se traduit pas toujours, pour les deux sexes, par égalité de statut et de pouvoir.

Aucun précédent historique ne peut nous aider vraiment à résoudre ce problème, car nos sociétés innovent en la matière. Comme nous venons de le voir jusqu'ici, d'une société à l'autre, rôles et tâches pouvaient avoir été distribués de manière différente entre les sexes, la conception binaire de la division des rôles n'en apparaissait pas moins comme tellement universelle qu'on pouvait la considérer comme un fait d'espèce. Mais le développement scientifique, culturel et socioéconomique est devenu tel qu'il a rendu possible une reconnaissance de la ressemblance entre les sexes et une aspiration à l'égalité.

Durant sa protohistoire et sa longue histoire, l'Europe a connu des systèmes assez variés de répartition des rôles masculins et féminins. Selon les peuples et les régions, des systèmes matrilinéaires (et non matriarcaux) ont coexisté avec des systèmes patriarcaux. Toutefois la civilisation européenne scientifique, technicienne et humaniste a eu pour berceau la Méditerranée patriarcale. La civilisation gréco-romaine, fortement patriarcale, a finalement exercé une influence prépondérante, bien qu'aient longtemps subsisté dans diverses régions des statuts, distributions des tâches entre les sexes qui conservaient leur originalité (Celtes, Germains, Vikings, etc.). Puis le christianisme, lui aussi venu de la Méditerranée patriarcale, a lentement donné à cette Europe multiple une culture commune jusqu'aux confins nord et est, estompant ici des différences entre hommes et femmes, là en créant de nouvelles, au point qu'il est bien difficile de faire un bilan rapide de son influence.

Mais c'est surtout la découverte et la généralisation de nouvelles techniques agricoles, artisanales, manufacturières, commerçantes qui a fait évoluer la distribution des rôles. Il faut se rappeler que pendant des siècles les tâches domestiques ont été pour la plus grande part des tâches agricoles, industrielles et productives (la part des tâches proprement ménagères étant mineure) et femmes et hommes participaient à ces productions. Au fur et à mesure que des techniques nouvelles ont été introduites – par les hommes presque toujours, et il y a là une énigme –, la division des tâches s'est modifiée : 1° *quand une tâche se mécanisait, améliorant de ce fait sa productivité, généralement elle passait aux mains des hommes,* même si elle était féminine auparavant (meunerie, tissage), tandis que les femmes demeuraient dans les fonctions peu évolutives; 2° *les femmes restaient liées à ce qui pouvait s'accomplir au foyer ou dans ses abords immédiats,* tandis que les hommes s'attribuaient, et assumaient, les rôles qui nécessitaient une plus grande mobilité géographique.

Avec la révolution industrielle le processus va s'emballer : les femmes vont subir la révolution industrielle sans prendre part à ses aspects inventifs, novateurs et aventureux. L'écrasante majorité d'entre elles, outre qu'elles faisaient des enfants et les nourrissaient, avaient été somme toute de petites artisanes polyvalentes à domicile. Concurrencées dans leurs tâches par l'industrie, elles vont entrer dans le nouvel ordre industriel par la petite porte de la misère. Très inégalement dispensée selon les classes sociales et les régions, l'éducation ne sera consentie aux filles et aux femmes qu'avec des retards considérables en comparaison des garçons et des hommes. La fragilité de l'insertion économique des femmes s'accroîtra du fait de ces écarts. Les hommes, absorbés par leurs tâches productives, vont les laisser peu à peu s'assurer de l'éducation des enfants : mais elles paient de lourdes contraintes ce pouvoir incontestable.

On a déjà tenté d'élaborer à propos de l'évolution du rôle des femmes une « théorie des crises » tendant à montrer que les guerres et les révolutions favorisent les bonds en avant que les femmes ne parviennent pas à réaliser dans des périodes moins bouleversées. L'étude de l'histoire des pays européens devrait relativiser quelque peu ces idées. Depuis les temps les plus reculés, la guerre est l'aventure sociale la plus nettement fondée sur une division des rôles des sexes : les hommes vont à la guerre, les femmes restent dans la cité. Mais les deux derniers conflits qui ont ravagé l'Europe ont eu des effets paradoxaux : parce que presque tous les hommes étaient mobilisés et que la guerre moderne exige une production industrielle intense, les femmes ont pu profiter de cette dichotomie des rôles pour faire des expériences qu'elles n'eussent pas faites autrement à la place des hommes au travail et au foyer. Dans les pays en guerre, le nombre des femmes au travail a doublé, mais le reflux vers le foyer après l'Armistice a été très rapide, sauf quand un changement de régime, comme en Europe orientale, a organisé l'emploi féminin sur de nouvelles bases. Au foyer, il est vrai que le rôle des mères s'est encore accru et même après le retour des pères les femmes ont conservé des rôles que ceux-ci remplissaient avant la guerre : rapports avec les professeurs, argent de poche aux enfants, etc.

On a moins étudié, parce que le phénomène est trop récent, les effets non seulement de la paix (*jamais* l'Europe n'avait connu une si longue période sans guerres sur son territoire), mais aussi de l'accroissement sans précédent de la prospérité. Dans une grande partie de l'Europe, le niveau de vie a augmenté, surtout depuis 1955, dans des proportions énormes, et dans tous les milieux en dépit d'inégalités choquantes. Trente ans de paix et la très grande prospérité comme celle qu'a connue l'Europe de l'Ouest entre 1965 et 1974 semblent permettre l'émergence de problèmes habituellement occultés : d'où l'attention portée aux marginaux, l'affaiblissement de la pression coercitive de la morale sociale, la remise en cause des mentalités collectives par les individus. Des domaines sortent de l'ombre, comme la sexualité; des catégories de « faibles » du corps social, comme les femmes, deviennent le sujet d'une réflexion collective – et un « bon sujet » pour les mass media. Enfouie dans sa richesse, la société de consommation s'est permis des remises en cause culturelles et a sécrété une culpabilité collective.

Cependant, même s'ils sont fondamentaux, et ils le sont, ces problèmes peuvent disparaître de la scène et de la conscience collective si la prospérité est menacée. A l'inverse des guerres, les crises économiques, surtout si elles sont graves, montrent la fragilité des progrès accomplis vers une distribution plus équitable des rôles entre les sexes. Sous la pression des difficultés, des priorités s'opèrent qui risquent non seulement de stopper les évolutions, mais même de provoquer des retours en arrière. Les leçons qu'on peut tirer des effets de la grande dépression des années 30 sur les rôles féminins sont là pour en témoigner [71], et la crise rampante que connaît l'Europe depuis 1974 ralentira les remises en cause et surtout les mesures visant à permettre plus d'égalité. De même, à long terme, une grave crise démographique de l'Europe (qui, vers le milieu du XXIe siècle risque fort d'être un continent peuplé pour 1/4 de vieillards) peut provoquer des réactions menaçant certaines conquêtes féminines comme le droit au travail, le droit à la formation, le droit à l'avortement, le droit à la contraception.

La théorie des crises doit donc être considérée avec prudence, ou plutôt il convient d'envisager tous les aspects que peuvent revêtir les crises. Des convulsions violentes comme une guerre ou une révolution peuvent permettre de casser de vieilles rigidités et de donner aux femmes des responsabilités et des possibilités plus grandes. Des crises de société opérant de l'intérieur, comme une grave crise économique qui désorganise en chaîne tout un édifice social, ou une grave crise démographique qui en menace à terme la survie, peuvent jouer à l'inverse contre les femmes, aisément tenues pour responsables aussi de l'effondrement lent de l'ancien ordre parce qu'elles ont quitté leurs rôles. On peut voir, à terme, réintroduites des dichotomies passées, et oubliés, au nom de la nécessité, les objectifs égalitaires et les libertés de se déterminer selon ses choix propres et non selon son rôle sexuel.

Mais les années 60 et 70 demeureront celles durant lesquelles, sans événements contraignant à bousculer les structures traditionnelles, nos sociétés se sont interrogées sur la *légitimité morale* de ces structures et le bien-fondé d'une distribution

---

71. E. SULLEROT : *Histoire et sociologie du travail féminin,* Paris, 1968, et THIBERT (M.), « Crise économique et travail féminin », *Revue Internationale du Travail,* vol. XXVII, 4-5, 1933.

sexuelle des rôles qui est source de discriminations. La reconnaissance de l'identité de droits et de l'identité de responsabilités des hommes et des femmes progresse et rend intolérable à beaucoup l'inégalité qui subsiste encore entre les sexes.

Toute une série de causes explique cette évolution :

– Depuis la fin de la dernière guerre, les idéologies de l'égalité des citoyens devant les droits et les devoirs se sont affirmées : entre 1945 et 1950, quinze pays d'Europe [72] ont changé de Constitution, et toutes ces Constitutions nouvelles et celles qui sont advenues plus tard ont reconnu non seulement le droit de vote aux femmes (nouveauté pour plusieurs de ces pays), mais encore l'égalité des sexes devant la loi en termes explicites. En très peu d'années, une majorité écrasante des pays d'Europe s'est alors alignée sur ceux qui avaient déjà adopté une philosophie juridique d'égalité des sexes. De très nombreuses mesures sont intervenues, dans les États, visant à assurer l'égalité des sexes dans l'éducation, le mariage, la détention et la gestion des biens, les droits sociaux, les salaires. Même si la réalité n'a pas toujours suivi, il est indéniable que les législations n'ont cessé de se modifier à un rythme accéléré dans un sens égalitaire; les spécialistes internationaux des questions féminines le savent bien : nous ne parvenons pas à suivre l'évolution des lois et des mesures tant elle est rapide et devons corriger nos dossiers tous les trois mois. C'est en Europe également qu'ont été alors institués les systèmes les plus avancés de sécurité sociale – entraînant la prise en charge des frais d'accouchement, les congés de maternité, etc., qui transformèrent les risques sociaux du rôle maternel.

– Depuis 1960 surtout, l'accélération de la révolution industrielle et technique a complètement changé le rôle *économique* des ménagères. La multiplication des produits finis directement consommables (vêtements, produits alimentaires et d'entretien), l'équipement très rapide des foyers domestiques en eau, chauffage aisé, machines très variées, etc., a réduit, dans des proportions que les jeunes femmes d'aujourd'hui ne parviennent même pas à imaginer, le temps et la fatigue requis pour l'entretien d'un logement et d'une famille. Mais la *valeur économique* du travail ménager a chuté aussi vite. En Europe occidentale, en 1950, il était encore rentable économiquement d'entretenir son feu, de coudre des vêtements, de couler sa lessive, de raccommoder, de faire soi-même conserves, soupes, etc., plutôt que de recourir aux services et aux produits du commerce. A la fin des années 70, tous les calculs de budgets le montrent, rester chez soi et « tout faire » est moins rentable économiquement que de travailler au-dehors même sans qualification et d'acheter services et produits. L'opinion nie encore en partie ces évidences pourtant démontrables, car la diminution rapide de la valeur économique du rôle ménager a sapé le statut de la femme au foyer et certains craignent que ne soient aussi ébranlées les « valeurs » non économiques de son rôle.

---

72. Albanie, Allemagne fédérale. Autriche, Belgique, Bulgarie, France, Grèce, Hongrie, Israël, Italie, Pologne, République démocratique allemande, Roumanie, Tchécoslovaquie, Yougoslavie.

– Les causes les moins souvent mentionnées, les moins bien analysées en termes sociologiques bien que parmi les plus importantes pour les changements des rôles féminins sont les progrès scientifiques et médicaux que nous avons étudiés tout au long du *Fait féminin*. Ils ont considérablement réduit les différences de destin dues aux déterminants biologiques des hommes et des femmes : amélioration du suivi des grossesses, diminution de la mortalité en couches et réduction énorme des mortalités infantiles durant ces vingt dernières années (les pays qui connaissent la mortalité infantile la plus basse du monde, moins de 12 ‰, se situent tous en Europe). Les naissances ne sont plus des tentatives aléatoires mais des projets à chances maximales de succès : le rôle de gestatrice de la femme s'en trouve allégé. Depuis quinze ans, le nombre de grossesses en mois par femme a diminué plus encore que le nombre de naissances. La généralisation de l'allaitement artificiel dans les couches populaires (l'allaitement maternel n'a connu une très légère recrudescence que dans des milieux aisés très restreints [73]), plus récente qu'on ne croit, massive, a détaché les femmes d'une sujétion personnelle et a permis çà et là d'introduire le père dans les soins nourriciers du tout-petit. Père et mère pouvant partager les mêmes rôles dès le lendemain de la naissance de l'enfant, c'est bien une désaliénation par rapport à la nature qui avait programmé des rôles différents pour le père et la mère. La contraception efficace, l'allongement de la longévité féminine, la plus grande précocité de la puberté chez la fille, le recul de l'âge de la ménopause : tous ces effets ont modifié l'agencement des périodes de la vie des femmes et des rôles qui y sont attachés. D'où abaissement de l'âge au mariage, période des maternités plus précoce, moins chargée et beaucoup plus courte, terminée avant 30 ans, et *allongement considérable de la vie après les maternités :* 46 ans en moyenne en Europe!

– Le rythme d'urbanisation a été très rapide depuis vingt ans surtout dans les régions demeurées jusque-là à dominante rurale (U.R.S.S.S., Pologne, Roumanie, France, etc.). A la campagne, les tâches ménagères et professionnelles de l'agricultrice s'imbriquent et se succèdent en un même lieu. A la ville, les tâches ménagères sont plus légères à cause du confort et des services, mais au prix de dépenses plus élevées : double motif à rechercher un emploi. De ce fait, foyer et travail sont distincts non seulement par leur lieu, mais du fait des horaires professionnels qui découpent la journée : d'où la très véridique expression de « double journée » caractérisant l'emploi du temps de la femme qui travaille. Tiraillée entre ses rôles divisés, elle se trouve devant un dilemme, qu'on appelle bien à tort « choix », et des culpabilités qui s'échangent ou s'additionnent. Logiquement elle en vient à remettre en question le partage entre homme et femme des tâches ménagères et de l'éducation des enfants qui se déroulent aux lieux et temps de sa vie commune avec son époux. Les couples qui s'urbanisent ont moins d'enfants : bien sûr du fait de l'encombrement, de l'exiguïté des logements et des complications d'emplois du temps, mais aussi du fait des attraits mêmes de la ville, ces distractions bien plus nombreuses que le couple prend ensemble

---

73. Cf. l'intervention du Pr Royer, Ire partie, p. 170.

et qui lui semblent justifier la peine prise au travail. *A la campagne,* la distribution des rôles entre hommes et femmes, renforcée si longtemps par l'isolement et la tradition, se trouve remise en cause par les nouveaux modes de production agricoles, les facilités plus grandes de déplacement et l'extension très rapide de la télévision qui montre des styles de vie urbains. Mais quels que soient leurs rapports affectifs les couples demeurent soudés par le travail tout en n'accomplissant presque jamais les mêmes tâches, et séparés par les rôles familiaux très tranchés et les moments de loisir occupés différemment. *A la ville,* les couples sont séparés par le travail et réunis par les distractions. Ils ont moins d'enfants et de tâches ménagères, mais la distribution des rôles dans ces domaines fait problème et est en pleine mutation. L'accélération de la mobilité géographique et sociale multiplie ces remises en cause et est source de tension, sur ce sujet du rôle des sexes, entre générations.

– En outre, une part croissante des responsabilités des familles, dont toute une série de tâches qui ont été au xixe et début xxe féminines, se trouvent prises en charge par la collectivité et institutionnalisées. L'école, en Europe, a été considérée comme le moyen par excellence de démocratisation : on a constaté ensuite qu'elle n'effaçait pas toutes les inégalités, en reproduisait beaucoup, et en renforçait certaines. Psychologues et pédagogues ont montré que « les jeux étaient faits » à 6 ans à cause de la diversité des milieux d'origine : il fallait intervenir plus tôt. D'où l'extension en Europe des établissements préscolaires non plus considérés comme des garderies de pauvres petits dont les mères travaillent, mais comme les lieux privilégiés de l'égalisation des chances pour l'enfant et de sa socialisation précoce. La mère se trouve donc soulagée en partie de la surveillance de l'enfant. Les progrès et le raffinement de la psychopédagogie dont elle a connaissance par les médias la fortifient dans l'idée que « C'est mieux pour l'enfant » : la « bonne mère » aujourd'hui met son enfant à l'école maternelle ou au jardin d'enfants. A la moindre alerte, elle s'adresse à une série de spécialistes – médecins, psychologues, pédagogues – à travers une institution ou directement.

Le grand développement du système des retraites est né d'un même souci de socialisation des risques et de transfert à la collectivité des devoirs envers les personnes âgées. Naguère, ils incombaient aux enfants adultes, aux femmes principalement.

Cette tendance à institutionnaliser ce qui avait été du ressort des familles est née en Europe, fortement portée par les gouvernements et opinions socialistes. Les États-Unis ne l'ont pas connue au même moment ni au même degré. Elle a entraîné une modification considérable du rôle des femmes surtout, leur libérant du temps et les soulageant de préoccupations contraignantes. Ce processus est loin d'être terminé et ses réalisations encore fort incomplètes, dans certains pays surtout. Bien des femmes doivent encore faire gratuitement, de manière privée, des tâches qui, ailleurs, sont prises en charge par la collectivité. En tout état de cause, ces soulagements mêmes leur laissent un reliquat de tâches bien supérieur à ce que les hommes assument à l'égard des enfants et des vieillards.

De tels changements n'entraînent pas, *ipso facto,* l'adoption sans problèmes de nouveaux rôles par les femmes. Certains souffrent de se sentir moins

« définies » et ne savent plus très bien en quoi consiste leur rôle de mère : assistées permanentes, toujours en quête de conseils, de recours, d'ordonnances, auxiliaires des professeurs, des psychologues, des médecins? D'où une crise d'identité chez nombre d'entre elles : comment bien établir leurs droits sur les services de la société, mais en même temps conserver le sens et la responsabilité des rôles privés?

Ces causes conjuguées rendaient probable, voire inéluctable une remise en question de l'ensemble de la problématique féminine par les femmes elles-mêmes. La plupart des justifications passées de la condition féminine se trouvent renversées ou affaiblies, et les rôles traditionnels de la femme vidés d'une part importante de leur contenu ou de leur signification. Une simple prise de conscience des changements survenus ne pouvait que déboucher sur une revendication de nouvelles définitions, de nouveaux partages, d'une nouvelle éthique du rôle des sexes. La réduction de certains écarts et retards entre hommes et femmes ne pouvait qu'accroître la conscience des écarts et retards subsistant encore.

Beaucoup ont considéré les mouvements féministes du début des années 70 comme une cause déclenchante et leur dynamisme prophétique comme l'origine d'une ère nouvelle. En réalité, ils étaient seulement la résultante des changements que je viens d'énumérer et qui les rendaient non seulement possibles mais inéluctables : la preuve en est que nous avons été quelques-unes à les prévoir et les prédire avec cinq ou dix ans d'avance. Ces mouvements féministes, d'autre part, ont eu la résonance que l'on sait dans les mass media parce que le moment était favorable. On a eu l'impression que les Européennes de l'Ouest suivaient, avec un an ou deux de retard, les Américaines. Il est vrai qu'elles ont emprunté à la *Women's Lib* américaine un vocabulaire et un style d'action. Mais c'est en Europe que faits et idées avaient bougé plus tôt : à l'Est d'abord, mais là les gouvernements avaient inspiré et contrôlé le changement. A l'Ouest ensuite, où les mutations sociales ont joué un rôle prépondérant. Ainsi, les pancartes portées par les 7 000 femmes qui défilèrent en 1970 à New York revendiquaient des mesures qui dans la plupart des pays d'Europe avaient déjà été prises. Ou encore, quatre ans plus tôt, en 1966, 7 000 femmes de six pays de la Communauté économique européenne avaient défilé à Herstal, en Belgique, pour l'égalité de salaire à travail égal et aidé 3 000 femmes grévistes belges à faire revoir les rapports hommes/femmes dans le travail : l'opinion américaine, alors peu préparée à ces problèmes, n'en avait rien su. Deux livres de sociologie nettement féministes que j'ai publiés au début des années 60 ont été immédiatement traduits en dix langues et publiés dans toute l'Europe de l'Est et de l'Ouest : les maisons d'édition américaines à l'époque avaient refusé de traduire et publier, arguant que le féminisme était « un sujet démodé ».

Les évolutions dont j'ai parlé et celles que je vais décrire ont touché, à un titre ou un autre, plus ou moins, toutes les femmes d'Europe. Mais une même modification de rôle ne se produit ni selon le même rythme ni au même degré selon le pays, son histoire, son régime, son niveau de vie; selon la région, rurale ou industrielle, en plein développement ou en stagnation; selon la classe sociale et, à l'intérieur et sur les franges des classes, selon les milieux; selon l'âge des personnes affectées, et même l'importance relative dans la population concernée de la classe d'âge à laquelle elles appartiennent. *Ces variations sont très considérables et très révélatrices.* Le déroulement du calendrier des changements de rôles est hautement significatif : il révèle les décalages d'évolution à une date donnée (par exemple, quelles sont les femmes qui pratiquent l'allaitement au sein ou qui ont recours à l'allaitement artificiel en Europe à une date donnée). Mais les catégories touchées en fin de processus ne tirent pas le même avantage d'un changement que celles qui l'ont initié. L'innovation confère un statut d'avant-garde; en revanche, pour les tard venues, le changement apparaît comme une imitation d'autant moins valorisante qu'au moment où elles l'adoptent, l'avant-garde a défini d'autres modes. (Ainsi en est-il de l'allaitement maternel qu'abandonnent les couches populaires des pays occidentaux et surtout orientaux et méridionaux d'Europe tandis que les femmes de certains milieux favorisés et cultivés particulièrement en Europe occidentale y reviennent en l'assortissant d'un style de justifications nouvelles, non plus économiques mais très culturelles et élaborées.)

Ces décalages d'évolution et leur valeur de signes rendent illusoire toute définition permanente d'une distribution des rôles entre les hommes et les femmes. On peut seulement décrire *une dynamique qui parfois révèle et sécrète des inégalités dans sa marche même vers l'égalité.* Mais, de même qu'on ne peut choisir une date comme point zéro commun à tous des évolutions de rôles, de même on ne peut imaginer que dans toute l'Europe toute la population féminine parviendra en même temps à l'adoption des mêmes normes.

Les rôles économiques

Tandis que s'affaiblissait la valeur économique des tâches et productions traditionnelles féminines, le rôle de « pourvoyeur » de l'homme s'est dessiné de manière très forte durant le XIXe et la première moitié du XXe siècle. Dans les classes moyennes et ouvrières, ce rôle a été conceptualisé jusqu'à devenir une sorte de dogme, entraînant pour l'homme l'obligation morale et sociale de pourvoir aux besoins de sa femme et de ses enfants. Ce rôle se traduit dans les lois et dans les régimes matrimoniaux, il apparaît dans des liturgies du mariage, il est entériné par des encycliques papales. L'installation de cette image, nouvelle par rapport à la société préindustrielle, est allée de pair avec la montée de la « valeur travail ». Pendant ce temps, les activités féminines non rémunérées n'étaient pas prises en compte dans les premiers calculs de l'économie générale. (Bien que les comptes nationaux se soient beaucoup affinés, elles n'y sont toujours pas incluses – et n'ont du reste jamais été chiffrées.) Et de très nombreuses femmes travaillaient comme les hommes, même si la société en parlait comme d'« anomalies » regrettables : dans les grands pays d'Europe occidentale (Allemagne, Grande-Bretagne, France), le nombre et la proportion de femmes actives sont considérables depuis trois quarts de siècle.

Moins retenues au foyer par des tâches domestiques allégées et des maternités plus rares, plus instruites, désireuses de s'acquérir une identité sociale dans un monde de plus en plus économique où chacun se définit par sa réponse à la question : « Que faites-vous? », les femmes entrent de plus en plus dans le monde du travail surtout depuis 1970. Doit-on noter que cette forte demande des femmes a été contemporaine de l'expression d'une contestation et d'une dérision de la toute-puissante « valeur travail » comme mesure du rôle social? Les femmes s'engageraient-elles dans la conquête de rôles qui entraînent de lourdes obligations au moment où la valeur de ces rôles commencerait à décliner? Pour l'instant, la « valeur travail » et sa traduction en statut social sont encore solidement en place, et on ne voit guère comment les femmes pourraient parvenir à obtenir plus d'équité dans la répartition des pouvoirs conférés par les rôles, et plus d'autonomie, sans passer par le travail.

Que le monde du travail ait été construit, pensé et étudié par et pour les hommes apparaît dès le moment où l'on désire prendre une mesure statistique de l'importance de la participation féminine : les définitions varient d'un pays à l'autre (particulièrement pour les femmes d'agriculteurs, artisans, commerçants travaillant dans l'entreprise familiale) et donnent des différences d'évaluation pouvant porter sur des millions d'individus. Lorsque le secteur agricole est important, les résultats de ces définitions peuvent être surprenants : ainsi, d'après les statistiques, la proportion des femmes actives est en Turquie une des plus élevées et en Grèce une des plus basses d'Europe. Passant de Turquie en Grèce, on n'a pas l'impression que là la majorité des femmes travaille, et qu'ici la majorité ne travaille pas.

Certaines caractéristiques de l'emploi des femmes favorisent l'imprécision des statistiques : *a)* elles sont proportionnellement plus nombreuses dans les *situations intermédiaires :* travail saisonnier, temporaire, temps partiel; *b) dans les secteurs « flous » les plus mal connus* (particulièrement les services); *c) dans les petites et très petites entreprises,* celles dont on connaît le moins bien les postes, les salaires, les durées de travail, etc.; *d) elles entrent et sortent plus fréquemment* du monde du travail sans qu'on puisse toujours déterminer si elles doivent être considérées comme inactives ou chômeuses; *e)* elles forment l'écrasante majorité de la *population marginale à la recherche d'emploi* formée des personnes qui déclarent aux sondages n'être ni au travail ni à la recherche d'un emploi, mais qui seraient prêtes à retravailler si une occasion favorable se présentait.

La marge d'erreurs d'appréciation du travail des femmes est donc considérable : les limites d'âge choisies pour les calculs des taux d'activité varient d'un pays à l'autre; on néglige de mentionner, dans les taux d'activité, la proportion de travailleuses à temps partiel, qui peut varier considérablement : 8,2 % en Belgique et 38,3 % en Grande-Bretagne, pour citer deux pays voisins l'un de l'autre. Le flou statistique qui entoure l'emploi féminin est une preuve que le rôle économique des femmes a été longtemps considéré comme marginal : la collecte des données, l'élaboration des paramètres, la normalisation des définitions sont demeurées insuffisantes. Un travail international de clarification semble nécessaire, faute de quoi les études internationales comparatives demeureront précaires et douteuses.

En dépit de ces graves imperfections, seules les données statistiques peuvent permettre d'apprécier globalement les rôles économiques. Il faut alors choisir les moins mauvais indices. Je n'utiliserai pas les taux d'activité dans la population globale féminine, le plus souvent donnés à titre comparatif, parce que trop influencés par les structures par âges, différentes selon les pays. J'indiquerai : *a*) *la proportion de femmes dans la population active totale* qui exprime mieux le niveau de la participation des femmes à l'économie; *b*) *les taux d'activité des femmes par tranches d'âge :* la comparaison internationale est ici intéressante, car elle permet de faire apparaître l'importance relative accordée au rôle économique et au rôle éducatif et familial.

De 1970 à 1975, la proportion de femmes dans la main-d'œuvre totale a décru en Amérique et en Asie orientale pour des raisons variées, et en U.R.S.S., où elle est passée de 51,6 % à 49,3 % parce que l'équilibre démographique entre les sexes, gravement rompu par les morts masculines de la guerre, se rétablit peu à peu. En Europe moins l'U.R.S.S., la participation moyenne des femmes a légèrement augmenté, passant de 33,6 % à 34,4 %. Cette moyenne cache des disparités profondes entre les pays.

1. Un premier groupe de pays est constitué par les pays d'Europe de l'Est, démocraties populaires et Autriche, où la part des femmes dans la main-d'œuvre totale dépasse 40 % parfois largement (Tchécoslovaquie : 46 %). Cette proportion est *en augmentation* dans tous ces pays, même dans ceux comme la Pologne ou la République démocratique allemande qui ont connu après la guerre un lourd déficit masculin dans la population et où, en conséquence, on pourrait s'attendre à la voir baisser au fur et à mesure que la proportion d'hommes se reconstitue.

2. Dans trois pays nordiques (Suède, Finlande et Danemark), la proportion de femmes dans la population active *a augmenté récemment de manière très nette* (en Suède, plus 6 % en quatre ans) et s'établit autour de 41 %. Mais cette importante population féminine active compte *un pourcentage considérable de travailleuses à temps partiel,* allant de 30 à 45 %.

3. *Les pays d'Europe de l'Ouest de vieille tradition du travail féminin :* Grande-Bretagne, France, Allemagne, où la proportion de femmes dans la population laborieuse tourne autour de 39 % [74]. Ces pays ont connu des taux de participation féminine aussi élevés vers 1900. Ils ont un peu fléchi, un peu remonté (incidence des guerres) fléchi à nouveau (entre 1950 et 1965) puis repris ensuite, mais ces évolutions sont assez discrètes.

4. *Les pays d'Europe de l'Ouest à taux très bas :* les Pays-Bas, où en 1973 on ne comptait que 23 % de femmes dans la main-d'œuvre totale ou l'Irlande, 25 %.

La Belgique (33 %) tient une place intermédiaire entre la France et les Pays-Bas.

---

74. Avec des proportions très différentes de travailleuses à temps partiel : 11 % en France, 20 % en Allemagne, 38 % en Grande-Bretagne.

5. *Les pays de l'Europe du Sud :* en Yougoslavie, la participation féminine est passée d'un taux bas vers 1950 (24 %) à 34 % en 1975. En Espagne, le taux est bas (22 %), au Portugal assez élevé, et en Italie on l'a vu chuter de 38 % dans les années 30 à 26 % en 1975; mais dans ces trois pays les décomptes dépendent de définitions plutôt que d'une situation réelle qui demeure mal connue. Le « travail noir », non déclaré, est en Italie un phénomène très considérable parmi les femmes, par exemple.

Selon les régions d'un même pays, les taux d'activité peuvent varier encore davantage : le taux d'activité des femmes de 15 à 65 ans varie en Allemagne fédérale ou en France de près de 60 % à moins de 25 % selon la région envisagée. Si l'on pousse l'analyse à un niveau régional plus fin, les contrastes apparaissent encore davantage. Une carte des taux d'activité féminine par petites régions fait apparaître une extraordinaire variété que n'offre pas du tout le niveau de l'activité masculine.

Cela signifie que le rôle économique des femmes dépend bien plus que celui des hommes de l'environnement. Quelle que soit l'économie d'une région, les hommes sont pourvus en priorité : s'il n'y a pas d'activités industrielles, par exemple, c'est eux qui occuperont les emplois tertiaires : *dans une mesure plus ou moins grande, le filtre de l'emploi masculin détermine l'emploi féminin.*

Une recherche des paramètres qui accompagnent une activité féminine très élevée ou très basse montre qu'il n'y a pas de corrélations constantes avec les taux de fécondité : la récente baisse de fécondité est intervenue aussi bien dans des régions de très faible activité féminine (Pays-Bas) que de forte activité féminine (Allemagne, Suède, Danemark).

De même, les opinions pour ou contre le travail féminin exprimées dans les sondages n'offrent aucune corrélation avec les taux d'activité qui, eux, dépendent du dynamisme ou de la léthargie économiques.

D'une manière générale, le chômage féminin est proportionnellement plus élevé que le chômage masculin, et surtout sa carte de distribution est beaucoup plus contrastée. Mais il faut y ajouter le sous-emploi non connu, qui se révèle par exemple lors de la création de nouveaux emplois dans un district à faible participation féminine jusque-là. Découragées par avance, les femmes ne s'inscrivaient même pas aux agences.

A l'intérieur du monde du travail, une répartition des tâches et des rôles entre les sexes n'a cessé de s'opérer, conduisant au maniement courant des notions de « métiers féminins » et « métiers masculins ». Cette dichotomie créatrice de ghettos professionnels féminins a de graves et néfastes conséquences sur le statut des femmes dans le monde du travail. Elle contribue largement à l'infériorité des salaires féminins. Elle apparaît très souvent artificielle, non fondée sur des différences biologiques entre les sexes, et ce de manière de plus en plus flagrante au fur et à mesure que la technologie permet un moindre recours à la force. Ainsi l'imprimerie est féminine en U.R.S.S. et chasse gardée masculine en Belgique et en France. La fourrure, le tabac sont, selon les pays, des industries à dominante masculine ou féminine.

Pour une bonne part, on peut dire que *quand une fonction se dévalorise, elle se féminise*, et que la symétrique est vérifiée aussi : *quand une fonction se féminise, elle se dévalorise*. Une profession où revenu et prestige diminuent pour quelque raison que ce soit (fonctionnarisation, vieillissement de la branche) se féminise plus ou moins rapidement (la médecine dans les pays de l'Est en est un bon exemple). Mais l'entrée massive des femmes dans la fonction enseignante (due pour partie à un emploi du temps compatible avec la vie de famille, pour partie à un recrutement par examens anonymes, pour partie à l'augmentation énorme des besoins en enseignants entre 1950 et 1980) a eu pour effet de détourner les meilleurs candidats masculins de choisir l'enseignement pour carrière. Cette féminisation est déjà accomplie dans le cycle élémentaire de tous les pays d'Europe, et dans l'enseignement secondaire (même aux postes supérieurs de direction) en France, Tchécoslovaquie et Pologne.

Ce type d'analyse écarte les illusions simplistes : *l'accès des femmes à des fonctions jusque-là occupées par des hommes ne suffit pas à asseoir une égalité définitivement acquise*. A partir même de ces rattrapages, fonctionne une dynamique de recréation de différences et d'inégalités. Un tel diagnostic conduit à la recherche de « parades » à ces décalages en chaîne. Par exemple, des quotas de femmes dans certaines formations et fonctions. Mais, cherchant à compenser les handicaps féminins par des « discriminations positives », ne privilégierait-on pas la lutte contre l'inégalité entre les sexes au détriment de la lutte contre les autres inégalités sociales?

Certains disent avec raison que la conviction nécessaire pour casser ces dichotomies de fonctions hommes/femmes n'est pas assez forte, ni chez les hommes, ni chez les femmes elles-mêmes. J'ajouterai un élément : la méconnaissance du problème. L'opinion qui se croit éclairée se contente de dire que les femmes sont « dans les métiers traditionnellement féminins » et sous-estime la variété des situations. A titre d'exemple voici la proportion de femmes dans la main-d'œuvre agricole de 12 pays d'Europe (1975) : Roumanie : 67 %; Albanie : 52 %; Allemagne fédérale : 51 %; Tchécoslovaquie : 48 %; République démocratique allemande : 46 %; Finlande : 33 %; France : 33 %; Belgique : 29 %; Italie : 25 %; Suède : 24 %; Grande-Bretagne : 16 %; Pays-Bas : 5 %. Aucune explication simpliste ne permet de rendre compte d'aussi considérables différences. Il me faudrait au bas mot cinquante pages pour seulement en énumérer les paramètres et la typologie. D'autant que les évolutions ne sont pas convergentes non plus : en Autriche, en Allemagne, et dans les pays de l'Est, les hommes ont quitté les premiers l'agriculture y laissant les femmes. En France, les femmes sont parties les premières, laissant des hommes, célibataires par force, accrochés à la terre.

En Suède, en Allemagne fédérale, aux Pays-Bas, on interprète la proportion impressionnante de femmes dans la brasserie, la restauration, l'hôtellerie comme une prolongation dans le salariat des rôles domestiques dévolus aux femmes, et on le déplore. En Italie, le monopole masculin des services de la restauration apparaît aux femmes qui voudraient y entrer comme l'expression de leur position dominante... Il arrive souvent que l'opinion féministe, analysant la situation dans un pays, décrit ce qui, à son sens, porte préjudice aux femmes et formule des revendications. Or, dans un autre pays, ce qu'elle indique comme remède est dénoncé comme cause d'infériorité. Ainsi, si partout la prolongation de la scolarité a entraîné une entrée plus tardive dans la vie active des jeunes filles, en Grèce, en Espagne, au Portugal, en Grande-Bretagne, aux Pays-Bas les taux de scolarité à 17, 18, 19 ans sont quand même plus élevés pour les garçons : ce qui signifie que les filles prolongent moins leurs études et commencent plus tôt à travailler. En France et en Pologne, c'est l'inverse : les filles sont plus nombreuses que les garçons à achever leurs études générales, à obtenir un diplôme de fin d'études secondaires, à demeurer aux études à 18 et 19 ans, et les garçons commencent plus tôt leur vie professionnelle. Or dans ces deux situations contradictoires les comportements des filles sont analysés par l'opinion féministe nationale comme signe de mauvaise insertion.

Les femmes sont réparties dans un nombre beaucoup plus restreint de métiers que les hommes; elles sont proportionnellement plus nombreuses dans les fonctions subalternes et leur promotion est plus rare et plus lente. Elles ont une prédilection pour les emplois tertiaires qu'elles *préfèrent* souvent à des métiers industriels plus rémunérateurs. Contrairement à une affirmation qu'on retrouve souvent, ce ne sont pas les femmes qui « font les métiers les plus pénibles ». Les métiers les plus durs (mineurs, marins-pêcheurs, ouvriers de fonderie) ainsi que les métiers les plus humbles et les moins engageants (éboueurs, égoutiers, etc.) sont partout remplis par des hommes. *Les hommes occupent un beaucoup plus large spectre d'activités, des plus prestigieuses aux moins enviables :* toujours la distribution différentielle.

Dès 7 ou 8 ans, les idées de métiers des garçons sont beaucoup plus variées que celles des filles. Quand on demande aux unes et aux autres ce qu'ils veulent faire plus tard, les vœux des filles se concentrent sur des métiers qui mettent en contact avec des personnes et non avec des choses, alors que les garçons veulent aussi bien fabriquer des choses que travailler avec des personnes. Ils ont plus souvent des idées cocasses (devenir scaphandrier ou clown), alors que très peu de filles s'imaginent trapézistes ou même danseuses. Dans une proportion écrasante, et dans tous les pays, les choix des filles s'ordonnent autour de deux grandes fonctions : soigner et éduquer ou enseigner. On retrouve aussi bien ces tendances en Suède qu'en Irlande, qu'en Italie, qu'en U.R.S.S. où l'environnement, les exemples proposés et les valeurs varient beaucoup. La mixité des classes ne paraît pas favoriser des choix plus larges. (On pourrait même dire, au vu des résultats, le contraire; mais les éléments de comparaison manquaient pour pondérer ce facteur : depuis combien de temps la mixité est-elle introduite? Comment se traduit-elle dans la classe : position des enfants, échanges entre les enfants, activités ludiques, etc.?)

Pourtant, même si c'est un acte de foi plutôt qu'un vrai raisonnement appuyé sur des preuves, on ne peut s'empêcher de penser que les conditionnements sociaux jouent un rôle déterminant et qu'il faut agir sur eux pour élargir l'horizon des petites filles, ouvrir l'éventail des modèles et des stimulations, briser les interdits et casser les stéréotypes. Il convient pour cela de surveiller les livres de classe afin qu'ils ne véhiculent pas d'images stéréotypées de tâches et de métiers féminins (en Suède et en France, des commissions gouvernementales ont été chargées de cette surveillance). Il faut former les enseignants eux-mêmes afin qu'ils ne soient pas les agents de transmission de ces images fixées, améliorer les conseils en orientation, etc. Mais quiconque a *pratiqué* l'orientation professionnelle ou le placement sait combien les filles et les femmes peuvent opposer de résistances aux conseils cherchant à leur ouvrir de nouvelles voies techniques et industrielles par exemple, quelle détermination passionnée elles manifestent dans leurs refus et dans leurs choix. Que peut-on provoquer en les forçant? Tous les pays, depuis une dizaine d'années, se vantent de quelque vaillante minorité de femmes dans telle ou telle branche jusqu'ici masculine. Il est indispensable d'attendre plusieurs décennies pour voir si ces têtes de pont se sont élargies, si les pionnières ont fait école, ou si, comme après les guerres, on constate un reflux vers un nombre plus restreint de professions. Les « pionnières » ne sont pas forcément un signe d'avenir. On les a, en Europe, déjà vues souvent apparaître et disparaître.

L'âge est, bien plus que pour les hommes, un facteur important dans le partage entre rôles économiques et rôles familiaux : entre 20 et 55 ans, les taux d'activité féminine sont en hausse dans toute l'Europe, mais de manière fort contrastée :

1. Dans les pays de l'Est, les femmes travaillent en principe toutes jusqu'à la retraite qui intervient pour elles plus tôt que pour les hommes (à 55 ans, en tout cas sur le papier...). Le modèle soviétique est net : à 20 ans, 85 % d'actives; entre 30 et 50 ans, 90 %; puis chute très rapide : à 60 ans, 7 %. C'est un modèle qui manifeste la *priorité marquée donnée au rôle économique de la femme sur son rôle d'épouse et de mère*. A la suite de baisses de fécondité qui les ont alarmés, plusieurs pays de l'Est ont été amenés à permettre à la femme de s'arrêter de travailler plus de deux ans si elle a un enfant. Ainsi en Hongrie en 1974, 229 000 femmes, soit 10 % du nombre total des actives se trouvaient en interruption de travail (semi-payées) après une naissance. On peut juger, à ces mesures, qu'on a été amené à *atténuer la priorité absolue donnée au travail*.

2. A l'opposé, dans des pays comme l'Irlande, les Pays-Bas, l'Espagne l'activité féminine commence tôt, dès la fin de la scolarité obligatoire, culmine à 20-21 ans, puis chute très brutalement (de 65 à 20 %!). En voyant les courbes d'activité professionnelle, on peut presque dater l'âge du mariage. *Les rôles d'épouse et de mère ont ici nettement le pas sur les rôles professionnels.* La Belgique, l'Italie, la Grèce suivent un peu le même modèle, mais la déflation des effectifs est beaucoup moins rapide et moins liée au mariage. Les femmes ne reprennent cependant pas d'activité une fois les enfants élevés.

3. En Allemagne, France, Grande-Bretagne, Suède et Danemark, les courbes de niveaux d'activité féminine selon l'âge sont assez comparables. Voici quinze ans, elles présentaient un pic élevé d'activité à 21 ans, suivi d'une baisse à l'âge des maternités, puis d'un relèvement après 35 ans, avec un second maximum à 50 ans. Ces courbes rendaient compte de la *vie en trois phases successives : travail-maternités-travail*. Durant ces dix dernières années, sauf en Grande-Bretagne, le creux d'activité à l'âge des maternités s'est atténué et presque comblé : *les jeunes femmes avec enfants se maintiennent de plus en plus souvent au tra-*

vail, cette tendance étant encore plus nette pour les plus qualifiées et les plus instruites. En Grande-Bretagne, le creux au moment des maternités subsiste, mais la reprise ensuite est plus prononcée.

Une dernière remarque rarement formulée par les spécialistes : partout, sans exception, *les femmes, qui vivent plus vieilles que les hommes, terminent plus tôt leur vie professionnelle, sans que leur fonction maternelle puisse être alors invoquée.* De même une étude attentive du travail à temps partiel montre que ses adeptes sont davantage des femmes de plus de 50 ans que de jeunes mères de famille. Rares sont les femmes qui s'attachent à leur travail au point de dépasser l'âge de la retraite, et nombreuses celles qui se retirent de la vie active avant cet âge. En comparaison des comportements masculins, le phénomène est net, mais quelles en sont les causes? La ménopause y joue-t-elle un rôle? Se sentent-elles moins « définies » par leur profession et ressentent-elles moins que les hommes le traumatisme de la retraite? Sont-elles plus lasses? Ont-elles gardé davantage d'intérêts en dehors de la sphère du travail? Les études sur ce sujet restent à faire.

La fréquence de l'activité des femmes varie selon la catégorie socioprofessionnelle du mari, les femmes d'agriculteurs étant partout les plus actives. Dans les autres ménages, les femmes ont tendance à demeurer au foyer plutôt que de travailler quand leur mari appartient à une catégorie socioprofessionnelle élevée, ou au contraire très modeste. Elles travaillent davantage quand le mari est dans une catégorie socioprofessionnelle moyenne. Par rapport au salaire du mari, la proportion des femmes mariées restant au foyer dessine une courbe en U : plus nombreuses à la maison quand le mari gagne peu, moins quand il a un salaire moyen, à nouveau plus nombreuses quand il a un revenu élevé. Il en résulte que, loin d'être un facteur d'égalisation des revenus familiaux, le travail de la femme accentue parfois les disparités entre les familles des couches populaires et moyennes, puisqu'il est plus fréquent de voir la femme apporter la contribution notable de son salaire dans les foyers où le mari a déjà un revenu convenable que dans ceux où il gagne peu. Du reste, les rapports entre les sexes sont plus égalitaires dans les couches moyennes, et conservent des formes plus patriarcales dans les couches plus pauvres et plus riches de la population.

Mais le nombre d'enfants est le facteur le plus déterminant. Les données sur la relation entre le nombre d'enfants, l'âge des enfants et le taux d'activité des mères sont rares, mais elles sont concordantes en Pologne, Allemagne, Belgique, France. Plus une femme a d'enfants, moins souvent elle travaille. L'arrivée du troisième enfant a une incidence toute particulière : 80 à 90 % des mères de trois enfants de moins de 15 ans ne travaillent pas, même dans des pays comme la France et la Belgique qui sont les deux premiers pays d'Europe pour les possibilités de garde pour les enfants de 2 à 6 ans. Il apparaît dans de nombreuses études que dans une famille comptant 3 enfants ou plus, même si les soins aux enfants et les travaux ménagers sont tout à fait équitablement répartis entre les deux parents, il est très difficile que les deux travaillent à temps plein. Toutes les solutions de garde que l'on peut envisager pour un ou deux enfants ne sont plus opérationnelles avec trois ou plus. L'avenir se chargera de prouver qu'aucun pays ne peut se passer d'un certain pourcentage de familles de 3 enfants. *Il serait illusoire de fonder une nouvelle sociologie du rôle des sexes sur les seules familles d'un ou de deux enfants.*

Pendant longtemps, les sociétés européennes ont admis que les femmes fussent moins payées que les hommes – sanction de l'« infériorité naturelle » attribuée à la femme ou de l'« anormalité » de sa présence dans le monde du travail rémunéré. Actuellement nos sociétés récusent dans les principes les disparités de traitement, mais elles n'ont pas disparu pour autant. Pourtant, en dépit des indignations et des proclamations, la question reste très mal connue du public, qui pense que c'est la non-application du principe « à travail égal, salaire égal », qui est responsable de l'infériorité des gains féminins. La réalité est bien plus complexe, mais la question trop technique pour pouvoir être entièrement exposée ici. En fait, on est conduit à s'apercevoir que même si le principe « salaire égal pour un travail de même valeur » est respecté, les différences de rémunération restent importantes car elles sont principalement d'origine structurelle : 1° même si l'on ne retient que les « travailleurs à temps complet », les femmes font, selon les pays, 5 à 9 heures de moins par semaine que les hommes; 2° elles ont beaucoup moins d'ancienneté que les hommes, or qualification et responsabilités augmentent souvent avec l'ancienneté, et le salaire suit; 3° elles sont nettement moins qualifiées, ou moins souvent qualifiées; 4° elles sont proportionnellement beaucoup plus nombreuses dans les petites entreprises, pour avoir moins de trajets à faire – et les salaires y sont moins élevés que dans les grosses entreprises; 5° surtout, elles ne font pas les mêmes métiers : or on constate que plus le pourcentage de femmes est important dans une branche, plus le salaire moyen y est bas même pour les hommes qui y travaillent.

Ces facteurs sont responsables, ici, de la plus grande part, là, de la quasi totalité des différences de rémunération entre hommes et femmes. L'application du principe « à travail égal, salaire égal » est difficile, mais elle progresse. Il sera bien plus long encore de venir à bout des différences de salaire qui découlent d'une certaine manière de vivre des femmes car il est très difficile de démêler ce qui, dans ces pratiques, est choix délibéré, préférences – et ce qui n'est que conséquences en chaîne de charges familiales plus lourdes que celles auxquelles font face les hommes, de formations nulles ou incomplètes à cause des préjugés familiaux envers l'éducation des filles, de chicanes et de barrages décourageant les femmes de se diriger vers des métiers plus variés.

Il est certain qu'il faut prendre des mesures pour réduire ces disparités, mais elles seront d'un effet relatif. Pour en prendre de plus radicales, il faudrait une vaste campagne d'information permettant de sensibiliser l'opinion et de provoquer un consensus suffisant pour tenter des expériences audacieuses. Cela est

sûrement possible. Mais dans les meilleures intentions du monde de telles mobili-
sations ne sont ni plus ni moins que des mises en condition. Dans une espèce
aussi foncièrement sociale et culturelle que l'espèce humaine y a-t-il des limites
naturelles au conditionnement social en matière de rôles sexuels?

Contraception, fécondité, rôles dans la famille

Si la loi dans le monde du travail s'est faite égalitaire sans pour cela entraîner
les mœurs, dans le domaine privé – mariage, fécondité, rôles familiaux – les
mœurs ont le plus souvent précédé les lois, qu'il faut amender pour entériner des
états de fait.

Les comportements de mariage ont évolué très vite. Les filles comme les garçons se marient selon leur inclination propre et ne demandent souvent même plus
leur consentement à leurs parents. Dans l'Europe méridionale, le contrôle traditionnel des mâles de la famille – père, frères, oncles – s'exerce encore sur le
mariage de la fille. En Espagne, l'âge de sa majorité légale est plus tardif que
pour le garçon. Mais il s'agit là de survivances qui s'effacent rapidement, si l'on
songe à leur long passé. La virginité n'a plus pour le mariage la valeur qu'on
lui a si longtemps conférée. L'union libre et le mariage à l'essai sont mieux tolérés. Les conceptions prénuptiales sont devenues extrêmement courantes (20 %
du total des naissances dans plusieurs pays). L'illégitimité de la naissance est
de moins en moins infamante, mais quelle variété dans les taux d'illégitimité :
34,5 % en Suède en 1976, 1,3 % en Grèce! Leur évolution depuis la fin de la
guerre est intéressante : 1° décroissance régulière et continue en Espagne et au
Portugal; 2° dans une douzaine de pays [75] où les taux d'illégitimité sont de
niveaux différents, décroissance souvent *très considérable* de 1946 à 1965-1970,
puis léger relèvement durant les années 70; 3° en Suède, Danemark, Angleterre-
Galles, Bulgarie, Yougoslavie, forte augmentation.

En termes de rôles, ces évolutions semblent renvoyer à des attitudes sociales
différentes *successives* : 1° une plus grande considération pour la jeune femme
enceinte a accru la pression sociale sur l'homme qui se sent le devoir de « ré-
parer » et d'assumer sa responsabilité de père, d'où les diminutions importantes
observées; 2° l'affaiblissement de la réprobation provoquée par l'union illégitime,
la libéralisation des mœurs, d'où les légères augmentations depuis 1970; 3° la
remise en question du mariage, la revendication de nouvelles formes de sexualité
et de liens affectifs excluant la monogamie organisée, d'où les fortes augmentations, particulièrement en Suède où plus d'un enfant sur trois était illégitime en
1976. Le Danemark et peut-être l'Angleterre-Galles imitent le « modèle suédois ».
Les jeunes femmes de ces pays affirment par là leur « libération ». On peut s'interroger sur le rôle des hommes dans la diffusion de ce modèle : Ont-ils suivi? Ont-

---

75. Autriche, Allemagne fédérale, République démocratique allemande, Finlande, France, Irlande, Italie,
Hongrie, Norvège, Pays-Bas, Belgique, Tchécoslovaquie.

ils conduit le mouvement? En tout cas, ils n'y perdent rien... Il faut attendre que ces enfants grandissent pour voir comment se partageront les responsabilités et les bénéfices affectifs et sociaux qu'ils entraînent entre les deux parents, dont beaucoup ne vivent pas ensemble. Il est possible que ce mouvement reflue et que le rôle maternel n'en soit pas, à long terme, affecté. Des études démographiques très attentives (Festy) [76] ne montrent pas une contagion nette du phénomène, et il peut fort bien, en Suède même, n'affecter qu'une cohorte, 1970-1980. S'il se généralise et s'installe dans les pays où les aides sociales sont importantes, on assistera rapidement, au fur et à mesure que ces enfants illégitimes vont grandir, à un assaut entre les hommes et les femmes, non pas tant pour rejeter sur l'autre les responsabilités que pour assurer leurs droits *à* l'enfant, et non *sur* l'enfant, et pour définir leurs rôles face à cette « valeur enfant » quand il n'y a pas cohabitation ni liens juridiques ou religieux entre les parents.

On a, en Europe entre 1950 et 1975, beaucoup souligné les contraintes entraînées par le rôle reproducteur des femmes dont les conséquences nuisent à leur statut dans un monde économiquement et politiquement organisé par les hommes. Je viens moi-même de le faire en parlant des rôles économiques. Aussi est-il temps de rappeler que *la fécondité n'est pas seulement une contrainte, mais aussi un privilège, qui peut devenir un pouvoir* dans la mesure où, par la contraception, la décision de fécondité ou de stérilité appartient à la femme. La fertilité est le pouvoir que l'homme ne peut conquérir et c'est pour le contrôler qu'il a institué le système patriarcal avec sa chaîne de conséquences pour la femme : clôture, interdiction de liberté sexuelle, se transformant dans les formes moins rudes en moindre liberté géographique, moindre contrôle économique, réduction des activités sociales et intellectuelles, etc. En termes de rôles, la contraception à usage féminin est un bouleversement sans doute irréversible. A une philosophie de l'acceptation (avec sa forme négative : la révolte impuissante), la femme a pu substituer une philosophie du choix, de la décision consciente, de la responsabilité. Elle peut même imposer son choix, ou négocier la venue d'un enfant. Il s'agit là d'un pouvoir tout à fait considérable, même si les femmes, habituées à toujours analyser leur vie en termes de contraintes, ne l'ont pas encore parfaitement compris.

Il faut distinguer ici entre contraception et avortement : la contraception confère à la femme un rôle plus valorisant car non seulement elle est celle qui choisit, mais encore elle est celle qui *prévient*. Considérer le futur comme une dimension dont on dispose, qu'on peut planifier, sur laquelle on peut agir est une attitude majeure signant de plus un haut degré de civilisation. Que la maîtrise du futur de sa fécondité ait été rendue possible à la femme est un grand événement. L'avortement, lui, a été pratiqué clandestinement depuis longtemps. Ces dernières années ses techniques ont été améliorées et il a été rendu légal dans

---

76. Communication au séminaire « Fécondité et Statut des femmes », La Haye, déc. 1976.

plusieurs pays d'Europe. C'est également un bouleversement considérable qui consacre le droit de la femme non seulement sur son propre corps mais encore sur l'enfant que déjà elle porte, d'où l'âpreté des débats qu'il a soulevé, soulève et soulèvera encore. Mais le rôle de la femme y est moins valorisant que dans la contraception : il ne s'agit pas de prévenir, mais de faire disparaître une réalité non voulue ou mal supportée – un échec. D'autre part, la responsabilité de l'acte doit être déléguée à un tiers qui pratique l'intervention, en somme prise en charge par la société. L'action féminine a été décisive en Europe de l'Ouest dans l'installation du planning familial, dès avant l'apparition de la pilule et du stérilet. Elle a été de nouveau décisive dans les campagnes en faveur de l'avortement. Mais ces mouvements ont été vigoureusement soutenus par de nombreux hommes qui y ont joué un grand rôle rapidement, quand ils n'en ont pas pris la tête! Adversaires ou partisans, les hommes ont fait entendre leurs voix de manière prépondérante dans la phase finale, prenant en charge la définition du rôle féminin, les uns défendant l'image de la femme chargée de la mission sacrée de la vie, les autres faisant de sa désaliénation par rapport à la nature un chapitre de l'émancipation de l'homme, arguant par là que leur propre libération passe par la libération de la femme. On peut remarquer que dans l'Europe orientale la légalisation de l'avortement est ancienne et a précédé la diffusion de la contraception, encore quasiment inconnue en U.R.S.S. et dans les démocraties populaires. C'est la hiérarchie politique, masculine, qui octroie, réduit, élargit à nouveau les possibilités d'avortement. En Europe occidentale, on a plutôt répandu la contraception avant d'autoriser l'avortement; mais celui-ci demeure interdit dans nombre de pays (où parfois il est ouvertement pratiqué : aux Pays-Bas, par exemple). L'avenir de la contraception semble assuré, encore que les résistances qu'elle rencontre chez les femmes elles-mêmes sont loin d'être levées. Il est moins sûr que le mouvement de libéralisation de l'avortement se développe sans à-coups. Il est improbable que les pays qui ont, peu ou prou, rendu possible l'interruption volontaire de grossesse reviennent à l'interdiction de principe : ils ont eu trop à connaître des drames qu'elle provoque et des ravages quasi incontrôlables nés de la clandestinité. Mais des considérations d'ordre sanitaire, d'ordre démographique, de morale économique et sociale [77] peuvent conduire des pays qui ont déjà reconnu totalement à la femme le droit sur l'enfant qu'elle porte à l'assortir de quelques correctifs. La reconnaissance du rôle de décideur de la femme à propos de grossesses déjà commencées engendre des phénomènes sociaux qui ne sont pas encore tous bien maîtrisés ni même bien répertoriés. La fluctuation des législations sur l'avortement dans les pays qui ont été les premiers très libéraux en la matière est significative.

---

77. Par exemple, les fortunes rapides des cliniques privées autorisées ou des médecins privés assurant les avortements. Ou, à l'opposé, dans des pays socialistes, les difficultés grandissantes avec les années pour obtenir des médecins fonctionnaires ce type de service : au point qu'en Yougoslavie on en est venu à envisager la formation de « techniciens » non médecins qui feraient les avortements, car de plus en plus de médecins en sont las. Il est à remarquer que les médecins femmes répugnent à pratiquer des interruptions de grossesse, même quand elles sont favorables à l'avortement libre et ont milité en sa faveur. A l'Est comme à l'Ouest, l'intervention est laissée aux hommes dans des proportions tout à fait remarquables. Dans les pays de l'Est, en dépit des dispositions législatives, elle est souvent payante au marché noir. Cette source de bénéfices tempère la répugnance marquée des médecins...

De toute façon, quel que soit le rôle des États, des appareils et des opinions, c'est un nouvel équilibre des rôles masculins et féminins face à la reproduction qui est en train de s'instaurer, et les femmes possèdent des atouts majeurs qu'elles ont seulement commencé d'utiliser. Ce nouvel équilibre en faveur de la femme serait partiellement remis en cause par la découverte de contraceptifs masculins sûrs, peu coûteux et sans effets secondaires.

Il n'y a pas de lien de cause à effet direct et univoque entre contraception et baisse de la fécondité : durant les années 30 en France et en Grande-Bretagne, par exemple, certaines cohortes de femmes ont eu des fécondités très basses, bien avant que ne fût mise au point la pilule. Mais depuis 1964 l'indice synthétique de fécondité, qui exprime le nombre moyen d'enfants par femme, a connu en Europe une chute constante. En 1946, il atteignait dans certains pays (Pologne, Roumanie, Irlande, Pays-Bas) environ 4 enfants par femme. Au cours des années 1970, il est tombé au-dessous de 2 dans les deux Allemagnes, l'Autriche, la Belgique, le Danemark, la Finlande, la France, la Grande-Bretagne, les Pays-Bas, la Suède. Dans certains pays, la chute est intervenue avec une rapidité surprenante : Pays-Bas, Grande-Bretagne. Cet indice atteint déjà des taux extrêmement bas : 1,4 en Allemagne fédérale et en République démocratique allemande. Dans ces pays, le remplacement des générations n'est plus assuré, ce qui, dans l'histoire d'une société comme dans l'histoire d'une espèce, est un événement considérable si la tendance persiste. Il est fort probable qu'après un certain temps durant lequel les effets ne seront pas très sensibles, nos sociétés européennes, les unes après les autres, mettront en question la part des femmes dans cette situation et débattront des rôles féminins dans de tout autres termes que durant les années 70-80. Il ne faut pas comprendre par là seulement que des gouvernements imposeront des politiques natalistes aux femmes (ce qui peut advenir, du reste) remettant en question l'insertion des femmes dans le travail, mais encore que les « modes » changeront à l'endroit de la maternité : le vocabulaire, les images, les modèles, les justifications éthiques et politiques. La maternité sans doute sera « à la mode », non à la manière de l'époque victorienne, mais d'une manière nouvelle, et le discours des années 70-80 qui s'est cru le début d'une ère semblera démodé, une page tournée. Ces retournements devraient logiquement intervenir vers la fin du siècle et les rôles féminins en être fortement affectés.

Pour l'instant, la similitude croissante du comportement procréateur des femmes en Europe en dépit de très grandes diversités de régimes, de législations et même de niveaux de vie, est un phénomène mystérieux mais remarquable. Une de ses conséquences les moins explorées est la réduction de la taille des familles : naguère la fille aînée jouait un rôle de « petite mère » très précoce auprès de ses petits frères et sœurs, et les filles en général aidaient beaucoup à la maison : la disparition des familles nombreuses a entraîné la disparition de ce rôle de la fillette si caractéristique encore dans les années 40; d'autre part, le nombre d'années occupées par les grossesses et les soins maternels diminuent de manière considérable dans la vie des femmes; enfin, l'influence maternelle se prolonge davantage sur l'enfant unique ou l'enfant d'une famille de deux que sur les enfants de familles nombreuses, et cela durant tout l'âge adulte des enfants, qui ont tendance à moins souvent s'éloigner une fois mariés du lieu où habitent les parents ou la mère veuve quand ils appartiennent à une petite famille [78].

Cette diminution du nombre des enfants n'est pas imputable aux scules femmes. Des enquêtes très sérieuses font apparaître une assez forte cohérence entre les opinions et les vœux des hommes et des femmes quant à la taille de la famille idéale ou souhaitée [79]. De ce fait, les hommes attendent de plus en plus de leur femme qu'elle partage les charges économiques en travaillant, même si l'accent est encore mis par l'opinion sur les réticences masculines au travail de la femme au dehors. Les femmes elles-mêmes sont plus nombreuses encore, et de plus en plus nombreuses, à souhaiter travailler. La sacralisation de la mère gestatrice est en régression même dans le vocabulaire : c'est l'enfant qui devient sacré, et ce d'autant plus qu'il est plus rare. La femme peut négocier le moment de sa venue, et les conditions de sa venue. Les hommes, de ce fait, en sentent davantage le prix : après un effacement prononcé du rôle des pères, on en voit apparaître un nouveau modèle, non pas autoritaire mais très concerné, très attentif.

Paradoxalement, le droit de la famille, dans un grand nombre de pays d'Europe, avait consacré la prééminence juridique de l'autorité paternelle dans l'éducation des enfants alors même que le rôle de la mère ne cessait de croître. Autrefois confinée dans les soins aux petits, la mère s'est vu confier peu à peu les enfants d'âge scolaire des deux sexes et les adolescents, ses domaines d'intervention n'ont cessé de s'étendre : développement psychologique, instruction, etc. La presse féminine lui a abondamment dispensé théories et recettes. Cette prééminence du rôle maternel dans la famille s'est doublée d'une féminisation du corps enseignant. *Les années 45-75 ont été en Europe celles d'un matriarcat de l'éducation.* Il s'est traduit par un très grand pouvoir, dont les femmes ont été peu conscientes, et par des contraintes, un déchirement entre leurs rôles de mères, de citoyennes, de travailleuses, d'individus, et, de ce fait, par une culpabilisation permanente. Aussi ont-elles de plus en plus vivement réclamé, d'une part, une aide accrue de la société pour les soulager en partie de leurs tâches éducatives, d'autre part, un partage des soins et des responsabilités éducatives avec le père. Largement en retard sur les mœurs, le droit de la famille a été modifié entre 1950 et 1978 dans plusieurs pays. Entérinant un état de fait, la notion d'« autorité parentale » a été substituée à celle d'« autorité paternelle ». Mais l'effacement des pères ne passait pas inaperçu : psychologues, pédagogues, sociologues ont tour à tour désigné la « carence paternelle » comme responsable de déséquilibres chez l'enfant, de conduites parapathologiques ou tout à fait délinquantes chez les jeunes. Ainsi les femmes et les responsables sociaux des deux sexes en ont pareillement appelé aux pères, pour des raisons différentes, afin qu'ils participent davantage à l'éducation.

---

78. L. ROUSSEL : *La Famille après le mariage des enfants*, Paris, P.U.F., 1976.
79. A. GIRARD : « Dimension idéale de la famille et tendances de la fécondité. Comparaisons internationales », in *Population*, 31ᵉ année, nᵒ 6, nov.-déc. 1976, p. 1119-1146.

En même temps, en dépit où à cause de tout ce qu'on a dit sur la misogynie de sa « tradition judéo-chrétienne » et de sa « bourgeoisie », c'est en Europe qu'est née et que s'est développée l'idée que la société devait soulager la femme d'une grande partie de ses tâches éducatives afin de lui permettre de remplir d'autres rôles dans la société : la justification des crèches soviétiques, de la délégation communautaire d'éducation des kibboutzim en Israël, ou l'extraordinaire extension de l'école maternelle en France ont été les mêmes : un souci de plus d'égalité entre les enfants, mais aussi un souci de plus d'égalité entre les sexes par la part prise par l'État dans l'éducation du petit enfant. La demande en équipements de garde d'enfants ne cesse de croître, et nulle part les besoins ne sont couverts. Plus les établissements se multiplient, plus la demande des jeunes mères se fait impérative. Du reste, à partir d'une certaine densité d'équipements, le procès fait à la mère qui déléguerait « son rôle sacré » à l'État tombe de lui-même. Quand, comme en France, 99 % des enfants de 5 ans, 95 % des enfants de 4 ans, 85 % des enfants de 3 ans de la population totale fréquentent la seule école maternelle gratuite, mais *non obligatoire* – qui donc oserait soutenir que ces millions d'enfants ont des mères indignes? La déculpabilisation des mères commence alors. De plus en plus âprement, elles considèrent même que c'est un droit allant de soi et revendiquent davantage d'établissements pour les plus petits. De plus, c'est dans ces établissements pour la petite enfance que peuvent être le plus efficacement combattus dès le plus jeune âge les préjugés sur le rôle des sexes.

Le « congé de maternité », conquête européenne de ces trente dernières années que n'ont pas connue les Américaines, permet à la jeune mère de s'arrêter de travailler un certain temps, avant et après la naissance d'un enfant, tout en percevant son salaire. Les dernières remises en cause des rôles paternels et maternels ont été, particulièrement en Suède, mais aussi dans d'autres pays par la voix de certains partis politiques ou mouvements féminins (France, Italie, Grande-Bretagne, etc.) assez radicales pour demander que le congé de maternité puisse être pris indifféremment par la mère ou le père. C'est chose faite en Suède et la mesure a été votée en France en 1977. L'argumentation de ces demandes fait bien apparaître que si la nature avait programmé pour le père et la mère des rôles distincts, le chemin parcouru grâce à la culture permet de rapprocher ces rôles : pour cela, il convient que le jeune père participe à l'accouchement – ce qu'il fait de plus en plus souvent avec les méthodes d'accouchement psychoprophylactique – et prenne dès la naissance de l'enfant l'habitude de la plénitude de son rôle nourricier et éducatif au même titre que celui de la mère.

A ce point de remises en cause, d'innovations et de propositions, les sujets de réflexion ne manquent pas. Incontestablement, les femmes ont eu, dans l'éducation, un pouvoir considérable. Comment en ont-elles usé? Comment l'ont-elles vécu? S'en sont-elles seulement rendu compte? Il est trop tôt pour répondre à ces questions. La morale traditionnelle qui faisait des soins éducatifs un devoir pour la mère, une « mission sacrée » toute particulière et bien distincte de celle de l'homme a pesé si longtemps et si lourd que la majorité des femmes ne pouvait même pas distinguer un pouvoir sous ce devoir. Il était trop prégnant. Une révolte s'est ensuivie, qui a souligné ce que la définition tant et tant répétée de ce devoir et des obligations qui en découlaient avait d'astreignant, et quelle mise à l'écart elle entraînait pour les femmes, mise à l'écart de la Grande Société, du monde intellectuel, du monde politique – du monde du pouvoir, justement. Aidées de plus en plus par les écoles, les jardins d'enfants, les camps de vacances, les pédagogues, les psychologues, les femmes se sont senties plutôt soulagées que privées d'un pouvoir. Si elles demandent aujourd'hui que l'homme partage de plus en plus étroitement et « symétriquement » (la « famille symétrique » a beaucoup de succès en Scandinavie) la part qui leur reste de l'éducation des enfants, c'est bien qu'elles analysent encore leur rôle comme une astreinte et une contrainte et n'y distinguent pas le pouvoir qu'elles risquent de perdre. La sensibilité de l'opinion féminine ne permet donc pas encore de poser publiquement le problème en ces termes.

Pourtant on ne peut s'empêcher de se demander ce qui risque d'advenir si elles partagent avec les hommes leur rôle maternel dans la plupart de ses manifestations. Le supporteront-elles aisément? Et ce qui peut être vrai pour les plus jeunes le demeurera-t-il tout au long de leur vie?

Mais, surtout, dans l'hypothèse où les hommes s'occuperaient de manière décidée et croissante des enfants et de la maison, ces rôles ne prendraient-ils pas une valeur sociale accrue? Comment se distribueraient alors les protections sociales entre les sexes, les exigences sociales entre les sexes – c'est-à-dire les statuts?

Il m'est bien sûr impossible, dans les limites de ce texte, de rendre compte et d'analyser les innombrables mesures qui ont été prises récemment par une trentaine de pays en matière de politique familiale et sociale. Il s'en dégage pourtant, à l'examen attentif, plusieurs constatations intéressantes. Par exemple, partout la société cherche à compenser partiellement la défaillance ou la disparition du mari ou du père : allocations pour veuves, allocations particulières pour les mères célibataires, dispositions pour que les épouses séparées ou divorcées perçoivent une pension de leur ex-mari, etc. A la lecture de tous ces dispositifs – et indépendamment de l'appréciation de leur suffisance ou de leur efficacité –, on voit se dessiner en silhouette le rôle de l'homme : par le biais des avantages qu'elle se sent dans l'obligation de consentir aux femmes et aux enfants privés ou séparés du mari ou du père, la société entérine le rôle de pourvoyeur de l'homme. Il n'y a pas symétrie : le veuf qui reste seul avec cinq enfants ne reçoit aucun dédommagement, si minime soit-il, de la société pour la perte de sa femme. Même si ces aides et protections sont notoirement insuffisantes, la société cherche à se substituer à l'homme ou à contraindre l'homme, de manière que son absence soit plus ou moins compensée en argent.

Dans une perspective d'une plus grande similitude de rôles, d'une réciprocité des rôles des hommes et des femmes, comment peuvent et doivent évoluer les protections sociales? Appartenir à une catégorie protégée n'est pas tout bénéfice pour les femmes, tant s'en faut! Ainsi, dans le monde du travail, toute catégorie d'individus entourée de protections particulières en paie collectivement le prix. Elle est moins recherchée. On lui confie moins de responsabilités. Elle n'a pas les mêmes chances. Fréquemment, on la paie moins. D'un autre côté, il ne faut pas se cacher que la réciprocité des protections entre les sexes, instituant une égalité de principe et une libre concurrence, risquerait d'être encore plus préjudiciable aux femmes.

Il apparaît de manière évidente que nous avons assisté, durant ces dernières décennies, à un mouvement involontaire et volontaire vers une plus grande similitude des rôles masculins et féminins dans la vie privée (dans la vie publique, les hommes ont conservé les grands rôles et la progression féminine a été irrégulière, très modeste, faite de flux et de reflux). Incontestablement, le statut et les rôles des femmes ont préoccupé les États, ne serait-ce que parce que, pour des raisons parfois indépendantes de la volonté des femmes, des pans entiers de la vie féminine, naguère du domaine privé, sont « passés en politique », devenus de grands sujets politiques dangereux : tout ce qui a trait à la fécondité et à l'éducation des enfants entre autres. Et ce n'est pas fini, car les sociétés modernes vont découvrir toujours plus nettement l'importance publique de ces faits privés additionnés.

Quant aux hommes, ils commencent à s'intéresser à ces rôles. Or, en s'offrant de les partager, ils vont peut-être en changer le signe, en augmenter le statut, mais aussi en faire un pouvoir.

Jusqu'ici on peut observer que quels qu'aient été les rôles tenus par les femmes, quelque importance essentielle qu'ils aient pu avoir pour l'espèce et pour la société dans laquelle ils étaient vécus, – ils ont été regardés par les sociétés non comme négligeables, mais comme seconds par rapport aux rôles tenus par les hommes. Pourquoi ? Sûrement parce que ces sociétés sont tout imprégnées encore des conceptions de la supériorité masculine héritées de la société traditionnelle décrite par P. Laslett, et parce que le pouvoir politique surtout est toujours largement un pouvoir masculin. Mais cela ne tient-il pas aussi à une relative impossibilité où se trouvent les femmes d'exploiter leurs propres rôles en termes de pouvoir, comme font les hommes ? Leurs analyses les conduisent presque toujours – même dans les périodes féministes chaudes – à souligner l'aspect négatif, infériorisant ou contraignant de leurs rôles plutôt qu'à chercher à les transformer en pouvoir conscient et organisé. Les études d'attitudes les plus sérieuses font apparaître très souvent, par exemple, que les femmes qui travaillent ne justifient pas leur situation par une apologie du travail mais par une critique de la vie au foyer. Les femmes au foyer expliquent rarement la leur par l'affirmation de leurs pouvoirs, mais par l'évocation des dures aliénations que subissent les femmes dans le monde du travail.

Les femmes pourraient certainement mieux négocier les rôles dont elles abandonnent l'exclusivité pour les partager avec les hommes et ceux qui leur restent en propre. Elles obtiendraient alors plus que des protections aléatoires : des pouvoirs dans la vie publique. Mais pour prendre cette voie, il leur faudrait obéir au modèle masculin de la conquête par l'agressivité. Perdre donc sa spécificité, sinon naturelle, du moins reconnue. Mais on peut aussi se demander si l'interchangeabilité des rôles ne ferait pas adopter aux hommes des valeurs moins agressives et moins compétitives. Les sociétés moins violentes ainsi nées seraient-elles viables? Mais les sociétés travailleuses, techniciennes et violentes que nous connaissons, si puissantes, survivront-elles longtemps?

RÉFÉRENCES BIBLIOGRAPHIQUES

Sources

Une part de ce texte a été extraite d'un document de base préparé par l'auteur pour le « Séminaire sur les changements de rôles des hommes et des femmes dans les sociétés modernes » (Groningue, Pays-Bas, mars-avril 1977) organisé dans le cadre du Programme européen de développement social des Nations unies (actes du Séminaire à la division des Affaires sociales, Nations unies, Genève).

Il a été fondé tout particulièrement sur les données fournies par vingt-quatre pays européens en réponse à un questionnaire établi par l'auteur et diffusé par les soins de l'O.N.U.; sur les annuaires statistiques des pays européens (démographie, éducation, emploi); sur l'étude des dispositions législatives, juridiques et sociales concernant les femmes prises par ces pays durant les vingt-cinq dernières années; sur les matériaux originaux réunis par l'auteur dans les enquêtes sur le terrain qu'elle a dirigées et en vue de l'élaboration des rapports nationaux et internationaux qu'elle a rédigés :

L'Emploi des femmes et ses problèmes dans les pays membres de la C.E.E., 1971, Bruxelles, Communauté économique européenne.

La Formation professionnelle des jeunes filles et des femmes dans six pays d'Europe (Suède, Grande-Bretagne, Pays-Bas, France, Roumanie, U.R.S.S.), 1971, Genève, Bureau international du travail.

Les Françaises au travail, 1973, Communauté économique européenne.

L'Égalité de salaire entre hommes et femmes dans les pays membres de la C.E.E., 1974, Bureau international du travail, Genève.

Problèmes posés par le travail et l'emploi des femmes, 1975, Conseil économique et social, Paris.

Retravailler après 35 ans : la crise d'identité et l'orientation professionnelle des femmes adultes, 1976, Fonds social européen, Bruxelles.

Bibliographie succincte

Pitrou (A.) : *La Femme dans la famille,* 1976, Union internationale des organismes familiaux.

I.P.P.F. Europre : *A Survey of the Legal Status of Contraception, Sterilization and Abortion in European Countries,* 1976.

L'Égalité de l'homme et de la femme : ses incidences sur la vie familiale et l'action gouvernementale, conférence des ministres européens chargés des Affaires familiales, Oslo, sept. 1975.

Gronseth (E.) : *The Family in Capitalist Society and the Dysfunctionality of the Husband's Provider Role,* Oslo, 1971.

Linner (B.) : *Sexualité et vie sociale en Suède,* Paris, Denoël, 1968.

Ferge (Z.) : *The Relation between Paid and unpaid Work of Women, a Source of Inequality,* Research Symposium on Women and Decision Making : a Social Policy priority, International Institute for Labour Studies, Geneva, nov. 1975.

« The position of women in Israel », in *Integration and Development in Israel,* 1970, Israel University Press.

Report of the Committee on the Position of Women in Finnish Society, Helsinki, 1973.

Enquête sur la situation de la femme en Suisse, institut de sociologie de l'université de Zurich, Berne, 1974.

Sandberg (E.) : *Equality is the Goal,* Advisory Council to the Prime Minister on Equality between Men and Women, Stockholm, 1975.

Szuhay-Havas (E.) : *The Situation of Women in Hungary, Budapest, 1975.*

La Femme en Pologne populaire, Varsovie, 1975.

Popoua (P.) : *La Maternité, fonction sociale,* Sofia, 1975.

Women and Work : a Review, Department of Employment, London, 1975.

Sullerot (E.) : *La Femme dans le monde moderne,* Paris, 1974.

Disparités régionales de l'activité féminine, Comité du travail féminin, Paris, 1972.

Égalité de traitement entre les travailleurs masculins et féminins, commission de la Communauté économique européenne, 1975, C.O.M. (75), 36, final, n° 339.

La Situation et le rôle des femmes dans la société soviétique, Comité des femmes soviétiques, Moscou, 1975.

Rapport sur la situation et les responsabilités des parents dans la famille moderne et le rôle de la société à cet égard (W.O.L.F.), Conseil de l'Europe, 1975.

Journées internationales sur le rôle des femmes, Paris, 1-2-3 mars 1975 (rapports famille-habitat, droit des femmes, rôles dans la vie économique, participation politique, syndicale et professionnelle, éducation, loisirs).

Conférence internationale sur la condition de la femme, U.I.O.F., Paris, 22-23 août 1975.

World Conference of the International Women's Year, O.N.U., Mexico, juin-juil. 1975, et spécialement : « Current trends and changes in the status and roles of women and men and major obstacles to be overcome in the achievements of equal rights », Opportunities and Responsibilities E/CONF 66/3/AddI.

La Femme au travail et dans la société, bibliographie sélective 1970-1975, International Institute for Labour Studies, Genève.

En guise de conclusion

Autant il est aisé de conclure un ouvrage visant à prouver une thèse, car on peut réunir en bouquet ses éléments qui sont des arguments, autant il serait paradoxal et, à la limite, malhonnête de conclure un ouvrage comme celui-ci.

Ce livre est une ouverture : il cherche à donner au débat sur la femme une assise plus large que celle qu'il a eue jusqu'ici, et, ainsi, contribue à le renouveler. En ce sens, il est une prise de position en faveur d'un grand sujet qui a été souvent malmené et qu'il ne faut pas laisser basculer dans l'oubli après quelques années d'effervescence.

Tentative honnête d'investigation, il confronte pour la première fois les données de disciplines très variées; mais il n'est pas une nomenclature, une juxtaposition d'articles d'encyclopédie. Il foisonne d'idées et de pistes de réflexion. Le mot Fait qui figure dans son titre ne doit pas être pris dans son sens empirique restrictif de « donnée brute ». Tout fait scientifique est un fait « chargé de théorie », selon l'expression de Popper, et il ne pouvait en être autrement pour les faits touchant à la femme. Chacun des participants à cette œuvre collective a été libre d'avancer des hypothèses, de formuler des interprétations, et même des extrapolations. Nous nous sommes bornés à demander aux auteurs, ou à ajouter nous-mêmes partout où cela semblait nécessaire, une analyse critique du bien-fondé des hypothèses, des avertissements explicites quant au degré de fiabilité des interprétations et des précautions quant à l'arbitraire de certaines extrapolations.

Cette liberté d'idées devant les « faits » était d'autant plus nécessaire que ces mots Fait féminin rendent compte également du phénomène que représente l'accession à la conscience collective des sociétés modernes, de manière plus aiguë que par le passé, de la problématique féminine – à cause de l'ampleur et de la rapidité des transformations qui ont affecté la vie des femmes, et de la vigueur de la recherche par les femmes elles-mêmes de nouveaux modes d'être femmes. Cet objectif eût été trahi si nous nous étions laissé enfermer dans une *philosophie scientiste, voire même positiviste, qui eût réduit la condition féminine à une prétendue neutralité empirique des seuls traits génétiques, hormonaux, physiologiques.*

Ce livre débouche sur de grandes interrogations, et il faut s'en féliciter, car si une époque se définit par son savoir, elle se définit encore mieux par les questions qu'elle pose à ce savoir, et à partir de ce savoir ou de ce qu'elle en perçoit. Si conclusion il doit y avoir à cette tentative, elle devrait être formulée sous forme de questions, les questions que nous avons été amenés à nous poser les uns aux autres ou à nous poser à nous-mêmes.

Certaines sont d'ordre méthodologique, mais chargées de lourdes implications :

– Dans l'étude de l'espèce humaine, quelle place est-il légitime de conférer à l'étude des espèces animales, souvent plus facile à mener dans de bonnes conditions d'observation et d'expérimentation scientifique? Dans quelle mesure la recherche sur les animaux, qui a permis d'inestimables progrès en biologie et en médecine, peut-elle rendre des services quand il s'agit d'étudier non plus des organismes, mais des comportements – en l'occurrence, des comportements mâles et femelles? Les observations faites sur les animaux peuvent-elles être, même en partie seulement, extrapolées à l'homme, être culturel par nature? Dans quelle mesure, d'autre part, la résistance à ces études n'exprime-t-elle pas un anthropocentrisme exagéré qu'il faudrait savoir reconnaître et dépasser?

– Dans toutes les disciplines, et en particulier dans les sciences humaines, est-il légitime de distinguer à tout propos les femmes des hommes en cours d'étude et dans l'exposé des résultats? Ne renforce-t-on pas ainsi de manière quelque peu systématique la perception de différences entre les sexes, avec toutes les conséquences que cet accent risque d'entraîner? Mais, d'autre part, peut-on négliger cette approche différentielle, et ne risque-t-on pas, en se contentant d'un cadre conceptuel indifférencié, de passer à côté d'observations précieuses pour l'élaboration de solutions plus appropriées au sexe féminin, de mesures plus équitables? Ne risque-t-on pas de négliger l'existence de spécificités féminines dont il serait légitime de tenir compte, ne serait-ce que pour éviter d'en étouffer l'expression?

Notre société a fait une valeur de la recherche de plus d'égalité, mais a fait aussi une valeur de l'expression des diversités. La variété est dans la nature : ce constat, indéniablement, nous rassure. Non seulement nous l'acceptons, mais encore nous réclamons la préservation de cette diversité naturelle. Pourtant, nombre d'entre nous ne peuvent accepter que cette diversité se traduise par des différences de destin qui peuvent être ressenties par celles et ceux qui les vivent comme des inégalités, ou, pis encore, dont on peut tirer argument pour perpétuer des inégalités. Comment le respect de la diversité peut-il s'accommoder de ces dangers? Comment la poursuite de l'égalité peut-elle s'accommoder de la diversité?

*Explicitement, nous étions tous d'accord pour améliorer les condition fémi-
nine, et donc changer la vïe. Implicitement, nous étions presque tous d'accord
pour opérer ces changements par le biais de la culture au sens large (éducation,
économie, politique, etc.), c'est-à-dire en agissant sur l'environnement. En revanche, chaque fois qu'il a été mentionné une possibilité d'intervention sur la nature
(par l'utilisation des hormones ou par tout autre moyen), se manifestait une certaine réserve. Pourtant, directement ou indirectement, n'est-ce pas un effet inéluctable du développement culturel que d'agir sur la nature? Quelle est la cause profonde de nos réticences et de nos résistances? Est-ce l'indigence de nos concepts
et même de notre vocabulaire traditionnel avec son masculin et son féminin?
(Comme me le confiait en souriant un des participants à nos travaux : « Une
femme est une femme », et il est bien difficile de sortir de ce type de constat global et ambigu...) N'est-ce pas plutôt l'ignorance où nous sommes du prix que
nous paierons ces interventions sur la nature? Sera-ce tout bénéfice? A quelle
aune mesurer ce bénéfice? Et si nous dérangions un équilibre de nature entre les
sexes de manière irréparable et dommageable? Et – angoisse inverse et symétrique – si les interventions répétées de la culture sur la nature finalement ne changeaient rien à une dichotomie sexuelle qui toujours se recréerait sur de nouvelles
bases, avec de nouvelles justifications culturelles? L'homme est-il non seulement
culturel par nature, mais encore, comme l'exprimait E. Morin [80] « naturel par culture »?*

*Cependant, s'ils nous ont trouvés tour à tour audacieux ou respectueux devant
la bimodalité naturelle, nos travaux nous ont conduits à exprimer, même si ce
fut discrètement, un désir de dépasser les dualismes traditionnels qui exprime une
recherche de l'unicité de la personne humaine. Il conviendrait pour cela de poursuivre l'investigation et la confrontation, puis de l'étendre à d'autres domaines.
Pour ne pas être contraints à des survols trop hâtifs, nous avions délibérément
restreint le champ de notre recherche : on remarquera que ce livre n'aborde pas
les problèmes du désir, de l'érotisme, de l'amour, de l'affectivité, de la créativité
– problèmes cruciaux de la vie des individus. Toute une « nouvelle culture » aux
contours parfois douteux et aux prétentions souvent redoutables s'est construite
précisément sur ce domaine, certes important, mais pas aussi déterminant qu'on
veut le faire paraître, du symbolique, du désirant, en un mot du « sujet ». Il a
été à juste titre souligné que la science n'a que faire du sujet, si on entend par
sujet l'individu avec ses petites (ou grandes) histoires personnelles. La science
a plutôt affaire à des populations, à de vastes classes d'expériences comparables
– et le sujet-observateur s'efforce de se dépouiller autant que faire se peut de
ses idiosyncrasies. C'est le parti que nous avons pris pour ce livre. Un tout autre
livre, que nous espérons faire un jour, pourrait s'appeler* Le Sujet féminin, *et
les problèmes d'ordre métaphysique, idéologique, érotique, relationnel, affectif,
artistique, pourraient y trouver la place qu'ils méritent. Ainsi, bien sûr, que les
théories.*

Tel qu'il est, ce livre est un commencement.

Evelyne SULLEROT

80. E. MORIN : *Le Paradigme perdu*, Paris, Le Seuil, 1971.

Glossaire

Adrénaline : Hormone sécrétée par la partie médullaire des glandes surrénales.

Allèle : Gène symétrique d'un autre gène, situé sur le locus correspondant du second chromosome de la paire.

Aménorrhée : Absence de menstruation ou « règles ».

Androgènes : Hormones mâles sécrétées par les cellules interstitielles du testicule (ou cellules de Leydig). Elles sont produites également en petites quantités dans l'ovaire et dans les glandes surrénales.

Anisogamie : Gamètes mâle et femelle morphologiquement dissemblables. Contraire : *isogamie.*

Autosome : Tout chromosome qui n'est pas sexuel.

Caryotype : Ensemble des chromosomes, numérotés par paires et par groupes, selon une nomenclature internationale; le caryotype représente en quelque sorte la « carte d'identité chromosomique » de l'individu.

Catécholamines : Substances pharmacologiques faisant partie des neurotransmetteurs (exemples : dopamine, noradrénaline).

Chromosomes : Éléments du noyau des cellules constitués principalement de molécules d'A.D.N., et supports des gènes qui déterminent l'hérédité. Ils sont groupés par paires, chaque chromosome étant en double exemplaire. Leur nombre total est désigné par $2n$. Ce nombre est constant et caractéristique d'une espèce donnée. Chez l'homme, il y en a 46, soit 23 paires.

Délétion : Rupture d'un chromosome et perte du fragment détaché.

Dopamine : Neurotransmetteur de la série des catécholamines.

Feed-back (ou *Rétroaction*) : Action « en retour », répondant à une action, de façon soit à maintenir un équilibre stable (feed-back négatif) soit à la faire avancer (feed-back positif). En ce qui concerne la physiologie sexuelle, il y a un double jeu de feed-backs hypothalamus-hypophyse, et hypophyse-gonades.

Gamète : Cellule reproductrice formée dans les glandes sexuelles, susceptible de s'unir à un autre gamète du sexe opposé lors de la fécondation, pour constituer un œuf fécondé ou zygote.

Gamétogenèse : Processus de formation des gamètes dans les gonades à partir de cellules primordiales appelées gonocytes. Ce processus est très différent chez le mâle et chez la femelle.

Gènes : Éléments porteurs de l'information héréditaire, disposés sur les chromosomes comme des perles sur un collier. Ils sont au nombre de plusieurs dizaines de milliers chez l'homme.

Génotype (ou *génome*) : Ensemble du stock de gènes contenu dans un individu donné.

Gonades : Glandes sexuelles qui ont une double fonction : sécrétion des hormones sexuelles et production des cellules reproductrices, ou gamètes.

Gonadostimulines (ou *gonadotrophines,* ou *hormones gonadotropes*) : Hormones sécrétées par la partie antérieure de l'hypophyse, qui stimulent le fonctionnement des gonades.

Gonocytes : Cellules germinales, à partir desquelles se forment les gamètes.

Hormones : Produits chimiques sécrétés par des glandes dites « endocrines », c'est-à-dire qui déversent leurs produits de sécrétion directement dans le sang.

Hétérochromosomes : Chromosomes dits « sexuels », parce qu'ils jouent un rôle dans la détermination du sexe. Dans l'un des sexes, ils sont morphologiquement semblables (XX chez la femelle, dans l'espèce humaine); dans l'autre sexe, ils sont dissemblables (XY chez le mâle).

Hystérectomie : Ablation chirurgicale de l'utérus.

Hypothalamus : Structure nerveuse située à la base du cerveau, qui régule le fonctionnement de l'hypophyse (et, à travers elle, des gonades) grâce à ses propres hormones (neurhormones ou *releasing factors*). Sa liaison avec l'hypophyse est si étroite qu'on parle de l'« axe hypothalamo-hypophysaire ».

Hypophyse : Glande endocrine située à la base du cerveau, près de l'hypothalamus auquel elle est reliée par la tige hypophysaire. Elle commande, par ses hormones, le fonctionnement de toutes les autres glandes endocrines. C'est le « chef d'orchestre » de tout le système endocrinien.

Locus : Emplacement d'un gène donné sur un chromosome.

Lordose : Chez les mammifères, position de la femelle dans l'accouplement, qui consiste à creuser les reins et relever l'arrière-train. Elle est le signe que la femelle est en œstrus, c'est-à-dire en période de réceptivité au mâle. (L'œstrus correspond à l'ovulation dans les espèces animales.)

Méiose : Terme qui désigne l'ensemble des deux divisions qui a lieu pendant la gamétogenèse. Au cours de celle-ci, les chromosomes, initialement accolés par paires, se séparent. Chaque gamète ne contient plus alors que la moitié du nombre des chromosomes, soit *n* (haploïde), de façon à ce que, lors de leur fusion, on retrouve chez le nouvel individu le nombre normal de chromosomes, soit 2*n* (diploïde).

Neurhormones (ou *releasing factors*) : Produits de sécrétion de certains neurones, en particulier de l'hypothalamus. Passant dans l'hypophyse par les vaisseaux sanguins de la tige hypophysaire, ils stimulent son propre fonctionnement.

Neurotransmetteurs (ou *neuromédiateurs*) : Substances chimiques produites au niveau du cerveau, qui servent à la transmission de l'influx nerveux de neurone en neurone à travers les espaces interneuroniques ou synapses.

Noradrénaline : Dérivé de l'adrénaline, libéré comme neurotransmetteur au niveau du cerveau.

Œstradiol : Principale hormone femelle du groupe des œstrogènes.

Œstrogènes : Hormones sexuelles femelles d'un certain type (groupées autrefois sous le nom de « folliculine »), sécrétées par le follicule surtout dans la première partie du cycle menstruel (avant l'ovulation) qui est la phase de maturation folliculaire. Arrivée à un certain seuil, l'augmentation de leur taux dans le sang déclenche la « décharge ovulante » hypophysaire qui provoque l'ovulation. Les œstrogènes sont au nombre de trois : œstradiol, œstriol, œstrone. Le principal est l'œstradiol.

Ontogenèse : Histoire du développement de l'individu.

Ovocyte : Cellule reproductrice femelle, fabriquée dans l'ovaire.

Ovule : Désigne dans le langage courant l'ovocyte « pondu » au cours de l'ovulation.

Phylogenèse : Histoire de l'évolution des espèces.

Progestérone : Deuxième type d'hormone femelle sécrété dans la deuxième partie du cycle menstruel par le follicule transformé en « corps jaune ».

Récepteur : Sens général : système excitable différencié dont la propriété est de répondre à une stimulation adéquate par un agent externe ou interne.

Sens particulier : les récepteurs des hormones sexuelles sont des protéines de liaison spécifiques, situées dans les cellules des organes-cibles, ayant une fonction de « reconnaissance » et sans lesquelles les hormones ne peuvent effectuer leur action.

Spermatogenèse : Fabrication des spermatozoïdes dans le testicule.

Spermatozoïde : Cellule reproductrice mâle, fabriquée dans les tubes séminifères du testicule.

Stéroïdes : Nom général donné aux hormones sexuelles et désignant leur constitution chimique.

Synapse : Jonction entre deux neurones voisins par laquelle se font les connexions interneuroniques et la transmission de l'influx nerveux.

Testostérone : Principale hormone faisant partie des androgènes (hormones mâles).

Cet ouvrage a été imprimé à
l'imprimerie Maury à Malesherbes
pour le compte de la
Librairie Arthème Fayard
75, rue des Saints-Pères – Paris 6^e

ISBN/2-213-00519-2

Nº d'édition : 5615 – Nº d'impression : K77/4835
Dépôt légal : 1er trimestre 1978

H/35-6298-0